河南林业生态效益评价

张敬增　王照平　主编

黄 河 水 利 出 版 社

内 容 提 要

本书从林业生态效益评价的理论基础及方法谈起,用替代市场技术和模拟市场技术对河南森林、农田林网、农林间作、城市林业、湿地生态效益和森林资源的经济效益进行了较为全面的研究评价,同时对河南林业生态及生态安全问题进行了探讨。本书可供林业及有关部门的领导、技术人员、科研、教学和环保工作者参考。

图书在版编目(CIP)数据

河南林业生态效益评价/张敬增,王照平主编.—郑州:
黄河水利出版社,2006.12
ISBN 7－80734－022－3

Ⅰ.河… Ⅱ.①张…②王… Ⅲ.林业－生态效益－
评价－河南省 Ⅳ.S718.56

中国版本图书馆 CIP 数据核字(2006)第 022816 号

出 版 社:黄河水利出版社
　　　　　地址:河南省郑州市金水路 11 号　　　邮政编码:450003
发行单位:黄河水利出版社
　　　　　发行部电话:0371－66026940　　　传真:0371－66022620
　　　　　E-mail:hhslcbs@126.com
承印单位:河南省瑞光印务股份有限公司
开本:787 mm×1 092 mm　1/16
印张:17.50
字数:402 千字　　　　　　　　　　　　印数:1—2 000
版次:2006 年 12 月第 1 版　　　　　　　印次:2006 年 12 月第 1 次印刷
书号:ISBN 7－80734－022－3/S·74　　　　　　　定价:39.00 元

主　　编　张敬增　王照平

副 主 编　徐　忠　赵体顺　朱延林　邢铁牛　张玉君

　　　　　乔德尊

编写人员（以姓氏笔画为序）

丁　鑫　王静洲　亓建农　孔令省　甘　雨

申植国　刘　玉　江　帆　邢铁牛　李立伟

李良厚　张江涛　张玉君　杨淑红　杨朝兴

周三强　赵　勇　赵义民　赵晓东　赵蓬晖

侯　洁　徐　忠　黄运明　谭运德

前　言

　　以森林为经营对象的林业在社会发展,特别是在生态环境建设中具有举足轻重的作用。众所周知,森林具有经济、生态和社会三大效益,随着经济社会的发展,森林资源及其生态效益逐渐引起人们的普遍关注。长期以来,受"资源无价"、"环境无价"传统观念的支配,森林资源及其生态效益只是作为公共产品被人们无偿地使用了,森林资源的生产者得不到相应的价值补偿,导致森林资源近于枯竭。水土流失、土壤沙化、温室效应、生物多样性的丧失等生态灾难,都可以归结为森林资源危机所造成的恶果。为了保护、合理利用和发展森林资源,需要采取经济手段,改变资源、环境无价的观念。在全面评价森林生态效益的基础上,对森林生态效益进行补偿,更好地保护、利用和发展森林资源,以科学发展观为指导,构建资源节约、环境友好型和谐社会,实现林业乃至经济社会可持续发展。

　　20 世纪 50 年代以来,许多国家均在开展森林效益定位观测和调查,并进行理论探索和研究。苏联 20 世纪 50 年代末以森林公益效能的作用程度与自然形成的公益效能最大的作用程度之比对森林生态效益进行评价。日本 20 世纪 70 年代通过"森林公益效能计量调查",运用替代法对全国森林进行了公益效能的计量和评价。这次评价,引起了世界各国的广泛关注。以后日本又分别于 1991 年、1993 年和 2000 年对全国森林进行了 3 次评价。此外,德国、法国、印度、南非等国都在森林资源效益研究方面作了一些工作,而对生态效益的经济价值评估则是在 20 世纪 80 年代末随着经济的发展而逐渐兴起的。国外生态效益评价方面的研究,主要分为"生态经济学派"和"环境经济学派"两个学派。20 世纪 60 年代开始,我国相继在东北、四川等地开展了生态系统的定位计量研究,积累了一定的计量参数资料。而国内对森林生态效益系统的研究,见于 1990 年中国林学会召开的"森林综合效益计量评价学术讨论会"。此后,很多林业经济工作者和生态学者的相关理论研究和案例研究大量涌现。如:孔繁文等 1993 年第一次系统地研究了森林资源核算问题,大体形成了中国森林资源核算研究的整体框架;侯元兆等 1995 年第一次比较完整地对中国森林价值进行了评估,并首次揭示了森林的涵养水源、防风固沙、净化大气环境价值是立木价值的 13 倍;周冰冰、李忠魁等人 2000 年对北京市森林资源价值进行的评估,其中包括 7 种生态价值,即涵养水源、保育土壤、固碳持氧、净化环境、防风固沙、景观游憩、生物多样性价值的核算;郎奎建等人 2000 年对 10 种森林生态效益作了总体初步估计。

　　河南森林生态效益定量评价研究始于 20 世纪末。赵体顺、马群智等人 1997 年第一次对河南省森林资源资产进行了估价,包括河南森林资源资产、生态效益和社会效益。其中,生态效益包括涵养水源、水土保持、提高土壤肥力、制氧和防护等效益,将森林游憩效益暂列入森林的社会效益;李良厚、师永全等人 2003 年对河南省山地森林生态效益进行了研究,分别在太行山、伏牛山和大别—桐柏山系计算了 9 项森林生态效益的经济价值,即保持土壤功能、蓄积养分功能、涵养水源功能、保护大气功能、保护农田功能、净化环境功能、保护野生动物功能、减少地质灾害功能和森林景观旅游休闲功能价值。

河南地理位置特殊、地形复杂、河流众多、森林资源贫乏、生态环境脆弱、自然灾害频繁。全面评价河南林业生态效益，促进森林生态效益补偿制度的实施，有利于维护广大务林人的根本利益，激发全社会投身林业生态建设的积极性，使河南有限的森林资源得到保护，提高森林资源的质量及效益，提高森林改善和保护生态环境的效能。这既是贯彻执行科学发展观的具体体现，又是落实"生态建设，生态安全，生态文明"的中国可持续发展林业战略思想的重大行动。《河南林业生态效益评价》正是出于这种目的而编写的。

本书是一部理论联系实际的学术著作，对林业生态效益评价进行了有益的探索，填补了河南该领域的研究空白，同时也希望起到抛砖引玉的作用。

本书撰稿者的分工是：甘雨、赵义民、杨淑红第一章；李良厚、张江涛、赵蓬晖第二章和第七章；李立伟、赵晓东第三章；赵勇、邢铁牛、丁鑫第四章；黄运明、孔令省、侯洁第五章；王静洲、江帆、张玉君第六章。

全书由张敬增、王照平、亓建农、赵体顺、徐忠、赵义民、刘敏超统编和定稿。本书在编写过程中参考了国内外专家学者的著作和研究成果，谨致谢意。

本书是首次全面评价河南林业生态效益，由于作者水平有限，不妥之处，恳请读者不吝赐教。

编　者
2006 年 10 月

目　录

前　言

第一章　概　论…………………………………………………………… (1)

　　第一节　林业生态效益评价的理论基础………………………………… (1)

　　第二节　森林生态效益评价的研究现状及存在问题 …………………… (22)

第二章　河南森林的生态效益……………………………………………… (29)

　　第一节　森林的生态作用………………………………………………… (29)

　　第二节　河南省的森林资源及特点……………………………………… (40)

　　第三节　河南省的森林生态效益及评价………………………………… (42)

　　第四节　森林的最佳生态模式与造林模式设计………………………… (48)

第三章　河南农田林网、农林间作的生态效益…………………………… (61)

　　第一节　农田林网、农林间作的概念和特点…………………………… (61)

　　第二节　河南农田林网、农林间作的发展历史及现状………………… (62)

　　第三节　农田林网、农林间作的主要生态效益………………………… (66)

　　第四节　农田林网、农林间作生态效益的评价方法…………………… (82)

　　第五节　河南农田林网、农林间作生态效益价值……………………… (85)

　　第六节　河南农田林网、农林间作规划设计及典型模式……………… (90)

第四章　河南城镇林业的生态效益及评价 ……………………………… (98)

　　第一节　改善小气候……………………………………………………… (100)

　　第二节　净化空气效益评价……………………………………………… (110)

　　第三节　降低噪音………………………………………………………… (122)

　　第四节　城镇绿地系统的规划与设计…………………………………… (127)

　　第五节　城镇绿地景观生态评价………………………………………… (153)

　　第六节　城市林业生态环境功能的效益评价…………………………… (159)

第五章　河南湿地的生态效益评价………………………………………… (168)

　　第一节　湿地的概念、功能与研究现状 ……………………………… (168)

　　第二节　河南湿地概述…………………………………………………… (177)

　　第三节　河南重要湿地简介……………………………………………… (182)

　　第四节　河南主要湿地旅游资源简介…………………………………… (191)

　　第五节　河南湿地的生态效益评估……………………………………… (195)

第六章　河南林业资源经济价值评估……………………………………… (209)

　　第一节　概　述…………………………………………………………… (209)

　　第二节　林　木…………………………………………………………… (226)

　　第三节　林　地…………………………………………………………… (231)

第四节　林业花卉和苗圃···（237）

第五节　林副产品···（238）

第六节　湿　地···（239）

第七章　河南林业生态与生态安全·······································（242）

第一节　传统林业认识与传统林业经济统计体系的局限性···············（242）

第二节　林业产业是国民经济的基础产业·····························（243）

第三节　全球生态环境危机与对林业的再认识·························（246）

第四节　河南林业生态建设与生态安全·······························（260）

第一章 概 论

第一节 林业生态效益评价的理论基础

一、林业、森林和森林生态系统

(一)林业的概念和内涵

传统意义上的林业是指培育和保护森林以取得木材和其他林产品,并利用林木的自然特性以发挥其防护作用的社会生产部门,包括造林、育林、护林、森林采伐和更新、木材及其他林产品的采集与加工等。大量植树造林,发展林业生产,可以为人们提供建筑材料、工业原料(如纤维、树脂、橡胶等)、燃料、木本粮油及果品等。森林并可涵养水源、保持水土、防风固沙、调节气候,可以美化环境,改变自然面貌,保护和发展牧场,开辟饲料肥料来源,防护国土,保障农业高产稳产。

长期以来,林业作为国民经济的基础产业,为河南省和国家建设做出了巨大贡献。随着社会的发展和文明程度的不断提高,人们对林业的生态需求越来越迫切,林业作为生态建设的主体地位也愈来愈凸现出来。党的十六大把"可持续发展能力不断增强,生态环境得到改善,资源利用率显著提高,促进人与自然的和谐,推动整个社会走上生产发展、生活富裕、生态良好的文明发展道路"作为全面建设小康社会的重要目标,为林业发展提出了新使命、新需求和新方向。一是全面建设小康社会赋予林业发展以新的使命。林业是生态建设的主体,是实现可持续发展最根本、最长远的措施之一。一方面,生态和谐、山川秀美是实现现代化和全面建设小康社会的基本条件,是社会文明的重要体现;另一方面,经济的持续增长和人民生活水平的不断提高,要求林业持续提供更多、更好的森林产品及服务。二是由生态赤字走向生态盈余对林业发展提出了新要求。三是"生态建设、生态安全、生态文明"是我国林业发展的新方向。在新的历史时期,林业正在发生由以木材生产为主向以生态建设为主的历史性转变。

1.林业地位的转变

新中国成立以来,我国林业一直作为国民经济的重要物质生产部门,长期执行以木材利用为主的林业发展战略。到20世纪80年代初,国家对林业部门的投资70%集中在森林工业,只有30%用于营林。这种长期的单边发展战略导致我国林业发展面临窘迫,河南省林业发展面临森林资源匮乏、水土流失加剧、生态环境恶化的严峻局面。

从20世纪90年代开始,社会、经济和生态等方面的需求对林业发展的影响和压力越来越大,迫使人们对林业地位和林业发展战略进行反思。1992年世界环境与发展大会确立了社会经济可持续发展的思想,大会文件《关于森林问题的原则声明》指出"林业这一主题涉及环境与发展的整个范围内的问题和机会,包括社会经济可持续发展的权力在内",提出"森林资源和森林土地应以可持续的方式管理,以满足这一代人和子孙后代在社会、经济、文化和精神方面的需要",赋予了林业新的内涵。1999 年,党中央、国务院作出实施西部大开发、加快中西部地区发展的重大决策,把生态建设作为西部开发的根本和切入点,陆续启动了天然林资源保护、退耕还林、重点防护林体系、环北京地区防沙治沙、全国野生动植物保护及自然保护区和重点地区速生丰产林基地等 6 大生态建设重点工程。河南省实施了除环北京地区防沙治沙工程以外的 5 大国家级工程和 6 项省级林业重点工程。

进入 21 世纪,我国跨入了全面建设小康社会、加速推进社会主义现代化的新时期。在这个进程中,如何协调好人口、资源、生态环境和社会经济发展的关系,是关系到我国第三步战略发展目标能否顺利实现的核心问题。林业作为具有双重属性的行业,既可以提供生态效益和社会效益,又可以提供经济效益,已成为经济和社会可持续发展的重要基础,林业建设是生态建设的根本、最长期的措施。因此,可持续发展战略赋予了林业重要地位,生态建设赋予了林业首要地位。

2.林业领域的拓展

林业的传统领域是森林采伐和资源培育业,主要战场是山区、林区。随着 20 世纪 60 年代全球绿色浪潮的兴起,我国林业发展也陆续增加了防沙治沙、湿地保护、生物多样性保护等内容,先后出现了平原林业、沙区林业、自然保护等新领域。进入 21 世纪,随着林业发展与任务的重点转移,除了林业传统领域不断充实外,林业新兴领域也在日益拓宽,如城市林业、种植(田园)林业、农用林业、通道林业,明显的感觉是林业下山了、进城了、上道了。

3.林业任务的转变

在全面建设小康社会的新时期,林业建设既要承担满足经济高速发展对林产品的需求,更要承担改善生态环境、促进人与自然和谐相处、重建生态文明发展道路、维护国土生态安全的重大历史使命,林业建设的任务出现了新变化。生态建设已成为林业的首要任务;提供林产品和服务是林业的重要任务;促进生态文明是林业建设的根本任务。

(二)森林

森林是指以乔木为主的群落,也叫森林群落,是集生的乔木及与其共同作用的植物、动物、微生物和土壤、气候等的总体。森林不仅提供木材和其他林产品、副产品,还具有保持水土、调节气候、防护农田、卫生保健、保护国土安全等对生产和人们生活有益的性能。在改善自然界的生态平衡中,森林起主导作用。森林是陆地生态系统的主体和自然资源的宝库,也是一切林业和生态问题的核心与基础。持续增长并保持良好的稳定的森林资源,既是林业生产力发展水平和生态文明社会的重要体现,又是满足人们日益增长的多样化需求的重要载体。《中华人民共和国森林法》按森林的功用将森林划分为 5 大林种。

(1)防护林:以防护为主要目的的森林、林木和灌木丛,包括水源涵养林,水土保持林,防风固沙林,农田、牧场防护林,护岸林,护路林;

(2)用材林:以生产木材为主要目的的森林和林木,包括以生产竹材为主要目的的竹林;

(3)经济林:以生产果品,食用油料、饮料、调料,工业原料和药材等为主要目的的林木;

(4)薪炭林:以生产燃料为主要目的的林木;

(5)特种用途林:以国防、环境保护、科学实验等为主要目的的森林和林木,包括国防林、实验林、母树林、环境保护林、风景林,名胜古迹和革命纪念地的林木,自然保护区的森林。

森林资源是指林木、竹子、林地以及林区范围内的植物和动物的总称。

(三)森林生态系统

森林生态系统是指以森林植物为主体,森林动物、微生物等生物因素与土壤、水分、大气、光照、温度、风等非生物因素相互联系、互相依存、互相制约的森林中物质循环的统一综合体。在森林生态系统中,森林起主导作用,其他生物和非生物因素都属于从属地位。森林的存在与否,决定其他因素的性质或数量,甚至决定其存在与否,如森林动物常随森林的毁灭而消亡。在森林生态系统中,森林植物利用二氧化碳、水分和矿物质养料,通过叶绿素把太阳能转化为碳水化合物、蛋白质和脂肪;森林动物以植物或食草动物为食物;动植物死亡后其残体经微生物分解又成为供植物利用的矿物养料。如此不断循环,构成一个不可分割的统一综合体。

侯元兆等人(1995 年)在《中国森林资源核算研究》中提出,森林是森林生态系统的简称。所谓森林生态系统,是指以林地为基础,以林木为主体的,并与其生存环境相互依存、相互作用的开放的生态系统。除了林木之外,它还包括依存于林分的众多生物物种和非生物资源。森林生态系统与其环境之间存在物质、能量双向流动,流通渠道十分复杂而有序。

二、森林生态效益

森林是林业生产的物质基础和生产对象,研究林业生态效益的实质就是研究森林生态效益。关于森林生态效益的概念有多种说法,有人把它看成森林环境效益的一种,也有人把森林环境效益称为公益效能,这种说法突出森林环境效能是"公共商品"的性质。

从国外现有文献资料来看,苏联、美国、德国、日本及韩国等一些国家都认为森林具备经济和公益两方面的效能,森林的公益效能又分为环境效能和文化效能。而关于森林公益效能的计量化研究,主要集中在不包括森林文化价值的环境效能上。即森林公益效能的计量化研究包括森林对净化大气、涵养水源、防止水土流失、森林游憩以及野生动植物保护等公益效能的价值进行评价,国外在这方面的研究仅有 40 多年的历史。

而我国则认为森林具有经济、生态和社会三大效益。虽然各国在对森林所具有的功能效益上的分类及称谓有所不同,但研究的范畴及内容大体上是相同的。我们这里所指的"森林生态效益"评价,实际上就是国外所指的不包括森林文化价值的森林环境效能,即森林公益效能的价值评价。

我国对森林生态效益的计量研究,大致始于 20 世纪 80 年代初期。近几年,国内许多学者对森林生态效益的内涵和定义做了探讨。但到目前为止,仍没有一个统一的定论,也尚没有看到确切的概念。目前有代表性的定义和内涵有:

张建国(1994 年)认为森林的生态效益是指在森林生态系统及影响所及范围内,森林改善环境对人类社会有益的全部效用。

　　根据国家"九五"攻关专题"林业生态工程管理信息系统,效益观测及效益评价技术研究"文本,把森林生态效益界定为:①森林涵养水源效益;②森林保持水土效益;③森林抑制风沙效益;④森林改善小气候效益;⑤森林吸收二氧化碳效益;⑥森林净化大气效益;⑦森林减轻水旱灾害效益;⑧森林消除噪声效益;⑨森林游憩资源效益;⑩森林野生生物保护效益。

　　侯元兆等人(1995 年)把森林生态效益和社会效益合称为森林公益效能,也分为10 类。

　　(1)森林涵养水源效能:包括补充地下水,改善水质,调解河川径流量,减少洪旱灾害;

　　(2)森林保护土壤效能:包括减少土壤崩塌泻溜及其泥石流灾害,减少泥沙滞积和淤积,减少土壤退化而放弃的面积。

　　(3)森林促进营养物质的积累效能:一方面,森林枯枝落叶腐烂后增加和积累土壤肥力;另一方面,森林保护土壤的同时也防止土壤肥力的损失。

　　(4)森林维护大气平衡效能:森林可以固定二氧化碳和氮气、释放氧气,以增加土壤肥力,维持大气中二氧化碳和氧气的平衡,减缓温室效应。

　　(5)森林调节气候效能:森林可以在大气候和小气候的二级水平调节气候,如增加降水、缓和温度和湿度的剧烈变化、减少气流剧变等。

　　(6)森林可以吸收和分解污染物质:包括有机废弃物、杀虫剂、大气酸沉降、水污染物质、土壤污染物质。

　　(7)完善生态系统的生殖功能,促进生态系统的进化和发展:如花粉传递、基因流动杂交,以及维护生态系统中的生存竞争、适者生存和遗传变异的进化过程。

　　(8)森林保护野生生物效能:森林生态系统提供了多样性的生境,因而众多的野生动植物能在其中生长、发育和繁殖。

　　(9)森林旅游效能:森林环境及其中的野生动植物为人们提供了众多的游憩机会,如垂钓、狩猎、野营、野餐、观光、漫步等。

　　(10)森林的社会价值:包括娱乐、美学、社会文化、自然教育、科学研究、精神及历史价值的贮备。

　　森林的生态效益和社会效益不是一成不变的,而是随着社会经济的发展不断发展和扩大的。例如,20 世纪 30 年代席卷美国的"黑色风暴"是美国制定并实施了世界著名的"罗斯福防护林工程",目前防护林已成为世界各国森林资源的一个重要类型。20 世纪 60年代,由于人们闲暇时间的增加,森林游憩的热潮兴起,各国纷纷建立起了森林公园、自然公园、市郊森林等,使森林的游憩效益得以充分发挥。20 世纪 80 年代,由于温室效应的加剧,加深了人们对森林固定二氧化碳效益的认识,美、英等国还制定和实施了植树造林固定二氧化碳的行动计划。

　　侯元兆等人提出,效能就是财富,就是资源,只有核算了森林的物质的、非物质的效能存量、变量,才能全面反映出森林的价值。

　　中国可持续发展林业战略研究项目组(2003 年)在《中国可持续发展林业战略研究森林问题卷》"森林功能的再认识"篇中,将森林生态功能分为两大功能,见表 1-1。

表 1-1 **《中国可持续发展林业战略研究森林问题卷》森林功能分类**

森林的物质功能	木材产品	① 经济林产品 ②花卉
	非木材产品	①竹藤 ②林化产品 ③其他林副产品
森林的非物质功能 （生态功能）	森林的生态水文功能	①森林的水源涵养作用 ②森林对地表径流的影响 ③森林对河川水文的影响 ④森林对降水的影响
	森林的防风及小气候调节效应	①防风效应 ②空气温度调节效应 ③水分效应
	保护森林生物多样性	
	森林的碳汇功能	
	城市森林的生态服务功能	①城市森林对气候的调节功能 ②城市森林去除空气污染物的功能 ③城市森林减菌、杀菌作用 ④减弱和消除噪声的功能
	森林的文化和游憩保健功能	①森林的文化价值 ②森林的游憩功能 ③森林保健疗养作用

郎奎建、李长胜等人(2000 年)从森林生态效益计量角度出发,把森林生态效益定义为:在大气环流和太阳辐射的作用下,森林通过物理和化学作用,对生命和环境组成的地球生物圈提供直接和间接的有利于人类的,具有使用价值和"公共商品"特征的森林涵养水源、水土保持、改善小气候效益、净化大气效益等公益效能(不包括木材经济价值)称为森林生态效益。这个定义是在分析森林涵养水源效益、森林保持水土效益、森林吸收二氧化碳效益、森林净化大气效益、森林改善小气候效益、森林抑制风沙效益、森林减轻水旱灾害效益、森林游憩资源效益、森林野生生物保护效益和森林消除噪声效益等 10 种效益的性质基础上浓缩而成的,它对森林生态效益计量理论的形成有着重要意义。郎奎建等人针对上述 10 种效益进一步提出了每种效益的内涵和定义。

(1)森林涵养水源效益:有两种表示方法,一是用林地与非林地的河流径流曲线积分差来表示。这种方法在理论上是严格的,但目前实际测定上有很大困难。有人想用森林水分平衡方法推定它,其实也有很大差距。二是用森林逐项截流来表示,这种方法理论上虽不严格,但实际测量较容易。郎奎建等人用后一种方法定义森林涵养水源效益:森林通过树冠截留、树干截留、林下植被截流、枯落物持水和土壤贮水对大气降水进行再分配,从而减少地表径流、调节径流时空分布,相当于水库调节水量的作用。

(2)森林水土保持效益:从林学机理看,森林水土保持效益与森林水源涵养效益有很大正相关性,森林保持水土是森林涵养水源的一个派生作用,为了避免重复,将其定义为:森林水土保持效益主要是同无林地相比的森林固土效益、森林保肥效能、防止泥沙滞留和淤积效能。

(3)森林吸收二氧化碳效益:森林是大气中氧气和二氧化碳的主要平衡者。白天它在光合作用时,吸收44g的二氧化碳就产生32g的氧气;树木昼夜的呼吸作用则反之,但白天光合作用释放氧气的数量是它消耗的20倍。森林每年净吸收二氧化碳称为森林吸收二氧化碳效益,这里不是指森林储藏碳库量。

(4)森林净化大气效益:森林净化大气不像森林吸收二氧化碳效益那么明确,森林吸收二氧化碳对整个陆地生物圈都是有利的,而森林净化大气只是对人类而讲的。特别是在城市中长期居住的人们需要呼吸新鲜的空气。新鲜空气包括氧气多、无尘、无毒、无菌,森林空气浴就是人们使用这种效益而产生的。从这个角度来看,森林净化大气效益应包括森林释放氧气、森林滞尘作用、森林吸收有毒气体作用和森林杀菌作用。

(5)森林改善小气候效益:森林或林带对风速、温湿度等的调节,改善了林带内的小气候。由此产生林带内的农牧业净增产的效益即为森林改善小气候效益。

(6)森林抑制风沙效益:在干旱的沙漠化和半沙漠化地区,由于森林或林带对风的降速等作用,抑制住风沙,推迟或截住了沙漠化和半沙漠化的进程称为森林抑制风沙效益。

(7)森林减轻水旱灾害效益:森林减轻水旱灾害是典型的林学语言,应该说它是一个科学、定性的描述,在控制水旱灾害中,森林起到减灾作用。然而,作为定量描述却不很确切,由于森林减轻水旱灾害效益主要是森林水土保持效益造成的,所以森林减轻水旱灾害效益与森林保持水土效益有重复计算之嫌。为此定义森林减轻水旱灾害效益为:在发生洪灾的条件下,由森林的固土效能产生的相当于江河水库淤积引发的洪水造成的损失,其年均损失量称为森林减轻水灾年效益量。森林减轻旱灾效益类似。

(8)森林游憩资源效益:森林是具有显性使用价值(森林公园的门票、旅游费等)和隐性使用价值的游憩资源。森林游憩资源效益的性质有大群体性,存在隐性使用价值,不存在区域自变量、因变量的整体性和存在市场价值。

(9)森林野生生物保护效益:森林野生生物包括森林中的各种野生动物、植物。如药材、食用菌、山野菜、鸟类、兽类等都是森林野生生物的物质资源;而森林作为基因库,保护生物的多样性等是森林野生生物的环境资源,两者的和称为森林野生生物保护效益。森林野生生物保护效益的性质有大群体性,同时存在市场价值和使用价值、存在物质资源自变量及林分子变量、因变量的整体性。

(10)森林消除噪声效益:森林具有减少噪声的功能。首先,森林浓密的枝叶对噪声源起着隔离的作用;其次,树木的枝叶将噪声散射到各个方向,分散了强度,反射到天空和地面的噪声又被大气和土壤吸收;再则,林木将空间分割成无数大小的空隙,且枝叶具有的沟槽、气孔、绒毛起着吸收噪声的作用。森林消除噪声量 = 有林地噪声衰减量 - 空旷地噪声衰减量。

郎奎建等人提出的定义指出,森林生态效益是大气环流和森林共同作用的产物。既强调了森林生态效益的性质——公益功能,也强调了森林生态效益是有利于人类的(至少目前认为是有利于人类的),同时还强调了森林生态效益的使用价值(包括隐性使用价值)。

米锋、李吉跃等人(2003 年)认为森林生态效益是指森林资源本身具有的生态效用性和森林生态功能被社会利用产生的效果性的效益总和,包括森林涵养水源、水土保持、防风固沙、固碳持氧、净化大气、消除噪声、减轻水旱灾害、保护野生生物、增加旅游效益等多方面。

虽然对森林生态效益的内涵和定义目前仍没有统一的概念,但上述几种定义有很多相似之处。笔者趋同米锋等人的定义,但是在计算方法上主要采用郎奎建等人归纳提出的方法,这也是目前我国在森林生态效益评价方面常用和公认的方法。同时笔者结合河南省的实际情况,在某些效益评价方面筛选更合理的方法。

三、林业经济的本质

作为一门学科,经济学只有 200 多年的历史,但也经历了许多发展阶段。其间诞生了许多伟大的经济学家,如亚当斯密、约翰·梅纳德·凯恩斯和卡尔·马克思,他们奠定了经济学基础。美国经济学家、诺贝尔经济学奖获得者保罗·A·萨缪尔森(1948 年)在总结前人经济学定义的基础上提出了现代经济学者们同意的一般定义:经济学是研究人和社会如何选择,来使用可以有其他用途的稀缺的资源以便生产各种商品,并在现在或将来把商品分配给社会的各个成员或集团以供消费之用。

所谓经济,实质上就是人类从大自然中的提取物,以及这些提取物以一定的结构或重构形式在人类之间进行的流通,亦即:经济 = 原材料 + 能量 + 信息。

长久以来,人们都偏好于经济的原材料方面,或更多的是对能源方面的敏感,这从能源经济的发展即可看出。至今,人们还没有成功地把信息方面(其实是成本的概念)引入到经济分析与核算之中。

人类在动物界占有独特地位,她改变了自然环境及其条件。就是说,人类凭借其知识资本(虽然人类的科学技术还是有限的),操纵了资源、资源流通以及能量的使用。人类是资源、能量和信息的消费者,同时也是大自然污染物的生产者。人类在地球上持久生存所提出的一个基本问题是要调节大自然的原材料提取及污染物排放,人类应该接受对大自然及自然资源的保护、保存的概念。保护、保存,并非是也不能是一种无所作为或任其自然的哲学。

美国有一个森林保护先驱者,名叫 Gifford Pinchot,是他创立了美国林务局。1905 年他为森林保护确立了自然资源的保存政策,即:①理智地利用、保护、保持和更新地球上的自然资源;②在共同的利益原则下控制使用自然资源及其产品,作为资产与服务,保证以合理和真实的价格进行社会分配;③注意人们的自主权不要由于这种权利而形成对自然资源的垄断控制。不应该混淆保护与更新、自由进入合理参与等这些不同的概念。

美国林务局有一条著名的格言:"在最持久的时期之内让最大多数人谋取最大利益。"

1992 年联合国环境与发展大会通过了《关于森林问题的原则声明》，这个原则声明一开始就指出："森林与所有的环境与发展问题和机会有关，承认各国在可持续的基础上发展社会经济的权力"，并指出"森林资源和林地应以可持续发展的方式管理，以满足当代和子孙后代在社会、经济、生态、文化和精神方面的需要，这些需要包括森林产品和服务功能。如木材和木材产品、水、食物、饲料、药材、燃料、住所、就业、游憩、野生动物生境、景观多样性、碳的汇与库及其森林产品"。同时也强调："应当认识到各种森林在当地、国家、区域和全球水平上维护生态过程和生态平衡方面所起到的关键作用，尤其是在保护脆弱生态系统、集水区和淡水资源方面的作用，以及作为生物多样性和生物资源的丰富贮库、生物技术的遗传材料来源和光合作用的源泉的重要作用。"

除了已广泛流传的收益思想之外，今天，谈论更多的是财产与服务，包括非货币化的财产与服务，这就是当今世界林业思想的主线之一。

从经济学角度讲，森林是一种可更新的自然的复杂整体：它自身各个因子之间存在互相联系（生态系统）；可用不同的方式进行经营；可获得各种私人的、公共的、商业化的或非商业化的财产及服务；它是长久存在并可以扩张的。

所谓林业经济，只不过是经济—生态这个两面体的一个方面而已。

四、生态价值论

佘正荣在《生态智慧论》中，对东西方生态智慧的萌生及发展作了全面、系统、深入的研究和论述，这对于了解生态价值的哲学基础是十分必要的。该书提出了"超越人类中心主义"、"肯定自然的自身价值"、"追求生态美的境界"及"走向生态人文主义"的主张。并指出："走向生态人文主义，就是走向完善的生态智慧，就是走向生态文明，就是走向一个大有希望的未来。"

（一）生态观

1. 中国古代生态思想

生态学一词虽然起源于 19 世纪的欧洲，但作为人与自然关系的一种系统思想却源远流长。中国古代生态思想构成了独特的华夏文明的一个重要方面，是东方也是世界生态思想宝库的奇葩。

（1）《周易》。《周易》是儒家六经之首、精髓所在，经过夏、商两个朝代的发展完善，至西周时，已经成为一部包括自然、社会、历史变化规律的完整思想系统的哲学稀世之作。《周易》的核心是"阴阳"。以"－－"（阴）、"—"（阳）两种基本符号（称"爻"，读 yao）表示宇宙万物中相互对立又相互依存的基本特性。由阴爻、阳爻两个元素，按三种排列变化成八个经卦，即乾（☰）、坤（☷）、震（☳）、巽（☴）、坎（☵）、离（☲）、艮（☶）、兑（☱），分别表示天、地、雷、风、水、火、山、泽八类基本事物。再由八个经卦两两相叠，组成六十四卦的卦象整体系统。系统中的三百八十四爻的阴、阳可以相互变换，因此每一卦都可以演变为其他任何一卦，这样就自然地形成了整体循环，用以象征宇宙间一切自然现象、生物和人事的变化过程。从现代科学角度看，这是一个反映生态变化的"中国古代自然系统动力学模型"，通过它的测算，在一定程度上可以说明日月运行，季节更替，气象变迁，生命肌体的生长、成熟、衰老、死亡等一切对立事物的循环转化，对指导我国几千年来的气象系统、农业生态系统、中医诊断与治病、预防预报自然灾害等都发挥了不可低估的重大作用。著名生物学家麦克尼利等于1991年将列出的保护生物多样性的重要原则与《周易》的有关论述进行了对比，说明《周易》的许多思想有助于阐明和深化当代的生态伦理。美国学者卡普拉声称，《周易》关于连续的循环流动的思想和宇宙节律的基础下隐藏着阴与阳的两极观念，是其重要著作《转折点》一书的指导思想之一。

(2)《老子》和《庄子》。《老子》和《庄子》是先秦道家的重要著作，其中包含了丰富而深刻的古朴生态思想。"人法地、地法天、天法道、道法自然。"(《老子》第25章)"汝身非汝有也……孰有之哉，曰：是天地之委形也。生非汝有，是天地之委合也；性命非汝有，是天地之委顺也；子孙非汝有，是天地之委蜕也。"(《庄子·知北游》)说明既然人的身体、生命、禀赋、子孙皆不为人类自身所拥有，而是从大自然中所产生的，那么人类就应当尊重天地自然，尊重一切生命，与所有生物为友，与人类居住的自然环境和谐相处。用自然的常理来看，万物本没有贵贱的区别。"以道观之，物无贵贱……知东西之相反不可以相无，则功分定矣。"(《庄子·秋水》)老子和庄子的许多论述都反对人类妄自尊大、以自己为中心、把大自然当成自己的征服对象和统治对象的态度，反对人类仅仅为了自己的需要而违背自然规律，掠夺自然、危害生态环境的行为。"大曰逝、逝曰远、远曰返。"(《老子》第25章)"万物负阴而抱阳，冲气以为和。"(《老子》第42章)说明阴阳是宇宙演化过程生生不息的内在动力，由于两者的作用而推动着自然循环往复、无穷无尽地运动。循环演化是生态系统的和谐之本，秩序之源。美国著名学者卡普拉对道家关于人类与自然的循环过程保持和谐一致的思想给了了高度的评价："据我看，道家提供了最深刻并且是最完善的生态智慧，它强调在自然的循环过程中，个人和社会的一切现象以及两者潜在的基本一致。"他还将以阴阳两极构成的道的循环运动的思想作为自己生态世界观的主要哲学基础。

(3)佛教和禅学。佛教宣扬"大慈大悲"、"不杀生"及"普渡众生"的宗教思想。"大慈与一切众生乐，大悲拔一切众生苦。"(《大智度论》)汤因比及池田大作认为："佛教就是把自然的包罗万象和一切众生普遍存在的生命之法，作为自己根本的宗教。换句话说，佛教的第一宗旨是要做到跟宇宙和生命存在的'法'相一致，并从中指出人和自然走向融合、协调的道路。""佛法的'依正不二'原理即立足于这种自然观，明确主张人和自然不是对立的关系，而是相互依存的。如果把主体与环境的关系分开对立起来考察，就不可能掌握双方的真谛。"

2．马克思、恩格斯的生态观

佘正荣将马克思、恩格斯的生态观概括为如下四点。

1)人与自然关系的生态哲学

马克思指出："人直接的是自然存在物"，"(人)是有生命的自然存在物"，"人靠自然界生活。所谓人的肉体生活和精神生活同自然界相联系，也就等于说自然界同自身相联系，因为人是自然界的一部分"。

马克思提出"使自然界真正复活"、"使人和自然界之间的矛盾真正解决"的历史使命；恩格斯在《政治经济学批判大纲》中，也提出克服私有制社会中人与自然冲突和人与人冲突的任务，以便为"文明这个世界面临的两大变革，即人同自然的和解以及人同本身的和解开辟道路"。

2)人与自然关系的科学观点

马克思指出:"(劳动)是人和自然之间的物质变换即人类生活得以实现的永恒的必然性。"劳动是一种自然力(人的有机体)与另一种自然力("无机的"自然)的统一,是主体自然与客体自然的统一,是遵守自然规律和改变自然形式的统一。没有劳动,则只有自然本身的物质交换,而不会有人和自然之间的物质变换,当然就不会有人类的生活。

3)揭示生产的进步与造成自然的破坏

马克思指出:"资本主义生产使它汇集着社会的历史动力,另一方面又破坏着人和土地之间的物质交换,也就是使人以衣食形式消费掉的土地的组成部分不能回到土地,从而破坏土地持久肥力的永恒的自然条件。"

4)告诫人类应该能够认识和正确运用自然规律

恩格斯告诫人类:"我们统治自然界,决不像站在自然界以外的人一样,相反地,我们同我们的肉、血和头脑都是属于自然界,存在于自然界的;我们对自然界的整个统治,是在于我们比其他一切动物强,能够认识和正确运用自然规律。"

正如著名哲学家弗罗洛夫所指出的:"无论现在的生态环境与马克思当代所处的情况有多么不同,马克思对这个问题的理解、他的方法、他解决社会和自然互相作用问题的观点,在今天仍然是非常现实而有效的。"

3.西方生态文明价值观

佘正荣从哲学高度概括了西方生态文明价值观。

1)超越人类中心主义

西方古代人类中心论最早可以追溯到古希腊的哲学家普罗泰戈拉提出的"人是万物的尺度,是存在的事物存在的尺度,也是不存在的事物不存在的尺度"。

人类发展史经历了采集狩猎文明、农业文明、工业文明。现在人类正在进入一个新的文明时代,不同学者从各自的角度,提出了"后工业文明"、"第三次浪潮文明"、"信息文明"、"生态文明"等观点。哪一种看法更能体现出新时代文明的实质和内涵呢?所谓"后工业文明"、"第三次浪潮文明"、"信息文明"等的看法,实质上仍具有"工业文明"的特征,仍是"工业文明"的发展,都没有根本性的差别。只有"生态文明"的看法,才是真正反映出新的文明时代的特征,与人类经历的所有文明时代都有本质的区别。新的生态文明时代是超越人类中心主义的时代,需要建立起新的生态世界观、文化观、价值观、实践观和伦理观。人类只有创建出新的生态文明,才能"使自然界真正复活",才能使"人和自然之间的矛盾真正解决",人类的未来才是光明的,这是人类的历史选择!

2)肯定自然的自身(存在)价值

(1)承认自然价值的重大意义。如果只承认人类的价值,不承认自然本身的价值,在自然和人类之间划定事实与价值的界限,那么就必然会导致在实践中不尊重非人类的自然物和一切生命的权利,对它们不行使道德义务,也必然会带来自然价值的毁灭。

罗尔斯顿指出:"在实践中,环境伦理学的根本要求是保护地球上的生命,在理论上,它的根本要求是确立意义深远的价值理论,以此为它提供强有力的理论支持。"

(2)自然自身价值的定义。"(自然)价值是自组织系统的本质特性,是自组织系统在进化过程中'有目的的'维持自己而固定在稳定结构中的成果,以及它向更高水平发展的超越性活动。"

（3）自然自身价值的体现。

——创造性价值和维持性价值。自然的创造性价值，是指作为自组织系统的自然在与环境的相互作用过程中，由低向高、从简单往复杂的方向进化，使自然的价值出现等级性上升，从而造成自然整体性的价值不断增值。在这一过程中，自组织系统在环境发生变化的情况下，能够自主地保持自己内部结构的稳定性和有序性，适应和调节外界环境的变化，以维持自己的存在，这就是它的维持性价值。

——整体性价值与局部性价值。地球生物圈作为一个自组织系统，具有整体性价值，它是由生态系统的整体结构和整体功能综合形成的，并且在各部分之间的协同进化中表现出来。生物圈自组织系统的这些有机组成部分，各自发挥着自己的功能，具有作为整体的组成部分的价值。整体性价值体现在即使当一个物种消失后（在生物进化史中是正常存在的），只要生态系统还保持完整，其整体结构和功能还没有受到损害，仍然可以进化出能够代替已消失的新物种来，并占据它空出来的生态位。但是，如果生态系统遭到严重破坏，以致无法恢复其整体性结构和功能，那么生态系统将会瓦解，生态系统中的众多物种也会趋向灭绝。

——自为性价值与工具性价值。自组织系统的行为，以自身的存在和发展为目的，因而它有着自为的价值。它是系统自身的内在价值，它不要求必须具备人的意识或者是动物的感觉等前提。正如泰乐尔所说："在生物圈的时空范围内，各种植物、各种动物、各种微生物与自然环境编成目的—手段的立体交叉网络，保持着生物圈的生态平衡。它们具有内在的目的性和不可替代的内在价值。"

自组织系统不仅具有自为性价值，而且还具有满足它之外的自组织系统或者它所从属的更大系统的需要的工具性价值，而不仅仅是作为人类资源和发展环境的工具价值。工具价值可以看做是系统对它物的外在价值，它表现为一物的存在对于它物的用途。

自组织系统的自为性价值和工具性价值的关系，随着生物及生态系统的进化越来越复杂，并且两者还在不断地相互转化，以维持全球生物圈的有序结构和功能。

（4）自然价值对人类价值的意义。自然不仅仅存在着自身的价值，而且对于人类来说，还具有多方面不可替代的工具性价值。人类自身价值及其劳动创造性价值都不能脱离自然价值这个现实的基础，否则它的价值就得不到实现。

——对人类生存价值的意义。人类作为一种有生命的存在物，像其他生物物种一样，必须依赖于地球生物圈——自然生态系统（生命系统与非生命系统）提供的各种能量、物质和生物物理化学条件才能生存。这是一个最基本的常识，但是，恰恰是这个最基本的常识问题，却被人类长期地忽视了。

——对人类经济价值的意义。地球自然是自然财富的创造者，它在漫长的自组织进化过程中，产生了无与伦比的巨大财富。生态经济学家贸里尼指出："人类可以在没有劳动干预的情况下（注：应加上"由自然生态系统"）生产出足够的产品来满足人的需要。"他认为，自然财富是自然的"天赋和遗产"，它支撑着人类的经济价值。人类如果不利用和改造这种自然的天赋和遗产，就没有任何附加"价值"的生产。人类劳动生产、再生产的财富创造是自然财富创造的继续，是在自然价值的基础上支撑着的，是与自然生产、再生产过程相结合的。

自然创造的财富,主要是指自然资源和生态系统(生命系统与其环境质量系统)。传统的经济学否认自然资源、生态系统具有经济价值,理论根据是它们不是"劳动产品",也不是"社会商品",而是"取之不尽、用之不竭的聚宝盆",因而没有(注:"劳动"或"边际效用")价值,当然也就没有给它们定价以估计其价值的大小,既不需要支付任何费用,也没有任何支付愿望。这在理论上是片面的,在实践上是不符合事实的,对合理保护、开发、利用及决策管理是有害的。

——对人类精神价值的意义。自然价值对人类精神的意义体现在知识价值、美学价值和道德价值三个方面。

在知识价值上,自然界是自然科学研究的对象,是已经认识的和尚未认识的知识原料与知识源泉。当把价值分析方法引入到科学认识之中,就沟通了自然科学和人文科学的联系,并促进两者向"统一科学"在综合研究方向上发展,给人类科学认识带来了巨大的进步。

在美学价值上,自然界在长期的演化过程中,依靠"鬼斧神工"的自然创造力,创造出充满生机、和谐协调的自然美和生态美的景观价值。生态美是天地之大美,自然之大美,也是人与生态环境和睦相处之大美。追求生态美,以达到"天人合一"的崇高境界,将净化人的心灵,培育出高尚的精神情操。可以预言,21 世纪的人类将以追求生态美为己任。生态旅游业的兴起,正是建立在自然景观价值及人文景观价值基础上的。

在道德价值上,自然界和生物由于存在着自身价值,因此就存在着它们持续存在和生存下去的权利,存在着它们自己的利益和共同利益。自然不只是人类的环境和资源,它也是生物的环境和资源。所以,人和生物与自然之间的关系,包含着道德伦理的关系,伦理是伴随着进化出现的加强进化的行为。提倡人类应对自然行使道德责任和义务,并不是要求人类消极地顺应自然,完全放弃发挥人的能动作用。恰恰相反,新的进化理论强调人类应该以自己的能动作用来增强自然的自组织进化,促进自然价值向高度提升和向广度扩展。自然过程也有退化、缺陷和不完美之处,人类可以通过自己的创造性劳动,阻止其退化,纠正其缺陷,并使它得到完善,进而在其基础上增添人类所创造的新价值,以使自然更加完美。人类只有从自然整体的利益出发,超越自己物种的局限性,去提高自然整体的价值,并且在这一过程中实现自己的价值,才具有光明远大的前景。为此可以预言,人类文明在经历了采集狩猎时代的"人与自然混沌同一性意识"阶段、农业文明时代的"自然人文主义"阶段和工业文明时代的"科技人文主义"阶段之后,现在必然会转向一种生态文明时代的"生态人文主义"时期。

(二)现代生态经济学的诞生与发展

1.西方生态经济学的诞生与发展

生态经济学是生态学和经济学相互渗透并有机结合而形成的一门研究生态—经济复合系统的结构、功能和价值运动规律的边缘学科。早在 20 世纪 20 年代中期,美国社会生态学家麦肯齐(R. Mckenzie)就提出了"经济生态学"的概念,但其作为一门学科的诞生,则是以 20 世纪 60 年代末期美国经济学家鲍尔丁(K. E. Boulding)的重要论文《一门科学——生态经济学》的发表为标志的。美国的约瑟夫·J·塞尼卡和迈克尔·K·陶亚格合著了世界第一部《生态经济系统》。

1967 年,著名经济学家 John V. Krutilla 在《美国经济评论》杂志上发表了《自然资源保护再认识》一文,其核心就是如何评价非人工制造的自然资源的价值,开创了西方经济学家对包括生态环境资源在内的自然资源的价值观。

1975 年,美国未来资源研究所(RFF)出版了一套环境经济学丛书,有《自然环境经济学》、《自然资源经济学》、《理论环境经济学》、《环境保护的费用效益分析》、《改善环境的经济动力》等,共 15 册。这套丛书,标志着西方资源、生态、环境经济学的系统发展。

自卡逊(R. Carson)的《寂静的春天》发表以来,对于人类未来发展前景的研究和成果大量涌现,至今方兴未艾。大体可分为悲观论、乐观论、持续论三类,分别代表了认识的三个阶段,其观点新颖、发人深省。现摘要介绍如下:

(1)《寂静的春天》——现代生态观的启蒙。卡逊 1962 年出版的《寂静的春天》一书,轰动了世界,在西方国家几乎成了家喻户晓的现代污染生态科普著作。它通过六六六、DDT 的滥用造成的危及生命系统的悲剧性描述,揭示了近代农业污染对自然生态的深刻影响和工业经济生产对自然生态系统的潜在破坏。该书敲响了现代工农业污染的警钟,促进和加速了环境保护科学的兴起与发展。

(2)《宇宙飞船经济学》。美国经济学家鲍尔丁于 20 世纪 60 年代末发表了《宇宙飞船经济学》和《一门科学——生态经济学》论文,主要观点和结论是:人类赖以生存的最大的生态系统是地球,而地球只不过是茫茫无垠的太空中的一艘小小的太空船。人口和经济的不断增长,终将用完这"小飞船"内有限的资源。人类生产和消费所排出的废物最后会污染"舱内"的一切。为了维护地球的安全,要求做到:第一,改变过去那种"增长型"经济,而采取"储备型"经济;第二,改变传统的"消耗型"经济,而代之以"休养生息型"经济;第三,实行"福利量"经济,而不能像过去只着重于"生产量"经济;第四,建立能循环使用各种物质的"循环式"经济体系,来替代过去的"单程式"经济体系。宇宙飞船经济理论发表后,在世界上引起巨大的反响,其结论对于之后提出的持续发展论具有先导作用。

(3)《动态平衡经济论》。美国马萨诸塞州理工学院福雷斯特教授于 20 世纪 60 年代末发表了《动态平衡经济论》,其主要观点和结论是:必须有目的的在全世界范围内,在某些国家内暂时停止物质资料生产和人口增长,以保持一种动态平衡经济。单纯地追求增长和发展,决不会有通向未来的道路,为此必须尽力压缩增长,要阻止这种倾向。福雷斯特的思想对研究未来学说的国际组织——罗马俱乐部的研究工作有很大的影响。

(4)《增长的极限》。罗马俱乐部成员美国的米都斯于 20 世纪 60 年代末给罗马俱乐部写的第一个报告《增长的极限》被翻译成 34 种文字,在全世界范围内引起了巨大反响。他利用了他的老师福雷斯特发明的系统动力学模型,研究了人口、经济、粮食、资源和环境五大问题。其主要观点和结论是:如果人类社会按当时的趋势继续发展下去,到 2000 年,这个世界将比现在生活更不安全、人口更拥挤、污染更严重、生态系统更不平衡。如果不立即采取全球性的坚决措施来制止或减缓人口和经济增长的速度,则在 100 年内的某一时刻,人类社会的增长就会达到极限,此后便是人类社会不可逆转的瓦解,人口和产量都将大幅度下降。该报告通过系统动力学方法研究了加速工业化、人口剧增、粮食短缺和营养不良、不可再生资源枯竭以及生态环境日益恶化等五种相互影响、相互制约的因素发展趋势,它们都是呈指数型增长的。地球的有限性使这五种趋势的增长都有一定极限,如超越这一极限,后果很可能是人类会无可挽救地突然瓦解。人类的出路在于:保持人口的动态平衡,人类自我限制增长;保持资本拥有量的动态平衡;大力发展科学技术。该报告从理论上、方法上、结论上是环境悲观论的代表作,对传统的盲目、片面追求经济高速度增长方式可能带来的危机敲响了警钟!但该报告忽略了科学技术进步因素,在方法上采用了固定参数,所以偏差较大。

(5)《熵——一种新的世界观》。与《增长的极限》相比,J·里夫金与 T·霍华德合著的《熵——一种新的世界观》涉及的领域要广泛得多,而且意义也更为深远。作者把熵这个物理学的概念广泛运用于哲学、心理学、经济学、政治学、社会学、生物学以及西方文化的各个领域。全书充满了惊人之笔,虽耸人听闻,其悲观论也值得商榷,但这些问题则是涉及全球性的、普遍性的及人类未来命运的大问题,因此发人深省。*

(6)《人类处于转折点》。罗马俱乐部成员美国的 M·梅萨罗维克和德国的 A·佩斯太尔于 1976 年给罗马俱乐部写了第二个报告《人类处于转折点》,其主要观点及结论是:①从无差异增长到有机增长。②处于当前人类危机核心的,是正在不断扩大的两大差距:人和自然的差距,以及"南""北"贫富之间的差距。要想避免世界的灾难,就必须缩短这两大差距;而要缩短这两大差距,就必须清楚地认识到全球的"整体性"和地球的"有限性"。③除非本书中讨论的问题得到解决,精神上和武器上的军备就都不可能解除,世界的不平衡就将最终把人类从边缘推向最后的毁灭。这份报告是第一份报告的发展,提出了"有机发展"的新理论和新建议;提出了全球两个差距的看法和缩短差距的建议,都是很有见地的。

(7)《生存的蓝图》。英国著名经济学家 E·戈德斯密斯等于 20 世纪 70 年代发表了《生存的蓝图》。其主要观点与结论是:第一,高度工业发达社会的生活方式及其精神状态的主要缺陷表明,靠自身不能支撑下去,带来的不是社会的进步,而是无穷的灾难。第二,世界的前途将面临两条道路:或者是违反我们的意愿,陷于不断的饥饿、流行病、社会危机或战争之中;或者是建立一个不把灾难遗留给后代的社会。第三,一个平衡稳定的社会将会给予它的成员最合适的满足,使全体成员的愿望和意志长远地保持下去。实现这一设想的条件是生态过程的破坏最小、物质和能量的保存最大。第四,要促使更多的科学家和工业界人士,尽力说服各国政府和工业界领袖尽早采取行动。该书对持续发展论的形成有积极作用。

(8)《公元 2000 年的地球》。美国官方专家组于 1977 年提交给总统的全球(咨文)报告,耗资百万美元,历时 3 年,长达 1 200 页。其主要观点及结论是:我们所作出的一些结论,颇为令人不安。他们指出,到 2000 年时可能会发生规模惊人的世界性问题。环境、资源和人口的压力正在加剧,并将日益决定着地球上人类的生活质量。这种压力已经严重

---

* 熵定律是物理学中的热力学第二定律。热力学第一定律告诉我们,宇宙中的物质与能量是守恒的,既不能被创造也不能被消灭。它们只有形式的改变而没有本质的变化。热力学第二定律即熵的定律告诉我们,物质与能量只能沿着一个方向转换,即从可利用到不可利用,从有效到无效,从有秩序到无秩序。热力学第二定律实际上就是说宇宙万物从一定的价值与结构开始,不可挽回地朝着混乱与荒废发展。熵就是对宇宙某一系统中由有效能量转化而来的无效能量的衡量。根据熵的定律,无论在地球上还是在宇宙的任何地方建立起任何秩序,都必须以周围环境里的更大混乱为代价。

到难以满足千百万人对食物、住房、健康和就业的基本需要,或有任何改善的愿望。与此同时,地球的承载能力(生物系统为人类需要提供资源的能力)正在下降。《公元2000年的地球》所反映的趋势强调指出,地球的自然资源基础正在逐渐衰竭和贫化。这是以官方形式提出的国家报告,是悲观论的重要代表作。

(9)《资源丰富的地球》。它由J·西蒙等14名美国权威学者、专家编写,耗资3万美元,全文近300页,是驳《公元2000年的地球》的论文汇编。其主要观点及结论是:我们的结论是令人放心的,虽然没有自满的理由。由于物质条件而引起的全球问题(与体制和政治条件引起全球问题有所区别)总是可能的。但是这些问题在未来不会像过去那样紧迫。环境、资源和人口的压力正在不断减小,并随着时间的流逝,对地球上人类生产质量的影响将越来越小。这些压力在过去常使很多人在粮食短缺、住房、健康和工作上痛苦,但是趋势是这些痛苦将越来越减轻,特别重要和值得注意的一个重大趋势是在整个世界人们的寿命越来越长和健康情况越来越改善。由于知识的增加,地球的"承载能力"在今后几十年、几百年、几千年不断增加,以致"承载能力"这个词汇在现在就无使用意义。这些趋势强烈表明,地球上自然资源基础和地球上人类命运正在逐步改善和充实。该报告是乐观论的代表作,指出了人类生活质量不断改善的事实,强调了人类历史的进步和科学技术的作用;但对环境、资源和人口存在的危机轻描淡写。

(10)《我们共同的未来——从一个地球到一个世界》。1972年联合国在瑞典斯德哥尔摩召开了首届"人类环境会议",有114个国家参加,向全世界敲起了"环境危机"的警钟:我们人类只拥有一个地球!宣告全人类进入了"环境时代"。在会议宣言中写到:"为了当代和后代,保卫和改善人类环境已成为人类的紧迫目标。"在《只有一个地球》、《生存的蓝图》、《增长的极限》等论述中都提到持续发展的思想,但真正提到国际议程并为各国所接受的是1987年由挪威首相布特兰夫人领导的"联合国环境与发展世界委员会"发表的《我们共同的未来》。这份总结报告代表了世界环境与发展委员会的总看法,报告给出的"持续发展"定义成了联合国及世界各国指导发展的战略和行动计划指南。持续发展的定义是:"持续发展是这样的发展,它满足当代的需求而不损害后代满足他们需求的能力。"这一定义有一重大缺陷,只提及时间尺度(当代与后代),而忽略了空间尺度(国与国、地区与地区)及部门尺度(行业与行业、部门与部门),这就给发达国家、地区、部门向不发达国家、地区、部门转嫁生态破坏和环境污染开了口子,应补充上一条"不以邻为壑"才是全面的。

(11)《关心地球:一项持续生存的战略》。世界自然保护同盟(IUCN)、联合国环境规划署(UNEP)和世界自然基金会(WWF)于1991年共同发表的《关心地球:一项持续生存的战略》是1980年发表的《世界自然保护战略:为了持续发展的生存资源保护》的第二版。本书对持续生存和发展作了详细的分析与论述,提出了持续生存的几大原则:第一,尊重和关心生物群落;第二,保护地球的生存能力和多样性;第三,把不可更新资源的损耗减到最小;第四,改变人们的态度和习惯;第五,促使社会关心他们自己的环境;第六,为综合发展与保护提供国家的框架;第七,创立一个全球联盟。

(12)《21世纪议程》。1992年联合国在巴西里约热内卢召开了"环境与发展大会",有183个国家的代表团和70个国际组织的代表出席了会议,102位国家元首或政府首脑亲自与会。会议中心是讨论持续发展,会议的成果集中在《21世纪议程》。该书共600页,包括了40个问题,《关于森林问题的原则声明》在其列。世界各国从此开始制定持续发展的战略规划和行动计划。

2. 中国生态经济学的诞生与发展

中国现代生态学是从20世纪70年代兴起的。其特点是在继承中国几千年古代生态思想的基础上,充分吸收国外先进的生态学思想,其规模之大、领域之多、发展之快是任何一门新兴学科所不能比拟的。20多年来,开展了大规模人类生态综合研究,培养了一支老中青相结合、以中青年为主的生态学研究队伍,生态学思想正渗透到哲学、人类学、未来学、天文学、地学、生物学、数学、物理学、化学、资源科学、环境科学、技术科学、工程学、文化教育、经济学、社会学等各门科学技术及各级政府决策管理部门。

1980年9月在北京召开了全国第一次生态经济问题座谈会;1982年11月在南昌市召开了全国第一次生态经济学讨论会;1984年1月在北京召开了全国生态经济科学讨论会暨中国生态经济学会成立大会;1986年11月在上海召开了全国第二次生态经济科学讨论会;1997年12月在深圳召开了第三届城市生态学术讨论会。20多年的研讨,推动了我国生态经济学理论和应用的迅速发展。在理论方面,对人与生物圈、生物多样性经济评估、生态(环境、资源)价值、生态经济平衡、生态经济再生产、生态经济结构和功能、生态经济效益理论等进行研讨;在应用上,有生态经济评价方法、评价指标体系、生态经济预警、生态环境经济手段、自然保护区、防护林带、城市生态、农村生态、矿区生态恢复等方面的研究和应用。

(三)价值的概念

"价值"是一个多视角的概念,随着人们的政治观、世界观、人生观、价值观的不同,不同国家、不同群体、不同个体,看法差别很大。即使是同一国家、同一群体甚至同一个体在不同的时期、不同的背景条件及不同利益驱动下,看法差别也可能很大。因此,这个概念十分重要,因为它是一个基本理论问题;但另一方面,这个概念又十分混乱,往往将"价值一般"与"价值特殊"混为一谈,将"(劳动)价值"与"使用价值"、"效用"与"价格"混为一谈。这是由于我国及国外对"价值"一词,有多种多样的理解。如:可以理解为一种价值观(价值一般)中的"价值";也可以理解为商品的劳动价值(耗费)中的"价值";也可以理解为物品及商品的"使用价值",艺术品、收藏品的效用"价值";也可以理解为值多少钱中的市场"价格"。此外,还受到传统东、西方政治经济学理论和方法的束缚,难以解脱出来。在生态资产的研讨中,理清这个概念是十分必要而又十分困难的,需要作深入探讨。

(四)价值一般与价值类型

马克思说过:"'价值'这个普遍的概念是从人们对待满足他们需要的外界物的关系中产生的。"

马克思这里所说的"普遍的概念"是指的"价值一般"。"价值一般"是在客体对主体的关系——有用性(也就是使用价值)中产生的,也就是指客体具有满足主体需要的某种功能或效用。主体一般是指人(们),可以是多种多样的,如人类、国民、集团、个人,又可分为生产者、劳动者、消费者。客体也可以是多种多样的,但一般来说,广义的客体"外界物"可以理解为是指除主体人以外的其他人、事、物。显然,同一主体对待不同客体,存在不同的关系,也就是存在不同的价值;不同主体对待同一客体,也存在不同关系,如电就存在不同价值。这是需要细心区分的。

如果我们所指的"主体"是人类,则"商品"、"自然生态资源"等都是"客体",它们对于人类来说,不容置疑都具有有用性,都有使用价值,也就是均具有满足人类需要的多种功能或效用,故它们都具有"价值",前者称为"商品价值",后者称为"自然生态资源价值"。以此类推,可见存在着多种多样的"价值类型",如政治价值、国防价值、科学价值、生产价值、技术价值、社会价值、经济价值、资源价值、生态价值、环境价值、文化价值、艺术价值、收藏价值、观赏价值、精神价值等。显然,不同的价值类型,既要符合价值一般,又存在不同的价值内涵和规律,分别具有不同的价值衡量尺度,不能简单地以某种特殊价值为标准,去衡量其他特殊价值或一切价值类型的价值。

(五)价值论

"商品价值"属于"价值特殊"。一百多年来关于商品价值存在两种不同的理论学说,一种是马克思的"劳动价值论",一种是西方的"边际效用论"。在市场经济的条件下,由于商品在市场交换中需要对"商品定价",这就需要一个确定价值的尺度。马克思经过长期、深入、细致的研究后,认为商品的使用价值是劳动者通过劳动创造的,并找到了"社会必要劳动时间"这个客观绝对尺度,实际上是衡量劳动者的劳动价值尺度;还进一步揭示了实际上是衡量资本家剥削工人的"剩余价值"尺度,揭露出资本家剥削工人的秘密。而西方经济学家找到了"边际效用价值"这个主观相对尺度,实际上是衡量消费者的使用价值尺度。

1. 马克思的劳动价值论

马克思认为,商品具有两个属性:价值和使用价值。商品的有用性使其成为使用价值。商品的价值是凝结在商品中的一般的无差别的人类劳动或抽象的人类劳动,商品的价值量是由生产商品所耗费的社会必要劳动时间的多少决定的。而"社会必要劳动时间是在现有的社会正常生产条件下,在社会平均的劳动熟练程度和劳动强度下制造某种使用价值所需要的劳动时间"。

马克思又认为,价格是商品价值的货币表现形式,商品价格以商品价值为基础,随商品价值、货币价值及市场供求状况的变化而变化;"但价格可以完全不是价值的表现。有些东西本身不是商品……但是也可以被他们的所有者出卖以换取金钱,并通过它们的价格,取得商品形式,因此,没有价值的东西在形式上可以具有价格。"还指出:"各种质量的未耕地的价值,就是具有相同质量和相同位置的耕地的价格决定的。"

2. 西方边际效用价值论

西方价值理论中最具代表性、最流行的是新古典学派的边际效用价值论。边际效用价值论是在1870年左右由英国的 W·S·杰文斯、奥地利的 C·门格尔和法国的 L·瓦尔拉几乎同时提出来的(见图1-1)。

图中,效用 u 是指个人从消费商品、物品或劳务所得到的满足。它说明了商品、物品或劳务对个人的使用价值,也代表着个人本身的收益和福利。

边际效用 mu 是指消费量每增加一个单位所增加的满足程度。可用效用曲线的斜率表示:$mu = \Delta u / \Delta Q$。

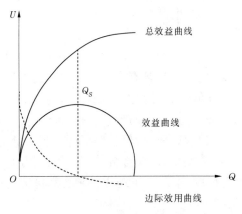

图 1-1　边际效用曲线图

边际效用递减率是指:由于成交额 U 与数量 Q 之间不是直线关系,而是凸线关系,从 O 开始,当 Q 增加,u 逐渐减小,即单位消费量的效用减少;到 Q_S 点,mu 等于零,即个人需求的满足达到饱和;此后,mu 变为负值,说明边际效用函数为递减的关系。

总效益 U 是指从消费一定量某商品、物品或劳务中所得到的总满足程度。

3.两种价值论的比较

(1)劳动价值论与边际效用价值论是从两个角度看同一件事物——商品的价值。A·马歇尔认为:"我们要问价值到底是由其效用还是由生产成本所决定,正像要问一把剪刀剪开纸张,是由其上刃或下刃哪个起作用一样,两者是同样的道理。"虽然是上下刃的关系,但道理不是同样的道理。

(2)劳动价值论是力图采用客观价值尺度,即用活化(人)劳动及物化劳动的耗费大小来度量;边际效用价值论是力图采用主观价值尺度,即用人的边际效用的大小来度量。

(3)劳动价值论反映的价值量是一种"供方"耗费,适合生产方面来度量价值量(成本加利润)的大小;边际效用价值论反映的价值量是一种"需方"耗费,适合消费方面来度量使用价值量(支付费用)的大小。

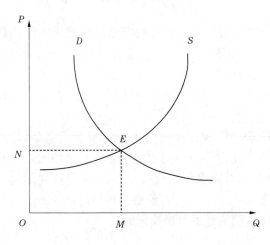

图 1-2　均衡价格的决定

(4)从生产者方面来看,总期望在保本的基础上尽可能扩大利润的成分,其中包括来自劳动者的剩余价值及来自自然生态环境资源的存在价值;从消费者方面来看,总期望在保质的基础上,尽可能压缩利润的成分。当双方成交时其合理价格就反映出双方都确认的价值量(或使用价值量),等于成本加上合理的利润(维持再生产的需要),即所谓"均衡价格"(见图1-2)。

图中:OP 表示数量,OQ 表示价格,D 表示需求曲线,S 表示供给曲线,D 与 S 相交于 E 点,这时需求等于供给,决定了均衡价格为 OM,均衡数量为 ON。均衡价格为市场供求关系的互相作用,一旦市场价格背离均衡价格,则自动恢复均衡的趋势。

均衡价格理论:根据需求与供给的变动来说明价格的决定。均衡价格是指一种商品的需求价格与供给价格相一致时的价格,这时的需求量与供给量也一致,称为均衡数量。所以,均衡价格就是需求与供给这两种力量达到一致时的市场价格。

(5)往往劳动价值量、使用价值量、效用价值量与价格是不一致的,而且可能偏差很多。劳动价值论认为,价格过高于劳动价值,造成虚假价值,生产或经营者从消费者那里获取了超额利润;价格过低于劳动价值,造成劳动价值贬值,生产或经营者一般不会亏本,而从劳动者那里获取了剩余价值。效用价值论认为,消费者的支付意愿受需求与价格两个因素影响,价格过高,即使有需求,也无支付意愿(支付不起);价格即使为零,但没有需求,也没有支付意愿;只有在一定的价格和一定的需求范围内才有支付意愿(见图 1-3)。图 1-3 中,需求曲线包含的面积就是总收益(PQO),实际发生的是需求曲线上的一个点(A),这个点对应的数量直线与需求曲线包含的面积,被称为"总支付意愿"(AQ_1OP),减去实际支付(AQ_1OP_1),余下部分被称为"消费者剩余"(AP_1P)(消费者节约了准备支付的钱)。

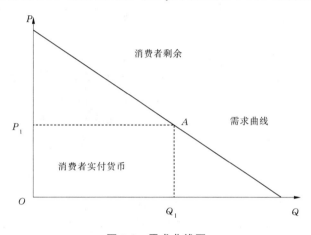

图中,支付意愿是指效用本身不能用绝对的数值来度量,因此间接地用消费意愿支付的货币数量即价格(P)加以衡量,这就是消费者的"支付意愿"。

需求曲线是指根据消费量(Q)的变化,可以按照边际效用函数确定消费者的支付意愿,得出个人对商品的需求曲线。一般具有需求量多、价格低,需求量少、价格高的规律。

消费者剩余是指当一般市场价格低于需求价格时,消费者不仅在需求上得到了满足,而且还得到了剩余的额外部分。

(6)无论是传统劳动价值论还是传统边际效用价值论,都认为,当自然物不需要付出劳动代价或消费代价时,自然物是没有(编者注:应加上"社会必要劳动"或"个人消费")价值的。其秘密在于生产或经营者和消费者都不愿意支付自然生态环境资源的价值补偿,生产或经营者希望尽量增加其利润,消费者希望尽量增加其消费者剩余。

4.生态经济价值论

传统的商品价值构成包括三个部分:转移价值(C)＋劳动力价值(V)＋利润(M)。

传统的商品价格构成包括四个部分:原料价格(自然资源开发成本＋利润)＋工资＋折旧、管理费等＋利润。

上述传统价值、价格模式中,没有包括使用自然生态环境资源而转移过来的价值,即自然生态环境资源的价值没有通过一般商品价值的实现而得到足量的实现,或者是隐藏在利润(M)中了,也就是常说的是"以牺牲生态环境为代价"。往往由于商品价值构成不全或定价机制问题,造成市场价格比真实价格偏低很多。如原煤产品价格我国过去只有国际市场煤价的1/5,原油产品价格我国过去只有国际市场原油价格的1/6,林产品、农产品、水产品等以生态资源为基础的商品价格也都偏低很多。这就是说,原本以牺牲生态环境为代价取得的利润,也没有能全部转化为社会经济效益,而被彻底地"牺牲"了。

从全球范围角度,从人类的产生、生存和发展的历史角度,从持续发展战略角度看,自然再生产、社会再生产与经济再生产已密不可分,从而形成了一个生态经济有机整体,自然生态资产与社会经济资产虽有质的区别,但它们之间可以相互转化,都是社会总资产的组成部分。无论从劳动价值论还是从边际效用论分析,自然生态环境资源的价值也都是存在的,而且其有效使用价值因为污染和生态破坏的加剧而越来越小,因此生态资产剩余存在价值将越来越小,人类为维护与再生生态资源而付出的劳动代价及消费代价将越来越高。

马克思的再生产劳动价值论是在研究资本主义社会人与人之间的关系,总结资本主义生产和再生产过程得出的结论,当时舍弃了人口、资源、环境等生态因素。从现代生态经济学观点来看,人类社会生产所需要的一切资源归根结底来自生态系统,生产和消费过程中生产的废弃物最终也必然返回生态系统,生产经济系统与生态环境系统两大系统之间存在着不间断的物质、能量、信息和价值的流动,因而这也是自然界不可能作为不变因素存在的原因。另外,社会生产和再生产过程也绝不能离开自然生产与再生产过程以及人的生产与再生产过程而孤立存在。生态环境资源价值是用于自然资源和生态环境的再生产(包括保护、恢复、再生、更新、增殖、积累自然资源,保持并扩大自然资源总量和供给能力,以满足当代和后世国民经济和社会发展对自然资源日益增长的需求)所投入的物化劳动与活劳动。简而言之,"生态(环境)资源的社会价值量是由再生产其使用价值(满足人们某种需要的属性)所必需的社会必要劳动时间所决定的"。

自然生态环境资源社会价值的构成可用下面两式表示:

可再生自然生态环境资源的劳动价值＝资源保护劳动＋资源恢复、增殖劳动或开发替代资源劳动

不可再生自然生态环境资源的劳动价值＝资源保护劳动＋开发替代资源劳动

从劳动价值论看,由于人类为获取自然再生产力而付出的社会必要劳动时间必然会越来越多,即自然生态环境资源的劳动价值将会越来越高,也就是劳动耗费越来越高。但是,不能笼统地称"生态环境资源价值越来越大",因为生态环境资源除了劳动价值外,还具有自身的存在价值及间接的功能价值,它们恰恰相反是越来越小。

从边际效用价值论看,由于自然生态环境资源(质和量)的(供给)有限性与人类社会发展(需求)的无限性之间的矛盾,商品、产品及自然生态环境资源的边际机会成本必将越来越高,人们的支付意愿也会被迫越来越高,但是我们也不能由此简单得出生态环境资源的"价值越来越高"的结论,恰恰相反,其消费者剩余越来越小。

可见,我们不能盲目地、片面地套用某个定义,没有科学地研究和加以说明就宣称"自然物是没有价值的",或"自然生态环境资源的价值越来越高",这不仅对理论研究造成了混乱,而且对进一步合理地开发、利用、管理自然界(包括生态资产)也是十分不利的。

五、森林生态效益评价的理论基础及主要采用的方法

(一)理论基础

国内外学者对森林生态效益计量研究的理论,归纳起来大致有以下几种观点:一种意见认为,森林生态效益的评价方法要建立在马克思主义政治经济学原理基础上。具体地讲,就是马克思主义的劳动价值论、级差地租理论和节约理论是研究森林生态效益计量模型的理论基础。另一种意见认为,在利用各种资源或生产成果的过程中,对资源或生产成果进行全面的评价,是极为重要的环节。评价的理论应是社会主义经济中的最佳效能理论。再一种意见认为,森林生态效益大小决定于供求关系。即森林生态效益大小同森林多寡密切相关,基于此,森林生态效益计量研究应该以边际效用理论为理论基础。还有一种意见认为,现有的公益林属于公共物品,具有很强的外部经济性,因此应以现代经济学的外部经济理论——"市场逼近理论"来探讨森林生态效益计量及森林生态效益的经济补偿问题。郎奎建等人(2003 年),为解决经典的"帕雷托最适度"理论在评价森林生态效益时存在"市场失灵"的问题,提出"绿色'帕雷托最适度'"的概念,利用数学上的数值逼近的理论,构造一个森林生态效益"市场逼近系数",使森林生态效益的价值计量向"市场化"逼近。这就是市场化逼近理论。除此之外,西方发达国家还多以福利经济学、环境经济学为基础,吸收宏观、微观经济学等理论进行森林生态效益计量研究。

以上几种理论有明显差异,这也是现有文献中森林生态效益计量值存在悬殊差异的主要原因。因此,河南省应根据实际情况采取适合本省省情的评价理论。

(二)主要采用的方法

早期的森林生态效益评价都是定性化描述,20 世纪 80 年代后,各国学者尝试性地把森林生态效益从实物量统归到价值计算。由于森林生态效益的多样性,有关计量评价体系不同,更由于森林生态效益在不同国情下评价的原则不同,各国都根据本身的情况和条件来确定合理的计量评价方法。通常分为替代市场技术和模拟市场技术两大类。

1. 替代市场技术

利用"替代市场"和"影子价格"来计算公共商品的经济价值,其方法多种多样,其中著名的有市场价值法、机会成本法、费用支出法等。如评估森林涵养水源的经济价值时,先计算出森林涵养水源量,再根据"替代市场方法"假设这些水用于市场交换,并以市场水价作为森林涵养水源的"影子价格",最后计算出森林涵养水源的经济价值。

从环境效益有正负来看,替代市场技术又可分为以下两类:

(1)效益评价法。这种方法是先根据森林提供的公益效果,计算出效果的定量值,如每年涵养水源的数量、每年固定二氧化碳的数量、每年提供氧气的数量等;其次计算出森林公益效果的"影子价格",如森林涵养水源的价格可根据水库工程的蓄水成本替代,固定二氧化碳和提供氧气的效益定价可根据二氧化碳和氧气的市场价格替代等;最后计算生态效益的年总经济价值。

(2)损失价值法。这种方法是根据森林遭受破坏后的损失量计算森林经济效果的方法,即用因森林遭受破坏而造成的环境损失量表示森林可避免或减少的环境损失量,然后根据其"影子价格"计算经济价值。例如,评价森林保护土壤的经济价值时,用森林受到破

坏时的土壤侵蚀量来表示森林保护土壤的效益量。

效益评价法和损失价值法是一个问题的两个方面,前者是从生态效益的效果上考虑问题,后者是从失去生态效益的损失上考虑问题。当森林生态效益的效果比较明显或容易测定时,常用效果评价法;当森林遭受破坏的生态损失比较明显和容易测定时,就可以用损失评价法。

但是,对于有些公益效益,如景观、文化、审美等,很难找到替代市场,也难以找到"影子价格",那么,对于这类公益效益,用什么指标来评价其经济价值呢? 西方经济学的研究告诉我们:对于难以找到替代市场技术的公益效益的评价方法,可以采用模拟市场技术或称假设市场技术,先假设"公共商品"的交换市场存在,再以人们对该"商品"的支付意愿来表达其经济价值。

2.模拟市场技术

森林游憩经济价值的评估非常困难,这主要有两个原因。首先森林游憩是一种"公共商品",不能确定市场价格并进行市场交换,因而其市场价格资料和需求信息很难获得。其次,像森林游憩这样的"公共商品"给人们提供的并不是物质,而是一种心理满足或精神享受,因此森林游憩是一种无形效益,必须采用一些特殊的计量指标或特殊的评价方法。国际上流行的方法主要有条件价值法(简称 CVM)和旅行费用法(简称 TCM)。

(1)条件价值法。CVM 也叫调查法或假设评价法,假设某种公共商品存在并有市场交换,通过调查、询问、问卷、投标等方式获得消费者对该公共商品的"支付意愿"(简称 WTP)。WTP 是指消费者为获得一种商品、一次机会或一种享受而愿意支付的货币资金。如评估森林景观的经济价值时,可以直接询问游憩的公众:假设市场机制存在,那么公众为了能观光和享受森林景观而愿意出多少钱,即获得森林景观的支付意愿是多少。WTP 是西方经济学中的一个基本概念,它可以表达一切商品、效用和服务的价值,是资源环境效益评价的基本理论。目前,支付意愿已被美、英等西方国家的法律和标准规定为公益效益评价的指标标准,并用来评价各种生态效益的经济价值。

(2)旅行费用法。TCM 也是一种间接性经济评价方法,它不直接以游憩费用作为森林的游憩价值,而是利用游憩的费用(常以交通费和门票费作为旅行费)资料求出"游憩商品"的消费者剩余(消费者剩余 = 支付意愿 - 实际支出),并以此作为森林游憩的价值。TCM 的基本设想是:观察游客的来源和消费情况,主要是各出发区的游林率,推出一条游憩效用曲线,即 Clawson - Knetsch 曲线,以计算出消费者剩余作为无价格的游憩效用价值。

第二节　森林生态效益评价的研究现状及存在问题

一、森林生态效益评价的研究现状

(一)综合研究

1.国外研究现状

20 世纪 50 年代以来,许多国家均在开展森林效益定位观测和调查,并进行理论探索和研究。苏联 50 年代末,曾提出以森林公益效能的作用程度与自然形成的公益效能最大的作用程度之比对森林的生态效益进行评价。在 20 世纪 60 年代,M.Clawson 提出了关于城郊森林游憩的评价方法。日本林野厅 20 世纪 70 年代通过"森林公益效能计量调查",运用替代法对全国森林进行了公益效能的计量和评价,这次评价引起了世界各国的广泛关注。以后日本又分别于 1991 年(林野厅)、1993 年(三菱综合研究所)和 2000 年(林野厅)对全国森林进行了 3 次评价。此外,德国、法国、印度、南非等国都在森林资源效益研究方面做了一些工作。

森林生态效益评价研究始于 20 世纪 50 年代,而对生态效益的经济价值评估则是在 20 世纪 80 年代末随着经济的发展而逐渐兴起的。国外生态效益评价方面的研究,主要分两个学派,以 Costanza 等人为代表的"生态经济学派"认为生态功能价值可以计算"总"价值,并提出恰当的计算方法为市场价格法和替代成本法;而以 Pearce 等人为代表的"环境经济学派"认为生态功能价值难以计算"总"价值,并且认为恰当的计量方法为 WTP。

2. 国内研究现状

从 20 世纪 60 年代开始,我国相继在东北、四川等地开展了生态系统的定位计量研究,积累了一定的计量参数资料。而国内对森林生态效益系统的研究,见于 1990 年中国林学会召开的"森林综合效益计量评价学术讨论会"。这一时期,很多林业经济工作者和生态学者的相关理论研究与案例研究大量涌现。

孔繁文等(1993 年)第一次系统地研究了森林资源核算问题,大体形成了中国森林资源核算研究的整体框架;侯元兆等(1995 年)第一次比较完整地对中国森林价值进行了评估,其中包括 3 种生态价值,即涵养水源、防风固沙、净化大气等的经济价值,并首次揭示了森林的这三项环境价值是立木价值的 13 倍。周冰冰、李忠魁等人(2000 年)对北京市森林资源价值进行了评估,其中包括 7 种生态价值,即涵养水源、保育土壤、固碳持氧、净化环境、防风固沙、景观游憩、生物多样性价值的核算。郎奎建等人(2000 年)对 10 种森林生态效益作了总体初步估计,除了上述 7 种生态效益以外,还涉及了森林改善小气候、减轻水旱灾害、消除噪声等方面的研究。周晓峰、蒋敏元(1999 年)对黑龙江省森林效益的计量、评价和补偿进行了综合研究,其中包括 5 种生态效益,即水源涵养、固土保肥、森林改良土壤、森林净化大气和森林景观等效益。此外还有许多学者先后进行了森林资源价值核算的一些案例和理论研究,如张建国(1994 年)、徐嵩龄(1998 年)、张颖(1998 年)、欧阳志云(2000 年)、廖显春(2001 年)、郎奎建(2003 年),等等。

3. 河南省研究现状

河南省森林生态效益评价研究始于 20 世纪末,取得了一些研究成果。赵体顺、马群智等人(1997 年)第一次对河南省森林资源资产进行了估价,包括河南森林资源资产、生态效益和社会效益。其中,生态效益包括涵养水源、水土保持、提高土壤肥力、制氧和防护等效益,将森林游憩效益暂列入森林的社会效益;李良厚、师永全等人(2003 年)对河南省山地森林生态效益进行了研究,分别山系(太行山、伏牛山和大别—桐柏山系)计算了 9 项森林生态效益的经济价值,即保持土壤功能价值、蓄积养分功能价值、涵养水源功能价值、保护大气功能价值、保护农田功能价值、净化环境功能价值、保护野生动物功能价值、减少地质灾害功能价值、森林景观旅游休闲功能价值。此外尚未见到类似的文献。本书对河南林业生态效益的评价进行了全面系统的研究。

(二)单项研究

以上是对森林生态效益的综合研究情况,20 世纪 50 年代以来,涌现出了大量的对森林生态效益评价的单项研究案例,主要有以下 7 个方面。

1.森林涵养水源效益评价研究

对森林涵养水源效益的评价研究较早、较深入的国家主要有苏联、美国和日本。苏联 20 世纪 50 年代末就提出了作用系数评价法,后来许多学者对其进行了完善。我国对森林水源涵养效益的研究始于日本林野厅 1973 年发表的"森林公益效能计量——绿色效益调查"。我国学者对水源涵养效益的评价主要采用等效价值替代法。

2.森林水土保持效益评价研究

苏联、日本和我国在此项研究中做了大量工作,尤其是近 10 年国内许多学者从多方面提出了许多关于水土保持效益评价的思路和计量方法,如邓宏海(1985 年)提出了以级差地租理论为基础的计量原则。在此基础上有不少学者提出了许多好的方法,其中环境效益费用分析法是常见的方法。

3.森林防护效益评价

苏联学者通过农田增产的经济效益,来评价森林改善小气候而对农田起到的防护效益。国内对森林农田防护效益评价的研究始于 20 世纪 80 年代,大部分还是延续了苏联的一些做法,并在森林的固沙防护效益与改良土壤效益评价等方面进行了研究和完善。

4.森林固持二氧化碳效益评价

首先是对森林固持碳能力的研究。目前计算森林固持碳量的主要方法有生物量法和蓄积量法。例如,Sampson 对美国森林进行分析得出了美国森林蓄积与森林内全部生物碳储存之比为 0.53。我国林业研究人员利用此法对我国海南岛的热带雨林的碳储存能力进行了测算。

森林二氧化碳的储存量计算出之后,关键是如何确定森林吸收二氧化碳效益的价值,对此,目前国内外争议比较大,代表性的观点有 4 种:①工业处理成本法;②造林成本法;③碳税法;④避免灾害费用法。我国一律采用工业处理成本法来计算森林固定二氧化碳效益的价值。

5.森林净化大气的效益评价

苏联对森林净化大气效益的评价方法大部分采用替代法来完成,有的用部分森林旅游收入来替代,有的则用森林遭到破坏后,疗养作用受到的损失来计算。我国对净化大气效益估算方法的研究不多见,郎奎建(2000 年)提出森林净化大气效益包括森林释放氧气效益、森林吸收有毒气体以及滞尘杀菌的效益。黄艺(1995 年)在森林净化大气的研究中对其效益的估算方法作了初步的探讨,提出了森林净化大气效益估算的指标和估算模型。但由于相关的数据收集相当困难,因此影响了这种方法的实际应用和推广。

6.森林游憩效益评价

国外森林游憩效益的评价已有 40 年的历史,其中具有代表性的方法有政策性评价法、直接成本法、平均成本法、市场价值法、旅游费用法、条件价值法等 8 种,但是目前广为流行的方法只有旅行费用法和条件价值法,这两种方法已被英、美等国家的政府机构定为森林游憩价值评估的标准评价方法。国内关于森林游憩价值的定量研究虽有些探索性的零星研究,但从目前国内的文献资料来看,大多数还是沿用了国外的方法。

7.森林野生生物保护效益评价

20世纪80年代以来,随着森林生物多样性的价值逐渐被人们所认识,世界各国相继开展了对森林生物多样性价值评价的研究。芬兰Jukka Hoffren(1996年)采用森林生物多样性的机会成本核算了森林生物多样性的保护价值。马来西亚在计算森林生物多样性价值时,采用生物多样性的存量值乘以新灭绝物种的单位价值的方法。国内关于森林生物多样性价值评估的研究报道有以下几例:薛达元(1999年)在对长白山森林生物多样性价值进行评估时,引用了环境经济学界远观价值核算的方法体系,并首次采用条件价值法对长白山地区生物多样性的存在价值进行了支付意愿调查。徐嵩龄(2001年)阐述了生物多样性价值的新的概念框架,并据此就生物多样性价值计量中的问题,如生物多样性的价值的可计算性、价值计量方法的适当性、价值分量的可加性和可解释性、价值误差测算等问题,提出了解决思路。张颖(2001、2002年)采用直接市场评价法和机会成本法对我国森林生物多样性的价值进行了核算,并且运用经济控制论中一维滤波的方法对计算误差进行处理。

河南省有关森林生态效益评价单项方面的研究常见于林业工程的规划设计和可行性研究报告之中,多引用上述理论。

综上所述,世界各国关于森林生态效益的研究都有明显的区域目的性。如日本着重于森林涵养水源和保护土壤的效益研究;我国也以森林水源涵养和保护土壤方面的研究报道较多,而且多是单一生态功能的评价;欧美等西方国家的研究则主要集中在森林游憩等方面。

虽然国内外对森林生态效益的研究工作还处于起步阶段,还在探索理论上的正确性和实践的可行性。但是,随着社会经济的发展,人们环境意识的增强,森林生态效益的研究越来越被重视;前人的大量研究成果给我们极大的启示,尽管由于研究的角度不同,研究地区、文化背景的差别,研究手段、分析手段的不统一,使其研究结论出现一些分歧,但这属于研究过程中的正常现象。从前人研究范围来看,单项研究较多,综合研究较少,单因素分析较多,而系统分析较少。

二、森林生态效益评价存在的问题

森林生态效益的计量与评价是目前国内外林业科技界最复杂的问题之一,许多国家只是提出了保护森林生态效益评价的政策,而理论和实践上还处于研究探索阶段。森林生态效益计量问题的复杂性是由于多方面的原因造成的。在评价森林生态效益价值时,人们会受到许多因素的制约,评价的误差很大,存在的问题也很多,主要有以下几个方面。

(一)替代的合理性问题

森林生态服务功能的价值计算基本上采用替代的方法。而替代的成功与否取决于一项生态服务与它的替代物之间在功能效果上是否具有全面的相似性。相似程度越高,则价值的可替代性越强。然而在现流行的替代价值法应用中,出现了误用。首先从效果的替代来看,在一些案例中,其效果并不具有恰当的可替代性。其次,从价格的替代来看,例如对森林放氧功能以工业制氧价格进行计量。森林产生的氧气是融入大气之中的,它会改善林区与周围地区的大气质量,但是不能认为由此产生的氧气能具有工业制氧那样的经济用途。因此,以工业制氧价值作为森林放氧价格是不恰当的。所以替代物定价法的科学性还没有得到科学的论证,并不完全令人信服。

(二)结果的可加问题

计量生态功能的价值,首先要对森林生态功能进行综合分析,把看似千头万绪、错综复杂、无从下手的问题,先分解成各个具体的因素并逐一加以解决,然后再将各项结果综合起来。生态功能价值的计量是一个复杂的问题,一般是根据生态功能和作用,将生态功能的价值分解为涵养水源价值、保持水土价值、固碳放氧价值等,并分别加以计算,然后再把各项功能价值加起来,构成总的生态功能价值。

正如上述,森林生态功能价值的计量包含着众多价值分量,这些分量计算方法的理论基础有差异,表述方式有时也不同,用这些不同的方法所得出的结果是否能够相加,目前还没有见到深入的研究报道。

(三)计算的重复问题

森林生态系统是一个复杂的、动态的系统,而目前研究者基本上是采用对每一种森林生态功能价值独立评估,然后累加起来的计量方法,这忽略了各种森林生态功能之间的复杂相关性。各种不同的森林生态效益计量方法在计算过程中,或多或少都会存在重复计算问题,这无疑夸大了森林生态效益的价值量。

(四)评价的全面性问题

虽然研究者尽可能全面地评价森林生态功能价值,但是由于森林生态系统的复杂性,在评价过程中往往忽视了许多生态公益性能,如经济林、薪炭林等,它们除了具有各自的经济价值以外,还在保护生态环境方面起着重要作用,因此我们也应对其生态功能价值进行评价,尽可能全面系统地评价森林的生态功能价值。

(五)评价的可行性问题

有学者认为,对森林生态效益的计量是根本没有必要的,认识到它的重要性即可。我们不赞同这种意见,因为,评价的最终目的是为森林的生态效益补偿提供科学的依据。如果不进行量化,那么又如何进行补偿,补偿的依据从何而来?即使在某种情况下不经过量化而得到一组补偿数据,那也毫不具备说服能力。因此,进行森林生态效益的计量和评价还是有必要的、是可行的。虽然在评价的过程中,由于目前各种因素的制约,一些计量方法在某种程度上存在一些问题或不可行。但是,并不能由此而否定评价的可行性。随着科学技术的发展和研究者们的不懈努力,这些问题将会逐步得到解决。

(六)评价研究的尺度问题

对森林生态效益的计量评价研究大多是在较宏观的层次上以全球、国家、省、大流域等为统计单位,而采用的又是一些粗略的数据资料。结果统计数据过粗,使得评价结果的实际操作性差,评价结果很难落到实处,也就是说难以为政府提供科学性的补偿依据。这也是我国森林效益补偿制度难以全面实施的主要原因之一。虽然国家已对重点公益林实施了补偿制度,但是河南省地方公益林的补偿制度还没有实行。由于种种原因,国家公益林的补偿标准目前仅为 67.5 元/$(hm^2 \cdot a)$。所以,对不同尺度森林生态效益的评价研究,利于补偿标准趋于合理,也利于各个层面森林效益补偿制度的制定和实施。

(七)评价研究的技术问题

目前对森林生态效益评价研究的技术支持手段还比较落后,遥感(RS)、地理信息系统(GIS)、全球卫星定位系统(GPS)等高新技术的应用还不广泛深入,导致研究速度慢,费工费时,而且研究成果得不到很好的分析、管理和推广应用。

(八)评价的动态性问题

目前对森林生态效益评价研究大多限于静态,动态评价研究还很少见。由于森林生态效益对森林资源的依赖性,森林资源的空间分布也决定着森林生态效益的空间分布和动态变化。因此,没有对森林资源的动态监测、管理,就无法做到对森林生态效益的动态评价。这是现有评价的不足之处。

(九)评价方法的通用问题

在森林生态效益评价研究方面,至今仍未找到一种通用的方法。因为极为相似的林分在不同的时空和社会经济环境条件下,效能利用组合不一样,发挥的效益也不一样,这样就难以确定森林公益效能的评价方法;有些森林效能的作用结果无法直接计量,各种效能的作用结果也无法直接相加,这就是难以找到一种各种森林生态效益评价通用的方法的主要原因。

(十)主观因素的影响

在许多情况下,对森林生态功能价值的评价是基于个人当前支付意愿之上,受主观因素影响较大,常常是评价结果产生很大偏差。

总之,由于影响森林生态效益功能价值的因素有许多是难以确定的,所以森林生态效益评价不可能做到十分精确,但目前来看,有些方法还是行之有效的,利用这些方法可以正确评估河南森林生态效益价值,为实施森林生态效益补偿制度的制定和实施提供科学依据。因此,河南森林生态效益的货币计量问题,是一个很重要的问题,也是亟待解决的问题。

参考文献

1 日本林野厅.森林公益效能计量调查——绿色效益调查.杨惠民译.北京:中国林业出版社,1982

2 侯元兆.日本的森林公益价值是咋算出来的.中国绿色时报,2002 - 03 - 12

3 保罗·A·萨缪尔森,等.经济学.高鸿业译.北京:中国发展出版社,1991

4 侯元兆,等.中国森林资源核算研究.北京:中国林业出版社,1995

5 王建民,王如松.中国森林资产概论.南京:江苏科学技术出版社,2001

6 中国社会科学院环境与发展研究中心.中国环境与发展评论.北京:社会科学文献出版社,2004

7 中国可持续发展林业战略研究项目组.中国可持续发展林业战略研究.北京:中国林业出版社,2003

8 雷切尔·卡逊.寂静的春天.吕瑞兰,李长生译.长春:吉林人民出版社,1997

9 世界环境与发展委员会.我们共同的未来.王之桂,何金良,等译.长春:吉林人民出版社,1997

10 陈青法,方灵兰.简明林业词典.兰州:甘肃人民出版社,1981

11 赵体顺,马群智,等.河南省森林资源资产估价初探.林业财务与会计,1997(1):24~28

12 李良厚,师永全,等.河南省山地森林生态效益研究.林业科技管理,2003(增刊):201~205

13 米锋,李吉跃,等.森林生态效益评价研究进展.北京林业大学学报,2003,25(5):77~83

14 陈应发.费用支出法——一种实用的森林游憩价值评估方法.生态经济,1996(3):27~30

15 陈应发.旅行费用法——国外最流行的森林游憩价值评估方法.生态经济,1996(4):35～38

16 陈应发.条件价值法——国外最重要的森林游憩价值评估方法.生态经济,1996(5):35～37

17 孔繁文,戴广翠,何乃惠,等.森林环境资源核算与政策.北京:中国环境出版社,1994

18 周冰冰.北京市森林资源价值.北京:中国林业出版社,2000

19 欧阳志云,王如松,赵景柱.森林生态服务功能及其经济价值评估初探.应用生态学报,2000,11(4):481～484

20 欧阳志云,王如松,赵景柱.生态系统服务功能及其生态价值评估.应用生态学报,1999,10(5):635～640

21 郎奎建,李长胜,殷有,等.林业生态工程10种森林生态效益计量理论和方法.东北林业大学学报,2000,28(1):1～7

22 郎奎建.森林生态效益价值核算的市场逼进理论和技术研究.林业科学,2003,39(6):8～14

23 张小全,侯振宏.森林退化、森林管理、植被破坏和恢复的定义与碳计量问题.林业科学,2003,39(4):140～144

24 周晓峰,蒋敏元.黑龙江省森林效益的计量、评价及补偿.林业科学,1999,35(3):97～102

25 戴广翠,高岚,艾运胜.对森林游憩价值经济评估的研究.林业经济,1998(2):65～74

26 廖显春.目前我国森林环境价值评价的难点及对策.中南林学院学报,2001,21(2):96～99

27 高成德,余新晓.水源涵养林研究综述.北京林业大学学报,2000,22(5):78～81

28 张颖.中国森林生物多样性价值核算研究.林业经济,2001(3):37～42

29 何汉杏,葛汉栋,庄昌盛,等.张家界市溇水林场毛竹水文生态效益初步研究——Ⅰ生态效益计量.中南林学院学报,2001,21(4):11～15

30 康文星,田大伦.湖南省森林生态公益效能的经济评价——Ⅰ森林木材效益与水源涵养效益.中南林学院学报,2001,21(3):13～17

31 康文星,田大伦.湖南省森林生态公益效能的经济评价——Ⅱ森林的固土保肥、改良土壤和净化大气效益.中南林学院学报,2001,21(4):1～4

32 李永增.森林资源值几多.瞭望新闻周刊,2001(25):48～49

33 Glenn W Harrison. Valuing public goods with the contingent valuation method: A critique of Kahneman and Knetsch. *Journal of Environmental Economics and Management*, 1992,23(3):248～257

34 Richard C. Existence Values in Benefit-cost Analysis and Damage Assessment. *Land Economics*, 1993,69(1):1～26

第二章　河南森林的生态效益

森林的生态效益是指由于森林环境(生物与非生物)的调节作用而产生的有利于人类和生物种群生息、繁衍的效益。主要包括调节气候,涵养水源,保持水土,防风固沙,减少旱灾、洪灾、虫灾等自然灾害以及改良土壤的作用。此外森林还会产生社会效益,也就是森林对人类生存、居住、活动以及在人的心理、情绪、感觉、教育等方面所产生的作用。主要包括通过光合作用吸收二氧化碳放出氧气;过滤降水中的有毒物质;林冠枝叶表面吸附灰尘、有毒微粒,吸收有毒气体;森林植物的叶、芽、花、果分泌具有芳香挥发性的杀菌素杀死细菌;枝叶、树干对声波阻挡消除噪声,减少污染,有益人体健康;森林优美的林冠,千姿百态的叶、枝、花、果,以及随季节而变化的绚丽多彩的各种颜色,为人们提供游憩的场所和陶冶性情的环境条件。森林的社会效益与生态效益难以截然分开。森林的存在,在地质史上已有2亿多年的历史,处于陆地植物群落演替进化的顶极阶段;森林的个体生长发育时间也很长,如有的乔木可达数十年、几百年甚至数千年。所以,森林的生态效益是相对稳定的,但效益的大小、强度、范围和深度则依森林生物群体的数量、年龄、质量、分布、代谢功能、每一个生物成分的地位以及环境不同而有变化。森林生物(包括建群树种、伴生植物和动物)只有在适宜的环境条件下,其种群数量、分布结构、年龄结构和质量结构等都处于最佳状态时,才能发挥出最高的生态效益。这种状态一旦遭到人为活动(过伐、错误的经营方式等)或自然灾害(雷火、地震、火山爆发等)的破坏,其生态效益必然下降。

第一节　森林的生态作用

森林是陆地生态系统的主体。森林树木寿命长,一般为几十年至上百年,长的达数百年,甚至数千年,世界上已知寿命最长的树木年龄在5 000年。森林结构复杂,既包含有生命的成分,也包含无生命的成分,森林中动物、植物及微生物种类繁多,光、热、水、土壤的作用和功能复杂,结构层次多样。地球陆地上森林所占面积最大,目前为陆地总面积的27%。森林生产力高,第一净生产力比陆地任何其他生态系统都高,能固定的太阳能也最多,在整个陆地上,森林生态系统所拥有的生物量为16 800亿t,占陆地生物总量的90%以上。森林是可再生的资源,再生能力强,并且具有很强的竞争力,能自行恢复在植被中的优势地位。森林是巨大的物种基因库,汇集和保存了许多物种,陆地上的大部分动物、植物种类都生长或栖居于森林中。森林不仅为社会提供木材和竹材、木本粮油、林化产品、药用植物等直接经济价值,而且还具有吸收二氧化碳、调节气候、涵养水源、防风固沙、蓄水保土、净化大气、保护生物多样性和栖息地以及生态旅游等功能。森林在提供大量产品的同时,还具有极其重要的生态价值,是经济、农业水利系统和大气环境稳定健康发展的必要条件,而且其生态作用的总价值远远大于其直接产品价值。近几年国内外学者运用现代价值理论对森林生态效益进行评估的研究结果表明,森林的生态价值相当于其经济价值的 10~20 倍。印度加尔各答农业大学达斯教授对一棵树的生态价值进行了计算：一棵 50 年树龄的树，产生氧气的价值约 31 200 美元；吸收有毒气体、防止大气污染价值约 62 500 美元；增加土壤肥力值约 31 200 美元；涵养水源价值 37 500 美元；为鸟类及其他动物提供繁衍场所价值 31 250 美元；产生蛋白质价值 2 500 美元，除去花、果实和木材价值，总计创造价值约 196 000 美元，而按市场上的木材价值计算，那么最多值 300 多美元。中国环境与发展国际合作委员会生物多样性工作组在工作报告中指出，我国森林产品和效益的总价值每年为 2 570 亿~4 210 亿美元，由以下 14 个方面效益构成：

森林对碳的吸收 1 400 亿~2 000 亿美元

森林对水土的保持 200 亿~480 亿美元

娱乐和旅游 200 亿~300 亿美元

对农业生产的贡献 60 亿~80 亿美元

直接收获的天然食物 50 亿~70 亿美元

薪材供应 50 亿~120 亿美元

药用动植物 50 亿~200 亿美元

木材及建筑用材 80 亿~150 亿美元

藤类/竹类 40 亿~60 亿美元

野生动物遗产及其关键作用 40 亿~70 亿美元

渔业 150 亿~200 亿美元

对畜牧业的贡献 40 亿~60 亿美元

草地对碳的吸收 70 亿~170 亿美元

环境净化 140 亿~250 亿美元

并且认为这些数据是比较保守的，随着进一步的发展，一些数值还会增加。在我国递交给联合国环境规划署(UNEP)的国家报告中，由我国的生物学家和经济学家计算出的我国森林产品和效益的年总价值超过 4 500 亿美元。

近年来，不少国家都在着手研究森林的间接效益。自 1971 年起，日本用了 3 年时间对森林的间接效益进行了测算。日本有森林 2 500 万 hm^2，每年能储存雨水 2 200 万亿 t，防止水土流失 57 亿 m^3，栖息鸟类 8 100 万只，产生氧气 5 200 万 t。年间接效益总值折合人民币 1 280 亿元，相当于日本 1972 年全年的总预算。美国森林的间接效益价值为木材价值的 9 倍。我国云南省林业调查队，对云南全省的森林效益进行过测算，结果是森林生态效益的总价值占森林总效益价值的 94%，直接效益仅占 6%。中国林业科学院热带林业研究所经过长达 17 年的定位观测研究，测算出海南岛热带天然林中目前可以量化的森林效益总值为每年 34 亿元。其中，木材生产效益占 11.9%；藤类、花卉、药用植物等非木材生产效益占 1%；森林固定二氧化碳、释放氧气、改良土壤、固土保肥、蓄水调洪、环境旅游等生态环境方面的效益占绝大部分，高达 87.1%，约是前两项之和的 7 倍。若考虑目前难以计量的某些因素，如维护生物多样性、保护野生动植物资源不被灭绝等，那么森林生态环境效益至少是其经济效益的 7 倍以上。研究还表明，热带原始林群落每年净固定二氧化碳更高,为每公顷 7.2t,相当于 22 个成年人一年呼出的二氧化碳。北京市通过测算,林木产出价值 159.16 亿元、环境价值为 2 119.88 亿元、社会效益价值 13.53 亿元。北京森林生态环境资源价值依大小顺序可排列为:涵养水源、净化环境、保护生物多样性、固碳制氧转化太阳能、防风固沙、景观游憩和保育土壤,森林环境价值是其实物价值的 13 倍以上。根据中国环境与发展国际合作委员会生物多样性工作组测算的结果,全国森林生态效益的总价值占森林总效益价值的 86%～89%,直接效益仅占 11%～14%。按照国际地圈—生物圈计划中国全国委员会全球变化与陆地生态系统工作组计算,在我国 38 种主要森林类型生态系统的总价值中,以森林生态效益(包括气候控制、扰动控制、水分控制、水分供应、侵蚀控制、土壤建成、营养循环、废物处理、生物控制和消遣娱乐)贡献最大(占约 80%),而原材料(包括木材、燃材、饲料)的贡献仅占 15%,反映出森林生态效益的显著性。研究还发现,森林生态系统公益价值(V_a)与其生产力(NPP)具有良好的相关性:$V_a = \exp(108.21 NPP\ 0.93)$,$R^2 = 0.844$。由此可见,森林在改善生态环境、促进农牧业生产等方面的间接效益远远超过其直接经济效益。森林的生态功能对维护生态平衡、改善生态环境,起到了难以估量的作用。离开森林的生态功能,农业将难以高产稳产,水利设施难以发挥应有的作用。只有充分发展林业,提高森林的覆盖率,农业的发展才有保证。我国传统的森林开发与管理由于缺乏对森林资源的这种多功能作用特性的认识,只注重森林的直接经济价值,而忽视了其巨大的生态价值,导致有林地逆转、生产力低下、质量下降和森林病虫害蔓延等森林退化结果。

一、调节气候

森林是地球上最厚的植被,对小气候和局部气候的影响是显著的。在成片的森林地区以及林冠层的下部都能形成一种特殊的小气候。森林小气候的主要表现是林冠内外的辐射、温度、湿度、降水和风都有相当大的差异。森林不仅使林内产生特殊的小气候,而且对邻近地区的气候也有较大的影响。林区附近的地区,气温变化和缓,温度较高,降水增多。森林对温度、湿度、蒸发、蒸腾及雨量可起调节作用。

(一)调节温度

森林具有庞大的林冠层,在地表与大气之间形成一个绿色调温器,它不仅形成特有的林内小气候,而且对森林周围的温度也有很大的影响。与无林地相比,林内冬暖夏凉、夜暖昼凉,温差较小,有利于林下植物生长和动物栖息。夏季,太阳辐射投射到林冠后,被林冠吸收一部分,被林冠吸收的太阳辐射能绝大部分转化为热能,主要由林冠层的蒸腾作用消耗掉。由于林冠遮蔽阳光,林内的太阳辐射很弱,林内土壤不受阳光直接照射,可以降低地面温度,从而使林内年均温较无林地低。当气温高时,森林还具有冷却作用,周围的气温越高,这种冷却作用越强。到了冬季由于林冠的覆盖,阻缓了热量的散发,从而使林内气温反而比林外高。气温低时森林同样具有保温御寒作用,由于树冠的阻挡,减少上升热气流的产生,从而减少冬季夜晚林内的热量散发,林内气温、土温散失迟缓。冬季气温越低森林的保温御寒作用越大。而在整个一年的过程中,森林的冷却作用强于保温作用。

森林不能降低日平均温度,但能略微增加秋冬平均温度。森林能降低每日最高温度,而提高每日最低温度,在夏季较其他季节更为显著。森林使夏季降温,冬季增温,有利于植物夏季躲避大气高温的胁迫,对植物越冬又十分有利。夏季森林使地面温度降低,空气垂直温差变化减少,上升气流速度减弱,因而还可削弱形成雹灾的条件。

(二)提高空气相对湿度

森林的蒸腾作用使有森林地区保持着比无森林地区更高的湿度。林木及其他森林植物蒸腾和林地蒸发的水汽可以在林内保持较多,林内的相对湿度要比林外高,树木越高,则树叶的蒸腾面积越大,它的相对湿度亦越高。林内空气湿度一般高出林外 10% ~ 20%。通过林内外气体交流,森林可以提高周围空气相对湿度 3% ~ 6%,这对干旱有明显的预防作用。

(三)减少地表水分蒸发

降水到达地面上,除去径流及渗入土壤下层以外,有一部分将被蒸发到大气中。森林能减低地表风速,提高相对湿度,林地的枯枝落叶能阻止土壤蒸发,林内气温和土壤温度都低于空旷地,林内地表蒸发比无林地低 2/5~4/5。

(四)降低风速

森林是天然的防风屏障,对风有很强的阻挡和摩擦作用。森林通过树木枝叶对风的阻挡和改变风向,能把强风分散成小股气流,使风速降低。森林能够减低地面的风速,在森林的迎风面,风在距离林缘几百米远时就开始减低风速,在森林地带避风侧形成明显的遮蔽区,从而保护庄稼免遭风的破坏。研究表明,森林夏季可使风速降低 55%,冬季降低 30%。在华北丘陵缓坡风沙区,林中 0.5m 高处的风速较旷野同高度减小 54.6%,1.5m 处减小 59.8%,4m 处减小 56.1%,8m 处减小 33.1%。由于风速被削减,因而减少了对土壤的风蚀。据观测资料,农地年均风蚀表土厚 1cm 以上,年均风蚀模数 1.31 万 t/km²,最大可达 2.13 万 t/km²;林地年平均风蚀模数 1 230t/km²,比农地可减少 90.6%。

(五)增加降水

森林在一定程度上能够增加当地的降水量,森林的存在可以增加云量,并增加雾和降水量。森林植物有强大的蒸腾作用,太阳能消耗较多,林地上空和林内温度较低,相对湿度大;林内草木蒸腾和林地所蒸发的水分达到饱和状态,就会凝结成露、霜、雨淞和雾淞,形成水平降水;森林地区比较多雾,树枝和树叶的凝结降水,每次有 1~2mm,以一年来计算,水量也是可观的。这可以说是在一定程度上增加了降水。在条件相同地区,森林地区要比无林地区降水量大。

(六)维持空气中的碳氧平衡和固定二氧化碳

森林对平衡大气中氧气和二氧化碳的水平起着重要作用。生物气象研究认为,一个成年人每天约需要吸入 0.75kg 氧气,呼出 1kg 二氧化碳,全世界生物呼吸和燃烧消耗的氧气量平均每秒钟达近万吨,如没有绿色植物对氧气的补充,地球大气中的全部氧气在 3000 年左右就会用尽。地球生物之所以能够延续到现在,完全是森林和其他绿色植物维持了大气中的二氧化碳与氧气的平衡的缘故,而二氧化碳是导致全球气候变暖的主要气体。绿色植物光合作用放出的氧气比呼吸作用消耗的氧气量大20倍。森林能通过光合作用,吸收、固定最主要的温室气体二氧化碳,并将其存储在森林的生物量中(包括树干、树枝、植物的叶与根以及相关的微生物和动物)。在陆地植物与大气二氧化碳的交换中,90%以上是由森林植被完成的,因此森林是大气二氧化碳的一个重要缓冲器。据北京大学城市与环境系的研究,从20世纪80年代初至90年代末的近20年中,我国森林植被吸收的二氧化碳达到工业排放量的5%~8%,从而为减缓地球大气中二氧化碳浓度的上升速度起到了积极作用。据测算,人类活动每年释放出的二氧化碳为70亿t,有30亿~34亿t排放到大气中,20亿t被海洋吸收,16亿~20亿t被陆地生态系统(主要是森林生态系统)所吸收,这个生态系统是世界环境的"净化器",对大气中的二氧化碳起到了巨大的吸收、存储作用。适量的森林有助于缓解大气二氧化碳的增长,减缓全球变暖。森林每生产1kg干物质需吸收1.84kg二氧化碳,或每生产出1m³的木材,大约需要吸收850kg的二氧化碳,折合成碳为230kg。据估计,森林的固碳速率(按碳的重量计算),热带森林为450~1 600g/(m²·a),温带森林为270~1 125g/(m²·a),寒带林为180~900g/(m²·a),远远高于耕地的45~200g/(m²·a)和草原的130g/(m²·a)。森林每生产10t干物质,吸收18t二氧化碳,释放12t氧气。全球森林每年通过光合作用可固定1 000亿~1 200亿t碳,占大气总碳贮量的13%~16%。大气二氧化碳及其他温室气体,例如甲烷和一氧化二氮,不仅是由于燃烧化石燃料,也是由于滥伐森林造成的。在亚马孙河流域进行的大规模生物圈与大气试验表明,由于1979~1989年间美洲热带森林丧失,造成每年有24亿t碳被排放到大气中。森林丧失的影响远远超过人为二氧化碳的排放,通过生物群落和土壤的大气碳再循环是控制大气中二氧化碳的重要途径。森林丧失造成的生产力下降,使二氧化碳滞留在大气中时间延长,增加了其在大气中的含量。根据Frankhauser 1994年计算的数字,释放到大气中的碳每吨至少造成165元的损失。我国森林资源活立木总蓄积量是125亿m³。由于需要230kg碳来生产1m³木材,全部活立木共贮存着约28.8亿t碳。按贮存每吨碳的效益165元计算,则此储存量价值4 752亿元。

二、涵养水源

(一)拦蓄降水

森林是拦蓄降水的天然大水库,具有强大的蓄水作用。森林的复杂立体结构能对降水层层截持,不但使降水发生再分配,而且减弱了降水对地面侵蚀的动能。林冠的枝叶可以拦截和保留降落在树冠上的一些雨水,随森林类型和降水量的变化,树冠拦截的雨水量也不同。据研究,我国主要森林生态系统年林冠截留量平均值变动在134~626mm之间,林冠截留率平均值变动在11.4%~34.4%之间,平均为21.64%。森林内的灌木与草本植物层拦截并保留的雨水更多;森林地面的枯枝落叶层处于松软状态,具有很大的孔隙度和持水力,吸收和渗透降水很快。一个良好的枯枝落叶层能吸持10mm以上的降水,其下渗力每小时100mm以上。通常森林枯枝落叶层吸水的能力是自身重量的40%~400%,森林枯枝落叶层转化成的腐殖质吸水的能力是自身重量的2~4倍。穿过枯枝落叶层的降水又被土壤吸收,枯枝落叶层的持水量和渗透率越大,产生的地表径流就越少。有关研究说明,林地只要有1cm以上厚度的枯枝落叶层,就能使地表径流减少到只相当于裸地的1/10以下。在林地土壤中,乔木、灌木和草本植物的大量根系,生长在不同深度的土层中,这些根系枯死之后,不仅会增加土壤的有机质,而且在土壤中遗留下许多孔道,这些孔道会增加土壤的蓄水量。在森林土壤中还生活着大量的微生物和昆虫等动物,它们在土壤中开掘了大量的洞穴和孔道,这些洞穴和孔道也可以蓄存大量的降水。另外,由于林地上枯枝落叶的分解转化,增加了林地土壤的有机质,形成了较好的土壤团粒结构,使林地土壤具有很强的持水能力。据科学观测,每年每公顷林地涵养并转变为地下水的水量比无林草坡地多 1 600.5m³。666.7hm²(1 万亩)的森林的蓄水能力相当于 1 个蓄水量 100 万 m³ 的水库。我国有关专家近几年进行的研究测算表明,目前中国森林的年水源涵养量为 3 470 亿 t,相当于全国现有水库总容量 4 600 亿 t 的 75%。如果用等价物替代法进行价值计算,它相当于建造同等容量的水库所需要的建设投资。

(二)削洪减灾

我国降水丰富的地区,降水分布不均,全年 80% 左右的雨水集中在 7~9 月,容易形成洪峰。而在有林地区,当降水强度超过枯枝落叶层和土壤的渗透力产生地表径流时,流水也只能在枯枝落叶层和土层内流动。由于反复受枯枝落叶和土粒阻拦,径流分散,流速减慢。因为森林对降水的层层截持,林地蓄存降水,并借助于良好的土壤结构将地表径流转化为地下径流,径流不会短时间过量集中,可以防止和减缓洪水的暴发。这主要表现为降低洪峰水位,减少洪峰流量,延缓洪水产生的过程,削弱洪水之害。无林和少林地区的洪峰进退迅猛,加大了洪水的威胁。一般说,林外的洪峰比林区高 1 倍多,最高洪峰非林区比林区高 2.4 倍。如果长江、松花江、嫩江上游的森林覆盖率不是过低,那么 1998 年的洪水是完全有可能避免的,直接和间接的损失就不会那么大。根据 1994~1998 年全国第五次森林资源调查,当时我国森林面积为 1.59 亿 hm²。按照 1998 年洪水造成的经济损失计算,现有森林每年能减少洪灾造成的损失为 $2.63 \times 10^{12} \sim 3.33 \times 10^{12}$ 元,平均每公顷森林能减少洪灾损失 1.7 万~2.1 万元。

(三)补给河水

森林可以将涵养的水转变为地下水,防止河流断流。森林通过土壤和生物组织吸收大量降雨来减少多雨季节时的水流量,同时又提供持久的溪水来降低旱季时的缺水现象。森林内地表径流量小,大部分降水渗入地下,贮存在土壤或岩石中,化为涓涓细流,使水流均匀进入河流或水库,以丰补歉,在枯水期仍能维持一定量的水注入河川,使河川水流量在一年内均匀分配,能增加枯水季节流量,缩短枯水期长度,缩小洪枯比,稳定江河一年中的长水位,具有较大的调节地表径流和江河流量的作用。同时,保证了水力发电、居民生活和灌溉用水,从而避免了洪水季节大量降水的无效流失,使更多的降水得到有效的利用,在一定程度上能缓解水资源的短缺,减少旱季缺水造成的损失。在我国的许多地区,缺水都是非常严重的问题。黄河下游断流的天数从 1970 年到 1990 年的平均每年 20 天突增到 1995 年后的每年 150 天,并曾在 1997 年达到了 226 天之多。1999~2000 年间长江下游水域同样出现了水资源紧缺现象。目前,我国水资源人均占有量 2 275m³,仅为世界平均水平的 1/4,低于人均 3 000m³ 的轻度缺水标准。水的短缺限制经济的发展,1997年,中国东部发生特大洪水,而在中国北部城市,缺水导致工农业直接的经济损失相当于当地该年国民生产总值的 3%。缺水还造成生态环境的退化,特别是河流流域植被的退化。另外,由于缺水,全国七八个省(直辖市)地面沉降严重,其中天津市地面沉降面积占全市总面积的 66%。在干燥季节,坝区植被的破坏加剧了江河的干涸。根据专家估算,我国水资源人均占有量中至少有 10% 是依靠森林的补给而获得的,如以香港从广东省购水的水价每立方米 3.27 元计算,全国森林水资源供应效益的年价值为 8.9×10^{10} 元,平均每公顷森林水资源供应效益的年价值为 0.56 万元。

三、保持水土

(一)防止土壤侵蚀

森林植被可以通过多种途径阻止土壤侵蚀的发生。森林覆盖率增加,土壤流失就会随之降低。如果有效覆盖度达到 60%,可以显著地减少土壤流失。这种效应对于接近地面的植被来说更加明显。植物的分层现象也起一定的作用,灌木和草地混合植被下的土壤流失程度比纯草地低 20%。森林在雨季可以拦截降雨,使大部分降雨保持在植物表面上以及枯枝落叶层中、土壤里及生命组织中,从而减少地表径流。森林茂密的植被除截留一些雨水外,还能够在土壤表面形成一个保护层,显著地减少雨水对土壤表面的直接冲刷,保持土壤结构的稳定性,消除雨水的侵蚀作用。裸露的土壤在暴雨雨滴的击溅和浸润下,土壤结构会被破坏,抗蚀力急剧降低,被水分所饱和的表层土壤很快呈稀泥状态,堵塞土壤孔隙,减少降水渗透,流水将其挟带形成径流,造成土壤侵蚀,而林地土壤可以得到植被和枯枝落叶层的保护,使土壤不被侵蚀。林地枯枝落叶层增加了地面的粗糙度,起到过滤、阻断和减缓地表径流的作用。对不同类型土地土壤流失的一项调查表明,天然阔叶林、杉木人工林、马尾松人工林和裸地每平方公里的水土流失量分别为 217、232、257、1 326t。这一结果说明,森林在防止土壤侵蚀方面非常有效,而天然林比人工林更好一些。据估算,每公顷山地森林防止泥沙流失效益为 32 元,全国山地森林面积约占森林总面积的 70%,其效益约为 36 亿元;每公顷山地森林防止土壤养分流失效益为 3 元,全国约 3 亿元。两项合计,全国山地森林的保土效益每年约 39 亿元。

森林能固土防崩,阻挡土体的运动,可在一定程度上防止重力侵蚀和泥石流的发生。树木根系深,根幅广,骨干根粗壮,根系抗折强度大,防止重力侵蚀和泥石流能力强。

(二)减少泥沙淤积

森林植被和林地枯枝落叶层对林地土壤的保护,使林地一般不会发生土壤侵蚀,同时由于枯枝落叶层结构上的特异性,还可使森林所在地段的上部地段的泥沙或林内进入径流的土砂石砾及半分解物质沉积,对地表径流起到过滤作用,从而减少泥沙流入河道和水库。不仅林带内部可以沉积泥沙,而且在林带下方两倍树高距离内的地段也可以沉积泥沙。枯枝落叶层越厚,分解得越好,质地越疏松,对地表径流的过滤作用越突出。由于林地枯枝落叶层具有过滤泥沙的作用,从林内流出的是涓涓清流,泥沙含量少,因而能够大大减缓河床、水库的淤积速度。植被的丧失导致泥沙淤积,砂砾、碎石沉积在沟渠、水库、河流和湖泊的底部。据估算,水土流失的24%沉积在水库、河流和湖泊中,降低了这些设施的储水能力,使干旱、洪水的发生更加频繁。沉积还可以降低水力发电站的功效和使用寿命,阻塞沟渠,并且增加了净化工业与生活用水的成本。

如果所有的森林都遭毁坏,会导致大多数水利和灌溉工程瘫痪,其损失将是难以计算的。根据现实情况,保守地估计森林的破坏每年给水电和灌溉造成10%～20%的损失。那么,森林的这项价值相当于我国全部水电的10%的价值,约210亿元,以及全部灌溉农业10%的产值,约1 300亿元。

四、改良土壤和改善水质

森林植被通过改善土壤的化学、物理和生物结构,从而提高土壤的肥力。森林改善土壤的物理结构,是指森林可以使土壤孔隙度增加,土壤含水量和透气性提高。森林土壤具有良好的团粒结构,透水和持水能力强,林地枯枝落叶分解形成的腐殖质能黏合粗粒土壤和增加黏重土壤的孔隙度,从而增加土壤的持水量和通气透水性。森林内动物多,可使枯枝落叶分解作用加强,促进土壤结构和透性的改善,动物挖掘的洞穴、孔道能增加土壤的通气透水性。林木不断生长延伸的根系,穿插交织在土壤中,牢固地团聚土块,增强了土壤的抗蚀能力。森林可以改善生物结构,使土壤中的微生物变得丰富,土壤腐殖质含量提高。林地枯枝落叶经微生物分解形成腐殖质,林地土壤腐殖质含量比无林地土壤高4%～10%。森林可以改善土壤的化学结构,枯枝落叶层可以把养分返回到土壤中。森林及野生植物每年增加的有机物质,连同枯枝落叶,厚厚地盖着林地,腐烂以后成为优质肥料。此外,森林可以使空气中的部分元素转移到土壤中,比如某些植物的固氮作用。研究表明,森林枯枝落叶层的腐烂可以使每年每公顷平均3 990kg的硝酸盐返回到土壤中,由此推算,全国森林每年可以将6.36亿t硝酸盐转移到土壤中,按1999年中国出口尿素的价格每吨1 050元计算,森林每年固定到土壤里的硝酸盐价值达6 678亿元。森林物种组成不同,年龄结构不同,提高土壤肥力的程度也不同。根据农田不施肥情况下,每年每公顷的减产情况进行简单的估计,中国的森林在提高土地生产力方面的效益每年达到1 440亿元。

森林能有效地防止水资源的物理、化学、生物和热能的污染。森林土壤能够净化污水,经过森林土壤过滤的水流,细菌数量比经过农田的水流低很多。降水通过林冠或沿树干流下渗入土壤,再由河溪流出。森林的过滤及消毒作用强,经过森林过滤的降水,其化学成分会发生变化,化学物质含量下降,水的硬度降低,提高了水的质量,完全符合饮用水的标准,由此节约的居民用水的处理费用是非常巨大的。

五、减少污染

(一)净化空气

森林是陆地上最大的生态系统,它的光合作用量也是最大的。森林通过光合作用吸收的二氧化碳和释放的供人类和其他生物生存所需要的氧气的数量也最多。全世界绿色植物一年所吸收的二氧化碳总量为 440 亿 t,放出的氧气为 120 亿 t。一个成年人每日呼吸需要消耗氧气 0.75kg,呼出二氧化碳 1kg。森林通过光合作用,1hm² 阔叶林,每日能吸收 1t 二氧化碳,释放 0.735t 氧气。在人口多、工业发达的城市里,空气中氧气的含量往往不足,而二氧化碳的浓度却过大,要降低二氧化碳浓度和增加氧气含量,扩大城市绿化面积是惟一的也是最有效的途径。森林对各种有害气体均有一定的吸收积累能力,在污染区周围大量种植吸收污染物能力强的抗性植物,可以起到净化空气的作用。要生产 1kg 的干物质,需要过滤 3 110m³ 的空气。森林能通过吸收和吸附来去除有毒气体、灰尘和烟雾。二氧化硫、氟化氢、氯和氨等气体是大气中常见的有害气体,当有害气体的含量达到一定的浓度时,就会对环境造成严重的污染,威胁人的生存。当空气中二氧化硫的浓度为万分之一时,就能引发人的哮喘和肺水肿,达到万分之四时就可能致人死亡。1952年发生在英国伦敦的震惊世界的“烟雾事件”导致 4 000 多人死亡,其主要原因就是当时空气中二氧化硫浓度过高。二氧化硫还有强烈的腐蚀作用,是酸雨的主要成分,形成的酸雨可以造成土壤、河流、湖泊和水源的污染,导致森林植物死亡和农作物减产,腐蚀各种设施和设备。森林能够通过植物去掉大气中的二氧化硫、氟化氢、氯和氨等有毒气体,如腊梅能吸收汞蒸气,矮牵牛等能通过叶片把高毒性的二氧化硫经氧化作用转化为无毒或低毒的硫酸盐化合物,菊花等能将氮氧化物转化为植物细胞中的蛋白质。一般地说,林地比无林地对二氧化硫的吸收量要大 5～10 倍。都市森林每年每公顷能吸收 3 000～6 000kg 的二氧化硫。每公顷都市阔叶林每年能吸收 300～2 000kg 的氟和氟化物,以及 3 000～5 000kg 的氯。因此,森林被称为天然的空气净化器。森林能吸污降尘,可降低大气浑浊度达 35%,使空中单位截面的浑浊物量大大减少。森林对周围地区的降尘率可达 40%。

(二)过滤尘埃

树木有高大的树干和稠密的树冠,森林是空气流动的巨大障碍,它能改变风速和风向,林木对粉尘有很大的阻挡和过滤吸收作用。当含尘量大的气流通过树林时,随着风速的降低,空气中颗粒较大的粉尘会迅速下降。森林植物的高蒸腾率能使森林周围保持较高的湿度,增加烟尘的水分含量,有助于使灰尘和烟雾沉降到地面和植物的表面。杉、松和栎树林每年每公顷的截尘能力分别为 32t、36.4t 和 68t。另外,林木具有大量枝叶,枝叶表面又常凸凹不平,有些树木的表皮长有绒毛或者能够分泌出黏液或油脂,它们能把粉尘粘在表面,这些枝叶经雨水冲洗后又会恢复吸附尘埃的作用,从而使经过树林的气流含尘量大大降低。没有绿化的地区比已绿化的地区,空气中的灰尘要高 15 倍左右。虽然难以进行定量,但森林在截尘方面的经济价值是很高的。如果没有森林,空气中灰尘的含量对人来说是不能忍受的。

(三)杀灭细菌

森林植物的枝叶,通过吸附大量尘埃减少细菌的载体,使空气中细菌的数量减少。树木是杀菌能手,其叶、芽、花、果能分泌一些芳香挥发性物质,漂浮在空气中,这种物质能杀死细菌和真菌。许多树木在生长过程中会分泌出杀菌素,杀死由粉尘带来的各种病原菌。每立方米空气中的含菌量,百货大楼为 400 万个,林阴道上为 58 万个,公园里为 100 个,而林区只有 55 个。林区与百货大楼空气中的含菌量相差 7 万多倍。据测定,森林外细菌含量 3 万～4 万个/m³,而森林内仅有 300～400 个/m³,相差约 100 倍。林区空气细菌含量少,是因为林木的滤尘、吸尘作用,随着细菌的载体(灰尘)减少,空气中细菌、病毒的含量自然少得多了。更重要的原因是,许多植物,例如香檀、柠檬、桉树等能分泌具有较强的杀菌力的物质,樟树、栎树、椴树、松树、冷杉所产生的杀菌素能杀死白喉、肺结核、霍乱和痢疾的病原菌。

(四)消除噪声

林木和草地有减轻噪声干扰和危害的功能。树木的干、枝、叶具有阻挡声波的作用,枝叶表面的毛孔、绒毛能吸收噪音。有人测定,70dB 的噪音通过 40m 宽的林带,能降低10～15dB,4m 宽的绿篱可减弱噪音 6dB,绿化街道可减少噪音 8～10dB。因此,绿色植物被称为"巨大的消声器"和"天然的隔音板。"

我国森林通过吸收污染物而净化空气和水所创造的价值,如果假定现在的森林使潜在的损害减半,那么估算其价值每年为 200 亿～986 亿元。

六、生态旅游

随着世界各国人民物质文化生活水平的提高,人们要求有一个风景优美、空气新鲜、宁静的环境。在这样的环境里,人们可以更好地工作、休息、娱乐和疗养。只有森林才能提供这种理想的环境。森林环境,景色优美,空气清新,空气中积累的负离子较多,它可以调节人的感官神经,舒缓紧张的精神状态,能改善人的神经功能,调整代谢过程,提高人的免疫力。经常处在优美、安静的绿色环境中,脉搏跳动减缓,呼吸均匀,血流减缓,心脏负担较轻,有利于高血压、神经衰弱、心脏病人恢复健康。绿色森林环境创造和提供的自然美、生活美和艺术美,能满足人们欣赏和享受的需要。森林植物对人的情绪有镇静作用,使中枢神经系统放松,并通过中枢神经系统对人的全身起着良好的调节作用。特别是人从喧哗的地方到安静的森林环境中,脑神经系统能够从烦躁的情绪中解放出来,心情会感到愉快安逸。森林自然景观一年四季随季节的改变发生规律性的变化,森林植物发芽、开花、结果的不断变化,能使人感到大自然的勃勃生机,感受到生命的活力。森林植物多彩的颜色和绚丽的花朵及释放的芳香气味,会对人的大脑皮层产生良好的刺激,有助于解除人的焦虑心情,稳定情绪,不仅能使人感到舒畅,而且可以消除疲劳,改善睡眠。人经常处于森林之中,皮肤温度可以降低 1～2℃,脉搏每分钟减少 4～8 次,心脏负担减轻。现代社会,人们的物质生活已经达到了一定的水平,对休闲、保健的需求越来越多,加之工作和生活的快节奏,身体需要得到良好的放松和休息,绿色的森林环境已成为大家共同的需要和追求。

森林美丽、自然和壮观的风景促进了生态旅游业的发展。我国是世界上在物种和生态系统方面最丰富的国家之一,拥有独特的自然珍品,如大熊猫、雉鸡、稀有树种、花卉等,这些为生态旅游提供了良好的自然资源基础。森林植被增加了旅游与户外娱乐环境的美丽和吸引力,提高了人们的生活质量与健康水平。景观和生物多样性以及生态系统的自然过程等环境成分构成了人们娱乐和欣赏的基础,此外生态系统还具有重要的教育功能。森林的美景和社会的需求已经使生态旅游成为当今旅游业的热点和亮点,并促进了经济的增长,发展森林旅游业已成为调整经济结构、促进经济增长的重要手段。加快森林旅游业的发展可以改造、提升传统服务业,刺激相关服务业的发展,提高服务业在国民经济中的比重,优化经济结构,刺激消费增长。发展森林旅游业是扩大就业、促进劳动力转移的现实选择。发展森林旅游,能够引导人们调整消费方式,树立环境意识,增强保护生态的自觉性和责任感。

　　现代许多国家,为了满足人们的文化娱乐、保健游憩等方面的需求,除开展城乡绿化造林外,还建立了国家公园、自然公园和自然保护区。美国到1978年10月,已建立自然保护区669个,国家公园38个,总面积占国土面积的10%。日本已建立国家公园和自然公园369处,自然保护区370处,总面积占国土面积的15%。1982年9月,我国第一个国家森林公园——张家界森林公园开园,截至2002年底,我国各级森林公园总数已达1 476处,总规划面积1 296万 hm^2,占我国森林总面积的8%。近10年来,全国森林旅游人数保持着每年30%以上的高增长率。2002年,全国森林公园接待森林旅游人数1.1亿人次,以门票为主的直接收入37亿元,森林旅游社会综合产值850亿元。截止到2000年底,中国已建立了野生动植物类型自然保护区909处,面积总计102万 km^2,占国土面积的10.63%。自20世纪80年代末开始,许多自然保护区已经开发了旅游业,到90年代更是日益兴盛。迄今为止,75%以上的自然保护区不同程度地在实验区或缓冲区开展了旅游活动。1994年,中国自然保护区的全部旅游收入为300万～500万元。2004年,全国森林公园共接待游客1.47亿人次,占国内旅游总人数的13%,直接旅游收入为69.21亿元。80年代初,有些地区开发了国际狩猎活动,在黑龙江、吉林、河北、湖南和青海省建立了14个国际狩猎场,这些狩猎场已接待了许多海外狩猎者。我国是世界上旅游业发展最快的国家之一,国际旅游业从1978年起步时的年创汇16.5亿元,世界排名第41位,飞速上升到1998年的1 030亿元,世界排名第7位。1999年,全国旅游总收入为4 000亿元,入境旅游人数达7 280万。国际旅游外汇收入已相当于当年我国外贸出口创汇的7.2%。目前,全球森林旅游人数已占到旅游总人数的一半以上,我国森林旅游的年游客数量也占到国内旅游总人数的1/3。随着人们生活水平的提高,以森林旅游为主体的生态旅游越来越受到人们的青睐,森林旅游业正在逐步成为我国林业产业发展中最具活力和最具发展潜力的新兴产业。国际旅行组织预测,到2020年,全世界旅游总收入将为$165×10^{11}$元,中国将成为世界第一大旅游目的地国,国际旅游人数也将达到1.37亿人次。中国目前每年来自生态旅游的收益约为116亿元。很明显,无论从国内还是国际角度,我国的生态旅游资源都具有巨大的开发潜力,将形成一项数十亿美元的巨大产业。

七、保护生物多样性

(一)我国的生物多样性特别丰富

　　我国是世界上生物多样性特别丰富的国家之一,生物物种不仅数量多,而且特有程度高,生物区系起源古老,成分复杂,并拥有大量的珍稀孑遗物种。中国广阔的国土、多样化的气候以及复杂的自然地理条件形成了类型多样化的生态系统,包括森林、草原、荒漠、湿地、海洋与海岸自然生态系统,还有多种多样的农田生态系统,这些多样化的生态系统孕育了丰富的物种多样性。中国有7 000年的农业历史,在长期的自然选择和人工选择作用下,为适应形形色色的耕作制度和自然条件,形成了异常丰富的农作物和驯养动物遗传资源。生物多样性居全球第八位,北半球第一位。中国有高等植物 32 800 多种,占世界总种数的 12%,仅次于马来西亚和巴西,居世界第三位。其中,被子植物 24 500 多种,裸子植物 236 种,苔藓植物约 2 000 种,蕨类植物 2 600 余种,药用植物 4 773 种,淀粉原料植物 300 种,纤维原料植物 500 种,油脂植物 800 种,香料植物 350 种,已开发利用的真菌约 800 种。我国特有的植物约有 200 个属 1 万余种。银杉、水杉、水松、金钱松、台湾松、银杏、珙桐、水青树、钟萼木、香果树等都是中国特有的珍贵树种。

我国是世界三大栽培植物起源中心之一,水稻、大豆、谷子、黄麻等 20 余种作物起源于中国。中国拥有大量栽培植物的野生亲缘种,如野核桃、野板栗、野荔枝、野龙眼、野杨梅、野生稻、野生大麦、野生大豆、野生茶叶、野苹果等,是珍贵的野生植物资源。中国常见的栽培作物有 50 多种,果树品种 1 万余个。

我国动物种类约 10.45 万,占世界总数的 10%。脊椎动物 6 347 种,占世界总数的 14%,其中两栖类 210 种,爬行类 320 种、鸟类 1 186 种、兽类 500 种、鱼类 2 200 余种,分别占世界总数的 10%、13%、5%、7%、10%。昆虫约 10 万种;鹤类 9 种、雁鸭类 46 种、食肉类 54 种、雉类 276 种、灵长类 190 种。

(二)森林是保护生物多样性的主要生境

森林在全球生物多样性保存方面具有极其重要的作用。森林是地球上最大的物种基因库和生态环境庇护地,是陆地生物的主要栖息地,对保护生物多样性起着关键的作用。地球上的森林庇护着生物圈中 70% 的植物物种,40%～50% 的动植物物种。丰富的动植物物种的生存完全依赖于森林植被及其生态功能,它们本身也是生态系统及其功能的一部分,并在其中不断演化。森林是物种最丰富的地区,茂密的树木能给许多生物提供生活栖息场所,提供它们的生存环境。森林消失了,许多物种资源也就消失了,因此,森林在地球生物圈中有着不可替代的保障和支撑作用。

第二节　河南省的森林资源及特点

一、自然地理条件

(一)地理位置

河南省位于我国中东部、黄河中下游、华北平原的南部,东接山东、安徽,北邻山西、河北,西连陕西,南界湖北。地理坐标介于东经 110°21′～116°39′、北纬 31°23′～36°22′,东西长 580km,南北宽 530km。全省面积 16.7 万 km^2,约占全国面积的 1.74%。

(二)地貌条件

河南境内地表形态复杂,基本地形可分为豫北山地、豫西山地、南阳盆地、豫南山地、豫东平原五大区,北、西、南三面为山地。豫西山地为秦岭东延余脉,有崤山、熊耳山、外方山和伏牛山等,通称伏牛山;山势西高东低,向东呈折扇面状展开,海拔 500～2 000m,最高峰灵宝市境内的老鸦岔海拔 2 413.8m;山地东部有我国名山"五岳"之一的中岳嵩山,海拔 1 440m。豫北山地为太行山南段东麓,呈陡峻的单面山形态,最高海拔 1 955m,山间多小型盆地。豫南山地包括桐柏山大部和大别山的北部,一般海拔 1 000m 左右,主峰九峰尖 1 553m,是长江、淮河流域的分水岭;华北平原的南界,有风景秀丽的鸡公山。全省山地面积约 4.4 万 km²,占全省总面积的 26.3%。东部的豫东平原为华北大平原的组成部分,也称黄淮海平原,主要由黄河、淮河冲积而成;平原和盆地面积合计 9.3 万 km²,占全省总面积的 55.7%。山地与平原之间的过渡地带多系低山丘陵或垄岗,在豫西山地和太行山地丘陵之间的黄河沿岸分布着黄土台地;丘陵和台地面积 3 万 km²,占全省总面积的 18%。

(三)气候特点

河南省处于亚热带气候和暖温带气候过渡地区。大致以伏牛山主脊与淮河干流的连线为分界线,分界线以南属北亚热带湿润气候区,以北属暖温带半湿润气候区。热量资源比较丰富,但差异较大,全省年平均气温 12.8~15.5℃,由南向北递减。降水资源年际变化较大,且时空分布不均,年平均降水量 600~1 200mm,自南而北递减。无霜期 180~240d。总体特点是:冬季寒冷少雨雪,春季干旱多风沙,夏季炎热多雨水,秋季晴和日照足。冷暖空气交汇频繁,季风气候特别明显,干旱、干热风、暴雨、大风、沙暴、冰雹等多种自然灾害时常发生。

(四)水文状况

河南省河流众多,有大小河流 200 多条,分属黄河、淮河、海河和长江四大水系。黄河自山西、陕西峡谷流注入境,在本省境内长 711km,流域面积 3.62 万 km²,占全省面积的 21.7%,其干流上有著名的三门峡和小浪底水利枢纽工程。较大的支流有洛河、伊河、沁河、蟒河等。由于历史上黄河多次改道,造成豫东、豫北广泛分布沙地和低洼易涝盐碱地。淮河发源于本省桐柏山区,由西向东横贯本省东南部,是本省流域面积最大的水系,向东流入安徽;在本省境内长约 340km,流域面积 8.83 万 km²,占全省面积的 52.8%。较大的支流有洑河、史河、沙河、颖河等。海河在本省仅有支流卫河,它是海河最长的支流,发源于本省太行山南麓,向东流向河北,在本省境内长约 400km,流域面积约 1.53 万 km²,占全省面积的 9.2%。属于长江水系的河流主要是汉水的支流唐河、白河和丹江等。这些河流经湖北流入汉水,流域面积 2.72 万 km²,占全省面积的 16.3%。

二、森林资源基本情况

据 2003 年河南省森林资源清查结果,全省林业用地面积 456.41 万 hm²,其中有林地 270.30 万 hm²,疏林 9.03 万 hm²,灌木林 59.83 万 hm²,未成林 35.64 万 hm²,苗圃地 3.07 万 hm²,无林地面积 78.54 万 hm²,林木覆盖率 22.64%,森林覆盖率 16.19%,活立木蓄积量 13 370.51 万 m³。林业用地资源比较丰富,占全省土地面积的 27.33%。但林业用地的利用率低,有林地占 59.22%,人均有林地面积少,仅为全国人均的 1/5,是全国少林省份之一。人均活立木蓄积量约为全国的 1/7。林龄结构不合理,成、过熟林面积比重仅占 4.5%,蓄积占 8.49%;近熟林面积比重占 8.32%,蓄积 14.45%;中龄林面积占 28.96%,蓄积占 41.31%;幼龄林面积占绝对优势,为 58.24%,蓄积比重占 35.75%,林分低龄化现象严重。全省活立木年均蓄积生长量 1 461.92 万 m³,森林质量低,用材林平均每公顷蓄积量 38.57m³,不到全国平均水平的 1/2。全省木材年消耗量折算活立木蓄积 1 451.26 万 m³,生长大于消耗 10.66 万 m³,但消耗量上升,且林分消耗低龄化严重。

三、森林资源的区域分布

河南省地域广阔,南北气候交错,形成南北区域兼容并存的森林植被。分布着暖温带落叶阔叶林和北亚热带落叶与常绿阔叶混交林。按照全省气候、地形地貌和植被的分布规律,将河南省森林资源分为太行山山地森林、伏牛山山地森林、大别山山地森林和平原林地等四个区域。

太行山地包括安阳、鹤壁、新乡、焦作和济源等五个市,主要分布着由栎类组成的落叶阔叶林,较高的山地分布着油松、华山松、白皮松、华北落叶松等树种组成的针叶林。森林植被多数是原始森林被破坏后形成的天然次生林,有栓皮栎、蒙古栎、辽东栎组成的栎林,由槲树、鹅耳栎、青檀、黄檀子等组成的硬阔叶林。还有一定面积的人工林,主要是侧柏林、油松林、刺槐林和栓皮栎林。在土层瘠薄的岩石裸露地分布有荆条、酸枣、山皂荚等灌木林。有林地面积 18.39 万 hm²。

伏牛山地包括郑州、洛阳、平顶山、许昌、三门峡、南阳和驻马店等七个市。伏牛山北坡,以及嵩山、熊耳山、外方山等山地主要分布着由栎类组成的落叶阔叶林,较高的山地分布着油松、华山松、白皮松、华北落叶松等树种组成的针叶林。在黄土地带和低山丘陵区,由于森林破坏殆尽,主要分布着旱生耐瘠薄的侧柏林和荆条、酸枣、山皂荚等落叶灌丛。伏牛山南坡豫西南山地主要分布着由栎类组成的落叶阔叶林,以华山松、油松、马尾松为主的针叶林,以及常绿杜鹃灌丛。高海拔山地分布有冷杉林、云杉林和铁杉林。有林地面积 184.34 万 hm²。

大别山地包括信阳市,分布的是落叶与常绿阔叶混交林。落叶阔叶林有栓皮栎、麻栎混交林、枫香、黄檀、小叶朴混交林,栓皮栎、化香混交林。常绿、落叶阔叶混交林主要是青冈栎、白栎、黄连木混交林。针叶林主要有马尾松林、黄山松林、杉木林和水杉林等。竹林的分布也比较普遍,有桂竹林、毛竹林。低山丘陵种植有油茶林、油桐林等经济林。在山顶、山脊和裸岩陡坡处,呈零星小块状分布着由连翘、映山红、白鹃梅、盐肤木、胡枝子等组成的灌木林。有林地面积 37.58 万 hm²。

平原包括开封、濮阳、漯河、商丘和周口等五个市,森林植被为防风固沙林和农桐间作林,有林地面积 30.00 万 hm²。

第三节　河南省的森林生态效益及评价

一、保持土壤功能价值

林地防止泥沙流失功能价值的计算方法为:有林地与无林地年度侵蚀量的差×森林面积×倾斜度在 5 度以上的森林面积的比重×防护工事费用。由于林地坡度基本都在 5 度以上,将倾斜度在 5 度以上的森林面积的比重定为 1。防护工事费用按清除水库淤塞工程造价计算。根据有关资料推算,清除 1t 水库淤塞土壤的工程需投入 36 元。

1. 太行山林地保持土壤功能价值

据观测,该区林地侵蚀模数为 151t/(km²·a),无林地侵蚀模数为 4 327t/(km²·a),以此为依据计算得出,太行山区林地每公顷每年减少土壤流失 41.76t,减少土壤流失总量 767.97 万 t。折合功能价值 2.76 亿元。

　　2.伏牛山林地保持土壤功能价值

　　据观测,伏牛山南坡的南召县青冈扒流域面积 19.8km²,1957 年森林覆盖率为 3.7%,侵蚀模数为 3 380t/(km²·a),年流失土壤为 6.7 万 t。1982 年,森林覆盖率提高到 85.7%,林分主要是马尾松与麻栎的混交林,侵蚀模数为 495t/(km²·a),年流失土壤减少到 1 万 t。以此为依据计算得出,伏牛山区林地每公顷每年减少土壤流失 28.85t,减少土壤流失总量 5 318.21 万 t。折合功能价值 19.15 亿元。

　　3.大别山林地保持土壤功能价值

　　据观测,大别山地马尾松与麻栎混交林侵蚀模数为 185t/(km²·a),荒地侵蚀模数参照伏牛山地,以 3 380t/(km²·a)计算。大别山区林地每公顷每年减少土壤流失 31.95t,减少土壤流失总量 1 200.68 万 t。折合功能价值 4.32 亿元。

　　全省山区林地每年减少土壤流失总量为 7 286.86 万 t。折合防止泥沙流失功能总价值为 26.23 亿元。

二、蓄积养分功能价值

　　森林在提高土壤肥力方面有较高的价值。在河南省的农田林网中,每年每公顷产生 55 500kg 枯枝落叶,而回到土壤里的养分为每年每公顷 23 400kg。与传统的农业用地相比,农田林网中养分的循环利用率高 9.53%,腐殖质含量高 19.2%,氮总量高 8.3%,土壤微生物总密度高 29.2%~8.7%,土壤的生化活性高 24%~94%。这些数据说明,森林在提高土壤肥力方面作用重大。森林固土的同时还发挥保肥效益,其效益的大小以森林防止土壤流失量中的养分减少量来衡量,按同等养分含量的化肥价格换算成效益价值。另外,林地枯落物也增加土壤养分蓄积。这两项效益合计为森林蓄积养分的总价值。统计全氮、速效磷、速效钾三种养分,将它们分别折算成尿素、过磷酸钙、硝酸钾三种化肥量,价格计算标准尿素 1.05 元/kg,过磷酸钙 0.44 元/kg,硝酸钾 0.50 元/kg。

　　1.太行山林地蓄积养分价值

　　据河南省林业科学研究所测定,太行山区荒坡土壤全氮含量为 2 400mg/kg ,速效磷含量为 0.55mg/kg,速效钾含量为 102.86mg/kg。林地土壤全氮含量为 3 100mg/kg ,速效磷含量为 2.54mg/kg,速效钾含量为 230.36mg/kg。太行山林地保肥量全氮为 2 380.70 万 kg,速效磷为 1.95 万 kg,速效钾为 176.91 万 kg。折算成尿素为 5 182.05 万 kg,价值 5 441.16 万元;过磷酸钙为 65.01 万 kg, 价值 28.60 万元;硝酸钾为 458.07 万 kg,价值 229.04 万元。森林枯落物的分解增加林地土壤养分量的计算,根据河南省水土保持科学试验站观测的数据,太行山林地枯落物风干重 7 600kg/hm²,枯落物含氮 1.12%、速效磷 0.08%、速效钾 0.19%。折算成尿素 1 565.35 万 kg,价值 1 643.62 万元;过磷酸钙 111.81 万 kg,价值 49.20 万元;硝酸钾 265.55 万 kg,价值 132.80 万元。

　　太行山林地蓄积养分的总价值为 7 524.42 万元。

　　2.伏牛山林地蓄积养分价值

　　以河南省水土保持科学试验站观测的数据为计算依据。伏牛山区林地土壤全氮含量为 5 900.00mg/kg ,速效磷含量为 1.87mg/kg,速效钾含量为 84.16mg/kg。伏牛山林地减少水土流失的保肥量全氮为 31 377.52 万 kg,速效磷为 9.95 万 kg,速效钾为 447.59 万 kg。折算成尿素为 68 402.99 万 kg,价值 71 823.15 万元;过磷酸钙为 331.64 万 kg,价值 145.92 万元;硝酸钾为 1 157.92 万 kg,价值 578.96 万元。伏牛山林地每年每公顷枯落物量为 6 699.00kg,枯落物总量为 1 234 893.66 万 kg,折算成全氮为 13 830.82 万 kg、速效磷为 987.90 万 kg、速效钾为 2 346.29 万 kg,价值分别为 14 522.37 万元、434.68 万元和 1 173.16 万元。

伏牛山林地蓄积养分的总价值为 8.87 亿元。

3. 大别山林地蓄积养分价值

据有关测定,大别山区林地土壤全氮含量为 4 215.04mg/kg ,速效磷含量为 4.99 mg/kg,速效钾含量为 102.20mg/kg。大别山林地减少水土流失的保肥量全氮为 5 060.91万 kg,速效磷为 5.99 万 kg,速效钾为 122.71 万 kg。折算成尿素为 11 032.78 万 kg,价值 11 584.42 万元;过磷酸钙为 199.60 万 kg,价值 87.83 万元;硝酸钾为 317.81 万 kg,价值 158.91 万元。大别山林地每年每公顷枯落物量为 6 699.00kg,枯落物总量为 25 174.85 万 kg,折算成全氮为 2 819.58 万 kg、速效磷为 201.40 万 kg、速效钾为 478.32 万 kg,价值分别为 2 960.56 万元、88.61 万元、239.17 万元。

大别山林地蓄积养分的总价值为 1.51 亿元。

全省山区林地每年蓄积养分功能的总价值为 11.13 亿元。

三、涵养水源功能价值

森林涵养水源功能价值包括保存降水功能价值、缓和洪水功能价值、净化水质功能价值、增加地表有效水价值、增加水力发电价值五个方面。

保存降水功能价值＝林地每年增加的有效水源量×水库每立方米库容年折旧费

缓和洪水功能价值＝林地每年增加的有效水源量×雨水利用设施的折旧费

净化水质功能价值＝林地每年增加的有效水源量×人工净化雨水的成本

增加地表有效水价值＝林地每年增加的有效水源量×综合水价

增加水力发电价值＝林地每年增加的有效水源量×每吨水发电的价值

森林保存的降水量换算成水库的储量,以建筑水库的工程造价来定量评价森林的保存降水功能价值,按水利部门建造水库造价,建造每立方米库容需投入 3 元,水库寿命按 200 年计算,每立方米库容每年折旧费 0.015 元,雨水利用设施的折旧费按每年每立方米 0.015 元计算,人工净化雨水的成本按每吨 1.00 元计算,综合水价按每吨 0.15 元计算。每吨水发电的价值为 0.015 元,林地每年增加的有效水源量以林地枯落物吸持降水量与林地土壤超过荒地土壤的持水量的和计算。

(一)太行山林地涵养水源功能价值

太行山林地年产枯落物风干重为 7 600kg/hm², 其吸水能力是自身重量的 1.6～2.6 倍,取其平均值 2.2 倍计算,每次产流降雨,全部林地枯落物吸持降水量为 451.51 万 t。根据《河南省气候资料累年值》1961～1990 年 30 年的平均值,产流降雨(以一次降雨在 25mm 以上)每年有 7 次,太行山林地枯落物年吸持降水总量为 2 054.54 万 t。土壤容重为 2.33 g/cm³,林内土壤饱和持水量为 38.5%,林外土壤饱和持水量为 29.6%。林内土壤容重为 1.39g/cm³,孔隙度为 40.34%;林外土壤容重为 1.58g/cm³,孔隙度为 32.19%。以地表 30cm 土层厚度计算,每次产流降雨,林内土壤比林外土壤每公顷多吸持降水 244.50t,每公顷林地每年多吸持降水 1 711.50t,全部林地土壤每年多吸持降水总量 3.15 亿 t。

太行山林地每年增加的有效水源量为 3.35 亿 t。

保存降水功能价值为 503.14 万元。

缓和洪水功能价值为 503.14 万元。

净化水质功能价值为 3.35 亿元。

增加地表有效水价值为 5 031.41 万元。

增加水力发电价值为 503.14 万元。

太行山林地每年涵养水源功能总价值为 4.01 亿元。

(二)伏牛山林地涵养水源功能价值

伏牛山林地的枯落物吸持降水量为 20.54t/hm²,产流降雨每年有 8 次,因此每公顷林地枯落物年吸持降水量为 164.32t,伏牛山林地枯落物年吸持降水总量则为 3.02 亿 t。土壤容重为 22.33g/cm³,林地土壤容重为 1.28g/cm³,孔隙度为 45.06%;荒坡土壤容重为 1.45g/cm³,孔隙度为 37.77%。以地表 30cm 土层厚度计算,每次产流降雨,林内土壤比林外土壤每公顷多吸持降水 218.70t,每公顷林地每年多吸持降水 1 749.60t,全部林地土壤每年多吸持降水总量 32.24 亿 t。

伏牛山林地每年增加的有效水源量为 35.26 亿 t。

保存降水功能价值为 5 288.63 万元。

缓和洪水功能价值为 5 288.63 万元。

净化水质功能价值为 35.26 亿元。

增加地表有效水价值为 5.29 亿元。

增加水力发电价值为 5 288.63 万元。

伏牛山林地涵养水源功能总价值为 42.13 亿元。

(三)大别山林地涵养水源功能价值

大别山林地枯落物年产量为 3 996kg/hm²,其吸水能力按自身重量的 2.2 倍计算。产流降雨每年有 13 次,因此每公顷林地枯落物年吸持降水量为 114.29t,大别山林地枯落物年吸持降水总量为 4 295.02 万 t。林地土壤孔隙度 51.0%,荒地土壤孔隙度为 44.0%。以地表 30cm 土层厚度计算,每次产流降雨,林内土壤比林外土壤每公顷多吸持降水 210.00t,每公顷林地每年多吸持降水 2 730.00t,全部林地土壤每年多吸持降水总量 10.26 亿 t。

大别山林地每年增加的有效水源量为 10.69 亿 t。

保存降水功能价值为 1 603.73 万元。

缓和洪水功能价值为 1 603.73 万元。

净化水质功能价值为 10.69 亿元。

增加地表有效水价值为 1.61 亿元。

增加水力发电价值为 1 603.73 万元。

大别山林地涵养水源功能总价值为 12.78 亿元。

全省山区林地每年涵养水源功能总价值为 58.92 亿元。

四、平衡大气功能价值

森林平衡大气功能价值包括吸收二氧化碳功能价值和释放氧气功能价值两个方面，计算方法如下。

吸收二氧化碳功能价值 = 森林年度二氧化碳吸收量 × 回收二氧化碳的成本

释放氧气功能价值 = 森林的年度氧气提供量 × 氧气市场价格

一般阔叶林在生长季节，每天每公顷吸收 1 005kg 二氧化碳，放出 730kg 氧气。氧气市场价格以氧气工业生产的出厂价格 1.2 元/kg 计算，二氧化碳回收成本按每回收 1kg 需投入 0.32 元计算。年度二氧化碳吸收量和氧气提供量用每天的发生量和无霜期的天数计算。

(一)太行山林地平衡大气功能价值

无霜期按 205 天计算。

吸收二氧化碳功能价值为 121.24 亿元。

释放氧气功能价值为 330.25 亿元。

太行山林地平衡大气功能总价值为 451.49 亿元。

(二)伏牛山林地平衡大气功能价值

无霜期按 213 天计算。

吸收二氧化碳功能价值为 1 262.74 亿元。

释放氧气功能价值为 3 439.57 亿元。

伏牛山林地平衡大气功能总价值为 4 702.31 亿元。

(三)大别山林地平衡大气功能价值

无霜期按 224 天计算。

吸收二氧化碳功能价值为 270.71 亿元。

释放氧气功能价值为 737.41 亿元。

大别山林地平衡大气功能总价值为 1 008.92 亿元。

全省山区林地每年平衡大气功能总价值为 6 161.92 亿元。

五、保护农田功能价值

林业是保障农牧业生产的生态屏障，能有效改善农业生态环境，增强农牧业抵抗干旱、风沙、干热风、冰雹、霜冻等自然灾害的能力，保护农田和草原的生产能力，促进高产稳产。

保护农田功能价值以森林对气候的改善和减轻旱涝灾害作用促进农作物增产的价值计算。由于森林对农田的防护作用，能使小麦增产 25%，每公顷增加小麦产量 908kg；玉米增产 36%，每公顷增加玉米产量 1 292kg；水稻增产 8%，每公顷增加水稻产量 474kg；油菜增产 5%，每公顷增加油菜籽产量 65kg。市场价格小麦为 1.3 元/kg，玉米为 1.0 元/kg，水稻为 0.9 元/kg，油菜籽为 4.0 元/kg。

(一)太行山森林保护农田功能价值

太行山区农田面积为 157.20 万 hm^2，夏作物按小麦计算，秋作物按玉米计算。夏季增产小麦的价值为 18.56 亿元，秋季增产玉米的价值为 20.31 亿元。太行山森林每年保护农田功能总价值为 38.87 亿元。

(二)伏牛山森林保护农田功能价值

伏牛山区农田面积为 487.34 万 hm^2，夏作物按小麦计算，秋作物按玉米计算。夏季增产小麦的价值为 57.53 亿元，秋季增产玉米的价值为 62.96 亿元。伏牛山森林每年保护农田功能总价值为 120.49 亿元。

(三)大别山森林保护农田功能价值

大别山区农田面积为 113.69 万 hm^2，夏作物按油菜计算，秋作物按水稻计算。夏季增产油菜的价值为 2.96 亿元，秋季增产水稻的价值为 4.85 亿元。大别山森林每年保护农田功能总价值为 7.81 亿元。

全省山区林地每年保护农田功能总价值为 167.17 亿元。

六、净化环境功能价值

森林净化环境功能价值以森林杀菌价值和减少噪音价值计算。据相关资料，每公顷森林的杀菌价值为 5 300 元，减少噪音价值为 3 500 元。每公顷森林净化环境功能价值为 8 800 元。太行山森林年净化环境功能价值为 16.19 亿元，伏牛山森林年净化环境功能价值为 162.22 亿元，大别山森林年净化环境功能价值为 32.99 亿元。全省山区林地年净化环境功能总价值为 211.40 亿元。

七、保护野生动物功能价值

森林保护野生动物功能价值的计算方法是森林性鸟类的栖息密度×森林面积×动物园每日饲料费用×天数。森林性鸟类的栖息密度为 105 只/hm^2，动物园每日饲料费用平均为 0.10 元/只，一年按 365 天计。太行山森林保护野生动物功能价值为 7.05 亿元，伏牛山森林保护野生动物功能价值为 70.66 亿元，大别山森林保护野生动物功能价值为 14.40 亿元。全省山区森林保护野生动物功能价值为 92.11 亿元。

八、减少地质灾害功能价值

森林减少地质灾害功能价值以森林减少地质灾害所造成损失的价值计算。伏牛山南坡的南召县青冈扒流域面积 19.8km^2，1957 年森林覆盖率为 3.7%，1957 年 7 月 14 日，一次 170mm 的降雨，引起滑坡和泥石流暴发，冲毁耕地 12hm^2，冲毁河堤 5 道，直接经济损失约 10 万元。1982 年，森林覆盖率提高到 85.7%，在 1982 年 7 月 8 日发生的五十年一遇暴雨时，没有一处水毁现象发生。以此推算，每公顷林地减少滑坡和泥石流灾害损失约 60 元，全省森林每年减少地质灾害功能价值则为 1.44 亿元。

九、森林景观旅游休闲功能价值

2002 年，河南省旅游总收入为 421.2 亿元，按照全国森林旅游年游客数量占国内旅游总人数的 1/3 推算,2002 年森林景观旅游休闲功能价值为 140.40 亿元。

河南省森林生态效益估算见表 2-1。

表 2-1　　　　　　河南省森林生态效益估算一览表

项目	功能价值(亿元)
保持土壤	26.23
蓄积养分	11.13
保存降水	0.74
缓和洪水	0.74
净化水质	49.30
增加地表有效水	7.40
增加水力发电	0.74
吸收二氧化碳	1 654.69
释放氧气	4 507.23
保护农田	167.17
杀灭细菌	127.36
减少噪音	84.11
保护野生动物	92.11
减少地质灾害	1.44
森林景观旅游	140.40
总计	6 870.79

第四节　森林的最佳生态模式与造林模式设计

一、太行山地丘陵区

河南省太行山区位于本省西北部,是一条向东南凸出的弧形山地,包括安阳、鹤壁、新乡、焦作和济源等五个市的 20 个县(市、区),分属于黄河和海河两大水系,卫河、漳河是海河水系的两大支流,沁河、丹河、蟒河是黄河的支流。区域总面积为 78.27 万 hm²,其中山地面积 16.67 万 hm²,占 21.30%;丘陵面积 54.00 万 hm²,占 68.99%;盆地面积 7.60 万 hm²,占 9.71%。它的西部是变质岩和石灰岩构成的陡坡中山,海拔一般 1 000～1 500m,相对高度 500～1 000m。受地质断层的影响,山势异常陡峻,多悬崖峭壁和深邃的峡谷。山区大部分坡度很陡,土层瘠薄,岩石裸露,应造林育草,保持水土。部分缓坡地区和沟底谷地,土层较厚,适于发展林牧业。它的东部为低山丘陵,多由石灰岩构成,海拔一般 400～800m,顶部多呈浑圆状。低山的坡度较陡,多在 30 度左右,有的地方达 50 度以上,适宜发展林牧业。丘陵坡度较缓,多在 25 度以下,适宜发展经济林和畜牧业。整个山地丘陵,因石灰岩分布广泛且多断层,易受地下水溶蚀形成溶洞,地表漏水。本区植被稀少,水土流失严重,区域年流失土壤总量为 1 257.6 万 t,其中 900 多万吨泥沙沉积在河道和水库。整个山地丘陵除南部部分地段有小片天然次生林外,大部分地区天然林已破坏殆尽,有些地区甚至天然灌丛和草本植物也比较稀疏,森林覆被率在省内四大山系中是最低的。本区土薄石厚,由于水土流失严重,大部分山地丘陵土层较薄,肥力很低,其中 6.67 万 hm² 的山地丘陵基岩裸露。由于地势起伏大,坡陡谷深,底层漏水,缺水十分严重。该地区应主要营造水土保持林和水源涵养林。

(一)林分结构模式

营造水土保持林,应采用疏林加灌草的基本模式。林分郁闭度一般控制在 0.6 以下,可通过人工栽植乔木疏林,保留林下天然灌草,或结合人工栽灌种草等措施,形成地上部复层植被护坡、地下部多层根系固土的高效水土保持林。在河川上游邻近分水岭的远山高山地区营造水源涵养林。全面营造能形成深厚柔软死地被物层的乔灌木复层混交林。采用深根性树种,在岩石裸露较多、土壤瘠薄、立地条件差的石质山地,可先营造灌木林并封山育林。水源涵养林一般由主要树种、伴生树种和灌木树种组成。

(二)防护林配置模式

1.分水岭防护林

在山地的分水岭地带,一般是干旱、风大、土薄,植被稀少,间有裸岩分布,水土流失严重。分水岭是坡面径流的起点,加强这一地段的植被建设,对控制山地水土流失是非常重要的。根据立地条件,在高山、远山的分水岭处全部造林,也可以布设林带,带宽一般为 10~20m,最窄不小于 6m,采用乔灌木行间混交方式,沿等高线布设。

2.护坡林

山地坡度一般较陡,坡面较大,侵蚀严重,为控制坡面径流、固土护坡、保护农田,要布设护坡林。护坡林一般形成森林戴帽、果树缠腰的格局。护坡林按照乔、灌、草结合的原则,采用针阔混交、乔木与灌木带状混交、乔灌木隔行混交等配置方式,选择适应性强、根系发达、萌蘖性强、枝叶茂盛、固土作用大的树种。

3.梯田地坎林

山区梯田地坎约占农田面积的 3%~20%。为充分利用土地和保护梯田安全,应进行梯田地坎造林。梯田地坎造林采用矮生密植的办法,栽植少威胁或不威胁农作物而又有经济收入的灌木和草类,如桑树、花椒、金银花、紫穗槐、黄花菜、苜蓿等。

4.沟道防护林

在沟道上游,修谷坊使沟道形成川台,以利细土积聚;然后用杨、柳、核桃、柿子、枣树等树种造林。沟道两侧坡脚积土厚的地方,栽植深根性树种。在沟岸塌土坡的上部栽植葛藤等蔓生植物,以覆盖地面,防风固土。

在沟道中段,如上游集水区小,水少流缓,应集中修建坚固谷坊,在谷坊淤积土沙后造林。如果上游集水区过大水多流急,则不修谷坊,以疏水为主,在水沟两旁栽植杨树、柳树等耐水湿树种。

在沟道下游,沟面比较开阔,在沟边顺沟修长条梯田。为保护梯田,防止水冲,在梯田外缘加修窄条梯田,在窄条梯田中栽植核桃、杨树等根系发达的树种。不修梯田的则在沟道两侧栽植杨树和柳树的大苗,在积水期长的沟底可种植芦苇,固沟防冲。

在集水区不太大的支沟下游,以及比降小、土多石少且较宽的主沟道可以修筑柳桩坝。柳桩坝分一字形、复式和土石混合三种类型。一字形柳桩坝是在修好的坝的两个坡面上插柳桩,株行距 30～50cm,树长大后间伐;复式柳桩坝的每道坝由两条小土坝组成,在两条小坝之间栽植旱柳一行,株距 30cm,在下方土坝的背水坡栽植杨树一行,株距 2m;土石混合柳桩坝是在石料充足的沟道,就地取石砌在土坝背水坡,在迎水坡按一字形柳桩坝的方法栽植柳树。

5.水库防护林

库岸林:树木栽植从正常水位处开始,靠近水面的几行选用耐水湿植物,如芦苇、杞柳等,然后栽植柳树、杨树、紫穗槐等乔灌木。

回水沟道造林:为避免回水沟道冲刷,固定沟床,拦淤泥沙,延长水库寿命,在沟道里栽植芦苇、杞柳、旱柳,株行距 0.5m 左右,林带与水流方向垂直或成 30°～40°角。

坝坡造林:在小土坝的背水坡栽植紫穗槐等灌木,株行距 0.5～1.0m。

6.护岸护滩林

护岸林:滩岸相连的河岸,在离开岸边 2～3m 处栽植 3～5 行柳树;河岸陡峭的地方,可在河岸边缘栽植 1～2 行杞柳,林带的宽度一般 5～10m。

护滩林:在河滩上栽植乔灌木树种,栽植行的方向与水流方向成 30°～40°角,每带 3～5 行,带间距 10m,造林时留足行洪水道。树种选择根系发达、耐水湿、抗冲击的柳树、杞柳、紫穗槐等,也可栽植芦苇用于护滩。

(三)树种结构模式

1.低山丘陵区乔木混交模式

(1)侧柏与五角枫混交。带状混交,混交比例 4 枫 6 侧,造林密度 1m×2m。在平缓整齐的坡面上,可采用带状整地,带宽 50cm,整地深度 30cm,间距 2m。在斜陡坡坡面或起伏较大的坡面上,宜采用大鱼鳞坑整地,规格 50cm×50cm×30cm。造林季节在春季、雨季、秋季均可,五角枫采用截干造林,侧柏植苗造林。

(2)侧柏与黄连木混交。混交方式、整地措施、栽植密度同侧柏与五角枫混交模式,造林季节在春季和秋季,黄连木采用截干造林。

(3)侧柏与刺槐混交。混交方式为行带状,刺槐单行栽植,侧柏 3～4 行一带,混交比例侧柏占 70%～80%,刺槐占 20%～30%。

2.低山丘陵区乔灌混交模式

侧柏可分别与黄栌、荆条、连翘等进行乔灌木行间混交,水平配置,比例为 5:5,造林密度为 1m×1.5m。采用小鱼鳞坑整地,规格 30cm×30cm×30cm。造林季节在春季和雨季。荆条采用直播的方式造林,每穴播 10～15 粒种子。

3.低山丘陵区乔草间作模式

核桃与沙打旺间作。在核桃造林地间作沙打旺,核桃行留 2m 保护带。核桃栽植密度为 5m×6m,穴状整地,穴径 1m。核桃栽植时期在春季或秋季,春栽一定要早,秋栽从落叶后到土壤结冻以前均可。苗木在栽前最好放在水中浸泡 3h,以利成活。苗木定植后随即播种沙打旺,采用条播,播幅 5cm,条距 20cm,覆土 2cm。

4.低山丘陵区灌草间作模式

(1)花椒与紫花苜蓿间作。在花椒造林地间作紫花苜蓿,花椒栽植株行距 3m×3m。穴状整地,规格 50cm×50cm×50cm。春季植苗。花椒树行留 1m 保护带,行间播种紫花苜蓿,采用条播,条距 20cm,条幅 3~5cm,深 2cm,覆土 1~2cm。

(2)扁桃与冬凌草间作。在扁桃造林地间作冬凌草,扁桃行留 1m 保护带。扁桃栽植密度 4m×5m,穴状整地,穴径 1m。造林时间为春季。冬凌草分根栽植,株行距 1m×1m。

5.中山区乔木混交模式

(1)油松与麻栎或栓皮栎混交。行间混交,行距 2m,株距 1m。油松雨季造林,1 年半生裸根壮苗,根蘸泥浆栽植。泥浆用较细的土搅生根剂药水而成,不能过稠,以泥浆蘸根后,根系基本保持原舒展状态为宜。丛状栽植,每丛 2~3 株,每坑栽一丛。栽植穴靠近坑外侧,先用湿土埋根,再向穴内填表层土和下层土。第一次填土 60%,稍提一下苗,再由四周向中间砸实土壤,然后埋土使坑面形成小反坡。栓皮栎直播造林,8 月底到 10 月初,种子成熟采收后及时播种造林,每穴播种子 5 粒,播种时把种子均匀撒开,覆土 6~8cm。

(2)油松与五角枫混交。带状混交,3 行五角枫与 3 行油松间隔栽植。栽植行距 2m,株距 1m。春季提前整地,在平缓整齐的坡面上,可用带状整地,带宽 50cm,间距 2m。在斜陡坡坡面起伏较大的立地上,宜采用大鱼鳞坑整地,规格 80cm×50cm×40cm。雨季造林,五角枫截干栽植,截干高度 5~10cm。

6.中山区乔灌混交模式

油松与黄栌混交。行间或窄带混交,混交比例 5:5。株行距 1m×2m,黄栌秋季落叶后截干造林,剪口与地面平。

二、豫西黄土丘陵沟壑区

黄土丘陵沟壑区是全省水土流失最严重的类型区,主要分布在三门峡、洛阳、济源、郑州等市的沿黄河一带,该区域水土流失严重,丘陵山坡耕垦指数高达 40%~50%,破坏了天然植被,加之黄土疏松,抗侵蚀能力弱,保水力差。年降水量 600mm 左右,全年雨量的 60%以暴雨形式集中在 7、8 两个月,造成大面积水土流失,除 30%左右的梯田外,70%的地区水土流失严重,土壤侵蚀以面蚀、沟蚀为主,兼有重力侵蚀。根据对典型流域的调查,年侵蚀模数为 3 732t/km²。其中:年侵蚀模数 500~1 100t/km² 的侵蚀面积占 23.2%,主要分布在流域下游;年侵蚀模数 1 100~3 100t/km² 的侵蚀面积占 18.6%,主要分布在缓坡山地和未治理的缓坡耕地;年侵蚀模数 3 100~5 500t/km² 的侵蚀面积占 50.1%,主要分布在未改造的坡耕地与 25 度以下荒山荒坡;侵蚀模数大于 5 500t/km² 的侵蚀面积占 8.1%,主要分布在黄土陡坡沟壑地带。坡耕地表土流失每年每公顷 22.5~96t,严重的水土流失,导致土地贫瘠,并形成了众多的侵蚀沟,沟壑密度 5km/km² 以上,侵蚀沟深的可达 30~70m,沟道面积占土地总面积的 5%~15%,多的可达 25%~30%。侵蚀沟以沟头前进、沟底下切、沟岸扩张三种形式,不断向长、深、宽三个方向发展。随着沟谷的扩展,耕地面积日趋减少。50 年来,因水土流失,该区平均减少耕地面积 15%,局部严重地区减少 25%~30%。严重的水土流失导致生态环境恶化,自然灾害加剧,人畜饮水困难,水利设施毁坏。

本区又是全省少雨区之一,干旱严重,据历史文献记载,自公元前184年到1948年的两千多年间,发生大的旱灾443次,平均四到五年一遇。新中国成立以来,大旱有12次,常年受旱减产面积占总耕地面积的15%～20%。耕地中坡耕地约占2/3,水源缺乏,土壤贫瘠,地下水位在100m以下,不易开采,灌溉困难,抗旱能力较弱,经常受干旱威胁,特别是作物旺盛生长季危害更大,其中以夏旱和秋旱最为突出。根据省气象局的统计资料,该区夏旱发生概率达30%,秋旱发生概率达30%～40%,夏旱往往使晚秋作物不能及时播种,秋旱则影响小麦播种。十年九旱,粮食产量低而不稳。

本区的土地利用结构不合理。农业用地比例偏大,林地偏少。根据典型调查,现有的林果业用地仅占适宜用地面积的10.3%。

林草覆盖率低,并且由于管理措施不力,使自然植被遭到严重破坏,从而加剧了水土流失和生态环境的恶化。该区是全省重点水土保持治理区。

(一)林分结构模式

豫西黄土丘陵区生态建设主要采取生物措施和工程措施相结合的综合治理模式,建立水土保持林体系。采用网格状、条带状和片状三种结构模式,结构布局满足三个方面的要求:一是有利于水土保持,使林带充分发挥拦截和吸收地表径流,控制水土流失的作用;二是有利于林木生长,使林带的设置能大量集聚水分和有机质,为林木生长创造较好的水肥条件;三是有利于合理利用坡地,使之适合林牧全面发展。在布局设计上,根据梁坡的坡面大小、坡度的缓急、土壤侵蚀强弱,分别设置不同规格和形状的林草网带,并在土石山坡和土层很薄的丘陵顶部、侵蚀沟的沟头、沟畔营造密度较大的防蚀林和水土保持护坡林。

在坡面比较平缓、开阔、坡度在15度以下,线性侵蚀较轻,尤其是在切沟和冲沟较少、土层深厚的梁峁顶部和斜坡上,设置方格状林网,林网间种植牧草或中草药,林网由横山林带和顺山林带构成矩形网格。横山林带与坡面的等高线平行,宽度20～30m,挖6～9行水平沟或鱼鳞坑造林。横山林带的带距大小根据坡度的陡缓和土壤侵蚀状况确定。在坡度较大,水土冲刷较重的坡面,带间距80～100m;在坡面比较平缓,坡度10度以下的坡面,带间距120～150m。顺山林带的宽度为30m,带间距200m。在黄土丘陵有明显的梁脊,梁脊两侧分布的是比较平直整齐的坡面,坡度较陡,长度不足400m或被侵蚀沟切断,则沿隆起的梁脊设一条分水岭防护林带,宽度30～40m,再沿着等高线方向设置与梁脊林带相交的横山林带,林带宽度10～15m,间距50～60m。

(二)防护林配置模式

1.分水岭防护林

丘梁顶部为分水岭地段,是地表径流的起点,光照强,风大,温度变化剧烈,土壤干旱贫瘠,风蚀强烈,水蚀较轻,乔木生长不良,而抗逆性强的灌木和牧草生长良好。因此,在丘梁顶部以营建灌草结构的水土保持林为主。

2.山坡防护林

25度以下的坡地,坡度缓的可修成梯田,用于发展果园,坡度较大的进行灌草带状间作、草田带状间作或林粮带状间作模式。25度以上的坡地营建林草防护林模式。

3.沟头防护林

沟头顶部进水凹地面积小、坡度陡、流量大的集水槽,以灌木林为主,乔、灌、草结合,全面造林;沟头顶部进水凹地面积大、坡度缓、流量小、侵蚀不严重时,可造纯灌木林带或乔灌木混交林带,林带宽度按沟深 1/2～1/3 设计。

4.沟坡防护林

对侵蚀发展已基本停止的沟道,在坡缓、土厚、向阳的沟坡建立干鲜果园;在基本稳定的沟坡上造林,位置应选在坡脚以上沟坡全长的 2/3 以下地段;上缘选择一些萌蘖性强的树种,如刺槐,使其逐渐向坡上繁衍;对沟道下切严重的不稳定沟坡,沟道内采取工程措施,待沟床固定后,再在坡脚上栽植根蘖性强的树种,造林成活后平茬,促其向坡上繁衍。在陡峻的沟坡需营造较密集的乔灌混交林带,选用根系发达、固土能力强的乔灌木树种。

5.沟底防冲林

对比降小、冲刷下切不严重的沟道,垂直于水流方向栅状、片状或全面造林;对冲刷、下切强烈的沟床,结合打淤地坝或筑谷坊工程,带状或全面造林。

6.水库周围防护林

对已确定的小型水库或骨干坝工程,于施工的同时营造防护林。水库防护林包括进水沟道过滤林和库岸防护林,过滤林采取多带式混交结构,垂直于水流方向配置,种植耐水湿、耐盐碱树种;库岸防护林由草灌防浪带和乔灌过滤林组成,林带采用紧密结构。

7.护滩林

对流速较大近期不做治河工程的较宽长的滩地,采用乔灌混交造林,林带方向与水流方向向上呈 45 度夹角;滩地面积狭小时,采用带、片状垂直于水流方向分段密植造林。

8.地埂防护林

在地埂内侧 60～80cm 处栽植,单行或双行配置。

(三)树种结构模式

1.乔木混交模式

(1)油松与刺槐混交。带状混交,油松每带 4～6 行,刺槐每带 2～3 行。油松雨季造林,1 年半生裸根壮苗,根蘸泥浆栽植。刺槐秋末冬初截干造林,根蘸泥浆栽植。留干高度约 10cm,栽植时露出地表 5cm 左右。

(2)侧柏与刺槐混交。混交方式为带状,混交比例侧柏占 70%～80%,刺槐占 20%～30%。

(3)杨树与刺槐混交。带状混交,杨树 2～3 行一带,株行距 2m×3m,刺槐 3～5 行一带,株行距 1m×2m。

2.乔灌混交模式

(1)刺槐、金银花、紫花苜蓿混交。刺槐与金银花行间混交,比例 5:5。刺槐栽植株距 1m,行距 3m。在刺槐行间栽植金银花,金银花株距 0.5m。穴状整地,刺槐栽植穴规格 50cm×50cm×50cm,金银花栽植穴规格 30cm×30cm×30cm。在刺槐与金银花的行间间作紫花苜蓿。秋季 10 月份造林。刺槐截干造林。金银花植苗或插条造林,植苗采用一年生苗;插条造林选用 2～3 年生枝条,枝条长 50cm 左右,埋入土中 25cm,每穴 8～10 根种条。

(2)泡桐与紫穗槐混交。行内、行带状混交。泡桐造林密度4m×4m,穴状整地,长、宽各70cm,深50cm。在泡桐行间、行内株间种植紫穗槐,造林株距1m,行距1m,穴状整地,长、宽、深各30cm。春季或秋季造林。紫穗槐采取截干的方法进行,在苗木根径以上6～8cm处,把苗干截去,只栽根茬,栽植不宜过深,但要踏实。

3.乔草间作模式

(1)黑核桃或核桃与沙打旺间作。造林株行距3m×3m。穴状整地,规格50cm×50cm×40cm。一年生苗,秋季植苗造林。行间播种沙打旺,以秋末冬初播种为好,采用条播,条距20cm,条幅3～5cm,深2cm,每公顷播种7.5～11.25kg,覆土1～2cm。

(2)苹果、枣、杏、沙梨、樱桃等与紫花苜蓿间作。果树栽植密度3m×4m,穴状整地,规格80cm×80cm×80cm,春季造林,每坑施农家肥30kg和过磷酸钙1kg,与表土混合后填入坑内。果树行留2m保护带,行间播种紫花苜蓿。

4.灌草间作模式

石榴与紫花苜蓿间作:石榴造林株距2m,行距3m。穴状整地,规格50cm×50cm×50cm,春季截干造林。石榴树行留1m保护带,行间播种紫花苜蓿,采用条播,条距20cm,条幅3～5cm,深2cm,覆土1～2cm。

三、伏牛山北坡山地丘陵区

(一)林分结构模式
参见太行山地丘陵区林分结构模式。

(二)防护林配置模式
参见太行山地丘陵区防护林配置模式。

(三)树种结构模式

1.低山丘陵区乔木混交模式

(1)侧柏与五角枫混交。带状混交,侧柏每带4～6行,五角枫每带2～3行。株行距1.5m×2m。侧柏雨季造林,1年半生裸根壮苗,根蘸泥浆栽植。泥浆用较细的土搅生根剂药水而成,泥浆不能过稠,以泥浆蘸根后根系基本保持原舒展状态为宜。五角枫秋末冬初截干造林,留干高度约10cm,栽植时露出地表5cm左右。取苗时根蘸泥浆。

(2)侧柏与麻栎混交。带状混交,侧柏每带4～6行,麻栎每带2～3行。株行距1.5m×2m。侧柏雨季造林。麻栎直播造林,8月底到10月初,种子成熟采收后及时播种造林,每穴播种子5粒,播种时把种子均匀撒开,覆土6～8cm。

2.低山丘陵区乔灌混交模式

(1)杜仲与金银花混交。行带状混交,在杜仲行间种植金银花。杜仲株行距2m×3m,植苗造林,一年生苗秋末冬初带干或截干栽植,或春季截干造林。金银花株行距0.5m×1m,在杜仲行间栽植3行,1～2年生苗,秋季或早春植苗造林,也可采用分根造林。

(2)楸树与紫穗槐混交。行带状混交,在楸树行间栽植紫穗槐。楸树株行距2m×3m,一年生苗,秋季或春季造林,埋土踩实,浇足水分,然后培土。紫穗槐株行距1m×1m,在楸树行间栽植3行,1～2年生苗,植苗造林,可在早春采取截干的方法进行。在苗木根径以上6～8cm处,把苗干截去,只栽根茬。栽植不宜过深,但要踏实。也可在秋季苗木落叶后土壤结冻前进行截干造林。秋季或早春植苗造林,也可采用分根造林。

3.乔草间作模式

楸树与黄花菜间作:楸树行间间作黄花菜。楸树造林密度,株行距2m×2m。秋季前穴状整地,规格80cm×80cm×80cm,秋末冬初植苗造林。黄花菜春季在楸树行间栽植两行,分根栽植,行距50cm,株距20cm。

4.灌草间作模式

花椒与黑麦草间作。花椒行间间作黑麦草,花椒选用1～1.5年生苗,春季、雨季、秋季均可造林。花椒春季造林采用"平埋压苗栽植"造林法,在整好的梯田上挖长30～50cm、宽20～25cm、深20～30cm的植苗沟,栽植时把苗木下部约2/3的部分平埋沟内,将梢部露出地面,埋土踏实。雨季造林带叶栽植。春季和秋季造林采用截干造林,截干高度15cm,露出地面10cm。黑麦草春季播种,播幅5cm,条距30cm,覆土0.5cm。

5.中山区乔木混交模式

(1)华山松与五角枫混交。行带状混交,1行五角枫与3行华山松间隔栽植。栽植行距2m,株距1m。造林前提前整地,在平缓整齐的坡面上,可用带状整地,带宽50cm,间距2m。在斜陡坡坡面或起伏较大的立地上,宜采用大鱼鳞坑整地,规格80cm×50cm×40cm。春季造林,五角枫截干栽植,截干高度5～10cm。

(2)油松与枹树混交。行间混交,株行距1m×2m。秋季造林前提前整地,方式为鱼鳞坑,规格长径50cm,短径40cm,深30cm,坑面外比里高10cm,沿等高线排列成行,上下交错成品字形。枹树秋季直播造林,每穴5粒,均匀撒开,覆土3～5cm。油松春季造林,裸根壮苗根蘸泥浆栽植。

6.中山区乔灌混交模式

油松与山杏混交:行带状混交,1行山杏与3行油松间隔栽植。栽植行距2m,株距1m。油松春季植苗造林。山杏播种造林,播种时间为秋季11月份,穴播,每穴2～3粒,覆土3～4cm踩实。

7.中山区灌草间作模式

沙棘与柴胡间作:在沙棘行间间作柴胡。沙棘栽植株行距1m×1.5m,鱼鳞坑整地,规格30cm×30cm×30cm,提前一个季节整地,春季和秋季都可造林,春季造林要适时早栽,适当深栽,比原土印深5cm左右,干旱地方截干造林。柴胡条播,条距30cm,播深2cm,播种量每公顷11.25kg。

四、伏牛山南坡山地丘陵区

(一)林分结构模式
参见太行山地丘陵区林分结构模式。

(二)防护林配置模式
参见太行山地丘陵区防护林配置模式。

(三)树种结构模式

1.低山丘陵区乔木混交模式

麻栎与马尾松混交。行间混交,株行距1m×2m,秋季造林,采用穴状整地,穴长、宽、深各 0.3m。麻栎直播造林,10 月种子成熟采收后及时播种造林,每穴播种子 5 粒,播种时把种子均匀撒开,覆土 5～6cm。马尾松第二年春季植苗造林,1 年生裸根壮苗,根蘸泥浆栽植。

2.低山丘陵区乔灌混交模式

(1)麻栎与荆条混交。行内混交。雨季前整地,在平缓的山地用水平阶整地造林效果较好,宽 50cm,深 50cm,阶间距 2m。在陡峻山地,有水土流失或土薄石多的地方,采用鱼鳞坑整地,规格 80cm×60cm×50cm,株行距 1m×2m。麻栎秋季直播造林,8 月底至 10 月初,种子成熟采收后及时播种造林,每穴播种子 3～5 粒,播种时把种子均匀撒开,覆土 6～8cm。种植密度 2m×2m。荆条可采用植苗造林,春季截干、根蘸泥浆栽植,也可以春季直播造林,水平阶上在麻栎种植点间点播,穴距 50cm,覆土厚度 2cm。种子播前处理采用 45℃温水浸种 24 小时,鱼鳞坑整地在麻栎种植点间的鱼鳞坑点播。

(2)辛夷或山茱萸与金银花混交。行带状混交,辛夷、山茱萸行间间作金银花。辛夷、山茱萸造林密度 3m×4m。秋季前穴状整地,深、宽各 80cm。11 月份或春季 2 月下旬至 3 月上旬植苗造林。金银花株距 50cm,行距 1m。

3.低山丘陵区乔草间作模式

银杏或杜仲与黄花菜间作:在银杏或杜仲行间间作黄花菜。银杏、杜仲造林密度 2m×2m。秋季穴状整地,穴宽 80cm,深 50cm。植苗造林,一年生苗秋末冬初栽植,黄花菜春季在树行间栽植两行,分根栽植,行距 50cm,株距 30cm,开沟栽植。

4.低山丘陵区灌草间作模式

(1)金银花与龙须草混交。在金银花行间种植龙须草,金银花株行距 0.5m×1m。龙须草株行距 0.3m×0.3m,分根栽植。

(2)栀子与紫花苜蓿间作。栀子行间间作紫花苜蓿。栀子造林密度 1m×2m。雨季前穴状整地,规格 40cm×40cm×40cm,2 年生苗秋末冬初栽植。栀子栽植后,于次年春天播种紫花苜蓿,条播,行距 30cm,播深 2cm,播种量每公顷 15kg。

(3)猕猴桃与丹参间作。在猕猴桃行间种植丹参。猕猴桃造林密度 1m×2m,秋季穴状整地,穴宽 80cm,深 50cm。春季 2 月下旬栽植。猕猴桃种植行留 1m 保护带,行间栽植丹参,穴距 20cm×30cm,点播,覆土 0.5～1cm。

5.中山区乔木混交模式

(1)日本落叶松与五角枫混交。带状混交,日本落叶松一带 3～5 行,五角枫一带 2～3 行。冬季,在杂草和灌木稀少的地方穴状整地,规格 40cm×40cm×30cm,沿等高线排列成行,上下交错成品字形,株行距 1m×2m。在杂草和灌木较密的地方,采用水平沟整地,沟长 70～100cm,宽度为 40～50cm,深度 30～40cm。春季植苗造林,日本落叶松用 2 年生裸根壮苗,五角枫用 1 年生苗。

(2)油松与栎树混交。行间混交,株行距 1.5m×1.5m。整地在秋季造林前,方式为鱼鳞坑,规格长径 50cm,短径 40cm,深 30cm,坑面外比里高 10cm,沿等高线排列成行,上下交错成品字形。栎树秋季直播造林,每穴 5 粒,均匀撒开,覆土 3～5cm。油松春季造林,裸根壮苗根蘸泥浆栽植。

6.中山区乔灌混交模式

油松与连翘混交。带状混交,油松3～5行为一带,连翘1～2行为一带。穴状、鱼鳞坑或水平阶整地,宽40cm,深30cm,株行距1m×2m。连翘一年生苗秋季植苗造林。

7.中山区灌木混交模式

山杏与连翘混交:带状混交,两行为一带。造林密度1.5m×2m,秋季前整地。在平缓的山地用带状整地,带宽50cm,深50cm,带间距2m。在陡峻山地,采用块状整地,规格80cm×60cm×50cm。山杏播种造林,播种时间为秋季11月份,穴播,每穴2～3粒,覆土3～4cm踩实。连翘秋季植苗造林。

8.中山区乔草间作模式

楸树或漆树与沙打旺间作:楸树或漆树行间间作沙打旺。金丝楸、漆树造林株距2m,行距2m。秋季前穴状整地,规格80cm×80cm×80cm,秋末冬初植苗造林。沙打旺春季在树行间播种。

五、大别、桐柏山地丘陵区

(一)林分结构模式

参见太行山地丘陵区林分结构模式。

(二)防护林配置模式

参见太行山地丘陵区防护林配置模式。

(三)树种结构模式

1.乔木混交模式

(1)麻栎与火炬松混交。带状混交,火炬松4行一带,麻栎2行一带。造林密度1m×2m,秋季造林前整地。土层较薄或坡度25度以上的山地,采用块状整地,长、宽各60cm,松土深度30cm。沿等高线排列成行,上下交错成品字形。土层较厚或坡度25度以下的山地,沿等高线抽槽整地,间距2m,槽宽60cm,松土深度40cm。麻栎直播造林,10月初,种子成熟采收后及时播种造林,每穴播种子3～5粒,播种时把种子均匀撒开,覆土6～8cm。同时,栽植火炬松。

(2)黑樱桃与马尾松混交。行带状混交。马尾松2行,黑樱桃1行。造林密度1m×2m,秋季造林前整地。土层较薄或坡度25度以上的山地,采用块状整地,长、宽各60cm,松土深度30cm。沿等高线排列成行,上下交错成品字形。土层较厚或坡度25度以下的山地,沿等高线抽槽整地,间距2m,槽宽60cm,松土深度40cm。春季2月份黑樱桃、马尾松植苗造林。

2.乔灌混交模式

(1)檫木与紫穗槐混交。行内混交,在檫木株间均匀栽植两株紫穗槐。檫木造林密度2m×3m,秋季造林前整地。土层较薄或坡度25度以上的山地,采用块状整地,长、宽各60cm,松土深度40cm。沿等高线排列成行,上下交错成品字形。土层较厚或坡度25度以下的山地,沿等高线抽槽整地,间距3m,槽宽60cm,松土深度40cm。

(2)板栗与茶树混交。行带状混交,在板栗行间种植茶树。板栗造林密度3m×4m,秋季全面整地,挖穴栽植,穴宽80cm,深50cm。12月份造林,板栗植苗,板栗行留2m宽保护地,在板栗行间穴状点播茶树,株距 20cm,行距 50cm。

(3)银杏与金银花混交。行带状混交,在银杏行间栽植两行金银花。银杏造林密度株距 2m,行距 3m。穴状整地,穴宽 80cm,深 50cm。植苗造林,秋季 11 月份或春季 2 月中下旬栽植,3~5 年生苗,按苗木总数的 1/20 配置雄株。金银花栽植行距 1.5m,株距 1.0m,穴状整地,规格 30cm×30cm×30cm,1~2 年生苗,秋季或早春造林。

3.乔草间作模式

油桐与菊花间作:油桐行间间作菊花。油桐栽植密度 2m×3m。秋季穴状整地,穴宽 80cm,深 50cm。12 月份造林,油桐直播,每穴播种子 3~5 粒,播种时把种子均匀撒开,覆土 6~8cm。油桐行留 1m 宽保护地,在油桐行间栽植菊花,株距 50cm,行距 100cm。

4.灌草间作模式

(1)油茶与红花间作。油茶行间间作红花,油茶栽植密度 1m×2m。秋季穴状整地,穴宽 80cm,深 50cm。秋季造林,油茶直播,每穴播种子 3~5 粒,播种时把种子均匀撒开,覆土 6~8cm。油茶行留 1m 宽保护地,在油茶行间播种红花,条播,条间距 30cm,沟深 2cm,覆土 0.5cm。

(2)珍珠花与紫花苜蓿间作。珍珠花行间间作紫花苜蓿,珍珠花栽植密度 0.5m×1m。秋季穴状整地,穴长、宽、深各 30cm。12 月份造林,珍珠花植苗,春季在珍珠花行间播种紫花苜蓿。

六、黄河故道沙丘区

(一)防护林结构模式

1.沙丘上部

沙丘上部风蚀严重,水分条件差,应选用耐干旱瘠薄、固沙能力强的灌木,营造片状高密度灌木纯林。

2.沙丘中下部

在沙丘的中下部或沙丘基部与丘间低地结合部位,沿等高线栽植,采用多行单带式乔灌木结合,与沙丘链呈平行方向造林。

3.平缓沙地

在小型沙丘、缓起伏沙地上,采用以灌木为主、乔灌结合或纯灌木行带式全面造林。

4.丘间地

丘间地立地条件好,风小,无风蚀,适合多种植物生长,可采用乔木单行片状造林。

5.滩地

采用以乔木为主、乔灌木结合的平行带状造林,3 行一带,乔木带间距 15~20m。或者实行乔木网格式造林。林带间及网格内可种植牧草,发展畜牧业。

(二)树种配置模式

1.乔木混交模式

臭椿与苦楝混交:片状混交,每一块丘间地栽植一个树种,臭椿与苦楝间隔种植。臭椿造林密度 2m×3m,造林前穴状整地,规格 50cm×50cm×50cm。春季带干造林,待苗木上部壮芽膨大呈球状时栽植,深栽,栽植深度超过根颈 15cm。苦楝造林密度 2m×3m。

造林前穴状整地,规格 60cm×60cm×50cm,春季带干造林。

2.乔灌混交模式

(1)香椿与金银花混交。行带状混交。在香椿行间栽植金银花,香椿株行距 2m×3m。造林前沿等高线与沙丘链呈平行方向穴状整地,规格 80cm×80cm×80cm。香椿栽植行留 2m 保护带,行间栽植金银花,株行距 1m×2m,穴状整地,宽、深各 40cm。春季植苗造林。

(2)杨树与紫穗槐混交。行带状混交。杨树造林密度 2m×3m,造林前沿等高线与沙丘链呈平行方向穴状整地,规格 50cm×50cm×50cm。在杨树行间栽植紫穗槐,紫穗槐株行距 0.5m×1m,穴状整地,规格 30cm×30cm×30cm。春季造林,杨树植苗,紫穗槐截干,在苗木根颈以上 6cm 处,把苗干截去,只栽根茬。

(3)刺槐与枸杞混交。行带式混交。刺槐造林密度 2m×3m,穴状整地,规格 50cm×50cm×50cm。在刺槐行间栽植枸杞,刺槐栽植行留 1m 保护带,行间栽植枸杞,株行距 2m×2m,穴状整地,宽、深各 40cm。春季植苗造林,刺槐截干造林。

(4)杨树与葡萄混交。带状混交,杨树 3 行一带,带间距 15m,杨树带间种植葡萄。杨树株行距 2m×3m,造林前穴状整地,规格 50cm×50cm×50cm,春季带干造林。葡萄春季栽植,株行距 1m×2m,穴植,栽植前挖穴径及深度为 80～100cm 的穴。

3.乔草间作模式

(1)杨树与黑麦草间作。在杨树行间种植黑麦草。杨树栽植密度 2m×3m,行间播种黑麦草。黑麦草条播,条距 20cm,播幅 5cm 左右,覆土厚 2cm 左右。

(2)枣树与沙打旺间作。枣树行间种植沙打旺,枣树栽植密度为 3m×3m。造林前穴状整地,规格 80cm×80cm×80cm,春季萌芽前栽植,每坑内施入有机肥 30～50kg,浇水栽苗,栽苗深度以苗期深度为准。沙打旺春季采用条播,间距 20cm,条幅 3～5cm,深 2cm,每公顷播种 11.25kg,覆土 1cm。

4.灌草间作模式

(1)无花果与黄花菜间作。无花果行间种植黄花菜,无花果造林株行距 3m×4m。造林前穴状整地,规格 80cm×80cm×80cm,春季植苗造林,栽时浇足水分,并加盖地膜。黄花菜分根栽植,株行距 0.2m×1m。

(2)桑树与紫花苜蓿间作。在桑树行间种植紫花苜蓿,桑树造林行距 2m,株距 1m。穴状整地,规格 50cm×50cm×50cm,秋季落叶后到冬季封冻前栽植,浅栽踩实。桑树行留 1m 保护带,行间播种紫花苜蓿,采用条播,条距 20cm,条幅 3～5cm,深 2cm,覆土 1～2cm。

5.灌木纯林

(1)紫穗槐纯林。造林密度,每公顷 6 600～9 900 株。随整地随栽植,沿等高线按品字形排列,整地深度、长、宽各 0.3～0.5m。植苗造林,在早春采取截干的方法进行。在苗木根颈以上 6～8cm 处,把苗干截去,只栽根茬。栽植不宜过深,但要踏实。

(2)枸杞纯林。造林株行距 1m×2m,穴状整地,长、宽、深各 40cm。植苗造林,在早春采取截干的方法进行。随整地随栽植,沿等高线按“品”字形排列。

参考文献

1 王思玉译.破坏森林要付出双重代价.世界自然保护联盟通讯,总第 12 期,2002(6)

2 李文华.长江洪水与生态建设.自然资源学报,2001(5)

3 河南省水利厅水土保持处.河南省水土保持科学试验站成果、论文选编,1990

4 魏克循.河南土壤.郑州:河南科学技术出版社,1979

5 田颖超.南召县青冈扒小流域水土保持综合治理减水减沙效益分析与环境功能研究:[硕士学位论文].郑州:河南农业大学,2002

6 河南省水土保持科学研究所.河南省七处水土保持科学试验站径流泥沙气象资料(1987～1990 年),1994(6)

7 李运学,等.水土流失是我国的头号环境问题.水土保持学报,2002(5)

第三章 河南农田林网、农林间作的生态效益

第一节 农田林网、农林间作的概念和特点

一、农田林网、农林间作的概念

几千年来,随着农业的发展,在广大的平原和部分丘陵山地,森林的退缩和消失造成越来越严重的后果,人们越来越深刻地认识到树木与人类生活息息相关的重大意义。然而,完全恢复原始的森林状态是不可能的,但是,把森林这一因素重新纳入农业生态系统中来,则不但是必要的也是可能的。农田林网、农林间作就是为了防止自然灾害,改善气候、土壤、水文条件,创造有利于农作物生长的环境,以保证农业稳产高产,并能够为人民的生活提供多种效用的人工林生态系统。

农田林网、农林间作都属于农林复合经营系统。农林复合经营(agroforestry),也有人称为混农林业,虽然其实践由来已久,但从科学的角度把这些包含多种类型的生产方式进行总结和推广,却仅有半个多世纪的历史。在 20 世纪 70 年代末和 80 年代初期,农林复合经营的研究在理论和实践上都得到很大发展。在此期间,许多人对农林复合经营提出过自己的定义。其中,李文华、赖世登(1994 年)以国际农林复合研究委员会提出的定义为依据,把农林复合经营表述为"农林复合经营系统是指在同一土地管理单元上,人为地把多年生木本植物(如乔木、灌木、棕榈、竹类等)与其他栽培植物(如农作物、药用植物、经济植物以及真菌等)和(或)动物,在空间上或按一定的时序安排在一起而进行管理的土地利用和技术系统的综合,在农林复合经营系统中,在不同的组分间应具有生态学和经济学上的联系"。这一定义,较好地概括了国内外学者对农林复合经营所下的定义。

农田林网是指在一个相当广阔的地域内,为保护农作物而有计划地把多条主、副林带按照一定的结构和网络系统配置在易遭受自然灾害的耕地上的土地利用系统,是农林复合经营系统在宏观范围上的具体应用。农田林网和农田基本建设紧密结合,充分利用田边、路边和沟渠边的隙地植树造林,既不多占耕地,又能改善生态环境,护农增产,增加经济效益。

农林间作就是把农作物和树木按照一定的规格间隔种植,从而形成一定时段,一定空间内农作物与树木共存的复合生态系统。在我国,农林间作是一种古老而又特殊的农田防护林类型,是防止自然灾害,充分挖掘自然潜力,合理利用土地资源的一项创举。

二、农田林网、农林间作特点

农田林网、农林间作作为农林复合经营系统的两种形式,并不是农业和林业的简单组合,而是木本植物与其他成分之间相互协调的人工生态系统,它具有以下几个方面的突出特征。

(一)整体性

农田林网、农林间作是完整的人工生态系统,有其整体的结构和功能,在其组分之间有物质与能量的交流。这种整体的结构、功能、效益是各组分之间整体协调共生的结果。经营时不仅要注意其组分的某一成分的变化,而且要注意组分间的动态联系,要把取得系统的整体效益作为系统管理的重要目的。

(二)多样性

其多样性有两方面的含义:一是系统是建立在特定的自然、社会、经济条件下的,而各地的自然、社会、经济条件千差万别,因而其模式很多,应根据不同地区的特点,采取不同的模式、措施和方法,切实做到因地、因时制宜,扬长避短,发挥优势;二是系统的组成、经营目标的多样性,也决定了与其他土地利用方式的不同。它改变了常规农业经营对象单一的特点,至少包括两个以上的成分。这里的"农"包括粮食、经济作物、蔬菜、药用植物、栽培食用菌等,所谓"林"包括各种乔木、灌木和竹类。农田林网、农林间作把这些成分从空间和时间上结合起来,使系统的结构向多组分、多层次、多时序、多种产品和效益发展,具有生产和防护双重功能。

(三)系统性

农田林网、农林间作是一种人工生态系统,有其整体的结构和功能,在其组成成分之间有物质与能量的交流和经济效益上的联系。人们经营的目标不仅要注意其某一成分的变化,更要注意成分间的动态联系。

(四)稳定性

农田林网、农林间作以生态学和生态经济学原理为基础,注重生物学、生态学特性的统一,结构复杂,功能完善,具备很强的生态稳定性。木本植物与作物结合延长了土地的循环周期,具备时间的稳定性。

(五)集约性

农田林网、农林间作是一复合的人工生态系统,在管理上要求比单一组分的人工生态系统有更高的技术。要充分考虑系统内各要素之间在功能上和数量上相互依存和相互制约的关系,通过集约经营,提高系统的自组织能力,增殖自然资源,维持系统的稳定性。

(六)高效性

农田林网、农林间作的目的是达到高效的经济、社会和生态效益。其核心问题是提高生产力,发展经济,提高人民生活水平。这一目的的实现主要是通过调整系统的组成和时间结构提高第一性生物生产力,并实现物质的多级利用和转化效率,通过提高系统的自组织和自维持能力,使系统达到高效、和谐和稳定发展。

第二节 河南农田林网、农林间作的发展历史及现状

一、河南农田林网的发展历史与现状

(一)河南农田林网的发展历史

长期以来,在豫东、豫北34个县,由于黄河的多次改道和决口,形成了107万 hm^2 的

沙碱荒地,风沙干旱严重威胁着当地人民群众的生活和生产。为了改变这种状况,当地群众有栽植林木同风沙斗争的悠久历史。一般在耕地上或村庄宅院沿南北方向栽植单行的柳或小叶杨、旱柳,3 年平茬一次,萌条丛生形成紧密结构类型的林带,以防止风沙对庄稼和村庄房舍的侵袭。这个阶段的农田林网是小农经济的产物,没有统一规划,分布零散,结构不良,容易造成凹槽地,而且仅见于风沙危害最严重的所谓"风口",对农田的防护范围有限。

新中国成立后,河南省成立了沙荒造林的管理机构和业务部门,开始有计划地营造大型农田防护林。豫东地区人民在历代黄河故道沙荒地区分别营造了 5 条大型防护林带,总长 520km,宽 1～2.5km,总面积 11 万 hm²。第一条林带自郑州花园口走向东南,经过中牟、开封、尉氏、扶沟、西华到周口共长 270km;第二条林带自兰考县的二坝寨走向正东,经民权、商丘、虞城到省境共长 100km;第三条林带自兰考的毛姑寨向南,经民权、杞县到睢县的榆厢铺共长 35km;第四条林带自民权的睢州坝走向东南到宁陵县共长 40km;第五条林带自兰考的二坝寨走向东北到本县的边境共长 75km。

这些大型林带中 90% 以上是网状林带,即由 1hm² 网格连接组成,每一网格的主林带带距 80m,副林带带距 125m。主林带一般均为 5～7 行,造林树种主要有刺槐、旱柳、杨树等,株行距采用 1.7m×1.7m 和 1m×1m 两种。由于缺乏灌木,林带多呈通风结构。这个阶段的农田林网建设对于改变风沙严重地区的自然面貌,为农业生产创造较好的条件奠定了基础。但由于过分强调学习外国经验,设计只考虑防风效果,而没有考虑到道路网和水网、田块的方向,以致规格机械,往往斜切地块,造成耕作的不便,结构也嫌紧密,树种亦较单纯。

1963～1988 年全省农田林网建设进入提高和迅速发展阶段。1966 年,地处豫西南丘陵垄岗区的镇平县晁坡公社老张营大队把全部耕地进行了路、渠、田、林、电统一规划,综合治理,营造了高标准农田林网。1967 年,豫北修武县郇封公社小文案大队把全大队 253.7hm² 耕地规划成 27 块方田,做到了路、林、排、灌、电五配套,创造了具有我国特色的田成方、林成网、窄林带、小网格的新型农田防护林网,把农田防护林建设推进到了一个新阶段。河南省林业部门认真总结和推广了小文案与老张营营造高标准农田林网的经验,组织广大群众展开了大规模的农田林网化建设,全省许多地方都把农田林网化作为农田基本建设的重要内容之一来抓,一个以"山、水、田、林、路综合治理",林、水、路、渠、电统一规划为内容的方田林网化建设迅速兴起,并由一个队、一个社向一个县、一个区连片发展。方田林网的规划原则是林网配置服从方田规划,林网与路网、水网相结合,这样林网就可以不占耕地,从而为广大的高产农业地区发展林业创造了条件。设计方田要从有利于防风、机耕、排灌出发,要求路、林、排、灌、电相结合,排灌渠道按地形确定其配置。农田林网是既扩大林业经济又能起到遮阴防热效用的重要措施,在地少人多的平原地区,即使没有风害,也要搞农田林网。1977 年 9 月,农林部在许昌地区和商丘地区召开了华北、中原地区平原绿化现场会议(即第一次全国平原绿化会议),明确提出到 1980 年基本实现"四旁"绿化和农田林网化。这次会议后,一个以农田林网化为中心,包括农林间作、"四旁"植树的平原绿化建设在全国平原地区普遍展开,平原绿化规模开始向乡乡连片、县县连片乃至全地区连片的方向发展。

1978～1980 年,在农村经济体制改革的新形势下,出现了土地承包与林网林带的矛盾,农田林网发展停滞,并遭到一些破坏。1983 年 10 月,林业部在郑州召开了第五次平原绿化会议,这次会议后,全省平原绿化进入了一个蓬勃发展的新阶段。林业作为一种产业进入大农业结构,林木进入农田,实行农林结合,形成一种新的耕作制度。农田林网突破县和地、市的界限,形成大面积点、片、网、带相结合的农田防护林体系。

(二)发展现状

经过 50 余年特别是中共十一届三中全会以来坚持不懈的造林、育林,河南省农田林网取得了令人瞩目的成就,从黄河南北到淮河两岸,千里沃野如织,林带纵横,形成了网、带、点、片相结合的农田防护林工程体系。平原绿化的迅速崛起,显著地改善了农业生产条件,促进了河南农业持续稳定的发展。许多过去林木稀少、灾害频繁的不毛之地,如今呈现出林茂粮丰、五业兴旺、经济繁荣的新景象。全省有 66 万多 hm^2 沙荒地变成了绿洲,100 多万 hm^2 沙碱旱涝的薄地变成了高产、稳产田。农田林网宏大的规模、显著的效益,引起了国内外的广泛关注,已有 55 个国家和地区的代表团及国内 100 多个考察团来河南参观考察。可以说,没有农田林网的发展,就没有河南今天较为协调的生态环境和稳产丰收的景象。但是,在农田林网的建设中还存在一些问题。在一些地方存在林带植株过密,杨树生长迅速,造成营养面积不足影响生长的现象,以及树种单一、虫害不易防治影响林带稳定性的问题。因此,适当加大株、行距,引进和选择更多的树种,考虑合理间伐和林带的树种更替是十分必要的。

据 2003 年河南省森林资源连续清查第四次复查结果,全省农用地为 985.87 万 hm^2,其中,适宜农田林网面积 679.77 万 hm^2。在适宜农田林网面积中,完整林网面积为 319.81 万 hm^2,占适宜林网面积的 47.0%;不完整林网面积为 194.17 万 hm^2,占适宜林网面积的 28.6%;未林网面积 165.79 万 hm^2,占适宜林网面积的 24%。

全省农田林网林木总株数为 14 317 万株,其中检尺株数 5 040 万株,蓄积为 850.91 万 m^3。

二、河南农林间作的发展历史和现状

(一)发展历史

河南省作为黄河文明的发源地,有着辉煌的历史。很久以前,我们的祖先就有了运用原始的生态学知识去经营农业和林业的历史。早在春秋战国时期,间作套种和混种已经萌芽,公元前 1 世纪的《氾胜之书》就有瓜、韭、小豆之间的间作套种和桑黍混种的记载。南北朝时,林粮混种间作的树种除桑外还有槐、榆等多种。《齐民要术》还对桑树与粮、豆、蔬菜等间作的经验进行了总结。此时人们对许多树种和作物的生物学特性已有初步认识,注意到树种间、树与作物间的相互关系。元朝时,对树木和作物的生物学特性有了进一步的了解,《农桑辑要》(1286 年)提出"桑田可种田禾,与桑有宜与不宜"。到了明清,农林间作更为普遍,不但注意物种组合,经营上也更加精细。据史志记载,明洪武年间,滑县城南沙区的农杏、农梨间作已具有相当的规模。明嘉靖年间内黄县已有农枣间作 387 hm^2,间作物主要有小麦、谷子、花生、豆类等。清道光三年(1823 年),宁陵县开始实行白蜡条与农作物间作,栽植面积逐年扩大,很快就成为全县主要的耕作方式。从一些史书和地方志记载中可了解到,当时间作农作物除粮食外,还有蔬菜、油料、瓜果、药材、棉麻等;就树种而言,有桑树、柳树、柿子、李、枣树等;从规模上看,已初步突破了一家一户传统的耕作习惯,开始联合发展农林间作以抵御自然灾害,但是规模小、技术落后、效益差。

新中国成立后,河南省的农林间作,在林木改良、栽培管理技术、病虫害防治等项研究的基础上,加以改进提高,实行统一规划,成为平原农区综合开发项目的组成部分。20世纪50年代,对农林间作实行普遍保护,并有计划地推广发展。1955年,省林业局组织干部帮助群众制定发展规划,依靠集体力量育苗、造林、经营管理。发展重点有宁陵、民权一带的农条间作,兰考的农桐间作,新郑、内黄的农枣间作,荥阳、博爱的农柿间作等。60年代初,全省农林间作在"以林保农,以农养林"的方针指导下发展到26.7万 hm²。

1965年,省林园学会在兰考县举办学术讨论会,肯定了农桐间作取得农林双丰收的作用,并提出了发展意见。兰考县的农桐间作经验,首先在邻近各县推广。开展学习焦裕禄活动后,农桐间作得到迅速发展。1969年,兰考县农桐间作有了较大改进,把过去泡桐的均匀配置改为放宽行距、缩小株距的单行带状配置,同时注意合理施肥、加强林木抚育,逐渐形成完备的间作制度。这个阶段农桐间作发展较快,民权县达3万 hm²,商丘县达3.6万 hm²,宁陵、睢县都有数千公顷集中成片的间作,商丘地区农桐间作面积已超过40万 hm²。

20世纪80年代农林间作在全省平原地区普遍推行,朝着多树种多模式的方向发展。新发展的间作类型有民权县的葡萄与农间作,淮滨县淮河两岸的沙兰杨与农作物间作,息县的水稻池杉间作等。内黄、濮阳农枣间作区发展到3万 hm²,新郑、中牟农枣间作区发展到2万 hm²。农桐间作在平原地区各县推广更为普遍。1986年,国家经济委员会、林业部将杞柳与农作物间作列入"星火计划",由河南省林业技术推广站与开封、周口、商丘等地区协作开发推广。1987年末,全省平原区农林间作面积达187.6万 hm²,间作林木总株数27 589万株,其中农桐间作面积约170万 hm²,占农林间作面积的90%以上,其次为农枣间作、农柿间作、农条间作等。

(二)现状

现今,农林间作有了蓬勃发展,在总结过去经验的基础上,技术上也有了很大的提高。林粮间作是农林间作中最普遍的类型。特别是泡桐与农作物间作,不论其应用范围还是研究的深度都达到了相当的水平。农林间作的大发展,对改善生态环境和提高农民收入均起到了很大作用。

据2003年河南省森林资源连续清查第四次复查结果,全省农用地为985.87万 hm²,其中,适宜农林间作面积为277.39万 hm²。在适宜农林间作面积中,已间作面积为23.22万 hm²,占适宜间作面积的8.4%;未间作面积为254.17万 hm²,占适宜间作面积的91.6%。

全省农林间作林木总株数为4 268万株,其中检尺株数339万株,蓄积为107.39万 m³。

第三节　农田林网、农林间作的主要生态效益

一、改善生态环境

农田林网、农林间作能降低风速,减少蒸散发,增加湿度,调节温度,为作物生长发育创造良好的生态环境,增强抵御自然灾害的能力。对河南省平原绿化先进县博爱县 1965~1983 年间的气象资料的分析表明,大面积农田林网体系可以改善局部地区的气候条件:可以降低极端最高气温 0.6℃,提高极端最低气温 1.9℃,缩小极端温差 2.5℃;随着树木的长大,空气相对温度呈逐年增加趋势,年平均风速呈直线降低,降低率达 29.6%,年蒸发量减少 15.9%;灾害性天气如大风和干热风等日数大大减少。在农桐间作系统内,风速一般降低 20%~50%,干热风的危害程度降低 30% 以上,相对湿度提高 10% 以上,绝对最高气温降低 2.4℃,无霜期延长 5 天。综合观测结果分述如下。

(一)降低风速

农田林网、农林间作均有明显降低风速的作用。据河南省林业科学研究所王广钦等的观测,条农间作在 $10~15H$(H 为林带壮龄时的平均高度)带距范围内,平均风速可降低 20%~30%。条农间作的白蜡树林带,在旺盛生长季节,形成上有白蜡杆下有白蜡条的上下紧密、中间稀疏的结构,其透风系数达 0.3~0.7,具有明显的防风作用,其在 $15H$ 范围内可降低风速 20%~30%。农田林网具有连续的防风作用,根据于宗周等的研究,进入二、三、四、五网格内的风速,分别减少 22.4%、37.3%、37.3% 和 37.8%。但是,风速不可能无限制地被削弱,而是通过若干林带后,基本趋于稳定状态。

大量观测资料表明,农田防护林带的防护作用和防护距离不但依风速和风向而异,而且与林带结构、高度、断面类型有直接关系。紧密结构的林带对气流的影响使林带前后形成两个静高压的气枕,越过林带上方的气流成垂直方向急剧下降,因而在林带前后形成两个弱风区。紧密结构的林带其特点是整个林带上、中、下部密不透风,疏透度小于 0.3,中等风速下的透风系数小于 0.35。背风面 1m 高处的最小弱风区位于林带高度的 1 倍处,防护有效距离相当树高的 15 倍。一般在林带附近风速降低值最大,但是,它的防护距离较短。以降低害风风速 25% 为有效防护作用的话,那么在 $15H$ 内即为有效防护距离。

透风结构的林带不同于紧密结构的林带。由于透风结构的林带下部有一个透风孔道,这种林带结构是以扩散器的形式而起作用的。从外形上看,上半部为林冠,下半部为树干。林冠层的疏透度为 0.05~0.3,而下部的疏透度大于 0.6,透风系数 0.5~0.75。背风面 1m 高处最弱小风区位于林带高度 6~10 倍处。所以,透风结构的林带下部及其附近很容易产生风蚀现象,尤其当林带下部的通风孔比较大时,风蚀现象更为严重,在设计这种林带时应特别注意。但是,透风结构的林带在防护距离上比紧密结构的林带要大得多,在 $25H$ 处害风的风速才恢复到 80%。

疏透结构的林带是 3 种结构的林带中较为理想的类型。疏透结构的林带不仅能较大幅度地降低害风的风速,而且防护距离也较大。在背风面 $30H$ 处,害风的风速才恢复到 80%。从外形上看,林带上、下部枝叶分布均匀,有均匀的透光孔隙,疏透度为 0.3~0.4,

透风系数为 0.3～0.5。其背风面 1m 高处的最小弱风区出现在 4～10H 处,有效防护距离为 25H 左右。

据观测,当风速为 4.8m/s 时,林带可降低风速 53.5%;风速为 1.68m/s 时,则可降低风速 39.2%。当风向与林带垂直时,风速降低 68.49%;当风向与林带成 45°角时,风速降低 36%～39.93%;当风向与林带平行时,则可降低风速 6.3%～12.1%。

宋兆民、孟平等曾在河北省饶阳县对农田林网防风效能进行过研究,观测林网带距分别为 248m×438m(大林网),230m×290m(中林网)和 17m×200m(小林网)三种面积。林网中各林带树种多为加杨,树高一般为 12～16m,疏透度 0.45～0.53 中林网总体防护效能见表 3-1。

表 3-1 中林网总体防护效能

风向	对照点风速(m/s)	网内平均风速(m/s)	总体防护效能(%)	观测日期
SW	1.7	1.3	23.5	1985.6.1
NE	2.4	2.0	16.7	1985.6.3

由表 3-1 可以看出,中林网的总体防护效能平均为 20.1%,就网内防护效能的水平分布特征来看,并非处处都一样,它随风向和林网结构而变。当西南风时,在林网的西南象限有一高区,而在东北象限为一低区,东北风时则相反。

在防风效能的垂直分布中,最大防风效能并不都在最低层,有时在 2.0～2.7m 范围内,有时却在低层 0.5～1.0m 范围内(见表 3-2)。

表 3-2 林网不同高度防风效能变化

高度(m)	2.7	2.0	1.0	0.5	活动面
大林网防风效能(%)	29.6	35.0	25.0	32.4	26.7
中林网防风效能(%)	28.2	25.0	18.8	16.2	6.7
小林网防风效能(%)	54.9	53.3	54.2	45.9	26.7
旷野风速(m/s)	7.1	6.0	4.8	3.7	1.5

农田林网、农林间作类型不同,防风效果也不同,一般可降低风速 20% 以上,其中以复合型林网效果最好(见表 3-3)。

(二)调节温度

1. 调节空气温度

林带对空气温度的影响比较复杂,它的变化涉及到很多因子,如林带结构、天气类型、风速大小、空气乱流交换的强度等。由于林带能够改变气流的结构和降低害风的风速,从而使农田林网内的水热状况的各分量的分配产生变化,林网内的气流与二氧化碳的垂直涡动和水平流动加快,农田林网在生长季节蒸腾大量水分湿润周围的空气,从而促使空气温度有所降低,在农田林网的周围便形成一个相对冷湿的气团,该气团和空旷农田上的干热气团形成一个稳定而湿润的微区域气候环境。一般地说,在晴朗的白昼,由于林带对短波辐射的影响,林带背阴面附近及带内地面得到太阳辐射能量较少,温度较低,在向阳面由于反射的作用,林缘附近的地面和空气温度常常较旷野高。在夜间由于林带壁面的放射散热,温度较周围温度低,而林带内温度比旷野的相应值高。在平静无风的晴夜,林带网格内的温度主要取决于长波辐射的冷却作用(曹新孙,1983)。

表 3-3　　　　　　　　　　　　不同类型降低风速的效果比较

观测时间	观测地点	观测类型	降低风速百分率(%)
1959.4.8	豫东黄河故道	豫东大型防护林带	21.0
1987.5.26	河南原阳	10行骨干防护林带	27.3
1978.5	河南睢县	农桐间作	23.0
1975.5.28~31	河南修武	农田林网	47.0
1978.5.29	河南原阳	复合式林网	56.8
1980.6.1	河南新郑	农枣间作	28.4
1982.9.20	河南修武	农柿间作	27.8
1987.6	河南宁陵	农条间作	23.5
1982.6	河南郏县	农桑间作	31.5~48.3

据中国林业科学研究院翟书德对鄢陵毛白杨林网的观测:林网内与对照区昼夜温差为2.2℃,林网内气温白天多低于对照区,最多低1.2℃,气温高的白天,林网降温明显;夜间林网内气温则多高于对照区,最多高1℃,在气温低的夜晚林网增温更明显,在昼夜温差较小的阴雨天或夜温较高天气,林网内气温夜间多低于对照区或林网内外气温差异不大。白天林带处气温稍低,夜间近林带处气温稍高。

大量的观测表明,林网在夏季有降温作用,在冬季有增温作用。据河南农业大学林学系的观测,夏季林网内农田比空旷地日平均气温降低0.5~2.6℃,14时气温降低0.9~4.1℃;农桐间作林网内夏季日平均气温可降低0.4℃,冬季可增温0.8~1.5℃;农条间作内冬季和早春的日平均气温提高0.5~0.8℃,而夏季可降低0.5℃。枣农间作夏季能明显降低温度(见表3-4)。

表 3-4　　　　　　　　　　枣农间作对平均气温的影响　　　　　　　　(单位:℃)

测区	间作地平均气温	对照点平均气温	差值
1	21.8	21.9	0.1
2	22.5	23.9	1.4
3	25.5	27.4	1.9

林网在不同季节调控温度的作用,对作物的生长发育是十分有利的。朱德华(1979年)曾进行过观测,林网内种植玉米,在玉米幼苗期,林带保护范围内平均气温比旷野高0.1~0.3℃,而在玉米生育旺盛的拔节抽穗阶段则比旷野低0.3~0.7℃。这种差异主要是由于近地层空气热量平衡状况发生变化引起的。农作物幼苗期,林带对作物的影响不

是太明显,下垫面基本一致,同时,由于林带的防护作用,土壤蒸发和农作物、林木的蒸腾作用较弱,热量消耗也较小,故在林带网格内稍有增温现象;而在农作物生育旺盛期,林带网格内农作物生长状况显著比旷野好,农作物和林木蒸腾作用所消耗的热量比旷野大,因此具有降温作用。

2.调节地表温度

林网内地表温度与近地地层气温的变化有相似的规律性。观测资料表明,林带对地表温度的影响要比对气温的影响更为显著。中午林带附近的地温较高,而早晨或夜晚林缘附近的地温略高,林带 $5H$ 处地温较低,尤其是最低温度较低,其原因是在 $5H$ 处风速和乱流交换减弱最大。

在风力微弱的晴天条件下,林带提高了林缘附近的地表最低温度。早晨 5 时,林带内地表温度比旷野高 5℃。林带提高了向阳面的地表温度,但降低了背阴面的最高地温,即减少了背阴面及林带内的地温日振幅。

(三)增加空气湿度

在林带的作用下,由于风速的降低和乱流交换的减弱,在林网内作物蒸腾和土壤蒸发的水分,逗留在近地层大气中的时间比较长,因此近地面的绝对湿度和相对湿度通常比旷野要高一些。

林带对空气湿度的影响与大气湿润的程度、下垫面性质有关,在比较湿润的情况下,林带对空气湿度的提高不是很明显。但是,在比较干旱的天气条件下,尤其当出现干热风时,林带的作用却非常明显。有关观测资料表明,在出现干热风的天气条件下,从作物受危害的情况来看,林网内外差异很大,空旷对照地的小麦,生理失水严重,叶子萎缩,麦穗干瘪,而网格内的小麦基本不受损害。因此,林带对灾害性天气能发挥良好的防御作用,对于保护农田、减少灾害损失效果十分明显。

据河南农业大学多年来的观测,农田林网内,日平均提高空气湿度 22.5%,最高可达27%。晴天时,空气相对湿度一般增加 5%~13%;干旱大风时,可增加 8%~24%,平均为 16%。农桐间作一般可提高空气相对湿度 9%~29%;条农间作提高 20%;农枣间作提高 3%~16%;防风固沙林提高 3%~6%。据河南省林业科学研究所的观测,郁闭度达0.7 的绿化庭院,夏季空气相对湿度提高 21%;条农间作在条行 15H 范围内,日平均空气湿度较空旷地提高 20%,在干热风的天气条件下,空气湿度增加更大,达 50% 以上(见表 3-5)。

表 3-5　　　　　　　　　　　　条农间作空气湿度的变化

湿 度		条行内湿度	距条行的距离				空旷地
			10m	20m	40m	平均	
50cm 处	相对值(%)	74.1	75.5	78.6	77.6	77.2	48.0
100cm 处	相对值(%)	83.0	75.4	76.4	76.3	76.0	46.7

注:表中数据为观测的平均值。

(四)减少蒸发量

根据中国林科院调查测算,在华北、中原地区,蒸发量每减少一成,则每公顷面积就可节约 1 000m³ 水,这对作物的生长发育有极重要的意义。在林带保护下,林网内土壤蒸发和作物的蒸腾受到一定的影响,有利于改善农田的水分状况。林带网格内的蒸发能力,不仅决定于风速、乱流交换和空气温度的大小,而且与季节、天气类型、下垫面有关。由于林网对气流结构、降低害风的风速、太阳总辐射日总量等产生良好的影响,因而促使林网内的水热状况发生较大的变化。大量科研和观测资料证实,农田林网内的总蒸发量要比旷野农田小,一般小 15%～30%。

张企增等 1959 年 4 月及 5 月在豫东观测林带保护下的农田,发现蒸发量平均比空旷地降低 12.5%,林带内则可降低 30%～36%。同时,林网内的土壤物理蒸发量与作物的无效生理蒸腾量也相应减少,从而提高作物的蒸腾效率,一般林网内的作物蒸腾效率比旷野高 60%～85%。农田林网内各点上的蒸发能力是有差异的,这种差异在很大程度上取决于风速的大小,一般情况下,林网内的蒸发量减少的趋势和风速降低的趋势是一致的,蒸发量减少的最小值的位置与风速降低最低值也基本一致。但是,林带对于蒸发的影响比对风速的影响要小。根据玛恰金的观测,当林网内平均风速降低 30% 时,则蒸发减少 20%。观测资料表明,透风结构的林带对蒸发的减少作用最佳,在 25H 范围内平均减少了 18%;紧密结构的林带,对蒸发的减少幅度为 10% 左右。此外,林带降低蒸发作用所能影响到的范围也决定于林带结构,在疏透度为 0.5 的林带至少可达 20H 处;而在紧密结构的林带条件下,由于空气乱流的强烈干扰,这个范围就会受到较大限制。

农条间作的效果虽然不如大型农田林网,但对减少蒸发量也有一定的作用。在条带 15H 范围内,蒸发量平均减少 10%,5H 处减少 13.2%,10H 处减少 9.2%。特别是在干热风危害时,条带间的蒸发量可减少 20%～25%。小麦植株蒸腾失水量比空旷对照点减少 20% 左右(5H 处)。

二、改良土壤

(一)提高林网内土壤含水量与贮水量

由于林带可以降低风速,减弱近地层空气乱流交换,必然会影响土壤蒸发,故农田林网具有提高土壤含水量的作用。根据王广钦、樊巍等的观测表明,在整个小麦生长季节中,林网内表层土壤(0～60cm)的平均含水量为 19.7%、贮水量为 135.9mm、有效水为 80.7mm,而林网外相应指标为 18.6%、125.0mm 和 71.2mm,林网内分别比林网外高 5.9%、8.7% 和 13.3%。在整个小麦生长季节,条农间作可使表层土壤贮水量提高 6.7%,有效含水率提高 11.3%,土壤含水率提高 5%。枣农间作地的平均土壤含水量比对照点提高 1.5%,而且浅层(10～30cm)含水量提高明显,耕层水分增加,有利于农作物的生长发育;而深层增加较少,土壤含水量只提高了 0.9%。

方差分析表明,林网内土壤含水量的季节性变化达到极显著水平,但不同深度土壤含水量的变化无显著性差异,林外不同深度的土壤含水量有显著性差异(见表 3-6、表 3-7),这说明林外表层土壤水分散失比较快,以致下层土壤水分不能很快地补充,造成不同层次土壤含水量的差异。林网内各层土壤含水量变化不明显,说明林带可以很好地调节土壤蒸发和下层土壤的水分供应,这在干旱季节对作物的生长是十分有益的。就林网内外比较而言,在不同季节林网内外土壤含水量的差别是不同的。

表 3-6　　　　　　　　　　林网内不同季节、不同深度土壤含水量　　　　　　　　（%）

土层深度(cm)	10月	11月	12月	1月	2月	3月	4月	5月	6月
0~20	25.1	21.4	21.7	18.9	17.7	17.5	20.3	14.4	16.8
20~40	26.5	22.0	22.2	19.6	18.0	17.7	22.0	15.2	17.3
40~60	27.4	22.3	20.1	17.4	18.1	17.3	22.2	15.5	17.1
平均	26.3	21.9	21.3	18.6	17.9	17.5	21.5	15.0	17.1

注:表中数据为林网内各测点平均值。

表 3-7　　　　　　　　　　空旷地不同季节、不同深度土壤含水量　　　　　　　　（%）

土层深度(cm)	10月	11月	12月	1月	2月	3月	4月	5月	6月
0~20	24.9	20.7	19.6	17.0	16.8	16.2	19.0	13.2	15.4
20~40	25.8	21.0	19.8	17.3	16.7	16.8	21.5	13.4	15.9
40~60	26.3	21.8	20.4	17.2	17.1	16.3	21.7	13.7	16.1
平均	25.7	21.2	19.9	17.2	16.9	16.4	20.7	13.4	15.8

注:表中数据为各测点平均值。

　　林网内外土壤含水量均有明显的季节性变化,但林网内土壤含水量的季节性振幅较小,为11.3%,而林外为12.3%。林网内不同位置土壤含水量的日变化也不相同(见表3-8)。

　　灌溉是缓解旱情、提高作物产量的好方法,但由于灌溉后土壤水分迅速蒸发使得水分利用率降低。研究表明,农田林网可以使土地节约用水,减少灌溉损失,提高灌溉效益(见表3-9)。

表 3-8　　　　　　　　　　林网内不同树距处土壤含水量的日变化　　　　　　　　（%）

时间(时)	树距							平均
	N0.5H	N1H	N3H	N5H	S 3H	S 1H	S 0.5H	
06	18.5	17.4	17.6	17.1	17.7	18.1	18.9	17.9
08	17.9	17.4	17.5	17.1	17.5	17.7	18.1	17.6
10	17.5	17.0	17.3	17.0	17.3	17.2	17.7	17.3
12	16.7	16.9	17.1	17.0	17.3	17.0	17.4	17.0
14	16.2	16.8	17.3	16.4	16.9	16.5	16.8	16.7
16	16.0	16.5	17.0	16.0	16.3	16.1	16.8	16.4
18	16.1	16.5	17.1	15.9	16.8	16.3	17.0	16.5

表 3-9　　　　　　　　　　灌水后林内土壤贮水量变化　　　　　　（单位:mm）

灌水后天数	2	4	6	8	10	12	14
林内	193.9	170.4	148.4	130.4	124.2	119.4	116.0
林外	188.4	147.7	142.8	118.7	115.2	109.7	101.4

(二)抑制土壤返盐

1. 林带降低地下水位减弱土壤蒸发能延缓土壤返盐

在干旱的灌溉农区,因排水不良而造成地下水位逐年上升,最终容易导致土壤次生盐渍化。在渠道的两侧营造防护林,能起到生物排水的作用。在生长季节,树木强大的蒸腾作用使其具有强烈的生物排水作用,树木庞大的树冠和根系不断把地下水蒸发到空气中,从而影响地下水位和地下水的运动,对控制地下水位有明显的作用,可以有效地抑制土壤返盐。

研究表明,林带能将 5~6m 深的地下水吸收上来蒸发到空气中去,13~15 年生的林带,平均能降低地下水位 16mm,影响水平范围可达 150m。林带对地下水位的影响是由林带的蒸腾作用决定的,林带在不同季节对地下水位的影响,也随不同季节林木蒸腾作用的强弱而异。大量研究结果表明,林木几乎整个生长季都能使地下水位降低,林木在生长季生理活动最旺盛的时期就是林带降低地下水位最大的时期。

春季土壤干旱,毛管水补给多,盐随水来,容易存积于土壤表面,影响作物生长。而林带可有效地抑制蒸发,因此可以防止春季土壤积盐(见表 3-10)。

表 3-10　　　　　　　　　　　　　林带对水面蒸发的影响

项目	1H	5H	15H	20H	林网内平均	对照
蒸发量	5.7	5.2	6.1	6.8	5.95	7.1

2. 林带促进土壤淋溶过程,加速土壤脱盐

在盐碱土地区营造农田防护林,由于树木枯枝落叶的积累,可以增加土壤腐殖质,改善土壤物理性状,降低土壤容重,增加土壤孔隙度和土壤团粒结构,提高土壤肥力,又因树木有强大根系,使土壤透水性能增大,从而促进土壤淋溶过程,加速土壤脱盐。

(三)提高土壤肥力

由于农田林网可以明显提高土壤含水量和土壤温度,为微生物的复苏和繁殖提供了较为优越的条件,提高了土壤微生物的数量和活性,因此会给土壤内部各种理化过程带来一定的影响,进而影响土壤肥力乃至成土过程。据河南省林业科学研究所在博爱县的观测,林网内土壤蛋白酶活性远高于林外。以 1985 年 4 月 5 日的样品材料分析,土壤内源呼吸,林内 N1H、N5H、N9H 处分别比林外高 50.89%、115.05%、57.66%,林内土壤蛋白酶活性分别比林外提高 43.93%、95.79%、38.71%(见表 3-11)。

表 3-11　　　　　　　　　　　　林网内外土壤呼吸强度和酶活性

处理	内源呼吸 (mg CO_2/(20g·24h))	酶活性	
		蛋白酶活性	转化酶活性
		酪氨酸(mg/(20g·24h))	葡萄糖(mg/(20g·24h))
N1H	0.971 6	5.124	34.27
N5H	1.384 7	6.970	72.30
N9H	1.015 2	4.938	51.41
空旷地	0.643 9	3.560	47.24

樊巍在博爱县观测到林网内比林网外土壤有机质提高 19.17%,全氮提高 8.30%,水解氮提高 21.15%,速效磷提高 16.28%,小于 0.01mm 的物理性黏粒提高 6.71%,pH 值降低 3.75%(见表 3-12)。

表 3-12　　　　　　　　　　　林网内外土壤的理化性状

项目	有机质（%）	全氮（%）	水解氮（mg/kg）	速效磷（mg/kg）	物理性黏粒（小于 0.01mm）	pH
林网内	1.561 6	0.090 0	126	50	23.6	8.0
林网外	1.310 4	0.083 1	104	43	34.3	8.3

黄雨霖于 1978～1980 年在民权县的定位试验表明,农桐间作可以提高土壤肥力,使 0～60mm 土壤全氮增加 0.01%,速效磷也有明显增加。条农间作,条林间 0～20cm 土壤有机质较空旷地增加 0.3%～0.5%,全氮含量增加 0.028 5%～0.049 7%,小于 0.01mm 的物理性黏粒增加 9.8%。

三、净化空气

(一)吸收二氧化碳,释放氧气

当环境中的二氧化碳浓度增加到 0.1% 以上时,就超过了卫生允许的标准,增加到 4% 时,人就会头痛、耳鸣、呕吐;增加到 10% 以上时,人就要死亡。同样,氧气的含量少于 10% 时,人们就会发生恶心、呕吐。通常 1hm² 森林一天可以消耗 1t 二氧化碳,放出 0.73t 氧气。如果每人有 10～15m² 的森林面积或 25～30m² 的草地,则可以维持呼吸的代谢平衡。

(二)吸收有毒气体

在工厂集中的地区,公路沿线,由于工业生产、交通运输、民用取暖等排出的气体和固体微粒,造成了空气污染。这些污染气体和固体微粒种类很多,最常见的有二氧化硫(SO_2)、氯气(Cl_2)、氟(F)化物、硫化氢(H_2S)、一氧化碳(CO)、铅(Pb)、汞(Hg)等。大气污染不仅影响局地气候、缩短视程、增加交通事故、腐蚀建筑物和物品,而且危害广大人民群众身体健康,妨碍农作物的正常生长。

由于树木在呼吸过程中,通过气孔进行气体交换,空气中的污染物如二氧化硫、氟、氯气等有害气体也随之渗入叶内,林木的大量叶片具有巨大的吸收污染气体的能力,从而起到净化大气的作用。

不同植物对二氧化硫吸收量有较大的差异。根据测定的数据分析,按单位叶面积吸硫量的大小划分为:吸硫能力强、吸硫能力较强、吸硫能力中等、吸硫能力弱等四个等级。各种绿化植物的净化二氧化硫能力分类见表 3-13。

据河南省林业科学研究所在郑州郊区的观测,农田林网具有良好的吸收和净化空气的功能,林网内 SO_2、NO_x 分别比空旷地降低了 14.8% 和 20%(见表 3-14)。

表 3-13　　　　　　　　　　**主要绿化植物净化二氧化硫能力分级**　　　　　（单位：g/m²）

净化能力排序	吸硫能力强	吸硫能力较强	吸硫能力中等	吸硫能力弱
	>0.3	0.3~0.2	0.2~0.1	<0.1
1	臭椿	雪松	月季	紫薇
2	毛白杨	泡桐	白蜡	丁香
3	大叶黄杨	榆叶梅	旱柳	
4	悬铃木	银杏	国槐	
5	榆树		紫荆	
6	女贞			

表 3-14　　　　　　　**农田林网对空气 SO_2、NO_x 的净化效能**　　　　　（单位：mg/m³）

项目		SO_2 日均值				降低（%）	NO_x 日均值				降低（%）
		1	2	3	平均		1	2	3	平均	
空旷区	1	0.028	0.031	0.020	0.026		0.008	0.020	0.018	0.015	
	2	0.028	0.023	0.028	0.024		0.010	0.020	0.014	0.015	
	3	0.024	0.037	0.031	0.031		0.006	0.021	0.017	0.014	
	平均	0.024	0.030	0.026	0.027		0.008	0.020	0.016	0.015	
林网内	1	0.025	0.030	0.021	0.025		0.006	0.013	0.011	0.010	
	2	0.022	0.018	0.024	0.021	14.8	0.008	0.017	0.009	0.011	20.0
	3	0.025	0.022	0.022	0.023		0.008	0.020	0.012	0.013	
	平均	0.024	0.023	0.022	0.023		0.007	0.017	0.011	0.012	

（三）吸滞粉尘

烟灰、粉尘是一种严重的污染物质，而树木有较好的滞尘能力。植物的滞尘能力是指单位叶面积单位时间中滞留的粉尘量。植物叶片的滞尘量不是一个随时间无限增长的量，只是在一定时间范围内呈线性回归。植物叶面截留粉尘是暂时的，随着粉尘吸附量的逐渐增多，最终会因大风天气或降水而从植物叶面除去，同时结束上次粉尘的积累，开始下次对粉尘的截留。根据研究，当降雨量在 5mm 以上或大风日（风速 10m/s 以上），便会冲洗或刮掉叶片上的灰尘，因此两次降水（或大风）的时间间隔就是一次滞尘的过程。

据河南农业大学监测，不同植物的滞尘能力是不同的，从单位叶面积滞尘量分析，广玉兰叶面积大，大叶黄杨叶片坚挺，丁香、榆叶、梅叶面粗糙有绒毛，因此能吸附较多粉尘；白蜡叶面较光滑，旱柳叶柄较细易被风吹动，因此滞尘量较低。按滞尘能力大小划分，滞尘能力强的乔木类有毛白杨、泡桐、臭椿、悬铃木、雪松、广玉兰、女贞；滞尘能力较弱的乔木有国槐、旱柳等；灌木类滞尘能力较强的种类有丁香、大叶黄杨、紫薇。草本植物的滞尘能力较差。引起植物个体间滞尘能力差异的原因主要有两方面：一是不同个体叶表面特性的差异，二是与树冠结构、枝叶密度、叶面倾角有关系。

(四)杀菌作用

有些树木本身能分泌杀菌素一类的挥发性物质,这些物质能杀死原生动物、细菌和真菌,因此农田林网具有一定的灭菌能力。据河南省林业科学研究所测定,林网内比林网外空气中细菌总数降低 17.4%,真菌总数降低 19.8%。据有关研究资料,凡是有植物杀菌素的地方,致病微生物含量比其他地方少 4/5。

植物群落不仅能杀死空气中的细菌,而且能杀死林地水源中的细菌。据测定,水流通过 30～40m 宽的林带后,1kg 水中所含的细菌数比不经过林带的等量水中所含的细菌数减少 50%,流经 50m 宽 30 年生杨树与桦树混交林带后,水中细菌含量比不经该林区的水流中的含菌量减少 90% 以上。

此外,植物杀菌素还有益于人的神经系统,消除疲劳和精神紧张。

四、增强抵御自然灾害的能力

(一)减轻干热风的危害

华北平原在春末夏初之交,常刮一种高温、低湿,并伴有一定风力的西南风或南风,叫"干热风"。此时正是小麦将要成熟的阶段,干热风常引起小麦蒸腾过量、失水过多,造成植株青枯、籽粒干瘪、质量变劣、产量下降。小麦受害后,一般减产 10%～30%,严重的可达 50% 以上。如 1968 年河南省小麦因干热风减产 20%～40%,严重地区减产 70% 左右。

据河南农业大学 1975 年 5 月 28～31 日在修武县小文案村的观测,林网下农田中的气温比空旷地低 2.1～2.3℃,空气相对湿度高 12.3%～20.3%,风速降低到 3m/s 以下,均未达到干热风指标,而修武县气象站同期观测的 3 次干热风指标,均达到了重度干热风标准。

河南省林业科学研究所王广钦等在原阳县的观测资料表明,在干热风季节,综合防护林体系改变农田气象的作用更加明显,林网内高温持续时间比林网外减少 3～6 小时,小麦旗叶和麦穗含水量较林网外提高 20%～30%,生长期延长 3～5 天。

(二)降低沙尘暴的危害

防止沙尘暴的关键在于降低风速,而在有沙尘暴危害的地方营造农田林网,是防止沙尘暴的根本措施。据兰考、民权、开封和郑州市气象站的记载,每年沙尘暴日数随林木覆盖率的升高而减少。据民权县气象资料记载,1961 年林木覆盖率为 3.0% 时,沙尘暴日数为 12.4 天;1965 年林木覆盖率为 14.2%,沙尘暴日数为 4.8 天;1976 年林木覆盖率为 20%,沙尘暴日数为 1 天。

(三)防止土壤风蚀

土壤风蚀是以风为动力以沙粒为工具作用在土壤上的破坏性运动过程。通常包括三个环节:剥蚀、搬运和沉积。当一定速度的气流通过土壤表面时,由于沙粒撞击的结果和气流切应力的作用,使一定的土壤粒子开始运动,这便是剥蚀或风蚀。土壤风蚀的强弱主要取决于风速的大小和土壤本身的状况。只有当气流的切应力足以带起土壤颗粒时才能造成风蚀。

土壤风蚀是使土壤肥力降低,农业产量低而不稳的重要原因之一。其危害主要表现在以下几个方面：

(1)剥蚀。吹蚀粪肥、表土和作物种子，幼苗出土后使幼苗根部裸露、枯死。

(2)沙割。在风蚀过程中，被风吹起来的沙粒，具有一定的动能，当碰击到幼苗时，往往打坏嫩叶和干茎，使其生长发育受到严重损失，甚至死亡。

(3)沙压。风蚀过程中，随着风速的降低，土粒逐渐沉积下来，形成积沙，埋没幼苗，严重时，大片良田被流沙吞没。

(4)沙化。沙质土壤在长期风蚀作用下，表层较细的土壤颗粒不断被吹失，有机质含量下降，耕作层只剩下较粗的沙粒，从而造成土壤沙化。

就产生风蚀的土壤本身原因来看，土壤干燥是关键因素。防护林带作为气流运动的障碍物能够降低风速，可以减弱乱流交换，使半干旱和半湿润地区以及具有明显干旱季节的地区，表土不易被吹失，而且在一定程度上提高土壤的含水率，从而可以起到防止或减轻土壤风蚀的作用。河南省林业科学研究所1985～1988年在原阳县的观测材料证明：农田林网可使大风速的日数减少6～8天，风力强度减少30%～40%，从而有效地控制了风蚀(见表3-15)。

表 3-15　　　　　　　　　　　　　林带内外土壤风蚀情况

林带行数	农田风蚀深度(cm) 农田风蚀程度(%)					旷野风蚀深度(cm) 旷野风蚀程度(%)
	3H	5H	10H	15H	平均	
3行	0.19 / 24.7	0.16 / 20.8	0.15 / 19.5	0.15 / 19.5	0.16 / 20.8	0.77 / 100
8行	0.13 / 17.6	0.33 / 44.6	0.29 / 39.2	0.44 / 59.5	0.30 / 40.5	0.74 / 100

就防止风蚀的效果而言，在三种基本结构林带中，疏透结构林带较好，紧密结构较差。疏透结构林带一般由乔灌木树种混交构成，其防风作用好，有效防护距离远，能最大限度地防止风蚀的发生。目前在风沙地区营造农田防护林的实践中，疏透结构是普遍应用的一种结构。

农林间作也可以有效地减少土壤的风蚀，据观测条农间作一般情况下使土壤风蚀减少9%左右。

(四)预防霜冻

据中国林科院经济研究所的研究，泡桐种植在麦田间，秋季落叶较晚，可使田间温度升高0.2～1℃，推迟早霜发生；而早春泡桐开始开花发叶，又可抗御晚霜的危害。

五、提高了农田生态系统生物种群的多样性

农田林网通过降低风速，改善光环境及温湿条件，改善了土壤的理化性质等，从而使生态系统内部的生物种群发生明显变化。

(一)提高土壤微生物的数量

农田林网改善了农田小气候和土壤环境，为土壤微生物的繁衍创造了良好条件，从而

对不同生物的分布和活性都有一定影响,特别是对土壤细菌有利。据河南省林业科学研究所樊巍等(1991年)在博爱县的观测,农田林网内土壤微生物的数量远高于林网外。以1985年4月5日的样品材料分析,林内0~20cm土壤微生物的总量平均比林外高29.17%。其中,细菌高29.1%,放线菌高60.08%,真菌高80.71%(见表3-16)。

从表3-16可看出,林网内不同位置土壤微生物的数量分布,以N5H处为最高,N1H处为最低。每克干土微生物总量N5H处较林外空旷地高48.04%,N9H处高33.68%,N1H处高5.6%。

表 3-16   林网内土壤微生物的数量分布

处理	总菌数 ($\times 10^5$ 个/g)	4月5日					
		细菌		放线菌		真菌	
		菌数 ($\times 10^9$ 个/g)	占总菌数的比例(%)	菌数 ($\times 10^6$ 个/g)	占总菌数的比例(%)	菌数 ($\times 10^5$ 个/g)	占总菌数的比例(%)
N1H	13 260.26	1.32	99.55	5.60	0.42	4.26	0.03
N5H	18 562.06	1.85	99.67	5.60	0.30	6.06	0.03
N9H	16 762.86	1.67	99.63	5.80	0.35	4.86	0.03
空旷地	12 538.20	1.25	99.70	3.54	0.28	2.80	0.02

据王广钦研究,条农间作同样可以增加土壤微生物的数量(见表3-17)。

表 3-17   条农间作土壤微生物的数量和土壤呼吸强度

处理	微生物类型	每克土壤微生物数量(个)	内源呼吸(mgCO$_2$/(20g·24h))
间作地	真菌	2.40×10^5	18.6
	细菌	1.03×10^9	
	放线菌	2.98×10^6	
空旷地	真菌	4.26×10^5	20.2
	细菌	1.38×10^9	
	放线菌	5.41×10^6	

(二)增加鸟类、小型动物及昆虫的种类和数量

农田防护林所呈现的农林交织、乔灌草相结合的状态,为鸟类的筑巢、繁衍、觅食活动提供了较为理想的场所,这些鸟类大都为食虫益鸟,对于控制农田虫害有一定益处。据河南省林业科学研究所在博爱县的调查,和农田防护林有关系的鸟类达51种,其中34%的鸟类在林带中营巢,45%在其中觅食,95%的鸟类在林带中休息、隐蔽,12%的鸟类在其中过冬(有些是重复统计),食虫和杂食性鸟类占92%。从农田防护林体系对鸟类群落的数量影响来看,以片林对鸟类的招引作用最佳,数量为37只/(h·5株);而宽25m、6行的毛白杨林次之,为23只/(h·5株);2行的毛白杨林网仅11只/(h·5株)。从树栖鸟类的建巢情况来看,也是片林最多,平均每公顷105只,主要是建在枝叶稠密的白榆、杨树上。

河南省林业科学研究所在宁陵的观测表明,条农间作也有利于小型动物、昆虫,特别是天敌昆虫的生存。间作区农田 0~40cm 土层内节肢动物较空旷农田增加 25%,间作麦田内瓢虫数量增加 17%,蜘蛛增加 14%,从而增强了间作系统控制害虫的能力。

六、提高农田生态系统的生产力和物质循环效率

农田生态系统与其他生态系统一样,其基本功能是能量流动和物质循环,两者不可分割,紧密地联系在一起,成为一切生命活动的源泉。高效的能量流动和物质循环利用,正是系统赖以生存的基础。

(一)提高农田生态系统的生产力

生态系统中能量的根本来源是太阳,在植物吸收的光能中,仅有 3%~5% 被光合作用所利用,其余的则转化为热能。如何提高光能利用率,一直为广大研究者所关注。研究发现,植物对光照的需要是不一样的,有的需要强光照,有的只需要弱光照,它们生长在一起,分层利用不同强度的光照,各得其所,各取所需,这就大大减少了太阳辐射能的浪费,提高了光能利用率。农田林网、农林间作等,都是根据生物群落的共生原理,在有限的土地上建立的复合农林业系统,它具有分层、分级利用光能的结构和功能,是提高系统生产力的有效方法(见表 3-18)。

表 3-18　　　　　　　不同类型生态系统的生产力　　　　(单位:t/(hm²·a))

序号	研究者	地理位置	生态系统类型	生产力	说　明
1	蒋建平	扶沟	泡桐人工林	17.096 8	
2	李增禄	开封	刺槐固沙林	12.850 0	刺槐,23 地位级
3	樊巍	博爱	农田林网	28.184 8	毛白杨+紫穗槐;小麦-玉米
4	杨修	扶沟	农桐间作	18.981 8	作物为小麦-棉花
5	樊巍	宁陵	农条间作	26.889 0	白蜡条;小麦-花生
6	刘元本	博爱	农田林网	24.678 0	毛白杨;小麦-花生

(二)增加农田生态系统营养元素的循环速率

据樊巍等对博爱毛白杨林网的研究结果,该林网系统中,营养元素(每年被固定和作为收获物收获的营养元素)的年归还量为 233.964 8kg/hm²。其中,主要是农作物根茬,其次是毛白杨落叶,虫粪虫体归还量最小。在归还的 6 种元素中,以氮所占的比例最大,其次为钾、钙、磷、镁、锰(见表 3-19)。

毛白杨林网生态系统营养元素的年吸收量为 1 531.622 6kg/hm²。其中,林木吸收量占总吸收量的 2.17%;作物吸收量占总吸收量的 97.83%。这说明,在农田防护林生态系统中,林木所吸收的养分仅占极少的一部分,不会和作物争肥而影响作物的生长。在吸收的 6 种元素中,以氮的吸收量为最大,锰最小(见表 3-20)。

表 3-19　　　　　　　　　　农田林网生态系统营养元素的归还量　　　　　　（单位:kg/hm²）

组分	氮	磷	钾	钙	镁	锰	合计
活叶	5.100 0	0.517 0	2.446 3	5.373 5	1.537 2	0.037 8	15.011 8
枯枝	0.034 4	0.008 8	0.019 8	0.032 5	0.008 8	0.000 5	0.104 8
花序	0.697 5	0.101 5	0.269 7	0.150 9	0.057 8	0.001 7	1.279 1
虫粪虫体	0.045 3	0.002 1	0.006 0	0.038 1	0.012 5	0.000 2	0.104 2
小麦根茬	76.412 4	15.519 5	35.753 9	30.382 2	2.356 0	0.122 6	160.546 6
玉米根茬	25.865 0	3.489 9	7.691 6	11.177 4	0.241 4	0.017 0	48.482 3
淋洗	0.168 9	1.030 4	4.683 6	1.498 8	0.468 4	0.011 2	7.861 3
径流	0.043 6	0.009 8	0.267 9	0.140 5	0.112 4	0.000 5	0.574 7
小计	108.367 1	20.679 0	51.138 8	48.793 9	4.794 5	0.191 5	233.964 8

表 3-20　　　　　　　　　　农田林网生态系统营养元素的吸收量　　　　　　（单位:kg/hm²）

组分	氮	磷	钾	钙	镁	锰	合计
毛白杨	8.084 6	2.401 4	9.680 4	10.271 3	2.660 3	0.064 9	33.162 9
作物	754.323 6	127.198 1	287.868 3	313.101 3	15.119 3	0.849 1	1 498.459 7
小计	762.408 2	129.599 5	297.548 7	323.372 6	17.779 6	0.914 0	1 531.622 6

吸收量为归还量和存留量之和。毛白杨农田林网生态系统中营养元素存留量为 1 297.657 8kg/hm²,占总吸收量的 84.72%,这些营养物质大部分被移出系统外,一小部分被固定在林木中。营养元素归还给土壤的仅占 15.28%。因此,必须通过施肥来补充这一差额,以维持农田林网生态系统的养分平衡。

根据生态学原理,生态系统的营养元素通过吸收、存留、归还三部分形成生物循环,循环的速率用下式计算:

$$循环率=(归还量/吸收量)×100\%$$

经过计算,毛白杨农田防护林生态系统营养元素的平均循环率为 15.28%(见表 3-21)。在 6 种元素中,循环率排序为镁>锰>钾>磷>钙>氮。系统营养元素循环率,平均提高了 9.53%,而氮、磷、钾、钙、镁、锰的循环率分别比单一农作物提高了 4.79%、6.83%、13.92%、13.72%、56.98% 和 27.43%。

表 3-21　　　　　　　　　　农田林网生态系统营养元素的循环率　　　　　　（%）

组分	氮	磷	钾	钙	镁	锰	合计
毛白杨	75.32	69.53	74.47	70.43	82.59	79.97	75.19
作物	13.56	14.94	15.09	13.27	17.18	16.44	13.95
小计	14.21	15.96	17.19	15.09	26.97	20.95	15.28

王广钦等在宁陵县对农条间作生态系统进行了定位观测,根据系统的生物量、生产力和凋落物各组分营养元素的含量,计算出行距为 22m 的白蜡 + 小麦 + 花生间作系统营养元素的存留量、年吸收量和年归还量及营养元素的循环率(见表 3-22)。

表 3-22　　　　　　　　　农条间作和单一农作物的营养元素循环　　　（单位:kg/(hm² · a),%）

	元素	氮	磷	钾	钙	镁	锰	合计
条农间作	存留	247.227 8	40.830 7	152.045 7	355.066 1	92.365 4	1.062 9	888.598 6
	吸收	273.904 2	42.382 4	157.808 2	375.447 4	97.697 1	1.228 2	948.467 5
	归还	26.676 4	1.551 7	5.762 5	20.381 3	5.331 7	0.165 3	59.868 9
	循环率	9.739	3.661	3.652	5.429	5.457	13.459	6.312
单一农作物	存留	236.773 7	38.053 6	147.785 0	349.834 1	90.691 2	1.021 0	864.158 6
	吸收	259.234 5	39.132 3	151.914 5	365.926 8	94.773 3	1.165 5	912.146 9
	归还	22.460 8	1.078 7	4.129 5	16.092 7	4.082 1	0.144 5	47.988 3
	循环率	8.664	2.757	2.718	4.398	4.307	12.398	5.261

从表 3-22 中可以看出,氮、磷、钾、钙、镁、锰 6 种元素的循环速率平均比单一农作物提高 20%,从而增加了营养元素的利用率。

(三)提高农田生态系统的太阳能转化率

群落的太阳能转化效率(ECE)是指群落的能量净固定量(NEP)占同一时间群落太阳辐射的百分比。由于并非所有的太阳辐射能都可以被植物光合作用所利用,所以现在一般用太阳光合有效辐射(PhAR)来计算群落太阳能转化率。

$$ECE = (NEP/PhAR) \times 100\%$$

光合有效辐射和太阳总辐射的换算系数为 0.47。经计算,毛白杨林网生态系统的太阳能转化率为 2.14%,比单一作物群落提高了 1.90%,说明建立农田防护林可以更有效地利用光能(见表 3-23)。

表 3-23　　　　　　　　　　毛白杨林网生态系统的太阳能转化率

测定项目	毛白杨	农作物	复合生态系统
光合有效辐射能(kJ/(m² · a))	2 331 949.65	2 331 949.65	2 331 949.65
能量固定(kJ/(m² · a))	69 417.90	49 021.918 3	49 936.847 7
太阳能转化率(%)	2.98	2.10	2.14

根据杨修等的研究,泡桐间作的结构是多层次的,对光能的利用比较经济合理;对小麦而言,物候期与泡桐大致是错开的,只有 5 月份泡桐对小麦有遮光现象。但 5 月份日照强度大,在河南地区平均光强为 57 000lx,小麦适宜光照为 20 000lx,泡桐树冠透光率为 35% 左右,透过的光仍能满足小麦正常发育的需要。对棉花来说,物候期与泡桐重叠,整个生长期都有遮光现象,但泡桐叶大枝疏,透光量大,只对冠下棉花有影响。从行间来说,由于泡桐林带的防护作用,改善了田间小气候,使小麦、棉花均有不同程度的增产。太阳

能利用率为 1.1% ～ 1.37%，比单一农作物提高了 10% ～ 15%，已达到较高水平（见表 3-24）。

表 3-24　　　　　　　　　　3 种土壤类型上农桐间作的太阳能利用率

土壤类型	年光合有效辐射		净生物产量 (t/(hm²·a))	年净生物储存太阳能 (kJ)	太阳能利用率 (%)
	kJ/cm²	kJ/(hm²·a)			
两合土	249.03	2.490×10^{13}	18.810 356	3.288×10^8	1.32
青沙土	249.03	2.490×10^{13}	15.679 766	2.741×10^8	1.10
淤土	242.83	2.428×10^{10}	18.981 786	3.318×10^8	1.37

吴刚等（1994 年）在封丘县对果农复合系统的物质循环与能量流动特征进行了研究，根据系统的生物量、生产力及植物各器官的热值计算出了系统的年固定能量、系统能量现存量。结果表明，果粮间作系统年净固定能量是单一作物系统的 1.56 倍，系统能量现存量是单一作物系统的 2.47 倍，且果粮间作提高了系统的光能转化率，比单一作物系统提高了 56.1%。

七、增加净辐射和光合有效辐射

(一)增加净辐射

林网增加净辐射的原因主要是林网增加了散射辐射，减少了反射辐射的缘故。林网内 5 日平均净辐射日总量为 1 689.42J/(cm²·d)，林网外为 1 627.24J/(cm²·d)，林网内比林网外大 3.8%。

不同天气状况，林网对净辐射的增加作用不同。高云天气由于有效辐射的减少，使得林网对净辐射的增加愈为显著，净增 6.47%；晴天增加 4.34%，阴天增加 0.85%（见表 3-25）。这可能是由于直接辐射的减弱，削弱林网对净辐射的作用。净辐射是制约下垫面热力状况和小气候特征的惟一能源，也是作物生理过程如光合作用的能量基础。净辐射的增加，有利于改善林网内的热力状况，提高作物的生理活性，促使林网内作物增产。

表 3-25　　　　　　　　　　　林网内外的净辐射　　　　　　　　　（单位：J/(cm²·d)）

时间	林内	林外	相差	天气状况
5 月 6 日	1 905.14	1 789.30	6.47%	高云
5 月 12 日	675.60	669.92	0.85%	阴天
5 月 21 日	1 935.63	1 855.15	4.34%	晴天

注：1989 年数据。

(二)增加光合有效辐射

光合有效辐射包括 0.38～0.71μm 波长范围内的直接辐射和散射辐射部分，是植物进行光合作用的能量基础。研究林网内光合有效辐射的状况，对提高农田林网的光能利用率有重要意义。

光合有效辐射的计算公式为：

$$Q_p = K_s \cdot S + K_d \cdot D$$

式中：Q_p 为光合有效辐射；S 为水平面上的直接辐射；D 为散射辐射；K_s 为不同大气透明度条件下光合有效辐射在太阳直接辐射中所占的比重；K_d 为光合有效辐射占散射辐射的比重。

计算结果表明，林网可以增加光合有效辐射，但林网内外差别不大。晴天林网内光合有效辐射日总量为 1 247.54J/(cm² · d)，林网外为 1 215.64J/(cm² · d)，林网内比林网外大2.6%；阴天林网内的光合有效辐射总量比林网外大 3.6%。林网内光合有效辐射的增加，主要是林网增加了散射辐射的缘故，这对农作物生长是极为有利的，这也是林网内农作物增产的一个原因。

第四节　农田林网、农林间作生态效益的评价方法

一、评价指标体系

农田林网、农林间作的基本目标，就是通过农用林业的形式来改善农业系统的结构和功能，全面提高系统的生态效益、经济效益和社会效益，使现代化农业能够稳定、持续地发展下去。对这一特定的系统，需要用适当的方法加以评价，这不仅是农用林业经营价值观的基础，而且也是不断完善农用林业经营理论体系，指导农用林业系统建设的迫切需要。但怎样对它的生态效益进行客观、公正、科学的评价，目前尚无一套完善的方法。

生态效益评价的首要工作是建立一套能客观、准确、全面并定量化反映效益的评价指标体系。但到目前为止，世界上还没有一个能被广泛接受的效益评价指标体系。要成功地提出一整套效益评价指标体系，必须选择定性与定量相结合的原则和方法，由专家组群研究指标体系的具体构成，依据评价的目的，选取各项评价指标。

(一)评价指标设置的原则

农田林网、农林间作生态效益包括许多方面，直接用一个指标很难全面准确地反映其生态效益的大小，因此必须遵循一些原则来设置一系列指标。

1.科学性

指标体系的设计首先要符合所研究的对象——农田林网、农林间作本身的性质和特点，指标体系的设计不仅要以生态经济原理为基础，而且要同时考虑生态学、经济学和分析技术的发展水平。

2.系统性

评价指标和评价标准不仅要反映研究对象的发生、发展规律，还要反映其与环境、社会系统的整体性及相协调性。

3.可比性原则

设计指标及其体系时，要注意系统的经营环境、投入水平和自然条件等不确定因素的一致性，并且同组指标之间的相关程度要尽可能地小。

4.可行性原则

评价指标首先要在全面反映系统评价内容的基础上能够为实际生产部门所接受，每

一指标都应有据可查。同时还应与现行统计部门的指标相互衔接,并尽可能一致,还要有一定的层次性,以便测量和计算。

5.真实性

评价指标应能反映事物的本质特征。

6.实用性

评价指标应操作简便,评价方法易于掌握。

根据上述原则,按照农田林网、农林间作的基本结构和功能,就可建立生态效益评价的指标体系。

(二)评价指标权重确定方法

评价指标权重确定方法主要有 Delphi 法、AHP 法、AHP－Delphi 法、把握度－梯度法和最大熵－最大方差法。首先请专家填写 3 种咨询表格。第一种咨询表请专家对每一特定指标按很重要、重要、一般、不重要 4 个等级填写;第二种表请专家直接综合该指标的权重;第三种由专家按递阶层次结构对每一个上级指标,按其所辖的下级指标两两比较其重要程度,用 5 等 9 级法得出判断矩阵。

一般可以由 4 级指标组成体系。A 级指标为总指标,称聚合指标(总效益指标);B 级指标为分类指标,又称性质指标(分效益指标);C 级指标为具体指标,又称体现指标(准效益指标);D 级指标为结构指标,又称效益构成指标(也即计算效益的基础指标)。

其次,分析指标体系中各项要素之间的相互作用和相互联系,提出它们在综合体系中的相对地位和相对影响,也就是所占的权重。近几年来,随着线性代数、模糊数学、集合论和电子计算机的应用,人们确定权重的方法正在从定性和主观判断向定量和客观判断的方向逐步发展。目前常用的方法有:专家评估法(特尔菲法)、频数统计分析法、等效益替代法、指标值法、因子分析法、相对系数法、模糊逆方程法和层次分析法等。

二、评价方法

生态效益评价是多目标、多因子、多层次和多指标的综合评价。评价方法从过去的以定性为主的评价,逐步发展为以定量为主的评价;从单因素、单目标评价到多因素、多功能、多指标的综合评价;从主观成分较多的经验性评价到利用数学方法对主观成分进行"滤波"处理,效益评价方法日渐科学和客观。

农田林网、农林间作有效地提高了土地资源利用率和光能利用率,改善农作物的环境条件,减少病虫害,提高稳定性,实现系统的良性循环,从而达到改善和维护生态环境的目的。根据农田林网、农林间作的特点和评价指标,用定性和定量相结合的方法,借助于系统工程、灰色系统理论、模糊数学理论及计算机技术,可对其进行评价,比较常用的方法有以下几种。

(一)直观的整体评价方法(李文华等,1994 年)

这是一种利用农民和专家的经验知识,将定性分析和定量分析结合起来的评价方法。它首先根据特定的具体情况和要求,选定若干项评价项目,如选定土地资源利用情况,光能利用状况,作物生长环境条件(各个生态因子)的改善程度,防风固沙能力,保持水土能力,病虫害减少程度,土壤肥力状况等;第二步是设计出几个等级并定量化,如极好(多)3

分,好(多)2分,较好(多)1分,一般0分,较差(少)-1分,差(少)-2分,然后在设计的表格上请有经验的农民和相关专家进行单独选择打分,最后汇总起来,进行平均,得单项分数,再通过适当的累计法求出总分数,分数越高则生态效益越好。

1.连乘评分法

将所有专家对各评价项目所给的分值相乘,并以乘积的大小评价效益的高低。这是一种灵敏度较高的专家评分法,其数学表达式为:

$$S = \prod_{i=1}^{n} S_i \quad (i = 1,2,\cdots,n)$$

式中:S 为评价项目总分;S_i 为第 i 项的分值。

2.加权评分法

加权评分法数学表达式为:

$$S = \sum_{i=1}^{n} S_i W_i \quad (i = 1,2,\cdots,n)$$

式中:S 为效益评价总分;S_i 为第 i 项的分值;W_i 为第 i 项的权重。

这种方法由于加入了权重,可靠性较高,应用比较广泛,其特点是对评价的效益项目按其重要程度分别赋予权重,然后进行加权加和后,值大为优。

尽管直观的整体评价方法多少有点主观性,但如果多调查一些有经验的农民,并向他们讲清生态效益各项内容的意义,或向科技专家发放调查表让他们选择,则可增加评价的可信度。因此,这种方法不失为一种简便有效的方法。

(二)层次分析法(AHP)

层次分析法是一种简易的决策方法,它是由匹兹堡大学的运筹学家 T.L.Saaty 于1977 年提出的。其基本内容是:首先将评估对象层次化,即将系统中所有因素按其地位和作用不同建立起递阶层次结构,各层次可分别定为目标层、系统分类层、因子层等;其次,确认各因素之间的隶属关系及相互影响,构成一个多层次的分析结构模型,对影响系统的因子作两两比较,根据它们之间的相对重要性,建立两两比较判断矩阵,通过求解检验等一系列过程,计算出构造矩阵与权重的积,把系统分析归结为最低层次元素对于最高层次元素的相对重要数值的确定或相对优劣次序的排列,使问题得到最终答案。

根据农田林网、农林间作的性质和总目标,把系统分解成不同的组成因素,按照各因素之间的相互关系以及隶属关系划分成不同层次的组合,构成多层次系统分析结构模型,计算出下层诸因素对于系统总目标的相对重要性权值,从而确定诸方案的优劣排序,基本步骤如下:

(1)建立层次结构模型。通常分为总目标层,评价准则层和方案层。

(2)构造判断矩阵。一般采用1~9及其倒数的标度来描述各因素的相对重要性。

(3)层次排序及其一致性检验。计算各判断矩阵 A 的最大特征向量,经规一化后,即为各因素对系统目标相对重要性的排序权值,称为层次排序。同时检验各判断矩阵的一致性。

若 $CR = (CI/RI) < 0.10$,认为判断矩阵具有满意的一致性;若 $CR \geqslant 0.10$,需对判断矩阵重新进行调整,使之具有满意的一致性。

（三）灰色系统方法

灰色系统理论是邓聚龙教授于1982年创立的一门新理论,包括灰色预测、灰色聚类、灰色关联分析、灰色决策、灰色控制等。该理论用颜色的深浅来表征信息的完备程度,把内部特征已知的信息系统称为白色系统,把完全未知的信息称为黑色系统。在森林生态效益中,有限的时空监测数据所能提供的信息是不完全和非确知的,具有灰色特征,是一个灰色系统。因此,可用灰色系统方法来评价。

（四）模糊综合评判法

模糊综合评判,就是对受多种因素影响的事物,通过模糊变换后对它们作出总的评价的一种方法。其步骤为:①确定评价对象集 $X=\{x_1,x_2,\cdots,x_n\}$;②确定评价因素集 $U=\{u_1,u_2,\cdots,u_n\}$;③确定评语集 $V=\{v_1,v_2,\cdots,v_n\}$;④确定各因素隶属函数,计算评判矩阵,即 X 到 U 模糊变换矩阵 $R:X\times U\rightarrow[0,1]$, $r_{ij}=R(x_i,u_j)$, r_{ij} 表示评判矩阵中第 i 个研究对象在第 j 个因素 u_j 上的特征指标;⑤确定权重集 A;⑥计算评价集 $B=A\times R$;⑦根据识别原则,作出结论。模糊数学主要解决"外延不明确"的问题,系统具有模糊性,可用模糊数学的方法来评价。

第五节　河南农田林网、农林间作生态效益价值

一、增产效益货币价值

（一）农田林网增产效益货币价值

在农田林网的保护下,由于田间风速的降低和湍流交换的削弱,不仅可使农作物免受风沙危害,而且促使气温、空气湿度、田间蒸发等一系列小气候因素朝有利于农作物生长发育的方向转换,生态价值最终体现为作物产品的增加,即增产效益。

农田林网的增产货币价值计算公式为:

$$Y_m = P(\%) \times a \times g \times v$$

式中: Y_m 为农田林网的增产货币价值; $P(\%)$ 为农田林网内农产品增产率,%; a 为农田林网的面积,hm²; g 为作物平均产量,kg/hm²; v 为农产品市场价格,元/kg。

根据2003年河南省森林资源连续清查第四次复查的结果,河南省完整农田林网面积为319.81万 hm²。为便于计算,夏季农作物统一按小麦计算,秋季农作物统一按玉米计算。据河南农业大学研究,林网内小麦增产率为30%,玉米增产率为21.5%。根据2004年河南统计年鉴,小麦平均单产为4 771kg/hm²,玉米平均单产为3 211kg/hm²。小麦单价按1.4元/kg,玉米单价按1.2元/kg。

计算结果为: $Y_{林网} = Y_{小麦} + Y_{玉米} = 90.58$(亿元/年)

（二）农林间作增产效益货币价值

农林间作也能增加农产品产量,同样具有增产效益,计算方法同农田林网。根据有关研究资料,农林间作能使农作物增产10%,全省农林间作面积为23.22万 hm²。计算结果为: $Y_{间作} = Y_{小麦} + Y_{玉米} = 2.45$(亿元/年)

农田林网、农林间作总增产效益为 93.03 亿元/年。

二、营养循环价值(蓄积养分功能价值)

营养循环价值主要计算林网持留养分的价值。根据林木的年净生长量,测定年生长量中氮、磷、钾元素的比例,即测定林木一年生长中从土壤中吸收的养分,再测定每年凋落物和雨水淋洗、径流归还土壤的养分,将年吸收养分总量减去归还土壤的养分总量,这部分养分的价值就是农田林网系统营养循环的价值。即:林木净持留养分 = 林木从土壤中吸收养分 − 林木凋落物归还养分 − 雨水淋洗、径流归还养分。

林网养分积累总价值取决于林网面积、单位面积养分持有量以及化肥市场价格。为了计算方便,林网组成树种统一按杨树计算(下同)。根据每公顷林网内林木每年从土壤中吸收的养分、林木凋落物归还养分和雨水淋洗、径流归还养分,可计算出林网养分持留量(见表3-26)。

表 3-26　　　　　　　　　　　林网养分持留量　　　　　　　　(单位:kg/(hm² · a))

养分类别	氮	磷	钾
林木从土壤中吸收养分	8.084 6	2.401 4	9.680 4
林木凋落物归还养分	5.877 2	0.629 4	2.741 8
雨水淋洗、径流归还养分	0.212 5	1.040 2	4.951 5
林木净持留养分	1.994 9	0.731 8	1.987 1

全省完整林网面积为 319.81 万 hm²,则林网养分持留量分别为:氮 637.99 万 kg,磷 234.04 万 kg,钾 635.49 万 kg。尿素含氮 46%,过磷酸钙含五氧化二磷 16%,硫酸钾含氧化钾 50%,则林网养分持留量折算成尿素 1 386.93 万 kg,过磷酸钙 3 350.31 万 kg,硫酸钾 1 531.68 万 kg。

化肥现价:尿素 1.80 元/kg,过磷酸钙 0.50 元/kg,硫酸钾 2.20 元/kg。计算可得尿素价值 2 496.47 万元,过磷酸钙价值 1 675.16 万元,硫酸钾价值 3 369.70 万元。

河南省农田林网营养循环价值为 0.75 万元/年。

三、固定二氧化碳的价值

计算农田林网、农林间作林木固定二氧化碳的价值可根据植物光合作用方程式,求出每生产 1g 干物质所需吸收的二氧化碳量。根据每株林木平均每年的净生长量,可算出每年所固定的二氧化碳总量。在计算得到林木每年固定的二氧化碳总量后,再与碳税率[美元/t(C)]或造林成本(元/m³)的替代标准相乘,得到固定二氧化碳的总经济价值。

(一)二氧化碳的固定量

根据植物光合作用方程式,植物在光合作用时,利用 6 772cal 太阳能,吸收 264g 二氧化碳和 108g 水,生产出 180g 葡萄糖和 193g 氧气,然后 180g 葡萄糖再转变为 162g 多糖,以纤维素或淀粉形式在植物体内贮存。由光合作用的总结果可见,植物每生产 162g 干物质可吸收固定 264g 二氧化碳,即植物每生产 1g 干物质需要 1.63g 二氧化碳。

$$CO_2(264g) + H_2O(108g) \xrightarrow{\text{6 772cal 太阳能}} 葡萄糖(180g) + O_2(193g) \longrightarrow 多糖(162g)$$

(二)单位二氧化碳固定量的价格

目前,国际上计算固定二氧化碳价值的方法主要有碳税法和造林成本法。

1. 碳税法

许多国家正在制定旨在削减温室气体排放的税收制度,尤其是对二氧化碳的排放收税。欧洲共同体、挪威、丹麦和瑞典等都曾向联合国提议对化石燃料征收碳税,以减缓温室效应。因此,许多学者建议以碳税额作为林木固定二氧化碳经济价值的计算标准。但是,碳税只是控制碳排放的一种手段,它小于二氧化碳本身引起的温室效益危害。目前国际上的碳税主要有以下几种形式(OECD,1996)。

(1)以筹资为目的的单方国家税。税收水平与某国家计划筹集的资金量有关,税率较低,大大低于在最优削减水平下削减排放的边际费用。这种税收既无任何刺激效果,对经济也无显著影响。

(2)以筹资为目的的国际税。此税是根据一定的规章由各个国家支付的税,税款用作特别的基金,如 GEF(全球环境基金)就是这种税收的一个雏型。这种税制仍然仅与计划筹集的基金额度有关,实际上远低于在最优削减水平下削减排放的边际费用,也无刺激效果。

(3)以刺激为目的的单方国家税。该税制的优点是具有经济效益(费用最小化)和动态的刺激效果,如刺激技术进步,促进加快温室气体的削减。此种税收水平较高,一般比单纯以集资为目的的税收高 10~20 倍。

(4)以刺激为目的的国际税。该税制的基础是每一成员国都向一国际组织支付一项税款,该税款按照事先确定的规则在各国政府之间重新分配。由于对所有国家的收税水平一致,可使所有国家用于削减二氧化碳排放的边际费用等同起来。

上述 4 种碳税框架,前三种已有实践,第四种尚未实行。从削减二氧化碳排放的效果看,第三种碳税框架具有刺激效果,由于加重了排放部门的经济负担,可大大限制二氧化碳排放对环境的影响,达到削减排放的目的。目前国际上已实行碳税的国家多半是介于框架(1)和(3)之间,欧洲发达国家的税制更趋于(3)框架,具有刺激目的。

本计算采用国际上应用较广的瑞典的碳税率,即 0.15 美元/kg(C),折合人民币 1 215.41 元/t(C)(2005 年 8 月 5 日基准价 810.27 人民币/100 美元)。

2. 造林成本法

既然植树造林是为了固定大气中的二氧化碳,那么森林固定二氧化碳的经济价值就可以根据造林的费用来计算。但是,造林固碳途径仅仅是在树木的生长期才有固碳作用,一旦森林被砍伐利用,其贮存在木材中的碳又以燃烧或腐烂等形式释放到环境中。因此,对一块林地而言,只能计算一次固碳作用,也就只能计算一次价值。

根据有关研究资料,我国人工营造杨树、泡桐等树种,每生产 1m³ 木材的平均生产成本为 240.03 元(1995 年)。再换算成干物质,根据光合作用方程式,每立方米木材可固定 0.54t 二氧化碳(木材比重为 0.33t/m³),则固定 1t 二氧化碳的成本为 444.5 元,如换为纯碳,则固定 1t 纯碳成本为 1 629.82 元。

计算结果见表 3-27。

表 3-27　　　　　　　　　　　　**固定二氧化碳的价值**

生长量标准 (t/(株·a))	总株数 (万株)	总生长量 (万 t/a)	固定二氧化碳量(万 t/a)	折合纯碳 (万 t/a)	固碳效益(万元)		
					碳税法 1 215.41 元/ t(C)	固碳成本 1 629.82 元/ t(C)	平均
0.02	5 379	107.58	175.36	47.82	58 120.91	77 937.99	68 029.45

注: 表中生长量标准是根据有关资料,结合河南省实际情况而定的。总株数来自 2003 年河南省森林资源连续清查第四次复查统计数字。

四、净化环境功能价值

(一)释放氧气价值

林木进行光合作用时,在吸收固定二氧化碳的同时还释放出氧气,林木提供的新鲜氧气不但可直接为人类和其他生物所利用,而且还有利于环境质量的改善,具有直接和间接的利用价值。

该价值分别采用造林成本法与工业制氧影子价格计算。

固定二氧化碳量的计算是根据光合作用方程式,植物每生产 162g 的干物质可吸收固定 264g 的二氧化碳,那么生成 1g 干物质可吸收 1.63g 二氧化碳,则有:

固定二氧化碳量/a=植物生物生产量/a×1.63

根据二氧化碳分子式和原子量,$C/CO_2 = 0.272\,7$,则有:

固定纯碳量=固定二氧化碳量×0.272 7

对固碳效益的计算使用了两种方式,即碳税法和造林成本法,最终效益取二者的平均值,为 6.80 亿元/年。

根据光合作用方程式,每生产 1g 干物质可释放 1.19g 氧气,每立方米木材可固定 0.39t 氧气(木材基本密度为 $0.33t/m^3$),杨树的平均造林成本为 240.03 元/m^3,则释放 1t 氧气的成本为 615.46 元,根据每株林木平均每年的净生长量和林木总株数,可算出每年所释放的氧气总量,再分别与释放氧气的成本和工业制氧现价(400 元/t)相乘,可得释放氧气的价值(见表 3-28)。

表 3-28　　　　　　　　　　　　**释放氧气的价值**

生长量标准 (t/(株·a))	总株数 (万株)	总生长量 (万 t/a)	释放氧气量 (万 t/a)	释放氧气效益(万元)		
				释放氧气成本 (615.46 元/t(O_2))	工业制氧价格 (400 元/t)	平均
0.02	5 379	107.58	128.02	78 791.19	51 208.0	64 999.6

释放氧气价值取两种计算结果的平均值 6.50 亿元/年。

(二)吸收二氧化硫价值

二氧化硫在有害气体中数量最多,分布最广,危害较大,而树木对二氧化硫具有一定程度的抵抗能力,并且以其独特的光合作用生理功能通过叶片上的气孔和枝条上的皮孔吸收和转化有害物质,在体内通过氧化还原过程转化为无毒物质,即降解作用,或积累于某一器官内,或由根系排出体外。

按照河南省森林资源连续清查第四次复查计算方法,每公顷森林按 1 650 株树计算,全省农田林网、农林间作树木折合森林面积 3.26 万 hm^2。根据相关资料,阔叶林对二氧化硫的吸收能力为 $88.65kg/(hm^2 \cdot a)$,则农田林网、农林间作树木每年吸收二氧化硫总量为 289.00 万 kg,每削减 1kg 二氧化硫的投资成本为 0.6 元,计算可得吸收二氧化硫的价值为 0.017 亿元/年。

(三)滞尘价值

根据有关研究资料,阔叶林滞尘能力为 $10.11t/hm^2$,则全省农田林网、农林间作树木滞尘量为 32.96 万 t,削减粉尘成本按 170 元/t 计,滞尘价值为 0.56 亿元/年。

(四)杀菌和减少噪音价值

每公顷森林杀菌价值 5 300 元,减少噪音价值 3 500 元,则每年杀菌和减少噪音价值为 2.87 亿元。

净化环境功能价值合计为 9.95 亿元/年。

五、河南农田林网、农林间作生态效益总价值

河南省农田林网、农林间作生态效益总价值＝增产效益货币价值＋营养循环价值＋固定二氧化碳的价值＋净化环境功能价值＝93.03＋0.75＋6.80＋9.95＝110.53(亿元/年)。

六、需要说明的几个问题

(一)关于释放氧气价值问题

有人认为林木释放氧气的作用不应该计算,因为它是伴随着林木吸收二氧化碳而必然释放的对人类有益的气体。这种必然性不可转移,而且在计算固碳价值时,已将全部造林成本包括了,氧气的释放成为固碳的额外产品,固碳和释放氧气只能计算一种价值。但是,林木吸收二氧化碳和释放氧气具有不同的使用价值,二者是相对独立的,并不存在生态效益的重复计量问题,因此应该计算释放氧气的效益。

(二)关于营养循环价值计算

在计算森林持留养分时,仅计算了氮、磷、钾这三种主要营养元素,但实际上,持留的养分远远超过这三种,比较大量的元素还有钙和镁,除此之外,还有大量的微量元素,这些都应该计算价值。但由于缺乏相关资料,所以未曾计算。

氮、磷、钾这三种主要营养元素的价值计算,是建立在林木 100% 吸收的基础上,但实际上任何肥料的利用率都不可能是 100%。之所以未使用肥料有效利用率,是基于系统内外输入输出的考虑。不管养分利用率多低,未利用的养分仍然保留在系统的土壤库内,继续为林木生长提供服务。所以,从保守计算的角度,肥料利用率问题不作考虑。

(三)关于其他生态效益价值

农田林网、农林间作生态效益价值评估涉及范围很广,涉及领域很多,相当复杂,本计

算价值仅仅是其巨大生态效益的一部分,而且由于方法不太成熟,还不能完全评估它们的真正效益。对于其他生态价值,例如调节气候的价值、保护土壤的价值、土壤有机质的价值等,目前还缺乏适当的评估方法,有待于以后进一步深入研究解决。

第六节　河南农田林网、农林间作规划设计及典型模式

一、规划设计的原则

(一)因地制宜,因害设防

河南省地域辽阔,各地自然条件、作物品种不同,灾害因子的性质和程度各不相同,对林带的防护要求也不一样。在规划设计中要提供一个完备的全省通用的模式是困难的,因此,必须贯彻"因地制宜,因害设防"的原则,即根据当地的具体情况,选择适宜的树种和造林方法,根据灾害的性质和程度设计最优结构,规划林带、树种配置的最佳方案。这一原则要求我们在做规划设计时,应当防止生搬硬套对于别处合理的规划设计方案,也不能只求形式上的规整,在气候、土壤、植被、农业生产情况都有较大变化的不同地区,采取千篇一律的规格设计。另一方面,也不要区分得过细,把非本质的差别作为区别规划设计的依据,致使整个体系显得异常紊乱,并造成施工上不必要的麻烦。

(二)农林统一规划

农业是国民经济的基础,其重要地位是毋庸置疑的。但许多地区由于毁林开荒,造成大面积土壤沙化,气候变干燥,风沙灾害越来越严重,常常给农业带来灾难性的后果,为了防止风沙危害,提高农业生产力,最有效的办法就是营造农田防护林。林带本身就是"生产者",不但可以生产一定量的干物质,改善了生态环境条件,起到保土、保肥、保水的效果,而且可以使其他措施得以充分发挥作用。因此,必须综合考虑农业和林业,互相促进,共同发展,使其各占一定的比重,不可偏废。

在一个地区,各种地类中,林地面积的比例以多少为宜,是一个有待探讨的问题。对风沙灾害或风害严重的农业地区,农田防护林占耕地面积的比率和林带的宽度及网格的大小有关,一般为3%～10%。而在规划设计中应充分利用地形地物设置林带,占耕地面积的比率也可以小于3%。

(三)田、林、路、渠综合规划

1. 林带和水渠相结合

灌溉地区沟渠纵横,渠边有相当宽的堤背可以营造林带,既可以少占耕地,又可保护水渠。由于渠内水分的渗漏,水渠附近的水分条件较好,林带生长旺盛,成林快,能更早地发挥防护效益,成林之后,树木的根系发达,可以起到固背护堤、减轻风沙侵蚀、水流淘刷等作用,而且由于渠旁林带降低了地下水位,减轻了附近农田的次生盐渍化,减少了渠中的水面蒸发,降低渗漏等消耗水量,提高了渠道的利用系数。营造在河流堤内坝坡上的林带在有洪水时可以减少对堤坝的冲刷,起到保护堤坝的作用。

2. 林带和道路相结合

随着国民经济和农业现代化建设的发展,交通日益发达,公路建设越来越重要,林带

和道路结合设置,不仅少占耕地,而且林带长成之后,可以巩固路基,降低地下水位,保持路面湿润,减少车辆对路面的磨蚀和风蚀,延长路面寿命,减少养路工程量。林带还可以美化环境,改善气候条件,使行车环境舒适。

(四)生态效益与经济效益相结合

发展农田林网、农林间作,归根结底是为了满足人民生存生活和河南林业可持续发展的需要。因此,必须追求经济、社会效益和生态效益的高度和谐统一。而对环境的保护、改善和美化是其基本内涵,具体来说,应从以下几个方面着手提高系统的生态效益:①防止水土流失,实现持续发展;②减少化肥用量和农药用量,以养分循环和有机肥料的施用来增进土壤肥力;以生物控制的方式防治病虫害,降低成本,防止环境污染;③改善农田小气候,以形成有利于系统内各组分生长、发育、高产的环境条件;④保持和增进景观格局的协调性,美化居住环境。

许多地区,不仅需要营造一定面积的防护林以防止自然灾害的侵袭,改善环境条件,保证农作物稳产高产,也需要营造相当数量的用材林、薪炭林、经济林和绿肥林等以满足国民经济发展和人民群众生活需要。

林网和间作的设计与营造应能为国家和人民提供一定量的木材、条材、药材、油料、干鲜果品、绿肥原料及饲料等。但是,在风沙危害严重的地区,林网的主要目的是为了保护农田或其他经济作物,起到最大的防护效果,应该以保持林带的"最优结构"为依据,不可为了其他目的而破坏林带的"最优结构"。在风沙危害较轻的地区,可以考虑防护与经济效益两个目的并重来进行林带的规划设计,选用经济利用价值比较高的树种,在这些地区进行农林间作,既提供了一定量的林产品或林副产品,又起到了很好的防护作用。

二、树种的选择

(一)树种选择的原则

(1)农田林网、农林间作的主要作用是改善生态环境,防御自然灾害,保护农田。因此,在树种选择时应选择高生长快、直径和材积生长良好的树种,而且选择的树种应具备抗风力强的特点。

(2)为达到理想结构,应采用不同树种和品种、常绿与落叶树种相结合,要选用一定数量的灌木和经济树种。

(3)从当地的实际情况出发,真正做到适地适树。注意各乔木、灌木树种对当地气候、土壤的生态适应性,选择抗性强、用途广、材质优良又有较好的培肥改土作用的乡土树种或经过引种试验证明适合栽种的外来树种。

(4)不能选用是农作物病虫害寄主或中间寄主的树种,例如榆树的金花虫类,除危害榆树外,还危害大豆和瓜类;桧柏是苹果、梨赤星病的寄主;刺槐是作物蚜虫和豆科作物害虫的寄主。

(二)主要造林树种

河南省平原区造林绿化树种有很多,在树种选择时,必须充分考虑绿化造林树种的生物学特性和环境因素,并通过调查或试验,优化选择,实现"因地制宜、适地适树"。适合农田林网、间作的几个主要造林树种的生态学及生物学特性见表3-29。

表 3-29　　　　　　　　　　　**部分树种的生态学及生物学特性**

树　种	主要生态学及生物学特性
水杉	喜温暖、湿润气候。耐寒,能在 -19.9℃条件下生长,较耐干旱,耐水湿。喜生于土厚、湿润、肥沃的壤土上,在特别干旱、瘠薄地上或中盐碱地上生长不良,喜光,早期速生,萌芽力强
毛白杨(包括三倍体毛白杨)	温带树种。要求凉爽、湿润气候,在年平均气温 11～15.5℃、年降水量 500～900mm 地区生长良好。耐寒性差;在高温、高湿条件下,易遭病害。喜生于土层深厚、肥沃湿润、排水良好的沙壤土、壤土上。在特别干旱、瘠薄的条件下生长不良。喜光,速生,深根性,抗污染
沙兰杨(包括 69 杨、72 杨、中林 46、107、108 等无性系)	温带树种,适应性、抗寒性差。对土、肥、水条件要求高,在特别干旱、瘠薄、低洼积水及盐碱地上生长不良。喜光,速生,繁殖容易
泡桐	温带树种。耐寒性差,在干旱、瘠薄、低洼、盐碱地上不宜造林,宜在地势高、排水良好、土壤肥沃条件下生长。喜光,速生,成材早;枝稀,发芽晚
柳树	对气候适应性广。耐旱、耐盐碱、耐水淹。喜光、速生,根系发达,固土力强,萌芽和生根能力强,繁殖容易,多用栽杆、砸杆、栽条等方式造林
白蜡条	喜温暖湿润气候,适应性很强。耐湿,较耐盐碱。喜光,幼树耐阴,萌芽力强。抗污染能量强
紫穗槐	温带树种,适应性强。对土壤要求不严,耐干旱、耐瘠薄、耐高温、耐水湿、耐盐碱。喜光,萌芽力强,浅根性,有根瘤菌
簸箕柳	喜温暖气候。耐水湿,适生于土厚、肥沃、排水良好的渠旁、河边、溪边和平沙地。喜光,浅根性,萌芽力强

三、农田林网设计与典型模式

在农耕地上营造农田林网,目的是削弱风速,减轻风蚀,抵御自然灾害(风沙、干旱、干热风、霜冻等),改变农田小气候,保障农业生产,其规划设计主要是林带配置和林带结构设计。

(一)林带配置

1.林带走向

农田林网是由许多互相垂直的主、副林带构成的,在进行农田林网规划设计时,必须首先确定林带的走向。林带的走向是决定农田林网防护效应的重要因素,林带和风向交角的大小与林带防风效应密切相关。研究证明,单条林带,林带垂直于主要害风方向时,防风作用最大。当主风方向与主林带垂线偏角超过 30°时,有效防护效果降低。所以,主林带与主风方向所成交角不应小于 60°。主林带方向一般以垂直于主害风方向为最好。在有大型固定地形物如渠道、公路、河流时,也可把它们的走向作为主林带方向。副林带与主害风风向平行而垂直于主林带,起辅助作用。

2.林带间距和网格面积

林带间距是指相邻两条平行的林带边缘的距离。林带间距的大小直接影响防风效果、占地多少以及农业机械化作业效率的发挥。

主林带间距:风沙暴危害地带,主林带间距一般为当地林带成林树高的 15～20 倍;以干热风危害为主的地带,主林带间距为当地林带成林时高度的 25 倍;盐渍化地区,生物排水和抑制土壤返盐是设计林带要考虑的重要因素,这类林带一般主林带间距不超过200m。副林带间距按主林带间距的 2～4 倍设计。如害风来自不同方向,仍可按主林带间距设计,构成正方形林网。

据研究,林带的有效防护范围是 20～25H。河南省的农田林网主要树种是杨树、泡桐等,其壮龄时的平均高度是 12～15m。因此,一般风害农田区,主林带间距为 250～400m,副林带间距为 400～600m,网格面积为 10～24hm^2;风沙危害严重地区,主林带间距为 150～250m,副林带间距为 300～400m,网格面积为 5～10hm^2。

3. 林带宽度

林带宽度是指林带两侧边行间的距离再加上两边各 1.5～2m 的边缘地带,林带宽度应根据所选树种及立地条件而定,以能够形成适宜的林带结构和适宜的疏透度为标准,还要考虑尽量少占用耕地。在具体设计时,一般情况下,主林带可设计 4～6 行,副林带 2～4 行树。

(二)林带结构

林带结构分为疏透结构、通风结构和紧密结构 3 种类型。在进行规划设计时,应根据防护林类型、当地自然条件、乔灌木树种等设计。林带结构一般可根据林带的透风情况,用透风系数和疏透度表示。

1. 紧密结构

紧密结构的林带是由带幅较宽、行数较多、林木密度较大的乔木、灌木组成的,疏透度在 0.3 以下,透风系数在 0.3 以下。这种结构的林带防护距离小,主要用于果园或某些重要建筑物的防护林,也用于防风固沙林。

2. 疏透结构

疏透结构的林带一般由行数较少、带幅较窄的乔木、灌木树种组成,疏透度在 0.3～0.4,透风系数在 0.3～0.5,大部分气流可从林带穿过,有效防护范围为林带高度的 25 倍左右。这种结构的林带应用较为普遍。

3. 通风结构

通风结构的林带一般由乔木树种组成,不配置灌木,行数少,带幅窄,疏透度在 0.4～0.6,透风系数在 0.5 以上,气流容易通过,防风效果不强。在一般风害区或风害不大的壤土地上可以采用。

以减免干热风危害为主要目的的林带,以适度通风结构为宜。

在风沙暴危害地带或风较多的地带,林带以疏透结构效益最好。

(三)林带树种配置

1. 单行混交林带

由单行两个树种组成,如毛白杨与沙兰杨、杨树与紫穗槐等。株距一般为 1～3m。

2. 双行混交林带

(1)双行乔木混交林带:由两个或两个以上的乔木树种组成。如杨树与刺槐。

(2)双行乔灌木混交林带:由一种或两种乔木与一种灌木组成的林带。通常由杨树与紫穗槐、杨树与白蜡树、柳树与簸箕柳、泡桐与紫穗槐等树种组成,一般采用乔灌木成行栽植或株间种植。

(3)双行灌木混交林带:由两种灌木组成。

3.多行混交林带

由两个或两个以上树种营造的 3 行以上的林带。在风沙危害较轻的地方,多由两种乔木树种组成 3 行以上的林带;在风沙危害严重的地区,则由常绿和落叶乔木树种与灌木所组成。

4.林带与沟、路、渠结合配置

(1)林带与路结合:在道路两侧栽植 1～4 行树木,采用"品"字形或长方形配置,有时隔株栽植灌木。

(2)林带与渠结合:该类型水肥条件比较好,适宜栽植根深、叶茂、速生树种。为了固堤护坡,可增加灌木比重。

(3)林、路、渠结合:渠设置在路的一侧,或路居中间,一边林木,一边灌渠。这种形式节省土地,便于管理。

(4)大型排灌渠与林带结合:营造林带时要充分利用树木的生物排水和固堤防坡作用,在渠道两岸栽植乔木树种,一般 5～10 行,并大量种植灌木。乔木用柳树或杨树,灌木用紫穗槐或白蜡树等,成带状栽植,或与乔木隔株混交。

四、农林间作设计与典型模式

农林间作的类型很多,按其经营目的的不同,可分为以农为主间作型、以林为主间作型和农林并重间作型;按其间作的树种不同,可分为农桐、农枣、农条、农柳、农桑、农柿、农杨和农杉间作等。这里重点介绍面积较大、历史较长的农桐、农枣、农条、农柳间作。

(一)农桐间作

泡桐属玄参科泡桐属,是一种喜光树种,具有一定的耐旱性,树冠疏松,主根深,细根少,与农作物间作可以利用土壤深层的水分和养分,且对生长在其附近的农作物生长影响不大。生长快,繁殖容易,木材质轻,可作建筑、家具和文化用品。农桐间作既能改善生态环境条件,保证农业稳产高产,又能在短期内提供大量商品用材,增加经济收益。

农桐间作中泡桐行的走向要根据当地的实际情况,如害风的危害程度、地块所处的位置、护路林的情况等而定。在风沙危害较轻、主要害风方向不明显的地区,林带以南北向为好;在一些风口、干热风严重的地区,林带则以垂直于主害风方向为好,以便更大程度地削弱、改变害风的性质,减轻危害的程度。

1.农桐间作常见模式

河南省农桐间作主要有 3 种典型模式。

(1)以农为主间作型:该类型适宜于风沙危害较轻,地下水位在 2m 以下的地区。在保证粮食稳产高产的情况下,栽植少量泡桐,轮伐期较早,一般 8～10 年就可砍伐利用,株距 4～5m 不等,每公顷 30～60 株。

(2)以桐为主间作型:适宜于沿河两岸的沙荒地及人少地多的地区,株距 5m,行距 5m,每公顷 400 株,可以间作农作物,经营目的为培养大径材。

头两年泡桐与农作物配置常见形式有:泡桐 + 小麦 + 棉花;泡桐 + 小麦 + 大豆;泡桐 + 小麦 + 蔬菜。

当泡桐生长到第三年,对秋季农作物生长有影响时,间作一些耐阴作物或药材。间作形式有:泡桐 + 大蒜;泡桐 + 薄荷;泡桐 + 蔬菜。

当泡桐生长到四五年、对农作物生长影响较大时,间作方式有:泡桐 + 薄荷;泡桐 + 大蒜。

(3)桐农并重间作型:适宜于风沙危害较重,地下水位 3m 以下的耕地。株距5～6m,行距 10～20m,每公顷 160～200 株,经营目的是防风固沙,培育中、小径材。

2.农桐间作优化配置

农桐间作的最佳模式应达到单位面积上最大的经济效益和最大的农作物产量,达到经济、生态效益和社会效益的高度统一。罗菊春(1991 年)在全面考察黄淮海平原农区的农林间作后,收集了大量研究资料,经数据处理、筛选,提出了农桐间作的优化结构模式(见表 3-30)。

表 3-30　　　　　　　　　　　　农桐间作的优化结构模式

泡桐种类	成分组合	泡桐株行距
兰考泡桐 兰考泡桐无性系 C123 豫林 1 号 豫杂 1 号 桐选 1 号 楸叶泡桐	1.泡桐 + 小麦 + 玉米	1.高密度间作型: 株距 3～4m,行距 5～10m,250～600 株/hm²
	2.泡桐 + 小麦 + 棉花	2.宽行式间作型: 株距 5～6m,行距 30～40m,30～60 株/hm²
	3.泡桐 + 小麦 + 花生	3.动态式Ⅰ: 株距×行距:5m×20m→5m×40m,10m×40m
	4.泡桐 + 小麦 + 大豆	4.动态式Ⅱ: 株距×行距:5m×20m→5m×40m→50m×50m

(二)农枣间作

枣树适应性强,耐干旱贫瘠,耐沙打沙压,耐盐碱,繁殖容易,收益大,枣树发叶晚,落叶早,是平原沙区优良的林农间作树种。

1.林带走向

在风沙危害严重的地区,以东西走向为宜;而在风沙危害较轻的沙耕地上,以南北走向为好。

2.林带宽度

一般以 15～20m 为宜。

3.林带间距

一般以 100～150m 为宜。

4.主要类型

(1)以农为主的农枣间作型:主要分布在风沙危害较轻的农耕地上。枣树的栽植多呈单行大行距配置(行距 30～150m),有时也有呈 3～5 行的带状栽植。

(2)农枣并举间作型:主要分布在沙区边缘地区或平沙地上。栽培密度较大,行距一般为 8～15m,株距 5～6m。

(3)以枣为主的农枣间作型:主要分布在风沙危害严重的沙丘、沙岗及平沙地上,主要目的在于防风固沙,以减少风沙对农作物的危害,株行距为 5(5～8)m。

(三)农条间作

适宜农条间作的灌木必须具有适应性强、用途广、经济价值高和防护作用大的特点。常见主要树种有白蜡条、紫穗槐等,而以白蜡条经济价值最高,栽培面积最大。

白蜡树是木樨科的落叶乔木,经济价值和生态价值很高。河南人民在长期和风沙作斗争的实践中,创造了白蜡树与作物间种的"农条间作"模式。

1.农条间作的配置

从防护效益看,白蜡条带的走向应横对主害风,因此白蜡条带的走向应以东西走向为佳。但东西走向的条林北侧遮阴严重,影响间作物产量。因此,进行大面积条农间作时,只在风口处采用东西走向,其他地方采用南北走向。

2.条带间距

条带间距是决定防护效益,影响作物产量的一个重要因子。由于白蜡条(杆)平均带高不超过 3.5m,所以带间距不宜过大,否则将起不到应有的防护作用;条距过小,又会造成作物减产。因此,要根据当地条件和经营目的而确定。

(1)以发展条、杆为主的间作类型,条带距宜为 10～20m。

(2)条农并重的间作类型,条带间作以 20～30m 为宜。

(3)以农业生产为主的农条间作类型,条带间距宜为 30～50m。

3.条带宽度

当前营造的白蜡条多为 1、2、4 行,在一般情况下以 2 行为主,风口或重沙区可用 4 行式。

(四)农柳间作

柳树是华北地区的主要速生树种之一,适应性广,抗逆性强,河南省的沿河沙地采用农柳间作形式培育柳材极为普遍,一般选用 2～3m 长、5～7cm 粗的柳桩营造头木林或柳杆林带,林带间种植农作物。农柳间作的形式有两种,一是头木林作业,一般柳树行距10～15m,株距 5～8m,行间种植小麦、大豆、谷子、高粱等作物;二是在风沙危害较重的沙区,柳树常配置成行状或带状,营造成小型林带,带距 20～50m,既可防风固沙,又可生产椽材。

参考文献

1 樊巍,孟平,等.河南平原复合农林业研究.郑州:黄河水利出版社,2000

2 张敬增,等.河南平原绿化理论与技术.郑州:黄河水利出版社,2002

3 时振谦.河南可持续发展研讨.郑州:中原农民出版社,2000

4 国家林业局华东森林资源监测中心,等.河南省森林资源连续清查第四次复查成果资料,2003

5 李文华,等.中国农林复合经营.北京:科学出版社,1994

6 熊文愈,等.中国农林复合经营研究与实践.南京:江苏科学技术出版社,1994

7 Zhao T S, Lu Q. Agroforestry on the North China Plain. Agroforestry Today. 1993,5(2)

8 Oanett H E. North America agroforestry: An integrated science and practice. American Society of Agronomy, Inc. Wisconsin. USA. 2000

9 曹新孙,等. 农田防护林学. 北京:中国林业出版社,1983

10 李润田. 河南自然灾害. 郑州:河南教育出版社,1994

11 杨修. 农林复合经营在农村可持续发展中的地位和作用. 农村生态环境,1996,12(1)

12 张敬增,赵顼霖,等. 河南林业生态. 郑州:黄河水利出版社,2004

13 吴长江. 论农田防护林体系综合效益可持续性发展. 防护林科技,2004(5)

14 王健民,等. 中国生态资产概论. 南京:江苏科学技术出版社,2001

15 卢琦,等. 农用林业系统仿真的理论与方法. 北京:中国环境科学出版社,1999

16 李秀江,等. 农田防护林体系的效益及评价方法. 河北林果研究,2000,15(1)

17 樊巍,赵勇,等. 生态林业的理论与技术. 北京:中国农业出版社,1995

18 冯宗炜,等. 农林业系统结构与功能. 北京:中国科学技术出版社,1992

19 宋兆民. 黄淮海平原综合防护林体系生态经济效益的研究. 北京:北京农业大学出版社,1991

20 张颖. 中国森林生物多样性评价. 北京:中国林业出版社,2002

21 薛达元. 生物多样性经济价值评估. 北京:中国环境科学出版社,1997

22 刘康,刘钰华. 防护林体系生态效益货币计量转换的探讨. 新疆林业科学,1998,20(2)

23 河南省统计局. 河南统计年鉴. 北京:中国统计出版社,2004

24 姜恩来,张颖,曹克瑜. 海南省森林资源的价值评价. 绿色中国,2004(2)

25 符气浩,杨小波,等. 城市绿化的生态效益. 北京:中国林业出版社,1996

26 朗奎建,李长胜,殷有,等. 林业生态工程 10 种森林生态效益计量理论和方法. 东北林业大学学报,2000,28(1)

27 周冰冰,李忠魁. 北京市森林资源价值. 北京:中国林业出版社,2000

28 侯元兆. 中国森林资源核算研究. 北京:中国林业出版社,1995

29 Balick J M. Assessing the Economic Value of Traditional Medicines from Tropical Rain Forests. Conservation Biology,1991,6(1)

30 Batemen,Ian. Placing Money Values on the Unpriced Benefits of Forestry. Quarterly Journal of Forestry 1992,86(3)

31 Dwyer J,Fetal. Assessing the benefit and cost of the urban forest. Journal of Arboriculture, 1992,18(5)

32 赵体顺,李树人,等. 当代林业技术. 郑州:黄河水利出版社,1996

33 蒋建平. 农林业系统工程与农桐间作的结构模式. 世界林业研究,1990,3(1)

34 赵体顺,卢琦. 农林复合经营的类型、效益和发展方向. 当代复合农林业,1994,1(4)

35 Duchhart I,et al. Planning methods for agroforestry. Agrofoestry Systems,1989(7)

第四章　　河南城镇林业的生态效益及评价

城市是人类改造自然的杰作,是人类物质文明的结晶,是社会发展的必然结果。城市也是大量消耗资源和能量,制造产品和排放废物的场所。城市生态系统是城市居民与其周围环境组成的一种特殊的人工生态环境,是人们在改造和适应自然环境的基础上建立起来的自然—经济—社会复合生态系统。

今天城市化的进展,已经成为衡量一个国家现代化程度的指标,城市的功能也日趋复杂、庞大。城市日趋成为地区政治、经济、文化、科技信息、交通的中心和人居的重要场所。随着人口的爆炸式增长和城市化的迅速进展,1950年城市人口占世界人口的比重为29.2%,到1985年达到41%,2000年城市人口已上升到世界总人口的54.7%,发达国家更高达80%以上。目前,世界上800万人口以上的超级城市有22个,而在20世纪50年代,超级大城市只有两个(纽约和伦敦)。据联合国预测,到2015年,全球超级大城市的数字将达到33个。在中国,城市数量由1978年的193个,增加到1997年的668个,其中,200万人口以上的城市12个,100万至200万人口之间的城市22个,50万至100万人口的城市有47个,20万至50万人口的城市有205个,20万人口以下的城市382个。我国城市人口占总人口的比重1998年达到了30.4%。

由于社会的飞速发展,城市化已成了世界范围内的必然趋势。城市生态环境问题是伴随着城市化和城市的特有属性而出现的。无论是发达的工业国家,还是迅速崛起的发展中国家,城市环境问题都不可避免,难以回避。城市的作用和地位越来越明显与重要,随着城市化的发展,已给城市带来了一系列不容忽视的严重问题。城市化的主要特点:一是大量农村人口流入城市,人口高度集中,社会矛盾日益增多,污染源和污染物大量增加,使城市生态环境受到破坏,市民的活动空间和休憩场地迅速减少;二是工业迅速崛起,能源大量消耗,二氧化碳、粉尘、烟尘和有害气体产生量急剧增加,造成城市空气污染,危害市民健康;三是汽车的发展,随着车辆增加,车流量加大,车速加快,交通噪音和尾气排放将会严重污染大气,影响市民的工作和生活;四是城市建设和旧城区的改造加速。施工工地随处可见,施工噪声不断,泥土飞扬,污染了空气和道路,而且原有植被也遭到破坏。我国主要城市大气污染状况见表4-1。

随着全球城市化进程的加速和城市环境问题的加剧,如何解决城市面临的生态环境问题,保持城市的可持续发展,成为全世界科学家和科技界面临的重大生存课题。人们已认识到加强城市绿地生态建设、改善城市生态环境质量的重要性,许多国家已经将城市绿化作为城市可持续发展战略的一个重要内容。

城市林业作为城市复合生态系统的还原组织,是维持生态平衡的重要主题,城市中的植物群落可以分成天然植物群落和人工植物群落两大类,但往往以后者为主。人工植物群落主要有公园的绿地、树木、行道树,街心花园,住宅区草坪、树木、花坛等。从生态学的观点来看,植被群落不仅是生态系统的生产者,而且也是生态系统的强大改造者。植被群落对于保障人类生存极为重要,尤其是在环境污染日益严重、生态平衡严重失调的今天,植被群落的地位和作用显得更加重要。在我国城市林业的发展中,存在着片面强调绿地景观效果的现象,盲目追求大色块和景现的一致性,单纯追求面积、忽视生态过程,导致绿地平面化、草坪化、林木和森林所占比例过小,大大降低了城市绿地生态功能,使宝贵的城市绿地未能为解决城市紧迫的环境问题发挥应有的作用。把城市森林作为城市绿化的立足点,全面提高城市绿地生态功能,成为城市可持续发展的根本途径。

表 4-1　　　　　　　　　　　　全国主要城市大气污染监测结果

城市名称	粉尘 (mg/m^3)	一氧化碳 (mg/m^3)	氮氧化物 (mg/m^3)	光氧化物 (mg/m^3)	总烃 (mg/m^3)	铅 (mg/m^3)
重庆	—	17.7	0.50	—	—	—
合肥	1.2	13.4	0.10	0.25	0.3	13.5×10^{-4}
天津	2.7	19.7	0.27	—	—	2.00×10^{-4}
包头	0.8	5.9	0.17	0.05	3.8	9.40×10^{-4}
南宁	1.0	—	0.48	—	—	—
西安	1.9	16.4	0.14	0.17	—	17.0×10^{-4}
南昌	0.8	—	0.25	—	—	11.3×10^{-4}
武汉	2.9(0.7)	10.2	0.33	—	—	—
长沙	1.2	11.3	0.25	0.42	2.1	4.70×10^{-4}
北京	3.9	31.0	0.60	0.76	1.1	15.0×10^{-4}
郑州	0.8	16.6	0.24	0.40	4.1	25.8×10^{-4}
济南	0.9	12.0	0.29	—	—	6.00×10^{-4}

在解决城市环境污染的问题上,除了加强对污染物的治理外,加强城市绿化是抵抗污染、改善环境质量的重要手段。但是城市林业在我国已面临着五大挑战:

第一,人均绿地规划指标受到客观制约。我国人均城市建设总用地的规划指标,只有发达国家城市的1/3,即便我国的城市绿地率达到了与国外城市相同的水平,我国城市人均拥有的绿地面积仍将十分有限。1996年我国12个园林城市的人均公共绿地为$10.6m^2$,我国46个主要城市的人均公共绿地面积为$5.8m^2$(建设部,1997年)。欧、美、亚20个主要城市的人均公共绿地面积为$37.2m^2$,是我国"园林城市"平均值的3.5倍,是我国46个主要城市平均值的6.4倍。

第二,城市中心"沙漠化"倾向严重。因城市土地市场等原因,导致我国城市绿地的发展出现了外移现象。随着城市中心区建筑容积率、车流、人流量的迅速提高,废气、噪声、热岛、空气细菌量、碳氧比例等,离人们正常的生理、心理健康需要日趋遥远。发达国家城市的衰退已经教训和警示了人们。

第三,在经济方面,绿地受到城市建设用地的制约和土地市场的冲击,各大中城市对环境的绿化建设都投入了很大的一笔资金,但却没有单纯的经济效益。绿地过分地依赖于人工维护又大大地加重了财政的压力。

第四,在生态方面,由于城市结构以人及其社会要素的流转为中心而构建,城市中除人以外的生命被挤到孤立的角落,城市中生物与环境的关系被远远排在城市建构原则之外。这种唯人独尊的理念,使城市自然生态环境系统被其他物质系统的严整结构切割得支离破碎,导致城市自然生态环境布局分散,生态结构过度简单脆弱,抗活动干扰、降解城市废弃物的能力低下,城市中自然生产力及其环境效能潜力未能发挥。

第五,在"绿文化"方面,城市绿地过分的人工雕琢与堆砌倾向,使城市中十分珍贵的自然生态信息对现代人的身心洗涤作用大为削弱,绿地对社会精神面貌的影响,对人的发展方面的贡献率尚有待于提高。另外,人类通过园艺技术,在城市绿地系统中实现了对自然生产力的某些特殊需求。同时,也带来了虫害和农药的污染。可见,城市绿地在努力重建自然环境的同时,也带来了新的生态环境问题。

综上所述,林业是城市生态环境维护的主体,是城市经济可持续发展的基础,正确认识和评价林业在城市生态系统中的作用十分重要。

第一节　改善小气候

森林通过光合作用,把太阳能转换为有机化学能,同时吸收二氧化碳和放出氧气,植物的生理代谢活动,能改变其环境光、热、水分状况,进而影响环境的温度、降水、局地气流、碳氧平衡和生物的生存环境。

一、改善城市热岛效应

(一)城市热岛成因分析

1.大气污染与城市热岛

城市人口密度、车流量都很大,因此人们的日常生活及交通运输对大气的污染是非常严重的,工业区排放的烟雾对大气的污染尤为严重。这样,在城市上空形成一层强大的屏障。这层屏障把地表辐射热及人工热源发出的热量阻拦在近地面层,从而造成市区上空温度上升,形成城市热岛。

2.人工热源是形成城市热岛的重要因素

由于人们生活、工业生产、热电厂运行、交通运输等人类活动燃烧的燃料放出热量,会使大量的热能直接散逸到空气中,导致城市气温上升,形成城市热岛,故人工热源在形成城市热岛中起重要的作用。

3.城市建筑物和下垫面的影响

市区及工业区地面几乎全被砖石、水泥、柏油等建筑材料所覆盖,它们的反射率低,能吸收较多的太阳辐射,楼群和地面吸收率更大,它们之间又多次发射和吸收,故比郊区获得的太阳能量多,下垫面热容量大,导热率高,贮热量比郊区多;参差不齐的建筑物,减少了地面长波辐射热的损失,夜晚长波辐射提供给空气的热量比郊区多,日落后,下垫面降温速度比郊区小,总的造成城市下垫面温度比郊区高,形成了城市热岛。

(二)城市热岛强度

1.不同区域热岛效应的强弱变化

据河南农业大学对郑州市区进行的观测,城市热岛效应主要指由于城市下垫面的改变,人为热源的改变,绿地面积减少等原因所造成的城市温度高于郊区的现象。郑州市西郊工厂密集,车流量大,人为热源排放较多,从而引起气温升高。西郊工业区绿化比市区内差得多,而绿地有明显的降温作用,受夏季太阳强辐射的影响,不同下垫面对气温的影响有很大差别,从而出现西郊气温较高的现象。西郊工业区空气污染严重,大量的二氧化碳、水蒸气等温室气体笼罩在上空,这层气体允许太阳的短波辐射进入,而阻挡地面的长波辐射散发出去,即通常所说的温室效应,从而引起近地面大气温度的升高。若把包括郊区在内的整个生态环境作为研究单元,以日平均气温为指标,则不同点的日均温也不尽相同,有的甚至差别很大,其中日均温最高点出现在西郊工业区,日均温最低点出现在东南郊(此处是一片空旷的农田),这两点的日均温相差了 2.7℃。日温比较高的点还有郑州市市区等几个点。通过这些数据说明,城市热岛中心并没有与城市方位中心相吻合,但市区日均温整体比较高,这与市区人工热源多、大气污染严重、下垫面改变等因素有关。

2.热岛效应的日变化规律

城市热岛效应日变化规律:一方面因为夜间大气层结稳定,使得工业排放的大气污染物覆盖在城市上空,阻碍热量的扩散及地面长波辐射的射出,起着保温作用,使热岛强度增强;而白天大气层结多不稳定,城市的热量迅速向周围扩散,使热岛强度减弱。另一方面,由于城市下垫面对太阳辐射的反射率比郊区小,楼顶、墙壁、路面等导热率较高的下垫面白天大量吸收太阳辐射,夜间放出长波辐射,使地面和近地层空气增温,而郊区白天地面对太阳辐射的反射率比城市大,吸收率小,夜间辐射冷却也更快,所以形成了热岛效应夜间比白天强的日变化特征。一天中,从 16 时以后,热岛强度明显增大,直至晚上 20 时达最大值。从晚上 20 时至次日早上 6 时这一段时间内热岛强度都是高的;6 时以后热岛强度迅速下降,从日出后到中午 12 时左右这一段白昼时间内热岛强度很弱,即热岛强度晚上大于白天(表 4-2、图 4-1 为郑州市区热岛效应的日变化观测结果,表 4-3 为郑州市热岛效应的月变化观测结果)。

表 4-2 　　　　　　　　　　　　热岛效应的日变化 　　　　　　　　　　　（单位:℃）

地点	1月				4月				7月				10月				年平均最低气温	年平均最高气温	年平均日较差
	2时	8时	14时	20时	2时	8时	14时	20时	2时	8时	14时	20时	2时	8时	14时	20时			
市区	9.2	8.4	12.9	11.3	19.2	18.7	22.8	21.8	27.0	27.2	31.8	29.5	20.7	20.2	26.3	23.2	17.3	25.0	7.6
郊区	8.7	7.8	13.0	10.4	18.9	18.4	22.8	20.9	26.9	27.0	31.7	28.9	20.1	19.7	26.4	22.0	16.6	25.0	8.3
差值	0.5	0.6	-0.1	0.9	0.3	0.3	0	0.9	0.1	0.2	0.1	0.6	0.6	0.5	-0.1	1.2	0.7	0	-0.7

3.不同下垫面对城市热岛效应影响

不同下垫面类型热岛强度的日变化曲线。不同下垫面类型热岛强度在一天中出现峰值的时间大体上接近,但每一种测点类型的总体强弱则是有区别的。取热岛效应比较明显的 20 时至次日 6 时这一段时间作为研究(见图 4-2),可以发现不同测点类型热岛效应强弱顺序为:不挡光>均挡光>植被上>树阴下。即在不同的测点类型中,降温效果最好的为树阴下,其次为植被上,降温效果最差的为均挡光点。这些充分说明了乔灌木、草坪等城市绿化都对小范围内的气温起着十分明显的降温效果。

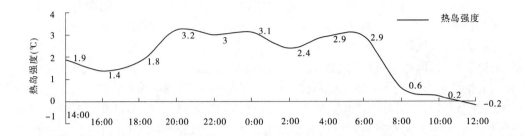

图 4-1　　郑州市热岛强度日变化曲线

表 4-3　　　　　　　　　　　　热岛效应的月变化　　　　　　　　　（单位:℃）

地点	1月	2月	3月	4月	5月	6月	7月	8月	9月	10月	11月	12月	年平均
市区	10.5	11.4	15.5	20.5	24.9	27.3	28.9	28.6	26.8	22.6	17.1	12.4	20.5
郊区	10.0	11.1	15.2	20.2	24.6	27.1	28.6	28.3	26.3	22.1	16.4	11.6	20.1
差值	0.5	0.3	0.3	0.3	0.3	0.2	0.3	0.3	0.5	0.5	0.7	0.8	0.4

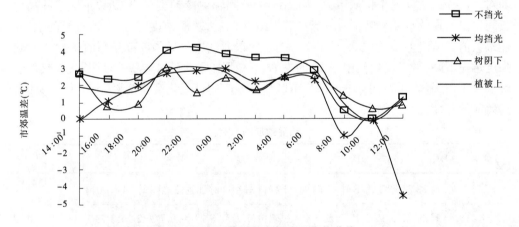

图 4-2　　不同下垫面热岛强度日变化曲线

二、改善城市干岛的效应

城市热岛与城市凝露湿岛之间有密切的正相关关系。由于热岛的存在,才会导致城区的凝露量小于郊区。热岛是形成凝露湿岛的先决条件,而当凝露湿岛形成以后,有利于城市热岛的维持和加强。

由表 4-4 可以看出,市区平均相对湿度明显比郊区小。市区各月平均相对湿度比郊区小 1%～5%,年平均相对湿度比郊区小 3%,说明市区比郊区干燥,存在干岛效应。原因是市区下垫面的建筑物和铺砌的坚实路面大多是不透水层,地面状态的吸水、贮水力远比郊区差,一旦有降雨,不能较好地保留在土壤植被中,很快从下水道流失,而且地面以下的水又很难通过水泥、柏油路面渗透上来,地面经常保持干燥,导致空气中水汽含量的减少。再有,市区植物覆盖面积小,蒸发和蒸腾作用都比郊区小,通过蒸发和蒸腾作用输送给大气的水汽也就比郊区少。此外,由于热岛效应,市区气温高于郊区,也使得市区相对湿度变小。从表4-4还看出,9～12月城郊湿度差值大,城市干岛效应最强;2月城郊湿度差值最小,城市干岛效应较弱。

表 4-4　　　　　郑州市市区和郊区各月湿度监测数据　　　　　（%）

地点	1月	2月	3月	4月	5月	6月	7月	8月	9月	10月	11月	12月	年平均
市区	75	78	79	80	78	79	76	77	71	70	71	70	75
郊区	77	79	81	82	81	81	78	80	75	75	76	75	78
差值	−2	−1	−2	−2	−3	−2	−2	−3	−4	−5	−5	−5	−3

　　城市干岛和湿岛的出现都伴随有城市热岛,城市干岛是城市热岛形成的重要因子之一,而热岛中的垂直湍流又有助于干岛的加强;城市热岛是各类湿岛形成的必要条件,夜晚城市湿岛形成后,减少地面有效辐射,又有助于城市热岛的维持。它们之间的正相关关系十分密切。

　　城市干岛的形成,既有下垫面影响,又受当时天气条件的影响。城市建筑物鳞次栉比,人工铺砌的道路纵横交错,地面不透水面积占80%以上。雨水降落后很快从排水管道流失(大暴雨时除外),地面常呈干燥状态。城区绿地覆盖率低,因此就局地下垫面可供蒸发蒸腾的水分而言,城市远比郊区小。特别是在盛夏季节,郊区农作物茂密,城郊之间自然蒸散量的差距更大。夏季城市干岛强度比冬季强,与下垫面自然蒸散量的季节差异密切有关。

　　近地面空气中水汽压的高低,除受局地下垫面自然蒸散量的影响外,还与水汽的平流输送及垂直湍流交接有密切关系。城市下垫面粗糙度比郊区大,在同样的风速下,城区机械湍流比郊区强,再加上城市热岛效应,更有利于热力湍流的发展。观测资料表明,在城市历次干岛出现的同时,都伴有城市热岛。在强干岛中,热岛强度都很大。显然,城市干岛与城市热岛有着十分密切的正相关关系。由于城区蒸散量小,耗去的蒸散潜热少,有利于城市增温。而城市热岛形成后,垂直热力湍流较强,又有利于近地面水汽向上层输送,使近地面空气中的水汽压减低。

　　下垫面结构和性质与干、湿岛变换有关。冬季湿岛强度大,春季湿岛强度小,夏季干岛强度大,秋季干岛强度比湿岛强度大。城区干、湿岛的变化主要是由郊区下垫面状况随季节改变而决定的,同时与城区下垫面状况、生产与生活用水较多、人工水面较大、热岛效应等有密切关系。夏季郊区植被覆盖率远大于城区,水面积、水汽来源远多于城区。郊区空旷,空气流畅有利于水分蒸发到空气中,相对湿度高于城区,形成城市干岛。冬季郊区植被覆盖率明显减少,土地干燥,水分少,地面存水面积也少,加上气温低,冰面不易蒸发,相对湿度明显降低。城区因热岛效应气温较高,人工水面积大,生活和工业用水量也大于郊区,水汽来源较郊区多,虽然自然降水量与郊区差不多,但人为因素使城市相对湿度高于郊区,形成湿岛。

不同性质的下垫面贮存水的多少和状态不同,向大气中蒸散的水汽量也不同,影响着城区湿度的分布。据1999年7月10日至11日连续24h观测的结果表明,草坪上日平均水汽压和日平均相对湿度分别比沥青路面高1.2%和8%,这是因为草坪的蒸散增大了局地湿度;树阴下日平均水汽压比沥青路面大,日平均相对湿度较沥青路面高3%,其原因是由于树林的蒸散改变了局地湿度。同时期郊区相对湿度较沥青路面高10%,说明郊区水分蒸发及蒸腾量比市区多。

上述分析表明:

(1)市区气温高于郊区,存在明显热岛效应,且热岛效应秋冬季强于春夏季,夜晚强于白天。随着住宅面积大量增加,楼房建筑越来越高,密度越来越大,市内路面全被沥青、水泥铺装,不透水面积增大,地面平均渗水率大大降低,降水全部流失,造成市区内相对湿度显著降低,即形成了明显的城市"干岛效应"。城市热岛和干岛的形成,除天气条件外,主要是由于城市发展、人为热源增加、下垫面性质改变以及城市特殊的地形条件和严重的大气污染共同作用的结果。

(2)市区湿度低于郊区,市区比郊区干燥,存在明显干岛效应,且干岛效应9~12月最强,2月最弱。

(3)随着城市发展、城市规模的扩大,热岛效应和干岛效应都随之加强。

(4)复杂的城市下垫面建筑物及下垫面特性是形成郑州市干岛效应的主要原因,亦是城市热岛效应形成的重要因素。

据此,在今后城市规划与建设上要合理布局、加强规划,特别是要加强绿化,同时,在工厂区的设置上要考虑当地的气候特点,控制污染源,以调节城市气温和湿度,减弱城市热岛效应和干岛效应,防止气候恶化。改变燃料构成和供热方式,以电代煤,大力开发利用太阳能。总之,应通过各种努力使城市向着有益于人体健康、提高生态效益和改善环境的方向发展。

三、植被改善小气候效应

森林通过光合作用,把太阳能转换为有机化学能,同时吸收二氧化碳和放出氧气,植物的生理代谢活动,能改变其环境光、热、水分状况,进而影响环境的温度、降水、局地气流、碳氧平衡和生物的生存环境。

(一)城市树木不同覆盖度对太阳辐射的影响

太阳辐射是地球表面增温的主要能源。在裸露地上,太阳辐射一部分(20%左右)被反射回大气,大部分(80%左右)被地面及建筑物吸收,其热平衡式为:

$$I = R + I'$$

式中:I 为太阳辐射量;R 为下垫面反射;I' 为吸收的太阳辐射。

地面及建筑物吸收的太阳短波辐射,以长波辐射的形式等量地辐射到大气中去,增加地表层空气的温度。树冠形成了特殊的下垫面,当太阳辐射到达树冠后,一部分被反射回大气,小部分透过树冠到达地面,大部分被树冠吸收。热平衡式为:

$$I = R + A + D$$

式中:A 为树冠吸收量;D 为透过树冠辐射量。

据对郑州市多年的测定表明,郑州市树木覆盖率不同对地面太阳辐射量的影响也不同。树冠可以有效地截留夏季太阳的辐射。在林阴道下或公园片林内,树冠对可见光辐射的截留率在90%左右(见表4-5)。光辐射量的减少,可以直接影响树冠下的温度,在夏季可提高人体舒适度。医学研究证明,夏日的强光照对人的眼睛及皮肤会造成伤害,绿阴对人的神经系统有镇静作用,能产生舒适和愉快的情绪,防止直射光产生的色素沉着,还可防止荨麻疹、丘疹、水疱等过敏反应。

表 4-5　　郑州市树木不同覆盖程度对太阳辐射强度(可见光)的影响　（单位:J/(m²·min)）

时间(h)	火车站广场	金水大道			公园片林		
	辐射强度	辐射强度	与广场比	减少率(%)	辐射强度	与广场比	减少率(%)
6	0.11	0.01	−0.10	91.00	0.01	−0.10	91.00
8	0.68	0.05	−0.63	92.60	0.04	−0.64	94.10
10	1.30	0.09	−1.21	93.10	0.09	−1.21	93.10
12	2.07	0.29	−1.78	86.00	0.26	−1.81	87.40
13	1.95	0.19	−1.76	90.30	0.19	−1.76	90.30
15	1.55	0.17	−1.38	89.00	0.16	−1.39	89.70
17	0.15	0.10	−0.05	33.33	0.08	−0.07	46.70
平均	1.12	0.13	−0.99	88.40	0.12	−1.00	89.30

(二)城市森林对气温的影响

城市森林吸收的辐射能,除一小部分用于光合作用转化为化学能外,绝大部分辐射能用于树木的蒸腾作用(每蒸发1g水,消耗2 461J能量)。树冠下太阳辐射的减少,使气温相应降低。城市中的行道树、散生树及片林等,夏日都可起到降温作用。

绿化好的公园片林可降低气温3℃左右(见表4-6),在中午前后高温时期,降温作用更为明显。在无树木的火车站广场和少树木的路段,超过33℃和35℃的高温持续时间分别为8h和3h,而公园片林和林阴大道下均未出现。这一效应,对保护人体健康很有意义,温度影响人体热平衡。气温达到33℃以上时,人体的散热发生困难,只能以出汗的形式散热。汗液大量分泌,会引起人体水盐代谢障碍。当气温超过35℃时,人体血液循环、胃液分泌、胰腺相隔腺活动都会受到障碍,肌肉活动能力下降,疲乏无力,甚至还可引起中暑死亡。

(三)不同天气条件下不同树木覆盖度对气温的影响

天气条件的不同,一方面影响着太阳辐射到达下垫面的强度,另一方面影响着地面热能的对流及扩散,使不同森林类型的调温效应不同。树木降温效应与风有关,与云量关系不大。在多云无风天气中树木降温效应最明显,从表4-7可知,公园片林平均降温2.91℃,最高气温降低3.3℃;晴天微风降温效应中等,晴天有风降温效应较差。风能将树木蒸发吸热降温由集中效应变为分散效应。

表 4-6　　　　　　　　　郑州市树木不同覆盖度对气温的影响　　　　　　　　（单位：℃）

时间（h）	火车站广场 气温	公园片林 气温	与广场比	金水大道（林阴道） 气温	与广场比	大同路（很少树木） 气温	与广场比
6	25.6	22.1	−3.5	23.4	−2.2	25.2	−0.4
8	28.6	26.8	−1.8	26.9	−1.7	28.8	+0.2
10	33.5	30.7	−2.8	31.0	−2.5	33.1	−0.4
12	34.5	32.0	−2.5	32.7	−1.8	34.5	0
13	35.4	32.5	−2.9	32.9	−2.5	35.1	−0.3
15	35.3	32.2	−3.1	32.8	−2.5	35.1	−0.2
17	34.6	32.0	−2.6	32.3	−2.3	34.5	−0.1
19	32.5	30.0	−2.5	29.5	−3.0	32.4	−0.1
$\bar{x}$	32.5	29.8	−2.7	30.1	−2.4	32.3	−0.2
33℃持续时间	8	0		0		8	
35℃持续时间	3	0		0		3	

表 4-7　　　　　　　郑州市不同天气条件下树木覆盖度对温度变化的影响

天气	森林类型	日均温（℃） 气温	与车站广场比	最高气温（℃） 气温	与车站广场比	33℃高温持续时间（h）	35℃高温持续时间（h）
晴天微风	公园片林	29.79	−2.71	32.50	−2.90	0	0
	金水大道（林阴道）	30.19	−2.31	32.90	−2.50	0	0
	大同路（很少树木）	32.34	−0.16	35.10	−0.30	8	3
	火车站广场	32.50	—	35.40	—	8	3
多云无风	公园片林	26.68	−2.91	29.60	−3.30	0	0
	金水大道	27.03	−2.56	30.70	−2.20	0	0
	大同路	29.44	−0.15	33.30	+0.40	3	0
	火车站广场	29.59	—	32.90	—	1	0
晴天有风	公园片林	26.88	−2.30	30.30	−2.90	0	0
	金水大道	27.14	−2.04	30.50	−2.70	0	0
	大同路	28.98	−0.20	33.00	−0.20	0	0
	火车站广场	29.18	—	33.20	—	3	0

(四)不同行道树结构对气温的影响

行道树有开放式(路两边行道树冠不相连接)和封闭式(路两边行道树冠相接)两类。不同结构类型太阳辐射到达路面的能量不同,其温度效应也不一致。据对开放式悬铃木行道树和封闭式悬铃木行道树的观测,无论在什么样天气条件下,封闭式行道树的降温效应都大于开放式行道树。封闭式比开放式平均气温低 0.4～1.2℃,最高气温降低 0.9～1.3℃,相对湿度增加 2%～9%。在以游览为主的道路旁,建成封闭式行道树结构最好(见表4-8)。

表 4-8　　　　　　　　　　不同行道树结构对气温的影响

天气	行道树结构	平均温度(℃)	最高温度(℃)	平均湿度(%)
晴天	开放式	28.63	32.90	63.00
	封闭式	27.65	31.60	65.00
	差值	−0.98	−1.30	+2.00
晴天有风	开放式	28.18	31.50	58.25
	封闭式	27.76	30.60	62.50
	差值	−0.42	−0.90	+4.25
阴天	开放式	24.95	26.90	65.13
	封闭式	23.71	25.60	74.00
	差值	−1.24	−1.30	+8.87

(五)不同树种对气温的影响

不同树种其叶面积指数不同,叶子消光系数不同,蒸腾强度不同,因而对光照的截留、降温效应和增湿效应也不同。根据对悬铃木、毛白杨和泡桐 3 个主要行道树种的测定表明,悬铃木行道树遮光、降温、增湿效果较好,毛白杨中等,泡桐较差。

悬铃木行道树遮光度最大,平均光照比毛白杨低 595lx,比泡桐低 1 018lx;中午悬铃木比毛白杨低 1 400lx,比泡桐低 3 206lx。悬铃木下平均气温比毛白杨低 0.17℃,比泡桐低 0.47℃;最高气温比毛白杨低 0.2℃,比泡桐低 0.5℃。悬铃木比毛白杨平均湿度增加 4%,比泡桐增加 5%;最大湿度比毛白杨增加 4%,比泡桐增加 6%。

(六)行道树对路面温度的影响

行道树可以大量减少太阳辐射到达路面的能量,降低路面温度。根据对水泥路、柏油路和土路的测定表明,行道树下地面温度比裸露地面温度明显降低。无论是平均温度还是日最高温度,水泥路面温度最高,土路面温度最低,柏油路中等。

(七)树木对建筑物表面温度的影响

城市有大量的建筑群,这些建筑物都是由砖、瓦、水泥、钢铁及玻璃等材料构成的。建筑材料的比热都较小,吸收太阳辐射后很快升温,所以夏季建筑物的表面温度较高。

在树木庇护下,可以降低建筑物的温度。据对瓦房顶、砖墙和水泥墙表面温度的测定表明,树木庇阴可以有效地降低温度,对瓦房顶、砖墙及水泥墙都有降温效应。其中瓦房顶降温效应最大,水泥墙中等,砖墙较小。早上树木庇阴对建筑物起到保温作用;日出后,起到降温作用。这样,在树木庇护下,可以有效地减小日间温差的变幅(见表4-9)。

表4-9　　　　　　　　　　　树木对建筑物表面温度的影响　　　　　　　　　(单位:℃)

时间(h)	瓦房顶			砖墙			水泥墙		
	光照下	树阴下	差值	光照下	树阴下	差值	光照下	树阴下	差值
6	17.1	17.9	+0.8	19.9	20.0	+0.1	19.8	20.5	+0.7
8	25.0	20.0	-5.0	22.5	21.7	-0.8	22.4	21.5	-0.9
10	34.7	24.1	-10.6	26.8	23.7	-3.1	26.7	23.3	-3.4
12	33.0	25.6	-7.4	30.0	26.1	-3.9	30.0	26.0	-4.0
13	34.1	26.1	-8.0	31.5	27.5	-4.0	31.5	26.6	-4.9
15	31.8	26.9	-4.9	31.1	28.0	-3.1	31.4	27.9	-3.5
17	28.3	26.4	-1.9	29.5	26.9	-2.6	29.3	26.5	-2.8
19	25.2	25.3	+0.1	26.7	24.8	-1.9	26.7	25.2	-1.5
平均	28.7	24.0	-4.7	27.2	24.8	-2.4	27.2	24.6	-2.6
变幅	17.6	9.0	-8.6	11.6	8.0	-3.6	11.7	7.4	-4.3

根据树木对建筑物的温度影响,应在建筑物南面栽植一些落叶大乔木(加拿大杨、毛白杨、水杉、意大利杨等),以起到对建筑物的调温作用。

(八)城市森林对人体舒适度的影响

由于人体对小气候的感觉是多个气候要素的综合反应。因此,人体对气候舒适度的评价必须用综合的、多指标方法进行。基于人体对气候因子适应有一定幅度和范围,并没有一个确切的界限,因此河南农业大学在对郑州市不同绿化模式对人体舒适度影响评价中,选取温度、湿度、光照、风速4个因子为指标,采用模糊综合评判的方法,对不同绿化地区的小气候舒适度进行综合评判。

由环境卫生学获知,气温在24℃、相对湿度70%、光照强度3万lx、风速2m/s是夏季人体舒适的小气候条件。据此对四要素建立隶属函数方程。

温度隶属函数方程

$$r_T = \begin{cases} 1 & t = 24℃ \\ \dfrac{1}{1 + a(t - 24)^2} & t \neq 24℃ \end{cases} \qquad a = 0.128$$

湿度隶属函数方程

$$r_w = \begin{cases} 1 & w = 70\% \\ \dfrac{1}{1 + b(w - 70)^2} & w \neq 70\% \end{cases} \qquad b = 0.152$$

照度隶属函数方程

$$r_L = \begin{cases} 1 & L = 3 \text{万 lx} \\ \dfrac{1}{1 + c \mid L - 3 \mid} & L \neq 3 \text{万 lx} \end{cases} \qquad c = 0.232$$

风速隶属函数方程

$$r_v = \begin{cases} 1 & v = 2\text{m/s} \\ \dfrac{1}{1 + d \mid v - 2 \mid} & v \neq 2\text{m/s} \end{cases} \qquad d = 0.147$$

据此将隶属函数值按大小分为 4 级。①舒适,$r \geqslant 0.85$;②较舒适,$0.85 > r \geqslant 0.7$;③一般,$0.7 > r \geqslant 0.6$;④不舒适,$r < 0.6$。

由于各测点隶属函数值有一定变化幅度,可能 4 级里都有一定数据分布。因此,各测点模糊综合评判隶属度计算方法为:各级中的个数占观测总数的百分比。这样就得到各测点(不同绿化地区)所对应的评判关系矩阵 R。

为了对各绿化地区的小气候适宜性作出综合评价,就需要根据 4 个指标对小气候及人体适宜性影响的重要程度确定各指标的权重数 A_i,A_i 满足 $\sum\limits_{i=1}^{n} A_i = 1$,$n$ 为指标数。则模糊综合评判初始模型为:$B = A \cdot R$,其中 A 为权数矩阵,$A = (A_1, A_2, A_3, A_4)$。

利用层次分析法计算评价指标的权数,得到权数矩阵 $A = (0.45, 0.3, 0.15, 0.1)$,经过判断矩阵进行一致性检验,$CR = 0.042 < 0.1$,认为判断矩阵具有较好的一致性,说明权数分配合理。取 $M(\cdot, \oplus)$,采用 $B = A \cdot R$,得到了各测点的评价结果(见表 4-10)。

表 4-10 模糊综合评价结果

测点	B				评语
	舒适	较舒适	一般	不舒适	
公园片林	0.291 6	0.241 6	0.186 2	0.280 6	舒适
毛白杨林阴道	0.241 6	0.291 6	0.272 0	0.244 1	较舒适
悬铃木林阴道	0.274 9	0.250 0	0.238 9	0.236 1	舒适
泡桐林阴道	0.258 3	0.280 7	0.244 2	0.241 5	较舒适
大同路(绿化少)	0.191 8	0.249 9	0.302 6	0.263 9	一般
火车站(无绿化)	0.169 3	0.216 5	0.269 5	0.394 2	不舒适

评价结果是公园片林、悬铃木林阴道为舒适,绿化较差的道路和广场(火车站)效果最差。

四、主要林分因子与小气候要素之间的关系

以林分郁闭度、平均树高、平均树冠厚度等林分因子为自变量,分别以林内温度、湿度、照度、地温、蒸发量等森林小气候要素为因变量,依次进行回归分析,得出如下模型:

(1)郁闭度、树高与气温回归模型

$$Y = 41.303\,8 - 9.921\,9X_1 - 0.300\,2X_2 ; P = 0.91$$

(2)郁闭度、树冠厚度与林内照度回归模型

$$Y = 11\,799.45 - 8\,893.5X_1 - 23.812\,5X_2; P = 0.97$$

(3)郁闭度、树高、树冠厚度、与林内湿度回归模型

$$Y = 35.59 + 29.64X_1 - 245X_2 + 7.791X_3; P = 0.98$$

(4)郁闭度、树高与地温的回归模型

$$Y = 32.152 - 4.127X_1 - 0.194X_2; P = 0.76$$

模型中：X_1 为郁闭度，X_2 为平均树高，X_3 为林冠层厚，P 为复相关系数。

分析以上模型可以得出：①郁闭度、平均树高与林内温度呈负相关，且郁闭度权重大于树高；②郁闭度、树冠厚度与林内照度呈显著负相关，影响程度为郁闭度＞树冠厚度；③郁闭度、树高、树冠厚度与林内湿度有密切关系，其中郁闭度、树冠厚度与湿度呈正相关，树高与湿度呈负相关；④郁闭度、树高与蒸发量呈负相关，树冠厚度与蒸发量呈正相关；⑤郁闭度、树高与地温呈负相关。

第二节　净化空气效益评价

森林环境净化效应是指森林吸收和减少空气中有毒气体、灰尘及细菌和降低噪声的功能。由于污染的加剧，特别是城市空气中有毒物质的存在，使得人们对城市的空气质量十分关注，目前普遍的空气污染物是二氧化硫、烟尘和细菌等，而工业企业因行业的不同，排放的污染物差异较大。因此，利用森林降低和减少污染，加强以森林为主体框架的绿地系统，是保护和改善生态环境的一项重要手段。

植物长期生活于一定的生态环境之中，很多植物对外界环境的不良条件都有一定的抵抗能力。抗性是指在污染环境中，植物能吸收和积累较多的有害物质而不受害或受害较轻的现象，有些植物具有较大的容忍量，属于抗性植物。不同种类、品种、类型的植物对不良环境的适应和抵抗能力很不相同，甚至单株有时也表现出差异。植物对外界有害物质抵抗或抗污性主要包括避性和耐性。避性是植物抗御有害物质入侵和伤害的能力，它能通过生理生化作用进行降解或把有害物质排出体外；耐性是植物对进入体内并积累于一定器官内的有害物质的忍耐能力。近年来，环境污染特别是大气化学性污染日趋严重，有些抗污能力不强的树种往往受害，生长受阻，甚至死亡。因此，培育或选择抗污能力强的树种，根据不同的污染地区进行种植，对搞好城市绿化、保护和改善环境具有十分重要的意义。

城市林业在净化环境、防治环境污染方面的作用已远远超出它本身的价值和其他作用，它已成为城市生态系统中净化和预防污染的生力军。城市林业的生态功能见表4-11。

一、城市绿化植物的滞尘效应

颗粒物污染是北方城市空气中的主要污染物，也是郑州市空气的首要污染物。如何减少空气中颗粒物的污染对解决城市环境污染具有重要的意义。大量研究证明，植物能净化空气中的颗粒物，而植物净化大气中颗粒状污染物的主要途径有两条：一是吸附和附

着在植物体上,植物叶片表面特性和本身的湿润性决定植物的滞尘能力;二是通过降水的淋洗,粉尘保留一段时间后被雨水冲洗掉,使植物重新恢复吸附能力。绿化对环境具有较大的改善作用,利用树木进行环境治理是生态工程的重要内容。对植物与环境二者之间关系的研究充分体现了绿化的重大改善作用。

表4-11 城市林业的生态功能

1	美化城市环境,缓解城市温室效应
2	净化城市空气,降低城市噪音
3	创造优雅的休憩旅游环境,增添市民生活情调
4	蓄水保土,净化城市水质,稳定城市供水水量
5	生产绿色食品,丰富市场供应
6	保护森林生物多样性和濒危动植物,有利于遗传基因的保存
7	培育花卉,盆景,满足人们美化生活的需要
8	改善城市投资环境,促进城市可持续发展

植物的滞尘能力是指单位叶面积单位时间中滞留的粉尘。植物叶片的滞尘量不是一个随时间无限增长的量,只是在一定时间范围内成线性回归。植物的滞尘不是无限上升的,也有其饱和量。降水和大风是影响植物叶片滞尘量的主要外界因素,二者都减少植物叶片灰尘的现存量,同时也提高了植物的总滞尘量。据河南农业大学对郑州市的监测,不同植物的滞尘量差异较大。引起植物个体间滞尘能力差异的原因主要有两方面,一是不同个体叶表面特性的差异,叶面多皱、表面粗糙、叶面多绒毛或多油脂,这些特征都有利于阻挡、吸附和黏滞大气颗粒物,因此叶面粗糙、有绒毛或有分泌物的植物就有较强吸附粉尘的能力,而叶片光滑无绒毛滞尘能力就相对较弱;二是与树冠结构、枝叶密度、叶面倾角也有一定关系。

(一)绿化植物的滞尘时间与滞尘量比较

河南农业大学对18种绿化植物的单叶片不同时间(5d、10d、15d、20d、25d、30d)的滞尘量进行了测定,利用植物单叶滞尘量的测定数据,经过叶面积换算得到植物单位叶面积(m^2)滞尘量(见表4-12),同时利用测定数据建立了滞尘时间和滞尘量的回归方程(方程略)。

从表4-12中数据分析可知,植物的滞尘量与滞尘时间成显著相关。不同植物单叶滞尘量是有差异的。

植物叶片的滞尘量不是一个随时间无限增长的量,只是在一定时间范围内成线性回归,植物的滞尘不是无限上升的,也有其饱和量。降水和大风是影响植物叶片滞尘量的主要外界因素,二者都减少植物叶片灰尘的现存量,同时也提高了植物的总滞尘量。

(二)不同植物单株年滞尘量估算

植物叶面截留粉尘是暂时的,随着粉尘量吸附量的逐渐增多,最终会因大风天气或降水而从植物叶面除去,同时结束上次粉尘的积累,开始下次对粉尘的截留。当降雨量在

5mm 以上或大风日(风速 17m/s 以上),便会冲洗或刮去叶片上的灰尘,因此两次降水(或大风)的时间间隔就是一次滞尘的过程。据各种绿化植物每公顷滞尘量分析,不同植物的滞尘能力是不同的。从单位叶面积滞尘量分析,叶面积大,叶片挺坚、叶面粗糙有绒毛,向植物能吸附较多粉尘;而叶面较光滑,叶柄较细易被风吹动的植物滞尘量较低。从单位绿地面积滞尘量分析,每公顷绿地滞尘量超过 5 000kg 的植物有 3 种,即毛白杨、泡桐和雪松,1 000~5 000kg 的植物有 9 种,小于 1 000kg 以下的植物有 6 种,主要是草本花卉类植物。相比较而言,乔木树种构成的绿地其滞尘量要高于草本植物十倍至几十倍,同时,乔木树种主要吸收人体呼吸带范围内的空气中颗粒物,而草坪吸收的是低于人体呼吸带的灰尘,因此在城市绿化中森林绿地的环境减尘效应最高(见表 4-13)。

表 4-12　　　　　　　　不同绿化植物叶面积滞尘量比较　　　　　(单位:g/(m²·d))

植　物	滞尘量					
	5d	10d	15d	20d	25d	30d
毛白杨	0.710	1.432	2.225	2.656	3.237	3.897
国槐	0.435	0.786	1.048	1.452	1.793	2.014
臭椿	1.002	1.457	1.924	2.187	2.612	3.214
白蜡	0.331	0.476	0.624	1.378	1.587	1.871
旱柳	0.210	0.310	0.432	0.758	0.954	1.214
悬铃木	1.342	1.789	2.314	2.613	3.248	3.791
泡桐	0.432	0.678	1.128	1.654	2.107	2.681
雪松	0.055	0.189	0.413	0.764	1.032	1.627
女贞	0.312	0.578	0.741	2.135	2.648	4.318
广玉兰	1.635	2.104	2.673	3.314	3.764	3.957
月季	0.426	0.873	1.412	2.018	2.521	3.125
大叶黄杨	0.325	0.824	1.687	2.541	3.457	4.261
紫丁香	1.230	3.019	4.581	5.213	5.948	6.241
紫薇	1.212	1.984	2.956	3.984	4.216	4.817
榆叶梅	0.267	0.451	0.685	0.987	1.236	1.768
紫荆	0.214	0.896	1.243	1.654	1.852	1.967
早熟禾	0.032	0.041	0.067	0.084	0.098	0.110
麦冬	0.123	0.196	0.234	0.286	0.325	0.435

在城市植物中乔木树种滞尘量最大,约占总滞尘量的 87%;草坪植被滞尘量最小,仅为总滞尘量的 1%,说明乔木植物是滞尘的主体。同时也可了解到,尽管落叶乔木株数、绿量都大于常绿乔木,但滞尘量相比,常绿乔木高于落叶乔木(见表 4-14),这是因为常绿乔木冬季不落叶,仍具有滞尘能力所致。为最大发挥植物的滞尘作用,依据上面研究结果,提出两条标准供绿化植物选择时参考:一是尽可能选择乔木树种,建立乔灌草复合结构;二是在乔木树种中,尽量选择常绿树种,提高常落比。

表 4-13 不同植物滞尘能力比较

类型	植物	年龄(a)	胸径(cm)	标准木叶面积(m²/株)	单位叶面积滞尘量(g/(m²·a))	单株植物年滞尘量(g/(株·a))	密度(株/hm²)	每公顷滞尘量(kg/hm²)
落叶乔木	毛白杨	15	22	315.68	40.95	12 926.46	500	6 463.232
	国槐	8	16	181.31	6.974	1 264.46	600	758.676
	臭椿	8	18	208.04	35.87	7 462.39	600	4 477.434
	白蜡	8	15	117.31	18.31	2 147.94	600	1 288.764
	旱柳	10	14	141.28	11.27	1 592.22	600	955.338
	悬铃木	15	25	247.37	43.63	10 792.01	500	5 396.005
	泡桐	8	21	107.12	25.32	2 718.93	500	1 359.465
常绿乔木	雪松	12	16		34.26	13 729.49	500	6 864.745
	女贞	8	16	148.24	31.62	4 686.61	600	2 811.966
	广玉兰	8	14	105.34	41.71	4 393.73	600	2 636.238
	月季	2		0.92	19.181	16.726	5 000	83.631
	大叶黄杨	4		6.09	25.09	152.79	5 000	763.950
灌木	丁香	5		12.4	28.83	357.47	1 000	357.472
	紫薇	3		73.81	22.49	1 660.58	800	1 328.464
	榆叶梅	3		107.71	15.70	1 691.05	1 000	1 691.053
	紫荆	4		82.21	16.66	1 369.53	1 000	1 369.531
草坪	旱熟禾	1		8.74(m²/m²)	1.04	9.09	10 000(m²/hm²)	90.9
	麦冬	1		5.00(m²/m²)	2.37	11.85	10 000(m²/hm²)	118.5

表 4-14 郑州市城市绿地滞尘量估算结果

类型	株数	总绿量(m²)	总滞尘量(t)
落叶乔木	630 884	108 512 048	4 298.08
常绿乔木	627 214	65 831 780	4 330.77
灌木	4 319 292	38 873 628	1 117.38
草坪(m²)	6 525 957	45 681 699	100.15
合计		258 899 155	9 846.38

(三)植物滞尘效益综合评价

1.聚类分析

聚类分析是进一步认识植物的有效手段。依据与植物滞尘密切相关的 7 个指标,建立了绿化植物的评判、分类指标体系,这些指标是植物高度(X_1)、植物叶面积指数(X_2)、单位面积滞尘量(X_3)、植物生长期(X_4)和叶面特性(X_5,X_6,X_7)等。依据分级数量化标准(表 4-15),城市绿化植物可被分为五种类型。

表 4-15　　　　　　　　　　绿化植物定性指标数量化表

植物(树冠)高度 X_1		生长期长短 X_4		叶面特性					
				X_5		X_6		X_7	
等级	分值	等级	评分	绒毛	分值	粗糙度	分值	黏液或叶片硬度	分值
<1.2m	1	长	3	多	3	粗糙	3	多(较硬)	3
1.2~1.8m	2	中	2	较少	2	中等	2	少(中等)	2
>2.0m	1	短	1	少	1	光滑	1	无(柔软)	1

聚类采用最小距离聚类的方法。为减少指标之间的差异,需将各指标的原始数据进行标准化,其标准化过程为:

$$X'_{ij} = \frac{X_{ij}}{X_j(\max)}$$

式中:i 为统计指标;j 为植物种。

上述数据经计算机处理,得到 18 种植物滞尘效应聚类结果(见表 4-16)。

表 4-16　　　　　　　　　　郑州市绿化植物聚类结果

类别	第一组植物	第二组植物	第三组植物	第四组植物	第五组植物
编号	6、10、12	4、5、13、16	1、2、3、7、8、9	11、14、15	17、18
植物名称	悬铃木、广玉兰、大叶黄杨	白蜡、旱柳、紫丁香、紫荆	毛白杨、国槐、臭椿、泡桐、雪松、女贞	月季、紫薇、榆叶梅	早熟禾、麦冬

结合植物滞尘特性分析,各组植物特性为:第一组植物的特点是滞尘综合效益较高,大叶黄杨与悬铃木和广玉兰分到一组,说明大叶黄杨(绿篱)综合滞尘作用较高。第二组植物的特点是乔木枝条柔软,叶片光滑,滞尘能力一般,而灌木类植物,如紫丁香和紫荆则综合滞尘能力与白蜡和旱柳相当,在灌木中属于滞尘能力较高的植物。第三组植物的特点是滞尘能力高,本组中的部分植物如雪松、女贞是城市绿化首选的常绿树种,不仅具有较高的滞尘能力,而且美化效果也非常突出,在城市绿化中属配置较多的树种。毛白杨、臭椿、泡桐、国槐是本省的乡土树种,具有适应性广,速生的特点,其滞尘效应也较高,可以在合适的区域配置。第四组植物主要为灌木类,此类植物滞尘能力一般。第五组植物为草坪植物,与上面四组植物比较,其滞尘能力较差,也反映出草坪植物在滞尘方面与其他植物的差距。因此,在北方以颗粒物污染为主的城市,草坪种植要慎重。上述结果可以作为城市绿化植物的选择依据。

2.植物滞尘效应综合评价

为了更好利用绿化植物的滞尘能力,便于在生产实践中应用,需对绿化植物按照滞尘效益的高低进行排序。

(1)数据标准化。对原始数据采用下式进行标准化:

$$X'_{ij} = \frac{X_{ij}}{X_j(\max)}$$

式中:i 为统计指标;j 为植物种。

(2)确定权重。对标准化后的数据(X'_{ij})权重向量取值,由此得到评价权重向量 $A_j = (0.2,0.2,0.2,0.1,0.1,0.1,0.1)$。

(3)计算综合指数。根据权重向量 A_j 和标准化数据 X'_{ij},按照下面公式求得综合指数 Y:

$$Y = X'_{ij} \times A_j$$

综合指数计算结果见表4-17中 Y 值。综合指数越高说明该植物的综合效益越大。

表 4-17　　　　　　　　城市常见绿化植物环境效应数量化统计

编号	植 物 种 类	X_1	X_2	X_3	X_4	X_5	X_6	X_7	Y
1	毛白杨 Populus tomentosa	2	315.68	6 463.23	2	1	2	2	0.8
2	国槐 Sorphora japonica	2	181.31	758.676	2	1	2	1	0.505
3	臭椿 Ailanthus altissima	2	208.04	4 477.434	2	3	2	2	0.67
4	白蜡 Fraxinus chinensis	2	117.31	1 288.764	2	1	1	2	0.481
5	旱柳 Salix mantsudana	2	141.28	955.338	2	1	1	1	0.452
6	悬铃木 Platanus acerifolia	2	247.37	5 396.005	2	1	1	2	0.69
7	泡桐 Paulownia fortuner	2	107.12	1 359.465	2	2	2	2	0.51
8	雪松 Cedrus deodara	2	237.2	6 864.745	3	3	2	3	0.863
9	女贞 Ligustrum japonicum	2	148.24	2 811.966	3	3	2	3	0.681
10	广玉兰 Magnolia grandflora	2	105.34	2 636.238	2	3	1	2	0.515
11	月季 Rosa chinensis	2	0.92	83.63	1	2	2	2	0.337
12	大叶黄杨 Euonymus japonicus	2	6.09	763.95	3	2	1	3	0.494
13	紫丁香 Syringa oblata	3	12.4	357.47	2	1	1	2	0.452
14	紫薇 Lagerstroemia indica	3	73.81	1 328.464	2	2	2	1	0.521
15	榆叶梅 Prunus triloba	3	107.71	1 691.05	2	3	2	1	0.554
16	紫荆 Cercis chinensis	2	82.21	1 369.53	2	1	1	1	0.428
17	早熟禾 Poa annua	1	8.74	90.9	1	1	1	1	0.208
18	麦冬 Ophiopogon japonicus	1	5.00	118.5	1	1	1	1	0.207

根据综合指数 Y 的计算结果,将上述 18 种植物依照综合指数 Y 的大小划分成四类,见表4-18。

按滞尘能力综合效应分类,滞尘效应较高的有:落叶乔木类的毛白杨、悬铃木、泡桐、臭椿等;针叶类的雪松、女贞等;灌木类的紫薇、榆叶梅等。滞尘效应良好的:乔木类植物有国槐、旱柳、白蜡等;灌木类的紫丁香、大叶黄杨、月季、紫荆等。草本植物的滞尘综合效益最差,属滞尘能力较差的类别。大多数乔木树种综合指数较高,表明乔木树种综合效益较高,是城市绿化的首选植物,上述结果可以作为城市绿化植物的选择依据。

表 4-18　　　　　　　　　　郑州市绿化植物综合指数分级结果

类别	一级植物	二级植物	三级植物	四级植物	五级植物
滞尘效应	优	较优	良	中等	差
综合指数	$Y>0.6$	$0.6>Y>0.5$	$0.5>Y>0.4$	$0.4>Y>0.3$	$Y<0.3$
植物种类	雪松、毛白杨、悬铃木、臭椿、女贞	国槐、紫薇、榆叶梅、广玉兰、泡桐	紫荆、紫丁香、大叶黄杨、白蜡、旱柳、	月季	早熟禾、麦冬

二、绿地对大气二氧化硫净化作用

硫是植物体中必要的元素,植物代谢的光合自养性质,促使植物吸收有害气体,并累积在同化器官中。植物各个部位都有一定的吸收能力,其中以叶子吸收最多。植物吸收硫的能力与植物本身的生物、生态学特性有关,也与植物的树形、高度、叶量、叶面积等密切相关。要精确计算城市绿地吸收二氧化硫的量是十分困难的,目前国内外的估算方法主要有三种:一是以污染区和非污染区植物含硫量的差值计算法,它是通过测定清洁区和污染区植物体内硫元素的含量的差别而估算出植物吸收二氧化硫的能力,该方法比较符合实际情况,但缺陷是不能求出植物最大纳污量;二是由植物叶在一年内生长初期和末期叶部硫的积累量,推算植物对大气二氧化硫的吸收能力,该法也是只能近似求出植物对大气二氧化硫的吸收量;三是熏气法,通过植物本底值调查和伤害阈值的试验以及同化、转化量的测定,求出植物对二氧化硫的吸收量,该法最大优点是比较精确,但由于伤害阈值是实验室人工控制条件做的,需要较高的试验条件,同时测试结果可能会与野外生长的植物有一定差异。

(一)主要绿化植物吸硫能力分析

据河南农业大学对平顶山大气污染区的植物含硫量实地监测与分析,绿化植物叶片含硫量在污染区和清洁区相比含量显著提高,见表 4-19。

表 4-19　　　　　　　污染区和清洁区植物叶片含硫量对比　　　　　（单位:mg/g）

植物名称	污染区	清洁区	污染区与清洁区含量差
毛白杨 Populus tomentosa	12.89	2.69	10.20
臭椿 Ailanthus altissima	14.93	2.01	12.92
国槐 Sophora japonica	6.773	3.71	3.07
女贞 Ligustrum lucidum	10.02	2.90	7.12
旱柳 Salix matsudana	4.321	1.24	3.08
泡桐 Poulonwia fortunei	7.09	1.81	5.28
黄杨 Buxus sinica	9.77	2.42	7.35
月季 Rosa chinensis	6.12	1.67	4.45

各类植物对二氧化硫吸收能力乔木大于灌木,见表 4-20。

各类植物叶片单位面积和单位株数吸硫量结果表明,不同植物对二氧化硫的吸收量有较大的差异(见表4-21)。按单位叶面积吸硫量的大小划分为3个等级,见表4-22。

表4-20 不同绿化植物叶片含硫量对比 (单位:mg/g)

类型	污染区	清洁区	污染区与清洁区含量差
乔木	9.337	2.393	6.944
灌木	7.945	2.045	5.900

表4-21 标准木叶片吸硫量计算

植物名称	单位叶量吸硫量(mg/g)	单位叶面积吸硫量(g/m²)	单株吸硫量(g/株)
毛白杨 Populus tomentosa	10.20	0.43	129.6
臭椿 Ailanthus altissima	12.92	0.54	107.7
国槐 Sophora japonica	3.07	0.13	22.66
女贞 Ligustrum lucidum	7.12	0.30	42.15
旱柳 Salix matsudana	3.08	0.13	67.66
泡桐 Poulonwia fortunei	5.28	0.22	22.95
黄杨 Buxus sinica	7.35	0.39	2.284
月季 Rosa chinensis	4.45	0.18	0.156

表4-22 平顶山市主要绿化植物叶片吸收二氧化硫能力分级 (单位:g/m²)

吸收能力排序	强	中	弱
	>0.3	0.3~0.2	0.2~0.1
1	臭椿 Ailanthus altissima	泡桐 Poulonwia fortunei	月季 Rosa chinensis
2	毛白杨 Populus tomentosa		旱柳 Salix matsudana
3	黄杨 Buxus sinica		国槐 Sophora japonica
4	女贞 Ligustrum lucidum		

(二)绿化植被吸收二氧化硫能力估算

据计算,平顶山建成区内植物对二氧化硫的年净化总量是164.263t,其中叶片吸硫量为61.598t;枝干总吸硫量20.532t(见表4-23),其中乔木树种占植物吸硫量的59.1%,灌木占40.9%,说明大气二氧化硫的净化植物主要是乔木。

表4-23 平顶山市城市植被吸硫量估算

类型	绿量(m²)	叶片(t)	枝干(t)	合计	吸收总量(t)
乔木	135 988 186	36.449	12.152	48.601	97.203
灌木	30 321 430	25.149	8.380	33.530	67.060
合计	166 309 616	61.598	20.532	82.131	164.263

(三)大气污染与绿化植物相关性分析

大气污染与植物绿化(覆盖率)的关系十分密切,选择覆盖率、林木密度、林木平均高度、绿量作为自变量 x,以 SO_2、NO_x、TSP、综合指数作为因变量 Y,计算了二者之间的多元回归关系。

经过统计分析得到大气中 $SO_2(y_1)$、$NO_x(y_2)$、TSP(y_3)、综合指数(y_4)对自变量覆盖度(x_1)、标准地林木密度(x_2)、标准地平均树高(x_3)、绿量(x_4)的多元线形回归方程。

$$y_1 = 0.131\,3 - 0.216\,3x_1 - 0.018\,2x_2 + 0.002\,3x_3 + 0.001\,2x_4 \qquad R = 0.827^{**}$$
$$(1)$$

$$y_2 = 1.381\,9 - 0.811\,6x_1 - 0.027\,7x_2 - 0.006\,7x_3 + 0.005\,7x_4 \qquad R = 0.929^{**}$$
$$(2)$$

$$y_3 = 1.313\,3 + 0.333\,8x_1 - 0.003\,6x_2 + 0.259\,8x_3 - 0.025\,7x_4 \qquad R = 0.987^{**}$$
$$(3)$$

$$y_4 = 9.028\,2 + 0.917\,2x_1 - 0.049\,6x_2 + 1.510\,0x_3 - 0.142\,4x_4 \qquad R = 0.989^{**}$$
$$(4)$$

大气污染与绿化的相关性分析表明,大气污染物与林木覆盖率、林木密度、平均树高、绿量之间的相关性是极显著的,因此,造林种草、增加绿色植物覆盖度是改变空气质量的重要手段。在污染严重的地段,要采取绿化措施,树种选择上以乔木为主,兼顾植物对污染物的抗性和净化能力以及管理费用;以提高林木密度、增加植物盖度和叶面积为主要手段,配置方式上注重乔灌草结合。

三、植物的杀菌作用

随着城市化进程的加快和人们环保意识的增强,人们对植物配置的要求越来越高,特别是对植物杀菌方面的需求越来越多。树木花草不仅能为庭院提供绿荫,净化空气,而且在生长活动中能产生一种"植物杀菌素"分泌物,可杀死一些原生动物及细菌、真菌。如花椒、艾菊、芍药、松柏等能驱杀蚊、蝇、臭虫、跳蚤;香椿、红花草、虞美人等的分泌物可挥发出强烈刺激性气体,杀死空气中的细菌和一些昆虫;同时花草树木具有防风滞尘的功能,可促进冷热气流的交换,形成小区微风,保持环境空气新鲜。总之,庭院绿化可创造一个优美、洁静而又舒适的生活环境,使人们的居室环境与建筑融合达到一个生机盎然的境界。

城市植物还可以吸收放射性物质,消减噪音,给人类带来安宁;它还不断散发出一种属于"萜烯"系列的物质,可以使阳光发生散射,使大自然的植物更显得青翠芳香;还会分泌出各种各样的植物杀菌素,林木葱郁的环境具有医治疾病的价值。不少绿色植物都能放出气味芬芳的植物杀菌素,能杀灭大量的有害细胞。如香樟、柏树、桉树、夹竹桃等都能分泌杀菌素。

空气污染水平是评价空气质量优劣的标准之一,空气微生物没有固定的类群,空气中有意义的微生物群体水平取决于绿地类型及面积大小、绿地植物种类及郁闭度、植物生长发育状况、人为活动强度、气候因素、化学污染物多少及地域差别等的综合作用。即使是人为活动量相似、气候因素相同的同一类地区,空气微生物含量也因绿化植物的种类、数量的差异而明显不同。

植物群落是植物群体的自然组合,能分泌出大量植物杀菌物质,据统计,全世界的森林每年要散发出大约 1.77×10^8 t 的挥发性物质,试验证明,一株橘树在一天内能分泌出30g 挥发性油类,这些物质能均匀地扩散到森林周围2km 远的地方,杀灭随着尘埃飘浮在空气中的细菌。南京市环保所探索了绿化植物减少空气含菌量的效应,测定结果表明,植物群落的大小对空气含菌量影响很大。各类林地的空气含菌量都较空白地少,其中松树林中含菌量最少,柏树林、樟树林次之,喜树林、麻栎树及杂木林的杀菌作用最差。

植物群落不仅能杀死空气中的细菌,而且能杀死林地水源中的细菌。据测定,水流通过 30~40m 宽的林带后,1kg 水中所含的细菌数比不经过林带的等量水中所含的细菌数减少50%,流经50m 宽30年生杨树与桦树混交林带后,水中细菌含量比不经该林区的水流中的含菌量减少90%以上。水经过很狭窄的林区,也可使水中含菌量减少95%。可见植物群落对净化水源的作用特别明显。

为了进一步了解常用园林植物杀菌作用的强度差异,河南农业大学就 27 种绿化植物对两种最常见的病原细菌,即金色葡萄球菌和铜绿假单孢杆菌的杀菌力进行了测定分析。结果表明,不同的植物杀菌作用差异很大。

1. 植物杀菌作用的季节性变化规律

植物挥发性分泌物的杀菌效果随着季节(月份)变化表现出一定的规律性,从 5 月份开始随时间推移呈上升趋势,分别在 7、8、9 月份达到最高值。统计结果表明,70.37%的植物种杀菌效果在 8 月最高,此时植物生长旺盛,叶茂枝壮,植物杀菌效果最好。对不同月份植物挥发性分泌物的杀菌效果进行方差分析表明,差异达到极显著水平,说明植物在一年的生长期中,不同月份的挥发性杀菌物质的分泌量显著不同,分泌量可能与植物的生理特性、温度、光照及空气湿度等因素有关。各绿化类型区的空气微生物含量随季节变化呈现的动态变化规律与植物生长及挥发性物质分泌的季节变化是一致的。春季 3~5 月间,植物抽枝展叶,叶面积较小,扩散到周围空气中的挥发性杀菌物质较少,产生的杀菌作用较弱;且这个时期由于温度升高快,微生物繁殖也快,加上春季风大尘多,空气中微生物含量较高,5 月达到全年最高值。6~8 月份,植物叶已展开,新陈代谢旺盛,大量的挥发性杀菌物质扩散并溶解于空气的小液滴中,达到对空气微生物有意义的浓度水平;6~8 月空气微生物含量持续下降,表现出不同的优势种。9 月由于日平均气温的影响及植物挥发性杀菌物质分泌量的减少,各绿化类型区空气微生物含量有一个小高峰。10 月,日平均气温继续降低,各绿化类型区含菌量下降,杀菌作用减弱。

2. 不同绿化类型区空气微生物含量与其影响因素的相关分析

据对郑州市区的资料分析,各绿化类型区的空气微生物含量在不同月份的同一时间、同等条件下明显不同,以无绿化的火车站广场的含量最高,其次是 7 条主要街道,绿化较好的河南农业大学和人民公园则较低(见表4-24)。绿化状况相似的同一类测定点,又以人、车流动量大的空气微生物含量为高。对各采样点空气微生物含量及其影响因子进行相关分析,可知人流量与空气微生物含量呈正相关,车流量与空气微生物含量呈显著正相关,空气微生物含量与郁闭度呈显著负相关,分泌物的杀菌效果与其郁闭度呈极显著负相关。说明郁闭度每增加一个单位,空气微生物含量(个)显著减少。同样,植物杀菌效果每增加 1%,空气微生物含量降低 188.19 个/m³。

表 4-24　　　　　　　　　　不同绿化类型区空气微生物含量多重比较

火车站广场				街道				人民公园和农大校园			
月份	$\bar{x}$	显著性		月份	$\bar{x}$	显著性		月份	$\bar{x}$	显著性	
		5%	1%			5%	1%			5%	1%
5	34 395.5	a	A	5	27 168.5	a	A	5	14 898.5	a	A
6	25 796.5	b	B	6	19 329.0	b	B	6	10 775.5	b	B
4	15 870.5	c	C	11	12 719.0	c	C	7	6 425.5	c	C
9	15 530.5	c	C	4	11 659.5	c	C	11	6 425.5	c	C
7	15 209.5	c	C	7	10 805.0	cd	C	9	4 208.0	cd	CD
8	14 266.0	c	C	9	9 896.0	cd	C	10	3 722.5	d	CD
10	14 191.0	c	C	8	9 524.0	cd	C	8	3 670.5	d	CD
11	13 568.0	c	C	10	8 252.0	d	C	4	3 458.5	de	CD
3	4 810.0	d	D	3	2 889.0	e	D	3	1 285.0	e	D

按照杀菌能力将常见植物分为四大类型:

第一类植物,对杆菌和球菌的杀菌力均极强,其中包括油松、核桃、桑树、龙柏、银杏、腊梅、圆柏、芭蕉、侧柏、碧桃。既能杀死某些球菌,又能杀死某些杆菌,这类植物可以作为医院、居住区等绿化的首选植物材料。

第二类植物,对两菌种的杀菌力均较强或对其中一个菌种的杀菌力强而对另一个菌种的杀菌力中等,常见的植物包括以下几种。

乔木:白皮松、桧柏、洒金柏、女贞、雪松、紫叶李、栾树、泡桐、杜仲、槐树、臭椿、水杉、白蜡、毛白杨、桂花、二球悬铃木;

灌木:紫穗槐、棣棠、金银木、紫丁香、黄栌、海桐、月季;

攀缘植物:中国地锦、美国地锦;

球根花卉:美人蕉等。

第三类植物,对球菌和杆菌的杀菌力中等或对其中一种菌的杀菌力较强而对另一种菌的杀菌力中等者,包括常绿乔木类的华山松,落叶乔木类的构树、绒毛白蜡、银杏、旱柳、馒头柳、榆树、元宝枫、西府海棠;灌木类的北京丁香、丰花月季、海州常山、腊梅、石榴、紫薇、紫荆、金叶女贞、黄刺玫、木槿、大叶黄杨、小叶黄杨及草本植物鸢尾、地肤、山荞麦等。

第四类植物,对球菌和杆菌的杀菌力均弱,包括加杨、垂柳、栓皮栎、重阳木、国槐、兰考泡桐、朴树、冬青卫矛、木瓜、玫瑰、报春刺玫、太平花、萱草、樱花、玉兰、榆叶梅、鸡麻、野蔷薇、美蔷薇、山楂、迎春等。

研究表明,凡是有树木、树木多的地方空气中含菌量都比同地区无树木、树木少的地方空气含菌量低。由此可见,树木对空气中细菌含量有着重要作用,能够减少空气中细菌含量。这一方面是由于树木能吸滞过滤灰尘,使空气中的灰尘减少,从而减少细菌数量;另一方面由于有些树木能分泌杀菌素,具有杀菌作用。同一地区不同树种的林地内空气含菌量也不同。就所测的林分来看,油松林含菌量最低;其次为白皮松林、白蜡林、核桃林(可能因受人为活动的影响,含菌量偏高)、臭椿林;毛白杨林最高,是油松林含菌量的11倍。形成这些差异的原因,一方面是与各树种吸滞过滤灰尘能力的大小有关;另一方面主要还是与树木本身是否有杀菌作用及其大小有直接关系。

所有树种均有杀菌效果,其中云杉、油松、白皮松有较大的杀菌效果。说明各树种对某一菌种的杀菌物质(杀菌素)通过空气挥发的杀菌作用与直接通过培养基挥发扩散的杀菌作用有所差异。这可能与某种树种含有对某菌种杀菌素的性质有关。不同的树种对不同的细菌菌种具有不同的杀菌能力,就试验树种来看:油松、白皮松、云杉、核桃既能杀死某些球菌,又能杀死某些杆菌,而且杀菌效果最好;紫薇、侧柏、法国梧桐能杀死某些杆菌;白蜡、旱柳、花椒、桧柏杀菌作用较小,对有些菌则无杀菌作用;毛白杨对所试菌种都无杀菌作用。此外,同一个树种对不同菌的杀菌作用也不同(见表4-25)。

表 4-25 不同植物叶杀菌作用比较

菌种	油松		白皮松		云杉		侧柏		桧柏		对照	
	平均每皿菌落数(个)	杀菌效果(%)	平均每皿菌落数(个)	杀菌效果(%)	平均每皿菌落数(个)	杀菌效果(%)	平均每皿菌落数(个)	杀菌效果(%)	平均每皿菌落数(个)	杀菌效果(%)	平均每皿菌落数(个)	杀菌效果(%)
绿浓杆菌	0.0	100.0	4.7	99.8	0.0	100.0	9.3	99.5	15.7	99.2	1 955.0	0
葡萄球菌	52.3	91.2	10.0	91.8	309.3	94.9	3 946.7	36.0	1 939.7	68.6	6 166.7	0
A11(G+球菌)	1 972.0	41.2	1 431.3	57.3	0.0	100.0	1 741.7	48.9	1 951.0	41.8	3 353.7	0
H11(G+杆菌)	5.3	99.9	5.3	99.9	0.0	100.0	45.3	99.0	14.7	99.7	4 459.3	0
B6(G−球菌)	0.0	100.0	2.3	99.9	11.3	99.8	5.3	99.9	3.0	99.9	500.0	0

研究结果还证明,植物杀菌效率(%)与太阳的总辐射强度、总光照强度和空气相对湿度相关。这些气象因子与乔木和灌木的植物杀菌力的回归线呈抛物线形式,并且植物杀菌力与太阳的总辐射强度和光照强度呈正相关关系,即上述气象因子使树木分泌的植物杀菌力的强度成正比例地增加。空气湿度与植物杀菌力为负相关,即树木分泌的植物杀菌力的强度随空气相对湿度的提高而下降。

第三节　降低噪音

噪声是一种环境污染,对人们的工作、学习和身体健康都有不良的影响。随着工业生产和交通运输事业的迅速发展,噪音对环境的污染日益严重。因此,控制城市噪声的干扰成为当前环境保护的重要内容之一。我国主要城市噪声污染现状见表4-26。

表4-26　　　　　　　　　　各城市交通噪声概况

城市名称	等效连续噪声 分贝(A)	L_{10}	L_{50}	L_{90}
重庆	61～90(72)	71～80	71～77	70～80
合肥	81～87(78)	84～87	70～75	67～72
天津	75～81(78)	79～84	74～80	73～76
包头	71～81(75)	64～78	69～80	67～81
南宁	80	86	77	72
西安	73～77(76)	—	—	—
南昌	78～87(80)	82～89	76～85	70～78
武汉	74～80(77)	—	—	—
长沙	78～92(83)	—	—	—
北京	78～92(75)	—	—	—
郑州	67～90(73)	—	—	—
洛阳	73	—	—	—
济南	73	77	75	73

郑州市近年来环境噪声的污染十分严重,噪声源主要来源于交通运输噪声,2001年全市共有机动车30余万辆,市区主要干道交通噪声的平均声级超过81dB(见表4-27)。

表4-27　　　　　　　　　郑州市典型地段交通噪声状况

地点	统计噪声(dB)				车流量(辆/h)
	L10	L50	L90	Leq	
学校教学楼	78	70	65	72.5	
重要交通路	85	79	65	81.6	457
交通路口	82	74	65	76.8	301
森林公园	76	65	63	67	
火车站	85	77	69	79.8	533

城市森林对噪声具有显著的减弱效果,国内外学者曾对绿化树木的防噪作用进行过试验研究,Bank(1967年)报道常绿阔叶树具有良好的减噪效果,Cook(1972年)和Wendorff(1974年)报道了浓密的人工林带对声波的吸收作用,可降低噪声10～20dB,并提出在城市规划设计中采用防噪绿化带是降低噪声的一种有效措施。河南农业大学对郑州市不同绿化结构的减噪效果进行了比较,证明不同的绿地结构对噪声有不同程度的降

低效果。

一、片林的减噪效果

从测试结果可知(见表 4-28),单纯的草坪减噪效果并不明显,因为上部对噪声没有任何阻隔。当草坪和乔木搭配时,上部有阻隔作用,所以减噪效果较好。毛白杨树冠高、稀疏,冠下高较高;而垂柳树冠低,对声波有较好地阻隔作用。所以,垂柳林减噪效果比毛白杨林、草坪绿地要好得多。

表 4-28 　　　　　　　　　　　　　　绿地的减噪效果

地点	声源高度(m)	声源位置(m)	声源距测点(m)	空地(dB)	绿地(dB)	净减 Leq	dB(A)/0.3m
草坪绿地	1.6	绿地内	10	72.5	72.3	0.2	0.006
	1.6	绿地内	20	69.5	69.0	0.5	0.007 5
	1.6	绿地内	30	64.6	63.3	1.3	0.013
毛白杨林	1.4	绿地内	20	69.5	68.0	1.5	0.022 5
	1.4	绿地内	30	64.6	62.9	1.7	0.017
垂柳林	1.4	垂柳后	10	72.3			
	1.4	垂柳后	20	69.3	67.7	1.6	
	1.4	垂柳后	30	64.7	62.6	2.1	0.021

注:草坪绿地:东西两块,每块南北长 70m、宽 50m。

毛白杨林:两块绿地间两排毛白杨,中间为草坪(同 A－1),毛白杨高 22.5m,株距 3.5m,两排间距 8.3m,冠幅 12.3m×5.2m,郁闭度 0.4,冠下高 4m。

垂柳林:绿地南北长 36m,东西长 18m,垂柳在绿地四周,树高 9.5m,株距 3m,冠幅 6m×3m,郁闭度 0.6,冠下高 2.5m。

二、行道树的减噪效果

据测定,作为行道树,雪松减噪效果最好,毛白杨效果最差(见表 4-29)。从测试结果看,雪松枝叶浓密细小,叶量丰富,树冠层从上到下分布均匀,冠下高低,枝叶下垂几乎触地,因而它能够有效地吸收、阻挡噪声。同时雪松四季常青,一年四季中始终起作用。悬铃木属高大乔木,冠下高较大,因此消减噪声效果不太好,但因其树冠浓密,着叶季枝叶茂盛,行数较多时(上面测试时为四行),也可达到较好效果。又因为其夏日遮阴好,树干光滑干净,所以它是郑州市街道绿化的主要树种之一。核桃属中乔木,减噪效果一般;毛白杨树干大,冠下很高,冠幅也不大;树下大叶黄杨又太矮,所以减噪效果较差。

三、行道树与分车绿带结构的减噪效果

据研究,不同绿化结构的减噪效果差异较大,表 4-30 为某地行道树的减噪效果。三板四带比一板二带减噪效果好得多,这是因为两排不同树种可以相互弥补不足,从而起到良好的减噪效果。C－1 中雪松枝叶茂密细小,冠下高较低,冠幅大,悬铃木虽然冠下高较高,但树冠层较大,所以它们搭配起来减噪效果明显。虽然悬铃木自己作为道路行道树,

减噪效果并不好,但因其遮阴效果好,所以仍是城市道路绿化的常用树种。另外垂柳＋石榴模式,因这两种树都比较低矮,树叶也不稠密,叶子光滑,所以减噪效果一般,但它们属于观赏性植物,有一定的观赏价值。

表 4-29　　　　　　　　　　　　行道树的减噪效果

地点	声源高度 m	树种	声源距测点 (m)	空地 (dB)	绿地 (dB)	净减 Leq	dB(A)／ 0.3m	说明
B-1	1.4	毛白杨	20	67.6		1.0		均
	1.4	大叶黄杨	30	62.5		1.3	0.013	在
B-2	1.4	核桃	30	64.6	61.5	3.1	0.031	树
	1.4							干
B-3	1.4	雪松	15	70.3	68.2	2.1	0.042	后
	1.4		30	66.1	61.2	4.9	0.049	接
B-4	1.4	悬铃木	15	55.2	51.8	3.4	0.068	收
	1.4	30	60.1	55.6	4.5	0.045		

注:B-1:郑州市 3 号楼前毛白杨与大叶黄杨。毛白杨在柏油路两侧,两行距15.3m,冠幅11.6m×3m,郁闭度 0.6,冠下高 9m;大叶黄杨两排间距11m,在路两侧,树高 1m,宽0.8m。

B-2:郑州市人民公园核桃行道树。树高 11m,两行间距10m分列两边,株距 7m,冠幅8.5m×7m,郁闭度 0.7,冠下高 2～8m。

B-3:郑州市人民公园雪松行道树。树高 12m,两行分列路两侧,行距 17.5m,株距 8m,冠幅 14m×12m,郁闭度 0.6,冠下高 1.8m,整体(包括中间道路)郁闭度 0.3。

B-4:郑州市文化路中段(工业大学门前)悬铃木行道树。树高 12m,路两侧各两行,路宽 13m,路一侧树距3.3m,株距 6m,树高 32m,冠幅 12.5m×16m,郁闭度 0.8,冠下高 8.5m。

表 4-30　　　　　　　　　　　　行道树的减噪效果

地点	声源高度(m)	声源距测点(m)	空地(dB)	绿地(dB)	净减 Leq	dB(A)/0.3m
C-1	1.4	30	65.2	61.0	4.2	0.089
C-2	1.4	30	67.7	64.0	3.7	0.037
C-3	1.4	30	68.1	65.5	2.6	0.026
C-4	1.4	20	65.5	63.5	2	0.03

注:C-1:郑州市中原路[三板(车道)四道(绿带)]。快慢车道由单行雪松(树高 17m,株距 10m,冠幅 10.2m×9.5m,郁闭度 0.3,冠下高 3.8m)、月季(高 0.3m)、草坪(宽6.5m)分隔。慢车道与人行道由一行悬铃木(树高11m,株距 10m,冠幅 11m×10.7m,郁闭度 0.3,冠下高 2.6m)分隔。快车道13m,慢车道宽 7.6m,人行道宽9.2m。

C-2:郑州市农业路(三板四带)。快慢车道由单行石榴(高 1.6m,株距 4.6m 冠幅 1.3m×1.3m,郁闭度 0.6)和绿地(宽 1.3m)分隔。慢车道和人行道由单行垂柳(树高 2.7m,株距 5m,冠幅 3.4m×3m,郁闭度 0.2,冠下高1.8m)分隔。快车道 12m,慢车道 6.7m,人行道 6m。

C-3:郑州市黄河路(一板两带)。车道两侧为单行悬铃木,树高 23m,株距 12m,冠幅 11m×12m,郁闭度 0.4,冠下高 3m,车道宽 15m。

C-4:郑州市经七路(一板两带)。车道两侧单行悬铃木树高 15m,株距9.8m,冠幅 10m×10m,郁闭度 0.7,冠下高 2.5m,路宽 10m。

这几种树木在郑州均生长良好。雪松降低噪声效果最佳,但在交通干线过窄的情况下,影响交通视线,遮阴效果差,造林成本也较高,可考虑与其他乔木(如悬铃木)间植,互相弥补不足。悬铃木等减噪效果一般,但生长快,适应性强,如果与其他常绿树种或灌木、绿篱相配置,就能形成较理想的防护系统,有效阻隔噪声。

四、片林(带)的减噪效果

成片林地(带)的减噪效果见表 4-31。从监测结果可以发现,棕榈片效果最好,幼林的减噪效果最差。棕榈高度为 1.6m,和声源高度相近,其叶子宽大,有很多叶片,可反射、吸收较多的声波,因而有较好的减噪效果。而大叶黄杨幼苗和白蜡幼苗虽然高度也与声源相差不远,但其树冠太小,叶子小且光滑,因此减噪效果差得多。毛白杨和侧柏属高大乔木,虽然树冠较大,但冠下高较低,所以减噪效果也不是太好。但如果毛白杨的林地宽度达到 30m 以上也会产生较好的减噪效果,噪音衰减量为 4.1dB,不过一般情况下,城市土地紧张,很难保留大面积林地,仅在公园中才可能有这样的情况。

表 4-31　　　　　　　　　　　　　成片林地(带)的减噪效果

地点	声源高度(m)	声源距测点(m)	空地	绿地	净减 Leq	dB(A)/0.3m
D-1	1.4	10	72.1	71.9	0.2	0.006
		20	66.0	65.0	1.0	0.015
		30	63.0	61.7	1.3	0.013
D-2	1.4	10	72.1	72.0	0.1	0.003
		20	66.0	65.5	0.5	0.007 5
		30	63.0	62.1	0.9	0.009
D-3	1.4	10	72.1	71.6	0.5	0.015
		20	66.0	64.3	1.7	0.026
		30	63.0	58.1	4.1	0.041
D-4	1.4	10	69.6	68.6	1.0	0.03
		20	64.5	63.2	1.3	0.019
		30	62.0	60.5	1.5	0.015
D-5	1.4	10	69.3	66.6	2.7	0.081
		20	64.2	61.1	3.1	0.046 5
		30	61.6	57.8	3.8	0.038

注:D-1:郑州市森林公园大叶黄杨幼苗。树高 1.4m,株距 0.8m,行距 1.0m,郁闭度 0.4,面积 73m×70m。

D-2:郑州市森林公园白蜡。树高 2m,株距 0.8m,行距 1.0m,郁闭度 0.4,面积 70m×65m。

D-3:郑州市森林公园毛白杨。树高 24m,株距 4m,小灌木与野草高 1.5~2m,面积 6 667m²。

D-4:郑州市碧沙岗侧林带。树高 16m,株距 3.6m,行距 4.3m,冠幅 5.1m×4.7m,郁闭度 0.3,冠下高 3m,面积 5 336m²。

D-5:郑州工业大学棕榈林带。树高 1.6m,株距 1.5m,行距 4.3m,冠幅 1.5m×1.5m,郁闭度 0.3,面积 25m×37m。

五、混合带的减噪效果

通过比较各种绿化结构的声衰减结果(见表 4-32),可以看出,E-1 减噪效果比较差,

E－2、E－3混和带(包括绿篱)减噪效果比较明显,特别是绿篱与乔木、灌木、花草搭配时,效果更高。一般组成绿篱的都是常绿树种(雪松、侧柏等),栽植紧密,形成上下分布的绿色屏障,有效地吸收噪声。这要比单纯的乔木(只能吸收上部噪声)或灌林草皮(只能吸收下部噪声)要好得多。因此,城市绿化时,要注意高低树种的高低配植。要求绿带内乔木、灌木互相交错。在整个绿地面上都有枝叶阻隔噪声传播。

表 4-32　　　　　　　　　　　　混合带的减噪效果比较

地点	声源高度(m)	声源距测点(m)	空地(dB)	绿地(dB)	净减 Leq	dB(A)/0.3m
E－1	1.4	10	72.9	72.4	0.5	0.015
		20	67.0	65.8	1.2	0.018
		30	64.7	63.4	1.3	0.013
E－2	1.4	10	73.4	70.4	3.0	0.090
		20	67.6	63.4	4.2	0.063
		30	62.9	58.4	4.5	0.045
E－3	1.4	10	67.0	64.6	2.4	0.072
		20	61.8	58.2	3.6	0.054
		30	58.6	53.9	4.7	0.047

注:E－1:大叶黄杨高0.9m,宽0.8m,有稀疏灌木(石榴)高2.3m,地面有草皮。

　　E－2:大叶黄杨高1.1m,宽1.0m,棕榈高3.4m,郁闭度0.8m,桃树高4.0m,郁闭度0.8,地面有草皮。

　　E－3:雪松:高13.7m,株距9m,冠幅10.2m×9m,郁闭度0.6,冠下高1.8m。侧柏:高10m,株距7m,冠幅5m×5m,郁闭度0.6,冠下高3m。法国冬青:高2m,冠幅2.3m×2.3m,郁闭度0.5。锦熟黄杨:高1.3m,宽1.2m。桂花树:高4m,株距2m,冠幅3.8m×3.2m,郁闭度0.5。月季:高1m,面积4.5m×11m。冬青树(3棵):株距1.8m,冠幅2.7m×2.7m,郁闭度0.7,树高7m。

六、绿篱与灌木的减噪效果

绿篱与灌木的减噪效果比较见表4-33。

表 4-33　　　　　　　　　　　　绿篱与灌木的减噪效果比较

地点	声源高度(m)	声源距测点(m)	空地(dB)	绿地(dB)	净减 Leq	dB(A)/0.3m
F－1	1.4	10	73.0	71.4	1.6	0.078
		20	65.3	63.4	1.9	0.013 5
		30	64.6	62.3	2.3	0.01
F－2	1.4	10	72.5	67.0	3.5	0.105
		20	67.3	63.4	3.9	0.058 0
		30	63.0	58.5	4.5	0.045
F－3	1.4	10	69.3	65.6	3.7	0.111
		20	64.2	59.8	4.4	0.066
		30	61.6	57.1	4.5	0.045

注:F－1:一排大叶黄杨,树高1.8m,长15m,宽1.1m,随之一排香柏,树高2.2m,株距0.5m,冠幅0.5m×0.6m,其后一排麻叶绣球高2.2m,株距2.4m,冠幅2.4m×2.8m,少量棕榈高2.2m,总宽10m,总郁闭度0.3。

　　F－2:三棵法国冬青,株距4m,高12m,冠幅5m×4m,郁闭度0.8,后为稀疏草坪。

　　F－3:紫藤高3.5m,株距5.7m,冠幅26.5m×5.1m,郁闭度0.8,冠下高2m,下部为休息用的水泥长廊,后有低矮灌木,高0.5~1.0m。

从表4-33分析,紫藤的减噪效果最好,大叶黄杨＋香柏＋麻叶绣球组成的绿蓠效果差。紫藤属攀缘植物,枝叶茂密,从走廊往上看,郁闭度几乎为1,可以吸收阻挡大量声波,起到良好的减噪效果;法国冬青作为绿篱,枝叶几乎布满整个树干,且很稠密,树干也高,所以其减噪效果也不错;大叶黄杨较矮,香柏麻叶绣球枝叶稀疏,叶面比较光滑,不能很好地吸收阻挡光波,所以它作为绿篱,减噪效果不如F－2、F－3。由于黄杨具有生长整齐、易于修剪、观赏性好的优点,常作为花园、公园的绿篱。

七、不同绿化结构减噪效果比较

表4-34为不同绿化结构的减噪效果比较。

表4-34　　　　　　　　　　不同绿化结构减噪效果比较

绿地宽度(m)	结构类型	减噪量 dB(A)
50	草坪	1.0
10	两行核桃树株距7m,郁闭度0.7	3.5
15	车道两侧单行悬铃木,树高23m,树距12m,郁闭度0.4	2.6
5 336m²	侧柏林带,树高16m,株距3.6m,行距4.3m,郁闭度0.3	1.27
50	大叶黄杨、桃树、草皮,郁闭度0.8	3.9
5	紫藤、矮灌木、草皮,郁闭度0.8	4.2

从表中可以看出,乔、灌草结构和灌草结构减噪效果最好,草坪最差。

第四节　城镇绿地系统的规划与设计

一、城市绿地系统规划的重要意义

(一)绿地系统是城市生态保护的重要屏障

改革开放以后,中国经济的高速发展促进了城市化水平的迅速提高。城市化水平提高的结果表现为城市数量增加,城市规模扩大,大量的农村人口涌入城市。于是,鳞次栉比的工业厂房、摩天大楼拔地而起,而城市绿地被无情地蚕食掉,人们由此而感到怅然失落。其实,中国人自古以来就有一种对绿色的特殊眷恋。不用说举世闻名的中国园林了,就是在一座小小的四合院,人们也要植树、种花、栽藤。这是因为城市中的绿地不仅具有美化环境的功能,而且还具有调节气候、净化空气、增益感情、平衡心理等作用。在烈日炎炎的盛夏,走进树林深处,便会有一种清凉舒适的感觉,这是因为绿色植被能在绿地内及其周围创造较为宜人的温湿度环境。在夏季,绿地不仅能有效地降低周围环境的温度,而且对周围环境也有增湿作用。它虽然在冬季,大部分植被落叶,即便常青类植物也由于自身的生物调节机理使其叶面积较夏季少得多,但稀疏的树冠和鳞次栉比的树干仍能减缓风的流动,并且利于太阳辐射穿透林冠。绿色植物叶表通过光合作用吸收二氧化碳,释放氧气,补充空气中氧气的消耗,可以避免居住区由于缺氧而危害居民健康情况的发生。同时,城市绿地还具有减尘、净化空气的作用。它可以为人们提供一种高质量、具有环境品质的城市生活空间,以便形成"场所精神"。如西特所言:"它能创造一种具有文化和情感刺激的室外生活环境",提供给人们多功能、多元化机制的活动场所,满足人们对交往的需求、对知识信息的需求、对激情的需求和对大自然的需求。城市绿地有助于治愈并减轻许多城市居民的"城市孤独症"。

(二)城市绿地系统是实现生态、经济和环境三统一的重要途径

城市绿地的生态功能主要体现在维持及改善空气质量,减轻气态污染物的影响等方面。在绿地较缺乏的地区,大气环境背景值仍相当高,超过了世界卫生组织、联合国环保署及欧盟等颁布的空气质量标准。而在有大片绿地的地区,因交通干道及污染物排放源比较少,故绿地的存在间接减轻了气态污染物对环境造成的影响;此外,大面积的绿地对气态污染物也起到了部分吸收的作用。

改善局部小气候研究资料表明,空气易受热升温而变得污浊,而大面积的绿地有助于空气的冷却并促进其循环流动,从而降低城市热岛的形成概率。从作用机理来看,城市绿地在这方面的生态功能的发挥主要和绿地面积、绿地结构、城市地形、气象条件等因素有关。

生态绿地系统是人居环境中具有生态平衡功能、与人类生活密切相关的绿色空间。城市绿地系统规划是通过合理配置城市开敞空间,以获得自然的环境。20 世纪 70 年代以来全球居住环境问题日益突出,生态学理论得到进一步发展,传统的开敞空间方法加入生态学理论,给城市规划注入新的血液。城市生态绿地系统规划进入一种自觉的认识阶段,它更多地强调生态环境的保护,其根本目的是改善人类居住区的环境质量,获得人居环境的可持续发展。城市生态绿地系统是一个复杂的自然—社会—经济复合生态系统,它抗外界干扰和自我维持的能力,在很大程度上来自于城市生态绿地系统的生态效益。城市生态绿地系统是城市生态系统景观元之一。

城市绿地系统作为城市结构中的自然生产力主体,以植物的光合作用能力和土地资源的营养、承载力为条件,以转化和固定太阳能为动力,通过植物、动物、真菌和细菌食物链,实现城市自然物流和能源的循环,为城市注入新鲜的氧气,调温调湿,滞尘吸污,杀菌减噪,固土保水,净水充水,降解废弃物,实现生态还原功能。

城市绿地系统有重要的社会价值,目前我国城市的平均覆盖率为 25%,预计 2010 年能够达到 27%~30% 的要求。城市绿地在城市土地中所占的巨大份额,使它必然成为影响城市风貌的决定性因素之一,成为吸引人才居留、技术乃至资金集结的重要因素。另外,城市园林作为一种人工的生态系统,凝结着现时的和历史的各种自然、科学及精神价值。

(三)城市绿地系统是自然—社会—经济复合生态系统

城市生态绿地系统是一个复杂的自然—社会—经济复合生态系统,它抗外界干扰和自我维持的能力,在很大程度上来自于城市生态绿地系统的生态效益。其特征如下:

(1)系统性。绿地系统是城市系统的一个子系统,绿地系统与其他子系统构成城市复合系统,各子系统在城市系统中不是孤立存在的,它们相互影响、相互作用。

(2)整体性。城市生态绿地系统中,每一种类型的绿地都有其独特的作用,但整个系统除了能保持各自的作用外,更具有整体作用的功效。

(3)连续性。城市绿地系统是为满足某些功能而以空间体系存在的,故连续性是其特征。

(4)动态稳定性。绿地系统是一种有生命的系统。随着时间季节的更替转换,绿地系统的内部也发生着变化,但按时空序列其整体系统对外却显现着一种稳定性。

(5)多功能性与功能最佳结合。每个绿地空间都同时具有多种功能。在某些具体条件下,就其功能之间的关系而言,有的相辅相成,有的相互排斥,或者说二者兼有(彼此渗透)。使各种功能尽可能融为一体,相互排斥的功能分开,达到各种功能的最佳结合。

(6)地域性。城市绿地系统从属于城市环境系统,城市有它自身的地域分布。因而,城市可持续发展要求的地方文化的技术特征也应反映在城市绿地系统规划中。地域性体现了绿地系统的个性。

综上所述,城市生态绿地系统的确有其不可估量的重要价值。因此,1996 年国家建设部颁布的"园林城市"标准中要求城市建成区绿地率不低于 30%,绿化覆盖率达到 35%,人均公共绿地面积为 6m²,街道绿地普及率达 95% 以上,改造旧居住区绿地面积也不少于总用地面积的 25% 等。这些绿地指标的应用,在一定程度上有效地指导和促进了城市生态绿地系统的建设。

二、规划设计遵循的原则

(1)功能分区原则。划分功能区首先要考虑城市的性质、特征,分析城市目前各区的主要功能、问题及城市发展的总体布局。功能分区必须做到城市生态系统物质生产、能量流动及信息传递的高效及渠道的畅通。要完善和发展步行系统,建设大量室内购物中心,提高中心区环境质量。

(2)景观稳定性原则。保持城市重要功能区布局及结构的相对稳定,应根据城市的承载力及经济实力合理调整城市空间布局及规模,避免由于盲目扩大城市规模而出现"城市中的乡村"现象。

(3)可持续发展原则。在经济政策的制定及城市的规划上应避免以损害环境利益为代价的经济短期增长模式及不合理的城区过度开发。实现城市废弃物的就地还原或回收,避免向乡村流转,减少城市对乡村的"生态剥削"并由此导致的区域发展的不平衡。

(4)活化边缘原则。不同系统交汇的边缘是能流、信息流流动较快的区域,搞活城乡及城市不同功能区交错带有利于区域经济的发展。活化边缘并不意味着盲目开发边缘,相反,应防止在某些大城市出现的边缘城市(edgecity),即在中心城市的周围郊区发展起来的商业、就业与居住中心或城市边缘 (urbanfringe)的过快发展。

(5)整体优化原则。应兼顾社会、经济和环境的整体效益,既要维持生态系统的稳定,又要保证经济及居民生活水平的提高。城市规划只有抓主要矛盾才能突破城市建设的难点。园林绿地系统要与城市布局紧密协调,成为城市的有机组成部分。城区内整块绿地通过道路绿地和水系防护绿地连接起来,城郊绿地应和城市发展用地走向相结合。

(6)"以面为主,点线穿插"的原则。以现状为基础,近、远相结合,规划布局上发挥城市园林绿地系统中"线"的优势,改变过去街道绿化单纯栽植行道树的程式,提倡"荫"、

"景"、"净"的结合,在人行道与车行道之间保持一定宽度的绿带,并争取开辟园林路。

(7)因地制宜原则。对现状进行分析,明确发展趋势并对自然条件和城市建设状况进行分析及预测,使实际状况、预测结果和所采取的措施三者结合起来。

(8)统筹规划原则。城市生态绿地系统应是整个区域生态系统的大系统中的子系统,明确其地位、作用以及与其他系统和因素的相关关系,把绿地系统各组成部分相互联结起来,保持其连续性,从而更大程度地发挥其效益。城市规划是一定时期内城市发展的目标和计划,是城市建设的综合部署,也是城市建设管理的依据。城市生态绿地系统规划是城市总体规划的一部分,应与城市规划相适应,并要服从于它。但是在以前的实际规划过程中,都是先做城市规划,绿地系统只是以补白方式填充其间,即只重视城市实体空间的建设而忽视开敞空间的建设。当前,城市化的快速发展,环境问题的日益突出,使城市生态绿地空间因其具有维持城市生态平衡、保护生物多样性、再现自然、净化与提高城市环境质量、保障居民健康等功能而得到了关注与重视。城市生态绿地系统规划应是与城市规划同步进行和实施的规划,而非有先有后。

(9)以人为本原则。以人为本,采用许多最佳化的标准,确定各个发展阶段绿地系统组成部分所固有的主要功能。城市绿地空间组织中要贯彻以人为本的原则,满足人的审美需求和对自然与生态环境的要求。因此,生态绿地空间的定位、具体的空间规划设计都要预计到居民的行为方式和绿地的实用性,布置幼儿、青少年、成年人和老年人各种不同需要的生活与游憩空间,反映一定的文化品位。高品位的绿地规划设计是尊重和保护生态环境所要求的;真正的环境艺术创造必然与自然友好相处。城市生态绿地系满足人们长时间生活在过分的人造环境中而希求返璞归真、休养生息的本能欲望。同时,绿色空间可以调节小气候,使整个城市空间犹如在绿色飘逸的大自然中。城市绿地成为市民散步、健身、娱乐、交往的好去处,不但创造了亲切自然的气氛,同时也增加了城市空间的表现力——生态景观。新的环境意识为城市空间增添了活力。它促使众多游客在此驻足、流连、观赏、交谈、休闲、娱乐,处处体现出人性回归的氛围,起到人与大自然互益的作用。优美的城市环境加深了人们对生活的热爱,增添了人们工作的热情,同时又吸引了大量的外资,加快了改革开放的步伐。

(10)特色性原则。在绿地系统设计中,应用先进的景观生态学和生态经济学以及园林规划的理论进行建设,在结构配置上、品种的引进上和规划布局上都体现最优的效果。因此,绿地系统的设计体现景观生态和经济的目标,具有示范、推广、带动的作用。以丰富的自然地形为骨架,着力营造绿色的自然景观,根据其浓郁的地方特色,美丽的历史传说,建设精巧引人的景点建筑,构成自然植被繁茂、环境清新、人文景观升华、和谐自然的景观生态系统。在注重生态建设的同时,考虑城市居民收入存在的实际情况,实现生态、经济的可持续发展。文化哺育了人类,促进了人类文明的进步,设计中充分表现了城市的文化底蕴。

三、公共绿地规划

(一)规划原则

公共绿地是指供游览休息的各种公园、动物园、植物园、花园及开放游园和供游览休

息的林阴道、广场绿地。它的优劣是衡量一个城市绿化水平的重要标志。根据城市的特点,规划中应体现:

(1)小型化原则,着重发展小型绿地,以街头绿地、小游园、游憩绿化带为主,使绿地分布广,贴近市民生活,提高使用率。

(2)特色化原则,公共绿地要各具特色,充分考虑内部设施和活动内容,力求适合各年龄段游人的需求。

(3)绿地化原则,公园、广场设计要以绿地为主,通过种植设计使乔木、灌木和地被,常绿和落叶搭配合理,同时还要注意植物的季相变化,为公共绿地营建多彩的植物景观。

(二)规划目标

按照景观和生态有机统一的原则,运用以"蓝带"、"绿带"为脉络,综合性公园为核心,风景游憩林地为构成基础的公共绿地布局模式,实现城、乡绿地系统一体化的格局。

(三)公园规划原则

一是要靠近居民区,便于居民使用。

二是布局要均匀。

三是突出特色,在内容和形式上,突出时代风貌,同时兼顾各种年龄、爱好、消费水平等不同层次居民的需要。

四是主题明确,应以植物景观为主,服务和游乐性为辅。

(四)公共绿地规划

规划公共绿地类型有:①公园。②游园。③街头绿地,即装饰性绿地,利用城市街头巷尾及沿街的小片隙地,通过艺术布局,丰富城市景观,提高城市绿量。④园林路,将园林景色搬到街上,丰富城市街道景观,改善人们步行环境,方便市民日常游憩;园林路建设可充分发挥"线"的优势,有机地把"点"和"面"上的绿地连接起来,构成完整的绿地系统。⑤生产绿地。⑥防护绿地。卫生防护绿地是指工厂与居住区混杂之处,结合城市风向因素等有必要设置的防护林;水系防护绿地,城市外围及内部水系较多,其岸边需要防护性绿化;铁路沿线防护绿地。⑦城郊风景游览绿地。

"蓝带"是指位于城市中大、小河道两侧的绿化带,与位于城市道路两侧的带状绿地即"绿带"相对而言。它集结了诸多的城市自然景观要素,如水体、岸坡、动植物等,对于丰富、活跃城市景观,促进能流、物流、物种流、信息流等的传递与交换起到重要的载体作用,并且在景观生态构成三要素——基质、廊道和嵌块体中,异质性表现的最突出、最明显。而从城市景观生态学的角度,廊道是呈带状或线状分布的嵌块体,基质则是区域景观中分布较广、具有高度连接性的嵌块体,所以嵌块体是城市景观中最基本的构成要素。城市公园绿地在城市景观中以嵌块体的形式出现,并且是城市引进嵌块体的主体,以绿色植物的活力、弹性来缓和城市硬质景观的枯燥、呆板。以建设开放性带状公园、带状小游园或水滨公园绿地等形式来构建城市"蓝带"——滨河游憩林带。

在原来滨河绿地只作防护林的基础上,以植物造景为主,适当布置游憩设施,来扩大绿色活动空间,引进多种自然景观元素,丰富景观多样性和物种多样性,促进物流、能流、物种流、信息流等的传递与交换,来构成城市公园系统的脉络,深入到城市每一角落(对由于污染严重而不能被利用的水体可通过采取填埋方式,在其上营建"绿带"),起到对各类公园绿地的经络、连接作用。"蓝带"的设置还增加了城市公园绿地的联系,形成相互连接为一体的开放空间,增强绿色环境对市民游憩活动的刺激作用。城市中"蓝带"与"绿带"相结合,开发城市中连接各公园绿地的公园道路系统,构成城市绿地的脉络,从而连接城市中各类绿地,对实现城市绿地的系统化也起到更积极的作用,并且对于城市空间的发展起到一定的导向作用。

城市带状绿地系统为城市景观生态系统的一个子系统,从形式和作用上看,城市带状绿地在景观生态学上都起着廊道的作用,并结合城市道路、河流、需防护地带建立"绿道"和"蓝道"网络,使城市绿地具有良好的连接度,从而将被保护的动植物和野生生物群体联系起来,为城市提供真正的"氧气库"和舒适、健康的外部休憩空间。绿地系统特征中,首先强调的是连续性,把深入到城市聚集区的市区和生活区、工业区中的绿地成分通过绿地组成一个连贯紧凑的绿化系统,把公园和森林公园的大区绿地与城市中心相连接。通过建立充分的绿色、蓝色走廊把城市中每一处公园、街头绿地、庭园、河流等都纳入景观结构之中,使大面积的公园绿地等通过林阴大道、景观道路、滨河绿带互相串联。同时确定走廊的最佳路线、最有效的分布,最终建立一个丰富、高效,可以自我供给、自我支持的动态景观结构体系。

开放式风景游憩林地,是综合性公园与城市街头绿地之间的一类片状绿地。这类绿地以植物造景为主来营建大片风景林地,具有良好的生态小环境,并且成为市民日常接触的城市自然环境,是休息、锻炼、交往等活动开展的主要场所;林地以开放式为主,适当布置游憩设施,提供游憩功能,与营建城市风景公园、纪念性公园、游乐园、植物园等相结合,可以一园多用;这类公园绿地选址自由度较大,受地域限制小,对于做到点多面广,形成合理的服务半径,真正满足居民就近、随意而又经常性的使用需求都有实现的可能性;而且这类公园绿地投资省(仅为综合性公园造价的 1/10 左右),维护费用低、见效快、就近布置便于使用和管理,对于城市园林绿化要求在"量化"上的达标,以及多、快、好、省地建设城市公园绿地,更大程度地发挥社会效益和环境效益都是一个积极可行的途径;通过这种开放式的风景游憩林地的建设,在"蓝带"的经络下,易于向城郊结合部发展,并与城郊风景林地相联系、沟通,促进城市内、外部物质与能量的交流与转换,从而缓冲城市内部环境质量压力。

开放式风景游憩林地包含了城市中的小游园和市民广场绿地与绿楔等,这三类绿地在开放性和接近自然程度方面都较差、人工硬质景观较多。目前,国内风盛于市区广场的设计、营造,以大面积的草坪铺地来增强城市景观效果,扩大视域空间,但从城市生态学的角度来看,区域生态环境质量与单位空间绿色植物三维量(重量)成正相关,即使绿地率相同的区域,由于其绿色植物三维量的不同而表现出不同的生态环境质量。因而在植物布局上要尽量考虑乔、灌、草复层结构的形成,以充分发挥绿地的生态效益和植物造景的景观功能。随着城市的发展,绿楔对于城市生态环境的作用愈显重要,城市绿楔的建设不仅具有重要的生态意义和城市结构意义,而且还有重要的社会意义。绿楔的建设将为居民提供重要的、良好的休憩活动场所,使城市居民能够和大自然有着直接的、密切的联系,因此一直是城市规划的追求。

(五)道路绿地规划

道路作为经济发展的动脉、交流的纽带、对外开放的窗口,它的等级标准、技术状况、视觉景观、管理水平都反映了所在地区的精神物质文明水平与技术素质。为此,20世纪80年代我国就推出了道路标准化、美化工程(简称GBM工程),即指道路建设、养护、管理的标准化、规范化、科学化和美化建设。它是一项集公路工程学、交通工程学、建筑艺术学、道路美学、园艺学、管理学以及交通心理学于一体的系统工程,其基本点是从道路这一人文工程自身特点出发,要求运用美学原理和各种技术规范对道路进行外观改善和景观设计,使线路多维形态浑然一体,路线与周围环境协调,从而体现道路自身的建筑美、外观美与环境美,构成平整、壮阔、整洁、通畅、安全、舒适的道路交通环境。

城市道路是城市的结构骨架,而道路绿地是在建立了城市交通、有了交通空间的基础上发展起来的。不同时间、不同地点的城市,市民在道路中的活动,形成了这个城市独特的人文环境,反映了一个城市的生产力发展水平,城市居民的生活习俗、精神面貌、文化修养、道德水准等。

凯文·林奇认为,构成城市形象的五大要素中道路是处于首要地位的,这也足以说明道路绿地作为道路的组成部分在创造有特色的城市形象中的重要性。随着都市化进程的发展,都市人群生活质量不断提高,人们对所居住的城市提出了越来越高的要求,以人为本,创造一个适宜于人类生活起居的有个性、有魅力的城市空间,是建设者们所要追求的目标。

1.道路设计的原则

道路设计的总体原则是满足道路的交通功能,在保证交通安全的基础上,美化市容市貌,减轻环境污染,为城市居民创造良好的工作、生活环境。在道路绿化中,通过精心构思设计使植栽总体有规则、变化有秩序、有虚有实、有高有低、有疏有密、有进有退、有浓有淡、有树有花、有草有木、有曲有直……体现出优美的节奏与韵律感,不仅可协调动态交通,而且丰富了空间变化,增添美的感染力。道路的周围环境决定了道路绿地的性质、规划原则及服务对象。《园冶》中有句话叫做"因地制宜,巧于因借",借此来说明道路绿地与外部因子的关系是恰当的。许多特色鲜明的旅游景点,规划时因地制宜,着重体现一个"借"字,有组织地将各个景点融入道路景观之中,在以植物配置来统一道路景观的基础上,重点烘托、加强、提高各个景点的个性特征,形成特色鲜明的园林景观路。

道路的绿化应以首先满足交通性能为前提,道路的景观空间则主要以汽车行驶速度为标准。由于车中人的动视点、动视野随车速而变化,车速增高动视力降低,视距变大而视野变窄,清晰辨认物体的能力降低,因而车中人不可能看清沿线的一草一木,对周围景观只是瞬间的感受,且随着车行景移而获得的是一种连续审美的体验。所以,在绿化植栽上一是要用大尺度来考虑时间、空间变化,气魄要大,要简洁明快,避免繁杂零乱;二是应注意路面出现的斑驳树影会影响驾驶员视力,造成眩目及视觉疲劳,因此中央分隔带与路面两侧树木高度应以不造成路面上投影为度,即适宜栽植低矮型常绿树、绿篱、灌木及草坪花卉等;三是注意树种应按封闭要求及管理方便考虑,选用寿命长、生长期慢、耐修剪的常绿树或多年生宿根花卉。另外,在立交区域由于多层道路穿插,要考虑对行车的诱导绿化及保持良好的通视空间,突出匝道的动态曲线美及建筑艺术形象。环岛的空间较大,是绿化植栽的重点,宜栽植图案式嵌花草坪,并适当点缀花坛、喷泉或雕塑小品,营造高雅的氛围,提高观赏价值,构成景观重点。一般道路两侧的行道树则应高大、整齐、排列有序,不仅充分诱导视线,而且强调了道路的延伸与空间的延续,增加了路线流畅的美感,为用路者提供了畅、洁、绿、美的交通环境。

(1)行道树以冠大荫浓的乔木为主,侧重配置落叶乔木类,这样夏季可遮阴,冬季可为行人提供天然日光浴。种植间距以 5~8m 为宜,在有架空线地段,应选择耐修剪的中等株形树种。

(2)分车带是道路绿化的重点,应结合自身宽度、所处车道性质及有无地下管线进行规划。位于快车道之间的分车带,以草坪和宿根花卉为主,适当配以小型花灌木。位于快、慢车道之间的分车带,宽度为 2m 以下或有地下管网的,以草坪和宿根花卉为主;宽度在 2~4m 且无地下管网的,可采用灌草结合的方式,做灵活多样的大色块规划设计;宽度为 4m 以上且无地下管网的,除灌草结合外,还可配以小型乔木。

(3)中心环岛地处道路交叉点,目的是疏导交通,要求绿化高度在 0.7m 以下,为使司机和行人能准确地观察到周围环境的变化,可采用小乔木和灌木、花、草结合的方式进行各种几何图案或变形设计。

(4)林阴带以方便居民步行或游憩为前提,参照公园、游园、街头绿地进行乔、灌、草、花的合理优化配置;同时,可布置少量的园林设施,如园路、花架、花坛、园桌、园凳、宣传栏等。

(5)争取做到三季有花、四季有绿。因道路污染严重,树种应选择适应当地生态环境、抗性强、花叶果干俱美、无臭味、无飞絮、寿命长、春季发芽早、秋季落叶晚的乡土树种,草皮应选择绿期长者,并要合理选用经过引种驯化的外来优良品种,以丰富本地的物种,增加城市色彩。

(6)道路绿化的色彩美(色彩是视觉美感必备要素之一)。绿化自然以象征生命、青春的绿色为主调,同时绿色也带来和平、新鲜、健康与希望的生理与心理效果。为了保证道路绿化中常年的绿色,要考虑落叶树与常青乔木、灌木的搭配组合,使在落叶季节仍能保持一定数量的绿色。同时注意高低层次、绿色浓淡的配合以及生长季节与叶色变化的配合,增加空间视觉效果。

为使道路更具美感与特色,道路两侧或隔离带内种植花卉更为有效,或点缀、或丛植、或片植、或带状。波斯菊、一串红、月季等植物具有花期长、易生长、易管理的特点,可考虑多植,同时,注意季节及色彩的搭配,避免单调、雷同,要有对比、衬托。另外,还要注意季节与色彩对人们感觉的反应差异,如夏季应多配置白色、蓝色、湖色等冷色花卉,而春天多选择黄色、粉色花卉,深秋则多选择红色、紫色花卉等。

2.道路绿化指标

(1)城市街道绿化按道路长度普及率、达标率分别在 95% 和 80% 以上;

(2)区内干道绿化带面积不少于道路总用地面积的 25%;

(3)全区形成林阴路系统,道路绿化、美化具有本地区特点。

3.绿化景点配置

据测算,一般人们通常行走 30 分钟后会有疲劳感,老人和儿童 20 分钟后最好休息一下,而且疲劳感一般还会随着步行时间的增加而愈感明显,因此在 600m 长的步行道上,分成三段可坐空间,每段长约 200m。如郑州市高新技术开发区植物结构以模拟长城形式为主调,隐喻开发区管委会机关众志成城的形象,穿插的方圆在执法机关建筑前出现,有"不以规矩,不成方圆"的暗示。航海路则以合欢为行道树,喻意"合家欢乐",以植物造型成流畅而自由的曲线,形成轻松、流畅、丰富多彩的环境。

对于不同功能的道路,由于其性质不同,其绿地设计的指导思想有所不同,设计的着眼点也不同。高速干道以安全问题为首,绿地的安全防护功能尤为重要,所以车行速度与立地条件应为主导因子。交通干道与区干道以创造富有特色的城市景观最重要,所以它的周围环境与人文因子是主要因子。快速干道一般属于城市对外交通要道,则它的周围环境、车行速度与人文因子为主导因子。

4.道路绿化植物及结构配置

车辆隔离绿带,植物配置要求整齐、美观、明快。可配置些规格整齐划一的小乔木、灌木、花卉、地被植物,配置形式可采取自然式或抽象式大色块对比等多种形式,形成层次丰富的景观。河南农业大学在郑州高新技术开发区道路绿化设计中,采用以龙柏、雪松、金边黄杨球、海桐球为主体,常绿灌木做绿篱,下面点缀一些花卉和地被植物的模式,效果不错。

人行道绿化带,选择的行道树种应规格整齐、格调一致,在此基调下再灵活地建造各种规格的绿地。植物配置应尽量做到以乔木、灌木、花卉草坪地被植物相结合,组成多层次的绿色复合空间。具体可采用高大的落叶乔木如悬铃木或五角枫、枫香、杂交马褂木、槭树等为遮阴树,同时建造四季常绿、枝叶稠密、叶形较小的矮绿篱来分隔人行道和慢车道,在行道树下再有序地栽植些色彩华丽的花灌木和阴性的宿根花卉、草本植物,如南天竹、海棠、杜鹃、金鸡菊、丰花月季、美人蕉、鸢尾、栀子等。

为了保证"黄土不见天",可用马蹄金或其他耐阴地被植物作草坪。这样的配置形式,有利于植物群落生态效益的最大发挥。

道路绿化的主要树种要求主干通直、分枝点较高、树冠高大、树形整强。根据郑州市行道树种及其应用频率和生长势的调查结果,建议道路绿化采用的骨干树种如下:

主干道:银杏(雄株)、国槐、悬铃木、七叶树、毛白杨(雄株),三倍体毛白杨、椴树、千头椿、悬铃木(少果)、雪松、女贞、槐树、薄壳山核桃、毛白杨、五角枫、棕榈。

一般道路:毛白杨(雄株)、三倍体毛白杨、悬铃木、椿树、千头椿、栾树、国槐、银杏(雄株)、杜仲、白蜡、馒头柳(雄株)、梧桐、君迁子(雄株)、枫杨、大叶女贞、水杉、香樟、广玉兰、雪松、蜀葵、木槿。

一般灌木:丰花月季、紫荆、锦带花、红王子锦带、海仙花、金银木、迎春、连翘、丁香类、蜡梅等;彩叶花灌木:紫叶李、美人梅、紫叶桃、金叶女贞、紫叶小檗。绿篱类:常用大叶黄杨、黄杨、小叶女贞、金叶女贞、小檗、紫叶小檗、蜀葵、沙地柏、千头柏、矮紫杉、海桐、十大功劳。

试用的乔木树种为:巨紫荆、黄山栾、杂交马褂木、桂花、合欢、臭椿、构树(雄株)、枫香、厚壳树、朴树、珊瑚朴、七叶树、火炬松;试用的灌木为:枸骨、蚊母树、丰花月季、棣棠、大花紫荆、狭叶十大功劳。

四、居住区绿化规划

城市住宅小区是构成城市的基本生活居住单位。小区居住环境的优劣不仅反映城市居民物质生活水平的高低，而且也是城市精神文明建设的一个重要标志。随着城市化进程的加快，原有的绿色生态环境遭到严重破坏，高密度、高容积率的居住区带来了人均绿地减少、人和自然交往空间丧失等问题。人类开始认识到绿色空间是一种优化的生存空间以及绿色生态环境的可贵。于是在许多城市中，为了增加人和自然的接触，创造了第二自然——多种形式的园林绿地出现了，居住区公共绿地是其中的一种形式。改革开放以来，国家对城市住宅小区建设给予了极大的关注，提出在 20 世纪末人民生活从温饱走向小康，人民居住条件要有明显改善。自 20 世纪 80 年代以来，我国相继推行了土地有偿使用、房地产开发、住房制度改革等方针政策，使小区建设得到迅速发展。城市居民住房难的问题得到了很大程度的缓解，居住问题已不再是解决有无，而是如何从居民的生活需求出发，创造良好的人居环境、提高居住水平的问题，从而给小区规划和管理提出了新的要求。随着经济的发展，人们会不断地提出更多、更高的要求。居住区（小区）规划的目的就是要通过精心的规划设计，全面地满足居民的各种合理需求，创造出丰富多彩的人居环境。

（一）居民对环境的需求

今天，居民的生活需求已经发生了很大的变化，既有物质需求，又有精神需求，而且随着物质生活条件的不断改善，精神文化需求也在不断提高。

美国心理学家马斯洛（Abraham. Maslow）在《人的动机理论》中提出，人的需求分为五个层次：生理需求、安全需求、友爱需求、尊重需求、自我实现的需求。他认为人们首先追求低层次的需求，只有低层次的需求得到合理的满足之后，较高层次的需求才会突出出来。在居住生活中，居民对居住环境的需求也是如此。调查研究表明，居民对居住区环境的需求由低向高的排列是：生理需求→安全需求→社交需求→消闲需求→美的需求。

(1)生理需求是人类最基本的需求。新鲜的空气、充足的阳光、良好的通风、无噪声干扰，要求冬暖夏凉等是求得生存的基本保证，是生理上的优先需求。

(2)安全的需求包括个人私生活不受侵犯，避免人身和财产遭受伤害和损失等，也是一种生存的基本需求。

(3)社交需求是指人与人的接触、邻里关系、互助友爱等，是文明社会必不可少的人类活动，对于居民身心健康及良好社会风气的形成有着不可低估的作用。

(4)消闲指的是闲暇时间如何消遣，内容十分广泛，包括休息、游戏、文娱、体育、娱乐等。

(5)美的需求不仅指赏心悦目的景观等环境美，还指在这样的空间里人们感到生活是那么美好，产生一种自豪感，不禁令人自觉地尊重别人并受到别人的尊重。

（二）居住区绿化原则

(1)充分利用城市丰富的自然资源和人文资源，并使其与园林生态城市建设紧密结合，达到突出园林生态城市特色的目标，从而更好地弘扬历史文化，创建既富有古老文化气息，又朝气蓬勃的现代文化居住区。

(2)注重城市历史文脉,挖掘文化内涵,以开放的绿地系统为骨架,精心布置富有丰富文化内涵和城市特色的园林景点,使城在园中,园在城中。

(3)将城区周围农田纳入规划,并将其作为大景观构图的造园要素,以城市森林为主体,注重周围农村绿化以及城市防护林的营造,创造变化丰富的城市立体景观,创造城市大园林。

(4)以可持续发展理论为指导,重视生态环境规划,注重生物多样性的保护,努力创造人与自然、城市与自然协调发展的园林生态城市。

(三)居住区绿化指标

(1)新建居住小区绿化面积占总用地面积的30%以上,辟有休息活动园地;改造旧居住区绿化面积也不少于总用地面积的35%。

(2)全区园林式居住区占80%以上。

(四)小区绿化结构的层次

小区绿地规模一般比较小,其布局在集中连片的原则下可分4个层次设置。

(1)小区中心绿地:它一般位于小区建筑物围合而就的中心部位,具有良好的日照条件,适于植物生长。中心绿地连接行人出入口广场,汇合人行通道和室外活动场地,其间设置活动器具、场地设施,使其适于居民的户外活动和交往。

(2)组团绿地:它以树木和花池为主,配以各种室外铺地、座凳、花架等,适于老人、儿童进行室外活动,并与入户步行道构成有机的整体。

(3)绿化台地:在小区高地或半地下室的屋顶设花池、花架,以种小乔木、灌木为主,配以一定的攀缘植物,成为绿化平台。路边地带种植行道树和小冬青绿篱。各种高度上的绿化相互形成绿化台地,这也是小区垂直绿化体系的一部分。

(4)墙面垂直绿地:它主要采用藤本类攀缘植物,植物依附特制的墙面生长网架进行环窗及墙面绿化,不侵蚀墙体。植物根部在阳台和窗的种植槽内。种植槽底部由两层构成,上层板有孔眼,便于植物根系的透气和多余水的流失。各植槽沿口设有浇灌系统的喷头,阀门集中设置,由物业管理公司定时定量浇灌各种养分和水。槽内植物以盆栽为主,易于更换、管理。就小区绿化系统整体而言,应形成点、线、面相结合,平面与立面相结合,并应有较高绿视感受的特点。

居住区其整体绿地结构应使"绿点"、"绿线"、"绿面"三者有机结合,相互穿插渗透,创造出一种"点、线、面"组合绿化的完美形式。该结构中绿点是居住小区内的中心绿化,它是相对于整个大的居住区而称为"点";绿线即为沿道路两旁的绿化或是区内绿化,同时也包括居住区外的高架桥上下的绿化、城市干道两边的绿化以及居住区内道路两旁的绿化,是居住区中的一条条"绿轴";绿面即为居住区级的公园,她是城市中的一片"绿洲",是净化空气的"绿肺"。

五、绿地景观生态规划

景观生态学是地理学、物理学和生态学之间的新兴交叉学科,从景观角度研究生态问题,特别是人类与景观的相互作用和协调的问题,是以生态系统学、生物控制论及现代系统科学的基本理论为基础,运用现代技术进行景观生态调查、分析、评价、规划和设计的,是开发、利用、保护和管理景观综合体的理论基础。景观生态规划是指在掌握景观生态特性的基础上,以优化利用和保护为主要目的规划,内容包括:①景观生态和生物多样性等方面的综合调查、分析;②景观生态评价即评价景观综合体对不同社会经济的适应性;③景观生态设计即景观功能的典型划分和景观功能区划,提出景观利用、保护和人为塑造的具体方案。

(一)绿地景观生态规划的目标

城市景观生态规划总的目标是改善城市景观结构,改善城市景观功能,提高城市环境质量,促进城市景观的持续发展。具体地说有如下目标:

(1)安全性。保证居民生命财产安全,在重大灾害如地震、火灾中,作为疏散居民的场所,从而保证广大市民免遭不幸。这是社会目标。

(2)健康性。有两种含义,一是维护城市景观生态健康,即维持城市景观的生态平衡;二是保证市民在生理上及精神上的健康。这既是生态目标,又是社会目标,同时也是经济目标。因为居民的身心健康,不仅可以节约医疗保健费用,而且可使人们全身心地投入工作,创造出巨大的经济效益。

(3)便利性。经济有效地确保城市生活、游憩的方便,在居住区或居住小区范围内,游憩不用乘公车,步行可方便地到达。这是社会目标。

(4)舒适性。城市景观生态规划就是要从自然生态和社会心理两个方面去创造一种能充分融技术和自然于一体、天人合一、情景交融的人类活动的最优环境,诱发人的创造精神和生产力,提供高的物质与文化生活水平,创造一个舒适优美的人居环境。这既是社会目标,又是生态目标。

(二)城市绿地景观生态规划的原则

根据城市景观生态规划的内涵及目标,要做好城市景观生态规划,应当遵循如下原则:

(1)环境敏感区的保护原则。保护环境敏感区有利于提高城市景观的异质性。

(2)多样性原则。多样性导致稳定性。该原则有三方面的含义,一是要针对城市景观中自然生态组分少的特点,适当补充自然成分,协调城市景观结构;二是在补充自然成分中要注意物种的多样性,避免以往园林建设中的物种单调、结构简单的状况;三是廊道、嵌块体形式多样,大小嵌块体相结合,宽窄廊道相结合,集中与分散相结合,坚持多样性原则就是维持城市景观的异质性。

(3)持续性原则。城市景观生态规划要立足当前,兼顾长远,不仅当代人受益,而且要为子孙后代着想,要有利于城市的可持续发展。

(4)以人为本体现博爱的原则。"环境设计的最终目的是应用社会、经济、艺术、科技、政治等综合手段,来满足人在城市环境中的存在与发展需求。它使城市环境充分容纳人们的各种活动,而更重要的是使处于该环境中的人感受到人类的高度气质,在美好而愉快的生活中鼓励人们的博爱和进取精神"(于正伦,1996年)。人是城市空间的主体,任何空间环境设计都应以人的需求为出发点,体现出对人的关怀。要根据婴幼儿、青少年、成年人、老年人、残疾人的行为心理特点创造出满足其各自需要的空间,如运动场地、交往空间、无障碍通道等。时代在进步,人们的生活方式与行为方式也在随着发生变化,城市景观设计应适应变化的需求。

(5)尊重自然,和谐共存的原则。自然环境是人类赖以生存和发展的基础,其地形地貌、河流湖泊、绿化植被等要素构成城市的宝贵景观资源,尊重并强化城市的自然景观特征,使人工环境与自然环境和谐共处,有助于城市特色的创造。古代人们利用风水学说在城址选择、房屋建造,使人与自然达成"天人合一"的境界方面为我们提供了极好的参考榜样。今天在钢筋混凝土林立的都市中积极组织和引入自然景观要素,不仅对达成城市生态平衡,维持城市的持续发展具有重要意义,而且以其自然的柔性特征"软化"城市的硬体空间,为城市景观注入生气与活力。

(6)延续历史开创未来。城市建设大多是在原有基础上所作的更新改造,今天的建设成为连接过去与未来的桥梁。对于具有历史价值、纪念价值和艺术价值的景物,要有意识地挖掘、利用和维护保存,以使历代所经营的城市空间及景观得以连贯。同时应用现代科技成果,创造出具有地方特色与时代特色的城市空间环境,以满足时代发展的需求。

(7)协调统一多元变化,城市美体现在整体的和谐与统一之中。古人云:"倾国宜通体,谁来独赏眉。"说明了整体美的重要性。漂亮的建筑的集合不一定能组成一座美的城市,而一群普通的建筑却可能生产一座景观优美的城市,意大利的中世纪城市即是最好的例证。城市景观艺术是一种群体关系的艺术,其中的任何一个要素都只是整体环境的一部分,只有相互协调配合才能形成一个统一的整体。如果把城市比作一首交响乐,每一位城市建设者比作一位乐队演奏者,那么需要在统一的指挥下,才能奏出和谐的乐章。

(三)绿地景观生态规划设计

景观设计不仅要在形式上表达自身,而且要借助文化的力量意义以表达自身。有意义的景观能与人类产生深层次的情感交流。

1.斑块规划与设计

(1)斑块大小。斑块大小不但影响物种的分布和生产力水平,而且影响能量和养分的分布,决定斑块甚至整个景观的生态功能。通常,大型斑块比小型斑块内有更多的物种,能提高碎裂种群(metapopulation)的存活率,更有能力维持和保护基因的多样性。而小型斑块不利于斑块内部物种的生存和物种多样性的保护;但小型斑块占地小,可分布在人为景观中,提高景观多样性,起到临时栖息地的作用。所以,小斑块可为景观带来大斑块所不具备的优点,应当看做是对大斑块的补充。最优景观由几个大型自然植被斑块组成,并与众多分散在基质中的小斑块相连,形成一个有机的景观整体。

(2)斑块数目。斑块数目越多,景观和物种的多样性就高;斑块数目少,就意味着物种生境的减少,物种灭绝的危险性增大。在对大型动物保护时,一般至少需要 4～ 5 个大型斑块,这样对维持景观的结构及斑块内物种的长期生存比较合适。

(3)斑块形状。斑块的形状不仅影响生物的扩散和动物的觅食以及物质和能量的迁移,而且对径流过程和营养物质的截流也有显著影响;斑块形状的主要生态学效应是边缘效应。目前一致的观点是维持景观功能和生态过程的理想斑块应包括一个较大的核心区和一些有导流作用及与外界发生相互作用形状各异的缓冲带,其延伸方向与流的方向一致。紧凑或圆形的斑块有利于保护内部资源,因为它减少了外部影响的接触面。斑块形状与许多生态过程有密切关系,弯曲的边界通过生境物种活动或动物的逃避捕食等活动加强了与相邻生态系统间的联系。

(4)斑块位置。一般而言,相邻或相连的斑块内物种存活的可能性要比一个孤立斑块大得多,孤立斑块内物种不易扩散和迁移,进而影响到种群的大小,加快了灭绝的速度;而相邻或相连的斑块之间物种交换频繁,增强了整个生物群体的抗干扰能力。所以,设计连续的斑块,将利于物种的扩散和保护。

2.廊道的规划与设计

廊道是指不同于两侧基质的狭长地带,可以看做是一个线状斑块,如河流、道路、树篱等。廊道的作用是多方面的,可以是物种迁移的通道,也可以是物种和能量迁移的屏障。

(1)廊道的数目。廊道数目的规划,除考虑相邻斑块的利用类型(商业区、保护区和农业区等),还要考虑经济的可行性和社会的可接受性。若斑块是农业区,则廊道(道路和渠道)有两三条即可;而保护区设计时,因为廊道有利于物种的空间运动和本来是孤立的斑块内物种的生存与延续,廊道数目应适当增加。

(2)廊道的构成。相邻斑块利用类型不同,廊道构成也不同。如连接居民区和商业区的廊道多由道路构成,以方便人们的生活和工作。而连接保护区的廊道最好由本地植物种类组成,并与作为保护对象的残遗斑块相近似。一方面本土植物种类适应性强,使廊道的连接度增高,利于物种的扩散和迁移;另一方面有利于残遗斑块的扩展。

(3)廊道的宽度。根据规划目的和区域的具体情况,确定适宜的廊道宽度。如进行保护区设计,针对不同的保护对象,仔细分析保护对象的生物、生态习性,廊道宜宽则宽,宜窄则窄。若保护对象是一般动物,廊道宽度 1km 左右,而大型动物则需几公里宽。

(4)廊道的形状。目前,生态学家对斑块内的物种如何在景观中迁移,是沿直线、曲线还是随机迁移,知之甚少,此项研究须对特定物种进行长期的定位观测。对廊道形状的规划有待进一步深入研究。

从景观生态学角度看,一方面,大型植被斑块具有多种重要的生态功能,并为景观带来许多益处;另一方面,小的植被斑块可以作为物种迁徙的歇脚地,保护与规划分散的稀有种类或小生境有利于提高景观的异质性。所以小嵌块体是大嵌块体的补充,不能取而代之,应把二者有机地结合起来,并通过廊道连接起来。对孤立斑块内的亚种群来说,局地灭绝率随生境质量的提高或斑块的增大而减少,其重新定居的可能性随着廊道、歇脚地或较短的斑块间的距离的存在而增大。另外,规划生态绿地空间时要集中与分散相结合,应通过土地的集中布局,在建成区保留一些小的自然斑块和廊道,同时在人类活动的外部环境中,沿自然廊道布局一些小的人为斑块,这是人类的最佳生态组合。城市景观中,道路廊道的车流、人流集中,废气、噪声集中,影响人们的身心健康。因此,最好把绿地廊道与道路廊道结合起来,在道路两边规划一定宽度、不同形态的植被带,有利于改善道路的环境质量,有利于消除环境死角。再则,城市景观中道路廊道密布,把绿地廊道沿道路分布,有利于增加绿地面积,且有利于绿色植被均匀分布于城市景观中。通过绿色廊道把景观中各嵌块体连接起来,还有利于各嵌块体中的各种小型动物沿廊道移动。

六、城市绿化树种规划

(一)绿化植物选择原则

1."适地适树"的原则

各种园林植物的生长习性不尽相同,有的喜光,有的喜阴;有的喜干燥,有的喜水湿;有的喜暖,有的怕热;有的喜偏酸性的土壤,有的喜欢中性或碱性的土壤;等等。如果园林植物的立地条件与其生长习性相悖,生长往往不良甚至死亡。因此,在做园林绿地种植设计时,应当根据园林绿地各个不同地段在光照、气温、水湿以及风力影响等方面的不同,合理地设计,选种相应的植物,使各种不同习性的园林植物,与之生长的立地环境条件相适应。这样,才能使绿地内选用的多种园林植物正常、健康地生长,形成生机盎然的园林景观。

2.快速形成群落的原则

进行种植设计时,应对各种大小乔木、灌木、藤本植物、草本等地被植物进行科学的有机组合,尽量使各种形态不同、习性各异的园林植物合理搭配,形成多层复合结构的人工植物群落。这样,可以有效地增加城市绿地植物的选用量,提高绿地单位面积园林植物的量值,从而增强园林绿地在保护环境、改善气候、平衡生态等方面的功能。

3.与绿地功能相适应的原则

城市园林绿地的功能与效益是多样和综合的,绿化种植是为实现园林绿地的多种功能服务的。因此,在城市园林绿地实施种植植物多样性时,就要服从和适应于园林绿地的功能要求。在绿地内进行乔、灌、草等多种植物复层结构的群落式种植,这是在园林内实现植物多样性最为有效的途径和措施。但是,也不能把城市园林绿地都全部培植为复层结构的人工群落。如若绿地全被植物群落占据的话,不仅园林的景观由于空间(开敞与封闭等方面)缺乏变化而显得过于单调,而且园林绿地的许多功能(文化娱乐、大型集体活动等)也难以实现。故此,城市园林绿地内的植物种植,应从充分发挥园林绿地的综合功能和效益出发,进行科学的统筹设计,合理安排,使绿化种植呈现出宜密则密、当疏则疏、疏密有致、开合对比、富于变化的合理布局。

4.速生与慢生树种相搭配的原则

各种树木的生长速度和生命周期不尽相同。在城市园林绿地中实施植物多样性时,还应当注意速生树种与慢生树种的合理配置。当前,在城市园林绿化中,由于追求短期效力,往往选用速生树种多,栽植慢生、长寿树种少。种植速生树种虽然见效快,但速生树木的材质往往较疏松,对风雪等的抗逆性较差;速生树的寿命一般较短,更新较快。这样,不仅增加施工和养护管理的负担,而且对城市园林绿地植物多样性的稳定与持久性是不利的。与此相反,慢生树虽然生长速度较慢,但其材质往往紧密,因而对风雪、病虫等灾害的抗逆性较强,其养护管理相对容易。而且,慢生树木的寿命一般都较长,经过若干世代,它们依然生机勃勃,不仅成为"历史见证"、"活的文物",而且还为园林环境增色添景。

5."人与自然相和谐"的原则

"人与自然须和谐发展"已成为21世纪人类共同的心声。因此,在城市园林绿地中实现植物多样性时,也就必须要有"人与自然相和谐"的绿地观念。为此,就必须按照不规则的、自然式的布局来设计园林。以城市园林绿地的草坪来说,其功能主要是观赏及环境保护,故按照此功能的要求选择培植草坪用的草种,在种植设计上,常常以种植绿篱方式隔开草坪与道路。为了适应和满足现代人们日益增强的、希望亲近自然的心理需求,就应当考虑让游人进入草坪活动、休憩。为此,草种的选择配用,就必须考虑具有耐践踏、抗折倒的性能;而且草坪与道路之间,就不能再用绿篱来分隔,而要考虑让人们随时方便地进入草坪,融入自然。

6."多样统一、协调对比"的艺术原则

城市园林绿地被称为是"镶嵌在现代城市中的绿宝石",由此可见,现代人们对城市绿地抱有很高的审美期望值。为能满足现代游人对城市园林绿地游赏的审美需求,就必须使现代园林具有艺术的审美价值。因此,在城市园林绿林中选用多种植物时,不仅要注意植物种植的科学性、功能布局的合理性,而且还必须讲究植物配置的艺术性。使植物与城市园林的各种建筑、道桥、山石、小品之间,使城市园林中的各种花草树木之间,在色彩、形态、质感、光影、明暗、体量、尺度等方面,进行既富于多样变化的对比,又能够相互烘托协调的艺术构思和配置设计。这样,才能使我们的城市绿地,既能体现出园林植物的多样性,又无繁杂零乱之感,使植物的多样性与园林的艺术性协调统一起来。

7.城市美化的原则

城市绿化不仅是增加绿地面积,还应该对城市具有较强的美化效果,体现赏心悦目的美学功能。因此,选择城市绿化植物时宜选择树形优美、遮阴面积大、符合城市美化要求的植物。郑州市是一个人口密集的城市,市区内高楼林立,绿地面积十分缺乏,为改变这种单一的景观状况,选择优美的树种进行绿化成为一种选择。市区内原有种植的加拿大杨、旱柳等树种,虽然其生长迅速、易于成活、管理简单粗放,但是该类树种生长到一定程度就发生顶端枝条枯死现象,影响市容。因此,城市绿化树种应符合城市美化要求。

8.适应环境污染的原则

环境污染已经成为现代工业城市的一种首要环境问题,特别是大气污染,不仅对人体健康产生了危害,对绿化树种也产生了严重影响。在重污染区,许多植物枯黄死亡,即使在轻度污染区,许多对污染物敏感的植物也生长不良,影响城市绿化效果。因此,城市绿化必须在摸清当地污染程度及其分布的基础上,对拟选植物进行抗性试验后,选择出抗污能力强的植物进行栽植。

(二)绿化植物的筛选

根据上述原则,结合以往的研究和实际生长情况调查,对郑州市常见的43种绿化植物,包括常绿、落叶、乔木、灌木、草本等类型进行调查,统计有关生态环境方面的10项指标。为了能利用数学的方法对这些统计植物进行科学分类,首先要对它们进行数量化,其中绿化植物的主要指标数量化评分标准见表4-35。

按照统计指标,由有关文献的报道来对其数量化,得到城市常见绿化植物生态环境效应数量化统计表(见表4-36)。

以表4-36为原始数据,对43种植物进行综合评判。具体过程如下。

表 4-35　　　　　　　　　　　　绿化植物主要指标数量化评分标准　　　　　　　　　　（单位：g/m²）

吸硫能力			滞尘能力			抗污能力		
等级	得分值	吸硫量	等级	得分值	滞尘量	等级	得分值	抗性指数
一	5	>0.4	一	5	>40	一	5	>0.4
二	4	0.3~0.4	二	4	30~40	二	4	0.3~0.4
三	3	0.2~0.3	三	3	20~30	三	3	0.2~0.3
四	2	0.1~0.2	四	2	10~20	四	2	0.1~0.2
五	1	<0.1	五	1	<10	五	1	<0.1

增氧能力			观赏价值			环境卫生			种苗及管护费用		
能力	等级	分数	价值	等级	分数	程度	等级	分数	数值	等级	分数
强	一	5	高	一	5	好	一	5	低	一	5
较强	二	4	较高	二	4	较好	二	4	较低	二	4
中等	三	3	中等	三	3	中等	三	3	中等	三	3
一般	四	2	一般	四	2	一般	四	2	较高	四	2
较弱	五	1	较低	五	1	较差	五	1	高	五	1

注：环境卫生指标主要是指不产生飞絮、无落花落果、无异香恶臭以及病虫害发生等。

表 4-36　　　　　　　　　城市常见绿化植物生态环境效应数量化统计

编号	种类	滞尘	吸硫	增氧	抗性	杀菌	耐阴	观赏	生长	环境	管护	Y
1	毛白杨	5	5	4	5	2	3	4	5	5	5	0.86
2	加杨	5	4	4	5	2	3	2	5	4	5	0.78
3	悬铃木	4	5	4	5	3	3	5	5	1	4	0.78
4	臭椿	5	5	5	4	4	4	4	4	2	3	0.8
5	国槐	2	2	3	4	3	1	4	4	3	3	0.58
6	雪松	4	4	4	5	5	4	5	3	5	1	0.8
7	侧柏	4	4	4	5	5	4	5	5	2	4	0.8
8	白蜡	4	3	3	4	3	3	4	4	4	3	0.7
9	旱柳	3	3	4	4	3	4	5	5	4	4	0.76
10	榆树	3	3	3	4	4	4	5	5	4	4	0.74
11	泡桐	4	4	4	5	2	2	2	5	2	4	0.68
12	银杏	4	4	4	5	3	3	5	5	4	2	0.78
13	女贞	5	5	4	4	4	4	5	4	4	2	0.82
14	青桐	4	4	4	4	3	3	4	4	3	2	0.7
15	黄山栾	5	4	4	3	4	4	5	4	3	1	0.7
16	广玉兰	4	4	4	4	4	3	5	3	4	1	0.7
17	桧柏	4	5	5	3	5	5	5	4	5	2	0.86
18	构树	5	5	5	4	4	3	2	3	3	4	0.76

续表 4-36

编号	种 类	滞尘	吸硫	增氧	抗性	杀菌	耐阴	观赏	生长	环境	管护	Y
19	火炬树	3	3	4	3	3	3	5	3	4	1	0.64
20	柿树	3	4	3	3	4	4	4	4	3	2	0.68
21	马褂木	2	2	3	3	2	3	5	4	3	1	0.56
22	杜仲	3	3	3	3	4	3	5	3	2	2	0.62
23	桑树	3	3	4	3	4	3	4	3	2	2	0.62
24	刺槐	3	3	3	3	3	4	3	1	1	5	0.56
25	合欢	4	4	3	4	2	3	5	2	2	2	0.62
26	红叶李	3	2	3	3	4	3	5	3	2	1	0.58
27	绣线菊	3	3	3	3	4	3	5	3	2	2	0.62
28	腊梅	3	3	4	3	3	3	4	3	2	2	0.62
29	小檗	3	2	3	3	3	4	3	1	1	2	0.5
30	碧桃	3	3	3	3	3	3	5	3	2	2	0.62
31	丁香	3	3	4	3	4	3	4	3	2	3	0.64
32	大叶黄杨	5	4	3	2	4	4	5	2	2	4	0.72
33	小叶黄杨	2	2	3	2	2	3	5	3	3	3	0.56
34	紫薇	3	4	3	3	3	3	4	4	3	3	0.7
35	榆叶梅	2	2	3	3	2	3	5	4	3	4	0.62
36	金钟花	3	3	3	3	4	3	5	3	2	2	0.62
37	马蹄金	3	3	4	3	3	3	4	3	2	2	0.62
38	紫荆	3	2	3	3	3	4	3	1	1	3	0.52
39	月季	3	4	3	4	2	3	5	2	2	1	0.58
40	迎春	2	2	3	2	3	4	5	4	3	2	0.56
41	木槿	3	2	3	2	2	3	4	2	2	2	0.5
42	早熟禾	1	1	1	1	2	1	4	3	3	1	0.36
43	麦冬	1	1	1	1	2	1	4	3	3	1	0.36

(1)对原始数据采用下式进行标准化：

$$X'_{ij} = \frac{X_{ij}}{X_{j(\max)}}$$

式中：i 为统计指标；j 为植物种。

(2)对标准化后的数据(X'_{ij})权重向量各取 0.1，由此得到评价权重向量 A_j。

(3)根据权重向量 A_j 和标准化数据 X'_{ij}，按照下面公式求得综合指数 Y。

$$Y = X'_{ij} \times A_j$$

计算结果见表 4-36 中综合指数 Y。综合指数越高说明该植物的综合效益越大。根据综合指数 Y 的计算结果，将上述 43 种植物依照综合指数 Y 的大小划分成四类(见表 4-37)。

表 4-37　　　　　　　　　　　郑州市绿化植物综合指数分类结果

一类植物	二类植物	三类植物	四类植物
$Y>0.8$	$0.8>Y>0.7$	$0.7>Y>0.6$	$0.6>Y>0.5$
毛白杨、臭椿、雪松、侧柏、女贞、桧柏	悬铃木、白蜡、旱柳、榆树、银杏、青桐、黄山栾、加杨、构树、广玉兰、大叶黄杨、紫薇	柿树、火炬树、杜仲、桑树、合欢、绣线菊、腊梅、碧桃、丁香、榆叶梅、金钟花、马蹄金	国槐、马褂木、刺槐、红叶李、小檗、小叶黄杨、紫荆、月季、迎春、木槿、早熟禾、麦冬

由表 4-37 可知,大多数乔木树种综合指数较高,表明乔木树种综合效益较高,是城市绿化的首选植物。就郑州市来说,上述结果可以作为城市绿化植物的选择依据。

(三)绿化植物的配置方法

1.依据植物色、形优化配置

丰富园林的自然景观,为园林绿地内用"植物造景"提供充足的物质素材。现代园林注重再现山水林木等自然景观,注重用植物造景。每一种植物在正常的生长环境下,各具特定的形态特征和观赏特点。对木本植物而言,每一种树木在叶、花、果、枝干、树形等方面的观赏特性各不相同。

(1)叶色——虽统称为"绿色",但有嫩绿、浅绿、鲜绿、浓绿、墨绿、翠绿、黄绿、蓝绿、褐绿等差别;更有受不同季节气候影响而产生叶色的季相变化——出现鹅黄、橙色、红色、紫色等的"春色新叶"和黄、褐、橙红、朱红、紫色等的"秋色叶";还有因遗传变异而常年均呈现特异颜色的多种叶片,如有的呈"金心",有的现"银边",有的全叶片都呈现洒银、洒金,可谓斑驳多彩。

(2)花色——有红、橙、黄、蓝、白、紫等,论花香——有清香、甜香、郁香、艳香、淡香、果香……

(3)花形——有盘形、球形、三重型、十字形、梅花形、六角形,有单瓣、重瓣,有似灯笼的、如倒钟的、像蒲包的、似兔耳的……可谓千姿百态。

(4)论果色——有红、橙、黄、绿、黑、白、紫……五光十色,丰富多彩。

(5)果形——有似腊肠的、似秤锤的、似铜钱的、似筷子的、似元宝的……五花八门、奇形怪状。

(6)树干颜色——有暗紫、红褐、灰褐、黄、白、灰及斑驳等多种颜色,也有丰富的色相变化。

(7)树干的质地——有的光滑、有的粗糙、有的具横向纹皱、有的具纵向沟裂……具有多种复杂的差异。

2.依据生态学和生物学特性配置

在城市园林绿地中宜选用多种植物,需选用耐阴的乔木、灌木、藤本及草本植物来绿化那些背阴地带。因地制宜地选择多种植物绿化城市绿地才能有效地提高居住区的植物覆盖率,以及单位面积的植物活体量和叶面积指数,增强居住区内绿地净化空气、消减噪声、改善小环境气候的多种功能。有利于适应居民对园林绿地多功能的要求。各种植物由于生活习性不同而具有不同的功能,在城市园林绿地中,可以根据绿化的功能要求和立地条件选种适宜的园林植物。如在需要遮挡太阳西晒的绿化地段,可配以高大的乔木;在需要围护、分隔和美化的地段,可以使用一些枝叶繁茂的灌木类植物;在需要遮阴乘凉的地方,可以种上枝叶浓密、较为高大的遮阴树;在需要设置花架的地方,可以栽上攀援的藤本植物;在需要开展集体活动的开阔地面上,可以植耐践踏的草坪;在承受较大风力的地带,可选用深根系的树种;在居住区、街道等有地下管道的地方,选用浅根系的树种,等等。只有选用多种植物,才能满足人们对城市绿地多种功能的需要。

3.依据植物对污染的抗性进行配置

在城市园林绿地中选用多种植物,可以有效地防治多种环境污染。现代城市中,造成环境污染的因子往往是多种类的。不同的园林植物往往只在净化某一种污染方面有显著功效。

主要抗性植物如下。

(1)吸收二氧化硫(SO_2)植物:罗汉松、桧柏、龙柏、栀子、柑橘、桂花、棕榈、海桐、夹竹桃、珊瑚树、核桃、垂柳、加拿大杨、臭椿、榆树、刺槐、合欢、悬铃木、桃树、构树、泡桐、槐树、玉兰、楝树、朴树、柿树、无花果、樟树。

(2)吸收氯气(Cl_2)植物:棕榈、水杉、夹竹桃、桑树、山茶、女贞、蚊母树、桃树、梧桐、刺槐、悬铃木、构树、合欢。

(3)吸收氟化氢(HF)植物:葡萄、荚迷、棕榈、蚊母树、山茶、大叶黄杨、女贞、石榴、梨树、苹果、桃树、桑树、垂柳、榉树、乌桕、泡桐、加杨、梧桐、板栗、朴树。

(4)吸收氨气(NH_3)植物:棕榈、垂柳、合欢、构树、毛白杨、加杨、臭椿、银杏、广玉兰、棣棠、木槿。

(5)吸收乙烯(C_2H_4)植物:海桐、麻叶绣球、槐树、梧桐、毛白杨。

(6)吸收氯化氢(HCl)植物:棕榈、桃树、桑树、梧桐、石榴、乌桕、女贞。

(7)吸收硫化氢(H_2S)植物:大叶黄杨、蚊母树、海桐、女贞、棕榈、加杨、泡桐、桃树、桑树、朴树。

(8)吸收氮氧化合物(NO_x)植物:苏铁、美洲槭。

(9)吸收臭氧(O_3)植物:夹竹桃、海桐、日本女贞、冬青、青冈栎、栎树、刺槐、银杏、悬铃木、柳杉。

(10)吸收硝酸雾(HNO_3)植物:苏铁、罗汉松、无花果、木芙蓉。

(11)具有滞尘功能的植物:针叶类有桧柏、杉木、侧柏、龙柏,阔叶类有棕榈、凤尾兰、木槿、栀子、绣球、女贞、桂花、大叶黄杨、夹竹桃、构树、紫薇、桑树、朴树、栎、臭椿、泡桐、刺楸、重阳木、刺槐、苦楝、国槐、乌桕、加杨、五角枫、黄金树。

(12)具有杀菌功能的树种:针叶类有桧柏、香柏、花柏、白皮松、马尾松、黑松、龙柏、柳杉、侧柏、冷杉、雪松、紫杉、日本五针松,阔叶类有火棘、石榴、紫薇、黄杨、柑橘、大叶黄杨、刺槐、白蜡树、合欢、臭椿、苦楝、悬铃木、枣、垂柳、栾树、盐肤木、枫香、枇杷、女贞、石楠、广玉兰。

(13)具有消声减噪功能的树种:针叶类有千头柏、孔雀柏、绒柏、桧柏、水杉、柳杉、侧柏、龙柏、雪松,阔叶类有杜鹃、八角金盘、六道木、溲疏、石榴、珊瑚树、海桐、构骨、女贞、夹竹桃、椤木、油茶、厚皮香、桂花、冬青、石栎、青冈栎、臭椿、悬铃木、石楠、香樟。

(14)具有防火降温(吸热)功能的树种:针叶类有罗汉松、杉木,阔叶类有棕榈、构骨、女贞、冬青、珊瑚树、厚皮香、山茶、油茶、蚊母、海桐、夹竹桃、大叶黄杨、八角金盘、石栎、槠、栲树、青冈栎、银杏、三角枫、朴树、白榆、榉树、臭椿、槐树、刺槐、悬铃木、枫香、苦楝、旱柳、栓皮栎、麻栎、刺楸。

(15)防风树种(深根树种):冬青、鹅掌楸、黑松、毛白杨、马尾松、白蜡树、重阳木、朴树、合欢、青桐、旱柳、国槐、枫香、泡桐、厚朴、圆柏、白榆、麻栎、栓皮栎。

主要监测植物如下。

(1)监测二氧化硫污染的植物:极敏感的植物有矮牵牛、辣椒;敏感的植物有白杨、苹果、杜仲、樱花、油松、云杉等;较敏感的植物有棉花、南瓜、榆叶梅、云杉等。

(2)监测氟化氢污染的植物:极敏感植物有水杉、唐昌蒲、油松;敏感植物有樱桃、柿子、黄杉等;较敏感的植物有紫荆、金乔麦、草、五针松、云杉、洋李等。

在城市园林绿地中种植多种植物,利于形成由乔木、灌木、藤本、草本等植物多层结构融合一体较稳定的植物群落。绿地群落一旦形成,它就可以有效地降低风速,形成微风,对许多生态因子起到改善的作用。多层次结构的植物群落,提高了城市园林绿地内单位面积的"叶面积指数",从而提高了单位面积的城市园林绿地在净化污染、减弱噪声、改善气候、保护环境等方面的综合效益和功用。此外,在城市园林绿地内选用多种植物,还能丰富人们对植物种类的感性认识。只有在城市园林绿地中选用多种园林观赏植物,才能形成丰富多彩的园林绿地景观,提高园林绿地的艺术水平和观赏价值,使城市园林绿地呈现出四季青葱、花香常漫、生机勃勃的优美景观。

环境绿化是一项服务当代、造福子孙的公益性事业,其最终成果表现为环境、社会和经济相统一的综合效益,它包括直接经济效益(如园林产品货币收入等)、间接经济效益(如转移到社会产品中的价值、市民生理和心理上对绿地的"消费"以及改善社会经济发展环境的价值等),可以通过数学方法进行定量核算。1992年联合国环境与发展大会通过的《21世纪议程》,将环境资源即环境生态效益核算问题列为一项重要的议事议程。联合国环境规划署1992年环境报告也要求到2000年,世界各国都要实行环境资源核算。我国政府为贯彻联合国环境与发展大会的精神而制定的10项环境政策中,也规定了要研究和实施环境资源核算的任务。

七、规划的实施与管理

(一)规划的实施策略

(1)以生态理论作指导营建城市绿地生态系统。城市环境属于最敏感的生态环境之一,由于人们的建设活动,城市环境日益恶化。只有大面积构建城市森林体系,才能较好地发挥绿地改善城市环境、维护生态平衡、保证城市生物多样性和城市可持续发展的综合生态效应。

(2)充分利用自然资源和条件,使人工系统和自然系统协调和谐,创造个性化城市景观。城市空间必须"自然地"利用自然环境,城市地域自然生态条件及其要素对城市的发展建设和城镇规划具有重要影响。城市的发展建设与其所在的地域特征密切结合,通过科学而富有艺术性的规划建设,既满足了城市的功能要求,又使得原来的自然景色更臻完美,进而形成城市的艺术特色和个性化城市。

(3)构建城市文脉,恢复城市风貌和特色。历史、传说、人物、诗文等反映了一个城市的文脉意义,赋予城市景观以深层次的文化含义。建立文化场景,引人联想和回忆,赋予城市悠久的文化古韵、鲜活的生命力及独特的景观意境美。

(4)以人为本,创造人性化空间。以人为本的设计应当时时处处关注人们的心理需求、情感需求、行为需求。

(5)提供各种方便使用的空间。根据市民购物、交往、健身、休闲的需要,利用城市周边河滨、开敞地等,设置城市森林、步行街、城市广场,为人们提供休闲、购物、健身、森林浴的场所。空间中除种植一部分观赏草坪外,大量种植允许人们进入的耐践踏草坪,以满足人们尤其是孩童亲近草坪的需求。广场设计摒弃那种以空旷的禁止入内的"时装草坪"为美、以华丽的地砖铺装为主却无乔灌木遮阴的设计,在广场周围广植乔木,树下置休息设施,为人们提供安静凉爽、轻松交往的环境。

(6)提供各种尺度合适的设施。根据不同的使用目的、不同的使用者设置比例合适、尺度宜人、方便使用的设施。如广场设计以开阔的场面,大尺度空间展现城市开放进取的形象。步行街以亲切小巧的尺度勾起人们对古城温馨的回忆,也为老人、游客提供安静的休闲空间。

(7)设置文化场境。关注人们的怀古情思,引发人们的记忆、联想。

(8)见缝插针。以多种形式进行绿化美化。市区内人口密集、建筑林立、交通拥挤,绿化用地十分宝贵,绿化规划除注意自然开敞的绿地设计外,还应强调见缝插针的绿化方式,进行垂直绿化、屋顶绿化、拐角绿化、阳台绿化等多种绿化。通过城市中各街各巷各单位点、线、面的绿化,提高绿化率,并与城市中的"蓝道"、"绿道"、"绿网"相联系,构成立体绿化复合体,发挥最佳的生态效应。

(二)城市绿地植物多样性实施措施

1.以规划设计为基础

在做城市绿地系统规划时,对于绿地系统规划中的树种规划,要予以充分的重视,要提高对城市绿地中选用多种植物具有多种重要意义的认识。城市绿地的规划设计要为多种植物的种植创造相应的条件。尤其是做具体地块的园林设计时,在地形地貌的利用与改造上,应当注意尽量使绿化用地富于变化,使绿地形成高坡、低地、岗峦、水池、沟谷、旷地的多种地形。此外,在设计上还应安排花架、花台之类的辅助设施,为园林绿地中多种植物的种植,创造出各种适宜的生长环境条件。

2.精心施工规划

设计对城市园林绿地中实现植物多样性虽然起着基础性的作用,但它们毕竟还只是一种理想的方案、一些科学的思考,而要将其变为现实,要真正实现城市园林绿地植物的多样性,还必须经过精心施工。如原先为建筑占用的地坪改为绿地时,其土壤往往较板结,土中混有的砖瓦、碎石、碎破璃等垃圾较多,这些对园林植物的生长是很不利的。在这样的地块上进行绿化施工时,必须清除原有的土壤,换用适宜于所栽种植物生长的土壤。

这样,才能保证今后绿地上的园林植物能够健康地生长。否则,配置设计得再好的植物,种植在不换"容土"的城市垃圾土中,也将无法正常生长。所以,精心施工是城市绿地中实现园林植物多样性的一项重要措施。

3.加强园林与建筑管理

虽然二者都被称为"空间实用艺术",但两者却有许多不同。不同点之一,便在于两者的完成状态有别,对于建筑,一旦施工结束,其作品也就形成,而园林则非同于此。绿化材料不同于各种建筑材料,它们是有生命的活体,对其养护不当,就会遭受病虫侵害,甚至死亡。特别是位于城市特定环境中的园林植物,由于城市生态环境比郊野较差。城市中受高楼林立的阻挡,减小了空气流通的气体量和风速;城区因地面的铺装,阻断了下层土壤水分的蒸发,使城市内的空气相对湿度较低,城市的"热岛效应"又使市区的气温较高。从生态条件较好的苗圃,种植到较劣的城市环境条件后,各种园林植物都有一个逐渐适应的过程。而且,由于城市车辆众多,污染严重,市内人口密集,常对各种园林植物造成损坏。因此,城市园林绿地在其施工完成后,还须要作长期的精心养护和管理,才能使其中种植的多种多样的园林植物能够存活并健康地生长。

4.通过引种驯化丰富城市园林植物种类

自然界的植物种类资源极其丰富,我国现有高等植物 3 万多种。然而,据有关园林专家调查统计,现在我国城市园林绿地中经常使用的园林植物种类一般还不到 300 种,不足我国所拥有的自然植物的 1%。因此,通过引种驯化,发掘新的园林植物,以丰富城市园林绿地植物种类,具有很大的潜力。为了进一步提高我国城市园林绿地的质量和水平,不仅要熟悉、掌握和充分运用已有的园林植物,而且还应当从自然界极其丰富的植物资源中通过引种驯化,不断选育出更多、更好的园林植物,运用到城市园林绿化中来。这样,才能实现城市绿地园林植物的多样化,进而让城市园林绿地发挥更大更好的综合效益。

(三)提高城市绿地生态效益的措施

城市达到国家规定的城市绿化指标,又在绿地规划布局方面做到了科学合理,是否绿地的生态效益就一定会充分发挥出来呢,其实不然。由于单位绿地面积上的植物配置和生长状况等不同,生态效益差别是很大的,挖潜增效大有文章可做。根据城市绿地决定因素的分析,结合郑州市当前的实际,总结出提高城市绿地生态效益的关键途径是提高城市绿地的乔、灌木层的绿叶量,发展城郊森林和增加市区内草坪及乔、灌木种植量。

1.叶面积问题

园林植物的生态效益如光合作用吸收二氧化碳放出氧气、吸收各种有毒气体、蒸腾水分增加空气温度、炎夏降低植物周围的温度、吸收噪音及吸滞粉尘等,基本上全靠叶子来完成,故生态效益与单位绿地的叶面积成正比。从这个意义上来说,要增加生态效益就要增加叶面积。乔木、灌木和草坪所具有的叶面积是大不相同的。乔木的叶面积可达到它树冠正投影面积的 20 倍左右,灌木只有 5～10 倍,草坪更小。高大乔木的生态效益高于灌木更高于草坪;由乔木、灌木和草坪结合建造的复层结构绿地其生态效益明显大于双层或单层结构绿地。同样面积的城市绿地,乔灌草结合产生的生态效益可为单层草坪的几倍、十几倍甚至几十倍。所以,要充分发挥城市绿地的生态效益,必须建造复层群落,从而提高绿地生态效益的效率,切不可不切实际地以草坪取胜。在此还要特别强调保护大树的作用。首先,绿色植物中高大的乔木所具有的叶面积系数最大,本身净化效率高,改善生态、气候功能显著。据德国植物学家测定,一株成年旺长的大树所产生的生态效益抵得上 1 600 株小树,足见差异之巨大。所以,"种大树、见大绿、改善大气候"实为当前城市绿化工作的重要方针。其次,高大乔木增加了复层种植的垂直高度和体积,从而增加了单位绿地上的叶面积,最终增加了生态效益。第三,由于城市中高大建筑的大量涌现,只有大树才能与其相匹配,使城市景观更壮丽。因此,保护市区现有大树和绿地就是维护城市生态平衡的基本行动。

2. 努力推进园林植物的健旺生长

由于严重的污染,致使城市中的植物叶面上不同程度地覆盖了一层污染物。这一层污染物不仅直接对植物产生毒害,而且阻碍着叶片光合与呼吸作用的进行,使植物失去自我调节能力,失去自身的生态平衡。加之管理不善,地上地下双重影响,引起植物生长不良,甚至造成死亡,其生态效益是很低的。为了使植物正常生长、发挥出正常的生态功能,就要人为地帮助植物恢复它本身的平衡,包括对绿地中的植物进行精细与科学的管理。如用清水喷淋树冠冲洗去叶面上的污染物;同时适时进行松土、施肥、灌溉、修枝、防治病虫害等。迅速提高绿地管理水平,使植物健旺生长,这是充分发挥绿地生态效益、挖潜增效的重要措施之一。

3. 选择适宜的绿化树种

选择不同的树种其生态作用和效益也不相同,有的相差很大。因此,为了提高绿地的生态效益就必须选择那些与各种污染气体相对应的抗性树种和生态效益较高的树种。如选择吸收二氧化硫较强的树种侧柏、桧柏、臭椿、国槐、垂柳、大叶黄杨、银杏等,吸收氯气较强的树种刺槐、大叶黄杨、猬实、小叶女贞等,吸收汽车尾气中排出的铅的树种悬铃木、刺槐、女贞、大叶黄杨等。为了群落化的需要,要选择耐阴树种,如流苏、枸橘、金银木、珍珠梅、大叶黄杨、扶芳藤、爬山虎等。为了尽可能多地释放氧气、吸收二氧化碳,就要种植光合作用强的树种,如垂柳、桧柏、紫薇,这些植物同样也是释氧能力较强的树种。在中原地区综合生态效益好的乔木树种有柳树、榆树、银杏、毛白杨、加杨、悬铃木、白蜡、刺槐、国槐、合欢、臭椿、侧柏、桧柏等。在大气污染严重的情况下,首先要选择抗污染能力强的树种,在能成活、较正常生长的情况下,才能发挥绿化防治大气污染的作用。如果在城市绿地中大量使用生态效益较好的树种,无疑城市中的生态效益又可上一个台阶。生态效益增长方式也就从单纯增加面积转到挖潜增效上来,绿地将以一当十,达到事半功倍的效果。

4. 发展垂直绿化

垂直绿化包括墙面、屋顶面、室内、阳台和利用攀援植物进行的棚架式垂直绿化。垂直绿化能充分利用土地和空间,在短期内形成绿化效果,美化了环境,还可以改善人居环境质量。

墙面绿化可保护墙体结构和保持室内适宜温度、湿度,增加空气负离子,减少粉尘和噪声。适用于墙面绿化的植物有爬山虎、中华常春藤、络石等。

屋顶面绿化有极大潜力可挖,因为楼顶面积占整个城市面积的比重往往都很大,一般可达城区的 30%,而楼顶绿化却刚起步,所以能把楼顶绿化起来就可大大提高绿化覆盖率和绿量,从而改善人居环境质量。屋顶绿化植物的选择,要求喜光、耐旱、耐瘠薄,水平根系发达而根系较浅,矮壮而叶小,抗风、抗寒力强,如葡萄、月季、石榴、金银花、黄杨、迎春、桃、梅、海棠、马尼拉草、台湾草、麦冬、结缕草、野牛草、狗牙根、矮种早熟禾等,草种如矮种早熟禾、向景天、苔藓等。这些植物能承受各种恶劣天气,且根部细小,不伤房顶防水层,还能吸收悬浮的灰尘和空气有害颗粒,起到自然过滤器作用,对净化城市空气和降低气温十分有利。

5. 增加乔、灌木层绿量

随着经济的发展和对外开放的扩大,草坪发展越来越快,甚至大有以草代树之势,这是很不科学的,因为草坪能给人以美感,但和乔、灌木相比,其绿量少,生态功能弱,建植及维护费用高,不利于生物多样性保护。草坪层厚度非常小,而茂密森林层厚非常高,绿量差别明显。在进行城市绿地规划时,只在很有必要的地方如广场等才单独建植草坪,其他地方应多造乔木混交林和乔、灌、草混交复层林,以改善植物空间结构,向立体空间要绿量和效益。

根据生态学的竞争、共生、循环、生态位、群落和顶极学说等原理,可采用复层林配置方式。把乔木、灌木、藤本、草本植物配置在一个种群间互相协调的生物群落中,有复合的季相和相宜的色彩,使具有不同生态特性的植物能各得其所,充分利用阳光、空气、土地空间、养分、水分等构成一个和谐有序的群落。这种群落能达到生态上的和谐性、布局上的艺术性、功能上的综合性、经济上的合理性、风格上的地方性五统一,从而最大限度地发挥生态、社会和经济效益。

6. 绿化大环境,发展城郊森林

城区内绿地偏少的现实,是历史上遗留下来的,在这些地区注重挖潜,见缝插绿,特别是利用旧城改造的有利契机,积极为城区的绿地增加提供条件。同时,要注意郊区各类绿地的作用,把广大郊区的绿化,作为植被生态效益的巨大生产基地和城市环境质量改善的重要依托,只有实现城郊一体的大规模的园林绿化建设,才能有助于整个城市环境质量的改善。与城区森林相比,城郊森林一般面积较大,单位面积上的绿量也较大,绿量总量是市区的几倍至几十倍。所以,其生态效益比市区森林大得多,且城郊森林在防风固沙、涵养水源等方面的效益是市区森林无法比拟的。由于历史原因,城周森林的作用不受园林界重视,目前园林界有识之士已经认识到,独立、封闭、有限的城区绿化已不足以形成改变城市生态环境的效益,必须越出城区界限,向城郊连成一体的大环境绿地方向迈进。通过绿量实现大规模组合,在更大的空间范围内谋求人与环境进一步协调和谐的进展,从而实现可持续发展战略。城郊森林的生态作用日益显示出来。如长春、上海、重庆、广州等城市也正在大力发展城郊森林。对城郊森林要"保护第一,开发第二",扩大规模,提高质量,把生态效益放在首位,把它们当做生态公益林来培育经营。禁止砍伐生态公益林,设立森林生态效益补偿金制度,这就为公益林的保护和利用提供了法律保证。

7. 常绿落叶搭配,提高冬春防护效果

为提高城市绿化系统冬季的防护效果,维持冬季较高的绿量是关键,因此要从提高常落比方面入手。目前,郑州市的常落比(绿量)由 1:1.4 调整为 1:1。

（四）城市绿地的管理对策

以郑州市为例，城市绿地建设由市绿化委员会负责统一指导，各区的园林管理所负责管理和维护各类绿地，除有专门的绿化监察大队外，也有与伦敦类似的群众性护绿组织，但从人数规模和社会的支持力度和行动持续强度上来看显得力不从心。市政府、区政府和园林部门应加强与企业、学校、机关和街道的联系，以聘请有奉献精神的市民担任绿化巡视员或绿化监察员的形式扩大社会影响面，强化公众舆论监督，协助园林部门开展工作。

城市绿地管理法规方面的工作力度还不够，主要应重视以下问题：①防止过度城市化，在城市外围建造带状绿地，在建成区绿地较缺乏的地区通过降低建筑物密度来增加绿地数量。②提高作为城市支持系统的绿地的用途、质量、可达性及连通程度。③注重大环境绿化，强调合理调整城市绿地布局，重视绿地的防灾功能。④城市绿地的宏观管理方面，应用航空遥感技术在城市绿地的三维绿量测算方法，今后三维绿量指标将成为城市绿化建设和管理的重要依据，这是城市绿地建设逐步走向完善的重要标志。

八、主要绿化植物配置优化模式

根据郑州市绿化植物的现状调查并结合有关的研究成果，提出下面几种适合郑州特点的植物优化结构模式。

1. 适合居住区特点的绿地植物配置模式（见表 4-38）

表 4-38　　　　　　　　　郑州居住区绿地植物配置模式

位置	类型	候选植物种	特点
上层	落叶乔木	合欢、银杏、白蜡、栾树、樱花、国槐、柿树	功能要求：增湿降温、美化环境；既要保证景观通透性，又要保证楼间的通风、日照要求
	常绿乔木	雪松、柏、小叶女贞、玉兰、枇杷、桧柏	
中层	常绿灌木	大叶黄杨、小叶黄杨、月季、金叶女贞	
	落叶灌木	绣线菊、紫荆、丁香、榆叶梅、紫薇、腊梅、碧桃、小檗、金钟花、锦带花、红叶李	
下层	草坪	麦冬、早熟禾、结缕草	

模式特点：根据城市建筑密集、层高、人流量大的特点，植物选择要以耐阴、抗寒、管理粗放、深根抗风性强的乔木为主，以此来增加绿量。同时突出复层种植的特点，配置多种顶花植物，以丰富的季相变化来改善空间景观和生态环境。

2. 适合工业污染区特点的植物配置模式（见表 4-39）

模式特点：以抗性强的乡土树种为主，结合抗污染，净化能力强等指标，以适应粗放管理、大面积绿化养护管理的需要。同时又丰富了植物种类，起到美化环境的效果。

3. 公共绿地植物配置模式（见表 4-40）

模式特点：为城市居民提供休闲娱乐场所，同时兼有美化城市、改善生态环境的功能。模式中突出常绿植物的数量，使北方城市在冬季也能见到绿色。

表 4-39　　　　　　　　　　　郑州工业污染区植物配置模式

位置	类型	候选植物种	主要特点
上层	落叶乔木	臭椿、毛白杨、构树、泡桐、白蜡、栾树、桑树、榆树	以植物抗性为主要选择依据,其次考虑美观
	常绿乔木	侧柏、桧柏、女贞、雪松、广玉兰	
中层	常绿灌木	大叶黄杨、爬行卫矛、铺地柏	
	落叶灌木	紫穗槐、金银木、金叶女贞、榆叶梅	
下层	草坪	早熟禾、麦冬	

表 4-40　　　　　　　　　　　郑州公共绿地植物配置模式

位置	类型	候选植物种	主要特点
上层	落叶乔木	合欢、银杏、白蜡、栾树、樱花、国槐、泡桐、青桐、悬铃木、旱柳、杜仲	以美化为主,兼顾净化作用,以矮小植物为主,突出视野开阔、景观的特点
	常绿乔木	雪松、桧柏、白皮松、广玉兰、小叶女贞、马褂木	
中层	常绿灌木	大叶黄杨、小叶黄杨、月季、爬行卫矛、铺地柏、海桐	
	落叶灌木	腊梅、碧桃、红叶李、麻叶绣线菊、金叶女贞、小檗、紫荆、丁香、榆叶梅、海棠、紫薇、迎春	
下层	草坪	宽叶麦冬、早熟禾、马尼拉草、台湾草、麦冬、结缕草、野牛草、狗牙根、矮种早熟禾等	

第五节　城镇绿地景观生态评价

　　景观生态是一门以空间为基本特征的交叉性综合学科,集生态学、现代地理学、系统科学各门理论为一体,研究景观及其空间要素、考察景观系统的结构、功能、演变规律以及人类社会系统的相互作用,并进行景观优化利用及管理保护的原理的途径。作为人类改造最彻底的景观——城市而言,由于它具有高度的异质性,景观要素的流动复杂性,因此迫切需要对城市绿地系统景观生态进行综合评价。

　　影响城市绿地系统景观生态的因素指标很多,且重要程度即权重各异,对其进行综合评判时应结合实际,因地制宜选择因素并确定权重。城镇绿地系统景观生态综合评价属宏观评价范畴,可以选择五个评价指标,即绿化覆盖率(G_o)、绿化缀块均匀度(E)、破碎度(C)、分离度(F)和优势度(D)。G_o 属数量参数,E、C、F、D 属绿化景观格局结构参数,它们是绿化缀块空间分布格局的宏观反映。

　　模糊综合评判能够顾及评价界线的模糊性,但在根据最大隶属度或主导因素原则对综合评判矩阵确定定级结果有影响。丢失的各评价单元之间的相关信息,容易造成与实际不符的评价结果。模糊聚类分析法兼顾了各评价单元的相关信息,在很大程度上弥补了模糊综合评判的不足,但它在获取原始信息和选取分类阈值 k 时,具有很大的主观性,尤其是凭经验选取 k 值,不仅有先在思想上按主观愿望分类,再去凑阈值 k 之嫌,而且分类结果不惟一。城市绿地是城市景观的要素之一,因而将模糊综合评判与模糊聚类分析有机结合的模糊综合法用于城市绿地系统景观生态综合评价,能够扬长避短,是一种较好的方法。

一、景观指标的测定

景观类型的多样性是指景观中类型的丰富度和复杂度。在少有人类活动的、近乎原始的状态中,由景观的多样性而产生生态系统多样性,生物物种的多样性与环境的多样性之间相互制约、相互协调,达到了相对的动态平衡,景观多样性达到理想状态。作为人类对景观干扰结果的城市景观,只有绿地覆盖率达到一定的面积、景观多样性达到一定的丰富度,才有可持续发展的可能性。因此,我们用不同的景观类型在景观中所占面积的比例和类型的多少,现用多样性指数、优势度和均匀度指数来分析郑州市景观生态状况。

(一)景观多样性分类及其测定

景观是具有高度空间异质性的区域,由相互作用的景观元素或生态系统以一定的规律组成。根据结构和功能的差异,景观元素又分为斑块(patch)、廊道(corridor)和本底(matrix)3种形式。景观多样性(Landscape diversity)是指景观在结构、功能及其时间变化方面的多样性,它揭示了景观的复杂性,是对景观水平上生物组成多样化程度的表征。在生物多样性研究的4个主要层次中,物种多样性和生态系统多样性的研究比较深入,而景观多样性层次上的研究起步较晚,基础薄弱,近年刚刚受到重视。景观多样性可区分为景观类型多样性(type diversity)、斑块多样性(patch diversity)和格局多样性 (pattern diversity),各种类型均具备一些数量化指标。类型多样性是指景观中类型的丰富度和复杂性。类型多样性多考虑景观中不同的景观类型(如建筑街区、农田、森林、绿地等)的数目多少以及它们所占面积的比例。类型多样性的测定指标包括类型的多样性指数、优势度、丰富度等。斑块多样性是指景观中斑块(广义的斑块包括斑块、廊道和本底)的数量、大小和斑块形状的多样性及复杂性。斑块多样性的测定指标包括景观中的斑块数目、面积、形状、破碎度、分维度(fractal dimension)等。格局多样性是指景观类型空间分布的多样性及各类型之间以及斑块与斑块之间的空间关系和功能联系。格局多样性多考虑不同景观类型的空间分布,同一类型间的连接度和连通性,相邻斑块间的聚集与分散程度。格局多样性的测定指标包括聚集度、连接度、连通性、修改的分维度(modified fractal dimension)等。

1. 多样性指数(Diversity index)

景观多样性可用香农(Shanon-Weaver)多样性指数(H)来测量,表示景观中类型的多样性。即

$$H = - \sum_{i=1}^{m} P_i \times \lg P_i$$

式中:H 为多样性负号指数;P_i 为景观类型,i 为所占面积的比例;m 为景观类型的数目。

H 值越大,表示景观多样性越大。

2. 优势度(Dominance)

用于测度景观结构中一种或几种景观类型支配景观的程度,它与多样性指数刚好相反,对于景观类型数目相同的不同景观,多样性指数越大,优势度越小。表达式为:

$$D_o = H_{max} + \sum_{i=1}^{m} P_i \times \lg P_i$$

式中：D_o 表示优势度；H_{max} 表示最大多样性指数，其公式为：$H_{max} = \lg m$。

3.均匀度(Eveness)

用于描述景观里不同景观类型的分配均匀程度。Romme 的相对均匀度计算公式为：

$$E = (H/H_{max}) \times 100\%$$

式中：E 是均匀度；H 是多样性指数；H_{max} 表示最大多样性指数。

4.人均景观面积(F)

公式为：

$$F = A/R$$

式中：A 为给定景观的面积；R 为市区人口。

5.绿化覆盖率(G_o)

公式为：

$$G_o = A/S \times 100\%$$

式中：A 同上；S 为景观总面积。

(二)景观格局多样性测定

景观格局多样性(pattern diversity)是指景观类型空间分布的多样性及各类型之间的空间关系，用来分析景观中不同景观类型的空间分布和相邻景观类型间聚集与分散的程度。现用指数为聚集度、分离度和分维数。

1.聚集度(affinity)

用于描写景观中不同景观类型的团聚程度，它是描述景观格局的最重要指数之一。聚集度指数的表达式为：

$$RC = 1 - C/C_{max}$$

式中：RC 是相对聚集度的指数($0 \sim 1$ 取值)；C 为复杂性指数；C_{max} 是 C 的最大可能取值。

C 和 C_{max} 的计算公式为：

$$C_{max} = - \sum_{i=1}^{m} \sum_{j=1}^{m} P_{(i,j)} \times \lg[P_{(i,j)}]$$
$$C_{max} = m \times \lg m$$

式中：$P_{(i,j)}$ 是景观类型 i 与景观类型 j 相邻的概率；m 是景观中景观类型的总数。

在实际计算中，$P_{(i,j)}$ 可由下式估计：

$$P_{(i,j)} = E_{(i,j)}/Nb$$

式中：$E_{(i,j)}$ 是相邻景观类型 i 与 j 之间的共同边界长度；Nb 是景观里不同景观类型间边界的总长度。

RC 的取值大，则代表景观由少数团聚的大斑块组成；RC 的 f 取值小，则代表景观由许多小斑块组成，也就是说 RC 的取值越小，则景观的破碎化程度越深。

2.分离度 (Isolate)

指某一景观类型中不同斑块个体分布的分离程度。景观的分离度由下式计算

$$F_i = D_i / S_i$$

$$D_i = 1/2 \sqrt{n/A} ; S_i = A_i / A$$

式中：F_i 为景观类型 i 的分离度；D_i 为景观类型 i 的距离指数；A 为景观的总面积；A_i 表示景观类型 i 的总面积；n 表示景观类型 i 中的斑块总和。

3. 分维数（fractal dimension）

用来测定斑块形状的复杂程度。在分维几何中，斑块和周长的关系被定义为：

$$P = k(A^{D/2})$$

对于单个正方形斑块，常数 k 等于 4，则

$$P = 4(A^{D/2})$$

即

$$D = 2\lg(P/4)/\lg(A)$$

式中：D 表示分维数；P 为斑块周长；A 为斑块面积；D 值的理论范围为 1.0～2.0，1.0 代表形状最简单的正方形斑块，2.0 表示等面积下周长最复杂的斑块。

(三) 斑块多样性测定（Analyze of patch diversity）

斑块多样性是指景观中斑块数目及形状等的多样性，主要测定景观中斑块的总数，单位面积上斑块的数目。

1. 斑块密度指数（Patch density index）

即斑块个数与面积的比值。可以计算整个研究区的斑块总数与总面积之比，也可以计算各类景观斑块个数与其面积之比。比值越大，破碎化程度越高。用这一指数可以比较不同类型景观的破碎化程度及整个景观（研究区）的破碎化状况，从而可以识别不同景观类型受干扰的程度。

2. 景观内部生境面积破碎化指数（fractal index of landscape inner area）

该指数的计算公式为：

$$FI_1 = 1 - A_i / A$$

$$FI_2 = 1 - A_1 / A$$

式中：FI_1 和 FI_2 是两个景观类型内部生境面积破碎化指数；A_i 是某景观类型内部总面积；A_1 是该景观类型最大斑块的面积；A 是景观的总面积。

二、郑州市的景观类型、斑块及多样性分析

(一) 景观类型

河南农业大学在 2002 年对郑州市区景观进行了研究。郑州市区景观以建筑街区面积最大，达 90.50km²，占市区总面积的 76.29%；其次为道路面积，占 10.08%；铁路面积，占 4.59%。这三种景观的面积合计为 107.9km²，是以人为主体的，包括人类生产、生活资料的输入、废物的排放与产品的输出的人工系统，其面积占到总面积的 90.96%。另一类景观是能维持自然生态营养平衡的自然系统，它们是公共绿地景观、行道林景观和湖泊河流（含周围绿地），三种景观面积相加只占市区总面积的 9.04%。其中公共绿地面积最小，只有 2.74km²，占总面积的 2.31%（未包括学校、单位、生活小区的绿地）；行道林（不

含学校、单位、生活小区内的行道林)也只有 3.59km²，占市区总面积的 3.03%。行道林加上公共绿地，面积 6.33km²，仅占市区总面积的 5.34%。市区非农业人口为 1 416 197 人，公共绿地平均 1.93m²/人，加上行道林的面积，人均绿地面积 4.47m²。斑块数依然是建筑街区为最多，占总斑块个数的 74.83%。建筑街区面积是公共绿地面积的 33 倍，说明城市的建筑街区占地过大，绿地覆盖率过小，城市景观布局存在严重不合理现象。在五种景观类型中，建筑街区的边长最大，公共绿地的边长最小，建成区面积 118.62km²。郑州市区景观类型及斑块见表 4-41。

表 4-41　　　　　　　　　　郑州市区景观类型及斑块

类型	面积 (km²)	各类斑块占总面积的百分数(%)	斑块个数 (个)	边长 (km)	平均边长 (km)	各类斑块数占总数的百分数(%)
公共绿地	2.74	2.31	19	28.7	1.59	1.20
湖泊河流 (含绿地)	4.39	3.70	8	154.64	19.33	0.51
建筑街区	90.50	76.29	1 182	1 820.35	1.54	74.76
铁路	5.44	4.59	34	175.77	5.17	2.15
道路	11.96	10.08	286	913.64	3.19	18.09
行道林	3.59	3.03	52	397.88	7.65	3.29
总计	118.62	100.00	1 581	3 674.3	6.41	100.00

(二)斑块

斑块是物种的聚集地，它的面积大小、形状、类型、边沿和数量对于景观多样性的形成和分布具有重要意义。从景观斑块面积表(表 4-42)中可见，郑州市各区的斑块面积极不平均，以建筑街区为代表的"人工系统"斑块面积大于 $1.0 \times 10^6 (m^2)$ 的数量为 944 个，占大于 $1.0 \times 10^6 (m^2)$ 斑块总数的 97.42%，占据着压倒多数的绝对优势；相反，是以绿地和行道林为代表的用来供应自然生态营养平衡的"自然系统"斑块(公共绿地、行道林、湖泊河流)，被从原始本底的位置，挤占到很小的比例，单位面积大于 $1.0 \times 10^6 (m^2)$ 的斑块仅有 25 块，只占到郑州市大于 $1.0 \times 10^6 (m^2)$ 斑块总数的 2.58%，郑州市行道林 82.69% 的斑块面积处在小于 $1.0 \times 10^6 (m^2)$ 的规模，惠济区、管城区、二七区三个区都找不到一块面积大于 $1.0 \times 10^6 (m^2)$ 的行道林斑块。

表 4-42　　　　　　　　　　郑州市城区市景观斑块面积

项目	公共绿地	湖泊河流	建筑街区	铁路	道路	行道林	合计
<$1.0 \times 10^6 (m^2)$	8	2	268	20	271	43	612
>$1.0 \times 10^6 (m^2)$	11	6	915	14	15	9	969
最大斑块面积(m^2)	497 350	823 200	1 136 800	2 697 450	2 306 950	245 000	7 706 750
最小斑块面积(m^2)	14 689	22 050	6 370	14 700	400	2 002	60 211
平均斑块面积(m^2)	132 777	548 750	76 976	160 000	41 818	69 038	1 029 359
总数(个)	19	8	1 182	34	286	52	1 581

斑块的密度指数是用于描述景观破碎程度的一个指数。由表 4-43 可见,郑州市区的总体斑块密度为 13.32 个/km²。其中,湖泊河流的密度指数最小,为 0.067 个/km²;建筑街区的指数最高,为 9.96 个/km²,是湖泊河流的 148.65 倍,说明建筑街区的密度指数很高,湖泊河流数量太少。湖泊河流、公共绿地和行道林的斑块密度小而疏稀。内部生境面积破碎化指数也是一种描述景观破碎度的一个指数,其以建筑街区的数值为最低,道路次之。显而易见,这两种景观类型的破碎度是较低的。

表 4-43　　　　　　　　　郑州市城市景观斑块的多样性指数

类型	斑块密度指数 (个/km²)	总密度指数 (个/km²)	内 部 面 积 指 数	
			FI_1	FI_2
公共绿地	6.93	0.16	0.977	0.996
湖泊河流	1.82	0.067	0.963	0.993
建筑街区	13.06	9.96	0.237	0.990
铁 路	6.25	0.29	0.954	0.977
道 路	23.91	2.41	0.899	0.981
行道林	14.48	0.43	0.970	0.998
总计	66.45	13.32		

(三)郑州市景观类型多样性分析

从郑州市 6 个不同景观类型的多样性指数来看,公共绿地的多样性指数和均匀度最低,说明公共绿地在城市化建设中,差距较大,存在分布不均匀和稀少现象(见表 4-44)。郑州市的道路因为面积大小差异不大,尤其是分布非常均匀、密集,各斑块所占比例差异不大,因而多样性指数和均匀度较高;优势度以公共绿地为最高,这主要是因为绿地面积差异很大,绿地的多样性指数偏低,与最大多样性指数(H_{max})的偏离程度大所造成。而对郑州市建筑街区系统的空间结构分析,因该景观斑块大小较为均一,故优势度小。从 F 指数看,自然景观类型的人均占有率非常低,分别为 1.96 、3.1 和 2.53;人工景观人均面积非常大,尤其是建筑街区为 63.90m²。覆盖率指数与人均景观面积相近,其中公共绿地最小,为 2.31%;建筑街区最大,为 76.29%。

城市景观多样性指数反映景观要素的多少和景观要素所占的比例变化。景观类型越多,各景观类型所占的比例越均匀,多样性指数越大。多样性导致稳定性。针对郑州市城市景观中自然生态组分少的特点,应适当补充自然成分以协调城市景观结构;在补充自然成分的同时要注意物种的多样性,避免结构简单、物种单调;要追求廊道、镶嵌体的形式多样性、大小镶嵌体相结合、宽窄廊道相结合、集中与分散相结合,以维持城市景观的异质性。

表 4-44　　　　　　　　　郑州市景观类型多样性结构分析

评价指数	景 观 类 型					
	公共绿地	湖泊河流	建筑街区	铁路	道路	行道林
H	0.226 8	0.317 9	0.538 0	0.368 5	0.602 8	0.276 1
D_o	0.742 2	0.725 2	0.688 5	0.716 8	0.677 7	0.734 0
E	0.291 7	0.408 5	0.691 3	0.473 5	0.774 6	0.354 8
$F(m^2)$	1.96	3.10	63.90	3.84	8.45	2.53
G_o	2.31%	3.70%	76.29%	4.59%	10.08%	3.03%

第六节　城市林业生态环境功能的效益评价

目前国内还没有关于环境绿化效益的成熟的定价测算方法,但根据北京园林科学研究所的最新报道,一棵胸径为 20cm 的大树,一天的蒸腾吸热量相当于 3 台 1 000W 的空调,绿地的降温作用由此可见一斑。一般来讲,绿化覆盖好的地方要比裸露土地的温度低 3~5℃。据报道,一个地区的绿化覆盖率每提高 10%,该地区的温度便能降低 2℃。绿地对于消除和减轻城市"热岛效应"、减少热污染有着不可估量的作用。对于绿地生态价值的定价方法,日本、美国等进行了相关的研究,如 1994 年,美国专家曾对植树的经济效益进行分析,其结果显示:种植 95 000 株白蜡树,再加上对这些白蜡树进行 30 年的维护保养,总费用是 2 100 万美元,而 95 000 株白蜡树所提供的生态产品的经济效益则是 5 000 万美元,纯效益是 3 800 万美元,即种植每一棵白蜡树的纯效益是 400 美元。科学地进行城市绿地效益计算是当今园林绿化事业的一大发展。城市绿地系统巨大的生态价值能为人们所理解和接受,对于推动园林事业的发展、增加建设资金的投入决心具有重要的意义。绿地可以为改善开发区的环境发挥调节气候、净化空气、阻隔噪音、保土蓄水、防风减灾、美化城市、进行生物多样性保护以及为市民提供游憩空间等多种功能,为社会提供间接的社会经济效益。其中果园、林带、苗圃、花卉生产基地等生产绿地,除了创造环境效益外,还能为社会提供园林产品,创造直接经济效益。

作为可持续发展林业的一个分支,可把城市林业理解为:按城市统一规划,对城市土地开放空间和阳光的充分合理利用,进行森林绿地资源的优质培育、优化配置、美化设计及持续管理,永保持续再生功能和扩大再生产能力,不断为城市居民的当代及后代提供优质生态环境、多种景观和多样物质的综合性产业。从中可知,城市林业是一个生态化、社会化、综合化的林业,其主要功能是为城市的持续发展提供生态屏障作用,为市民提供一个美化和优化的城市生态环境。如何评价城市林业生态环境功能是当今研究的热点问题之一。构建评价指标体系是评价工作的前提和关键。

一、评价指标体系的构建原则

按照城市林业可持续发展的战略思想,城市林业生态环境功能评价指标体系的构建应遵循如下原则。

(1)真实性原则:评价指标应反映城市林业生态环境功能的本质特征及其发生发展规律。

(2)科学性原则:评价指标的物理及生物意义必须明确,调算方法标准、统计方法规范。

(3)系统性原则:评价指标要求全面、系统地反映城市林业生态环境功能的各个方面,指标间应相互补充,充分体现城市林业生态环境功能的一体性和协调性。

(4)独立性原则:评价指标应相互独立,不应存在相互包含和交叉关系及大同小异现象。

(5)实用性原则:评价指标数据易获取,其计算和测量方法简便,可操作性强,实现理论科学性和现实可行性的合理统一。

二、评价指标体系的构建思路

依据上述原则,科学地构建评价指标体系是城市林业生态环境功能评价的前提和关键。本文从城市林业的生态系统稳定性功能、景观游憩功能、净化大气功能、减弱城市热岛效应功能四个方面构建了城市林业生态环境功能的评价指标体系。

(一)生态系统稳定性功能指标体系

城市林业经营的最终目的是为城市持续发展提供一个具有生态屏障作用的稳定的城市生态系统,具体评价可通过森林类型多样性指数、森林覆盖率、绿色通道、生物生产力、系统抗灾能力、林分质量等指标来进行。

(二)景观游憩功能指标体系

随着社会经济的发展和人们生活水平的提高,人们回归大自然的热情日益高涨。紧张工作的市民渴望能在优美的城市景观环境中得到休憩,以消除紧张和疲劳。因此,景观游憩功能是城市林业生态环境功能的重要内容,具体评价可通过城市景观空间格局、景点密集度、景观环境容量、交通可及度等指标来进行。

(三)净化大气功能指标体系

城市林业经营的对象——森林和城市绿地,对环境污染具有一定的控制与治理作用。仅从净化大气功能方面进行构建评价指标体系,则具体指标有制氧量、固碳量、空气中有害气体(SO_2,NO_x……)减少率、空气中总悬浮微粒减少率、空气中菌量减少率。

(四)减弱城市热岛效应功能指标体系

城市林业对城市热岛效应具有一定的削弱作用。为此,建立减弱城市热岛效应功能评价指标体系是必要的,具体可通过温度变化指数、湿度变化指数、风速变化指数来评价。

通过上述评价指标体系的构建原则和构建思路,可获得城市林业生态环境功能评价指标体系(见表4-45)。

三、评价指标体系的基本内容

(一)生态系统稳定性指标体系

1.森林类型多样性指数

森林类型多样性指数的计算公式如下:

$$H = -\sum |N_i/N\lg(N_i/N)|$$

式中：H 为森林类型的香农－威纳指数；N 为森林类型数；N_i 为第 i 类森林类型所占的面积百分比。此处的森林类型主要是指城市林业中的环境保护林、风景林、水源涵养林、水土保持林、护路护岸林、农田防护林、森林公园、花园、植物园、城市园林等。

表 4-45　　　　　　　　　　　　　城市林业生态环境评价指标体系

城市林业生态环境功能评价指标体系	生态系统稳定性功能指标	森林类型多样性指数
		森林覆盖率
		绿色通道率
		生物生产力
		系统抗灾能力
		林分质量
	景观游憩功能指标	城市景观空间格局
		景点密集度
		景观环境容量
		交通可及度
	净化大气功能指标	制氧量
		固碳量
		空气中有害气体(SO_2、NO_2)减少率
		空气中总悬浮微粒减少率
		空气中菌量减少率
	减弱城市热岛效应功能指标	温度变化指数
		湿度变化指数
		风速变化指数

2. 森林覆盖率

计算公式如下：

$$森林覆盖率(\%) = \frac{城市林业面积(hm^2)}{城市国土面积(hm^2)} \times 100\% =$$

$$\frac{森林面积 + 灌木林面积 + 林网占地面积 + "四旁"占地面积}{城市国土总面积} \times 100\%$$

3. 绿色通道率

$$绿色通道率(\%) = \frac{道路绿化长度(km)}{道路总长度(km)} \times 100\%$$

此处的道路主要是指铁路和各级公路。

4. 生物生产力

城市林业生物生产力主要包括城市森林生产力和城市草地生产力两大部分。对于城市森林生产力可采用气体交换法运用自记红外线气体分析仪进行测定;城市草地生产力可采用样地调查收割法进行测定。在实际操作中可用单位面积蓄积和单位面积生长量等生物量指标来代替生物生产力。

5. 系统抗灾能力

该指标可用城市林业发生灾害的程度来表示。

$$城市林业灾害程度 = \frac{灾害(病害虫害火灾及其他灾害)发生面积(hm^2)}{城市林业面积(hm^2)} \times 100\%$$

6. 林分质量

林分质量指标可通过林种结构、树种结构、龄级结构、密度结构等来反映。

(二)景观游憩功能指标体系

1. 城市景观空间格局

城市景观空间格局可用景观多样性指数、破碎度、连接度和分维数来表示。

景观多样性指数可用带状、片状、岛状森林(或绿地)的香农－威纳指数来计量。破碎度可用单位面积内的嵌块体的数目(或面积)来衡量。

连接度可用以下公式来计算:

$$R_c = 2d\left(\frac{\lambda}{\pi}\right)$$

式中:R_c 为嵌块体离散值;d 为从一嵌块体中心到最近嵌块体中心的距离;λ 为嵌块体平均密度,$\pi = 3.141\,5$。

分维数可根据下式来计算:

$$S = KP^D$$

式中:S 为嵌块体面积;P 为嵌块体周长;K 为常数;D 为分维数。

2. 景点密集度

景点密集度可用单位面积内各种景点的数目来表示。

3. 景观环境容量

景观环境容量可用单位景观面积可容纳的人数来表示,亦可用景观生态承载力来表示。

4. 交通可及度

交通可及度可用路网密度来表示:

$$路网密度 = \frac{道路总长度(hm)}{国土面积(hm^2)}$$

(三)净化大气功能指标体系

1. 制氧量($t/(hm^2 \cdot a)$)

植物在进行生物生产过程中,吸收一定的二氧化碳,同时释放一定量的氧气,理论上可通过光合作用(化学式 $6CO_2 + 6H_2O \xrightarrow{光能和酶} C_6H_{12}O_6 + 2O_2$),根据城市林业中的对象(森林和草地)的年生长量平均值进行推算。

2. 固碳量

固碳量($t/(hm^2 \cdot a)$)的计算与制氧量的计算相似。

(四)减弱城市热岛效应功能指标体系

1. 温度变化指数

$$温度变化指数(\%) = \frac{T_0 - T}{T_0} \times 100\%$$

式中：T_0 为非林区或非绿地的平均温度；T 为林区或绿地的平均温度。

2. 湿度变化指数

$$湿度变化指数(\%) = \frac{S_0 - S}{S_0} \times 100\%$$

式中：S_0 为非林区或非绿地的平均湿度；S 为林区或绿地的平均湿度。

3. 风速变化指数

$$风速变化指数(\%) = \frac{W_0 - W}{W_0} \times 100\%$$

式中：W_0 为非林区或非绿地的平均风速；W 为林区或绿地的平均风速。

四、城市绿地综合评价方法概述

评价城市绿地效益可以有许多方法,这些方法都出自不同的侧重角度,从经济定量方法来看,可以通过货币价值计量,采用代价－效益分析方法和其他经济分析方法,定量估算各个评估指标来做效益评价。从定性或半定量方法来看,则可以采用专家评价法以及专家评价同其他运筹学方法相结合的方法。这些方法的一个突出特点是不需要多个评价指标完全定量化,因此可处理许多社会及环境、经济系统的非定量或半定量问题,但不足之处是主观性很大,必须向不同层次决策人员和领域的专家进行咨询,不断反馈才能获得较客观结论。从绿地系统效益评价这一研究领域来说,其方法之一是直接按单位面积绿地或林地能大致产生多少有益物质(如 O_2)和吸收多少有害物(如 SO_2),然后将其转化为货币价值来估计其环境效益。但这一方法未考虑或少考虑绿地或林地的内部结构、自然条件和社会因素影响,同时,如何转化为货币价值是一个难度更大的问题。用于评估绿地或林地的公益效益或社会效益的 Prodan 法、Clawson 法、Fabst 法等许多计量方法都是采用货币价值方法而建立的。从国内外对绿地或林地的效益评价方法来看,采用货币价值方法对社会和环境效益的评估,能正确反映绿地的单项和综合效益。针对不同研究目的和评价对象,应采用不同的定性、定量评价方法,以求较为客观地评价其效益。城市绿地的社会和环境效益评价,把 AHP 专家评估同数学评价方法结合起来,以求更为客观地反映绿地的综合效益。AHF 方法对评价具有递阶层次结构体系的决策方案系统十分适用。其主要步骤包括层次结构的建立,通过专家咨询建立判断矩阵,层次排序和一致性检验。该方法简洁,明确,应用广泛,对社会经济评价和制定整体发展对策不失为一种极好的决策方法。将 AHP 方法同模糊评价相结合,构成了评价城市绿地综合效益 AHP 模糊评判方法。

五、城市绿地综合效益的评价实例

(一)城市绿地综合效益评价指标体系的建立

评价城市绿地综合效益,必须着眼于社会、经济、环境效益三个方面,因此其指标体系的建立要包括这三方面的内容。通过对有关部门专家的咨询提出了如图4-3所示的指标体系。

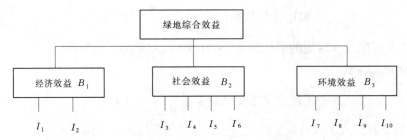

图4-3　城市绿化综合效益评价指标体系

I_1—经济投入;I_2—经济收益;I_3—文化娱乐价值;I_4—景观价值;I_5—卫生保健效益;I_6—城市布局协调作用;I_7—污染净化作用;I_8—调节微气候作用;I_9—吸尘减噪作用;I_{10}—防风固沙、土壤改良作用

(二)城市绿地综合效益评价过程

根据AHP模糊综合评价的思想方法,郑州市城市绿地综合效益计算过程和结果如下:

(1)通过邀请有关专家单独填写指标权重咨询表,然后按AHP分析方法,建立判断矩阵,计算每一专家排序结果,最后综合专家权重值,再由这些专家确定指标权重(以会议形式),如表4-46所示。

(2)建立因素集。对城市绿地效益评价而言,我们确立的因素包括二个层次:

第一层次:$T_B = \{B_1, B_2, B_3\}$

第二层次:$T_I = \{I_1, I_2, I_3, I_4, I_5, I_6, I_7, I_8, I_9, I_{10}\}$

表4-46　　　　　　　　城市绿地效益指标权重分配(W)

指标 B	B_1		B_2			B_3				
权重值	0.12		0.435			0.445				
指标 I	I_1	I_2	I_3	I_4	I_5	I_6	I_7	I_8	I_9	I_{10}
权重值	0.082 5	0.067 5	0.120 0	0.120 0	0.060 0	0.100 0	0.112 5	0.120 0	0.040 0	0.140 0

(3)建立权重集:权重集也包括二个层次:

第一层次:$W_B = \{W_{B1}, W_{B2}, W_{B3}\}$

第二层次:$W_I = \{W_1, W_2, \cdots, W_{10}\}$

(4)建立横向等级模糊关系隶属矩阵(F)。

首先确立四个基本效益等级为 A、B、C、D 的基本评分为隶属 8、6、4、2，它们分别表示效益很好、较好、一般、较差。为计算方便，另加二个虚拟等级 10 分、0 分，根据模糊数学原理，建立如下图的隶属矩阵：(共 12 个评分等级)

$$
(F) = 1/2
\begin{pmatrix}
0.70 & 1.00 & 0.30 & 0 & 0 & 0 \\
0.50 & 1.00 & 0.50 & 0 & 0 & 0 \\
0.30 & 1.00 & 0.70 & 0 & 0 & 0 \\
0 & 0.70 & 1.00 & 0.30 & 0 & 0 \\
0 & 0.50 & 1.00 & 0.50 & 0 & 0 \\
0 & 0.30 & 1.00 & 0.70 & 0 & 0 \\
0 & 0 & 0.70 & 1.00 & 0.30 & 0 \\
0 & 0 & 0.50 & 1.00 & 0.50 & 0 \\
0 & 0 & 0.30 & 1.00 & 0.70 & 0 \\
0 & 0 & 0 & 0.70 & 1.00 & 0.30 \\
0 & 0 & 0 & 0.50 & 0.10 & 0.50 \\
0 & 0 & 0 & 0.30 & 1.00 & 0.70
\end{pmatrix}
\begin{matrix}
A^+ \\ A \\ A^- \\ B^+ \\ B \\ B^- \\ C^+ \\ C \\ C^- \\ D^+ \\ D \\ D^-
\end{matrix}
$$

(5)请专家对绿地类型针对不同层次因素指标集进行评价(咨询表略)，建立模糊评价矩阵(R)：

评价的绿地类型分公园、果林地、森林地、水面(包括人工鱼塘与自然水面)和农田。

$$(R) = (r_{ij}) \quad i = 1, \cdots, 10; j = 1, \cdots, 12$$

对指标层次 T_B，各类绿地类型的专家模糊评价矩阵分别为：

$$(R_B) = (r_{ij}) \quad i = 1, \cdots, 10; j = 1, \cdots, 12$$

对指标层次 T_I，各类绿地类型的专家模糊评价矩阵为：

$$(R_I) = (r_{ij}) \quad i = 1, \cdots, 10; j = 1, \cdots, 12$$

(6)根据以上各步计算结果，分别按下公式对城市绿地不同类型的单项指标及综合效益进行评价。

城市绿地模糊评判结果：

综合效益：

$$S = \alpha \{W\}(R)(F)\{Q\}^{\mathrm{T}} \tag{1}$$

单一指标效益：

$$S = \alpha (R)(F)\{Q\}^{\mathrm{T}} \tag{2}$$

$$(P) = (S'_{ij}), i = 1, \cdots, 10; j = 1, \cdots, 5 \tag{3}$$

(三)城郊绿带效益评价与分析

城郊绿地主要类型有公园、果园、片林、水面、森林和农田等，以农田面积最大。根据公式(2)和公式(3)，分别计算出不同绿地类型公园(G)、果林地(F)、森林地(L)、水面(S)、农田(N)的单项指标效益评分值(P)：

对 T_B 层次

$$(PB) = \begin{bmatrix} G & F & L & S & N \\ 4.916\,6 & 6.640\,0 & 4.640\,0 & 7.181\,6 & 7.047\,8 \\ 8.180\,0 & 6.095\,2 & 6.640\,0 & 5.524\,0 & 2.095\,2 \\ 7.130\,6 & 7.360\,0 & 7.500\,0 & 3.904\,8 & 5.250\,2 \end{bmatrix}$$

对 T_1 层次：

$$(PI) = \begin{bmatrix} G & F & L & S & N \\ 4.170\,8 & 4.620\,0 & 5.250\,2 & 5.620\,0 & 5.520\,0 \\ 5.904\,8 & 7.840\,0 & 5.250\,2 & 5.640\,0 & 8.000\,0 \\ 8.182\,0 & 5.520\,0 & 5.800\,0 & 5.440\,0 & 2.434\,8 \\ 8.095\,2 & 7.140\,0 & 6.749\,8 & 5.560\,0 & 2.521\,6 \\ 7.545\,2 & 4.780\,0 & 7.000\,8 & 4.100\,0 & 2.363\,4 \\ 8.182\,0 & 5.460\,0 & 7.636\,6 & 2.380\,0 & 3.091\,6 \\ 6.869\,6 & 6.360\,0 & 6.500\,0 & 1.920\,0 & 3.391\,0 \\ 7.636\,2 & 6.000\,0 & 6.087\,0 & 5.280\,0 & 3.818\,0 \\ 5.738\,8 & 5.282\,0 & 6.609\,0 & 2.360\,0 & 3.818\,0 \\ 6.454\,8 & 5.520\,0 & 8.182\,0 & 2.440\,0 & 4.095\,4 \end{bmatrix}$$

从单项效益指标评价结果来看，城郊绿带不同绿地类型的各项指标效益等级各异，经济效益好或较好的是水面和农田，社会效益较好的是公园、果林或森林地，环境效益较好的是森林地、果林地或公园，景观价值较大的是公园、果林或森林地，而以农田最低；卫生保健价值较大的则是公园和森林地；在环境效益中，公园、果林或森林地污染净化作用较大，微气候调节作用也较大；同时吸尘减噪和防风防沙、改良土壤效益以森林地最强，其次为公园和果林；城郊绿带的土地格局中，在协调城市发展布局方面以公园和森林地的效益最大。

参考文献

1 吴勇,苏智先.中国城市绿地现状及其生态经济价值评价.四川师范学院学报(自然科学版),2002(2)

2 胡聃.城市绿地综合效益评价方法探讨——天津实例应用.城市环境与城市生态,1994(1)

3 马海纯,耿皓,杨晓庄.城市绿地系统的效益分析和对策.商业研究,2002,221(9)

4 林彰平,谭立力.我国城市绿地系统可持续发展的障碍性因素及对策.经济地理,2000,20(3)

5 刘滨谊,姜允芳.中国城市绿地系统规划评价指标体系的研究.城市规划汇刊,2002,138(2)

6 李雪铭,常静,刘敬华,等.城市绿地系统对经济发展提升作用的机制.干旱区资源与环境,2002,16(3)

7 吴人韦,夏敏.城市绿化的生态化.城市环境与城市生态,1999,12(6)

8 王永洁.城市绿地系统规划初探.齐齐哈尔师范学院学报,1997,17(3)

9 徐波.谈城市绿地系统规划的基本定位.规划研究,2002,26(11)

10 吴人韦.支持城市生态建设—城市绿地系统规划专题研究.城市规划,2000,24(4)

11 曾洪立.城市绿色生态环境分析.城市规划汇刊,1999(2)

12 黄选瑞.张玉珍,藤起和,等.环境再生产与森林生态效益补偿.林业科学,2002,38(6)

13 周卫芬,马青江.浅谈森林的生态效益.青海环境,2000,10(3)

14 姜东涛.森林生态效益估测与评价方法的研究.华东森林经理,2000,14(4)

15　王兴广,史慧杰,高文君.森林生态效益分析.林业勘查设计,2001,118(2)

16　高素萍,陈其兵,王晓炜.森林生态效益的价值理论问题探讨.四川农业大学学报,2002,20(3)

17　马立功.森林生态效益再认识.安徽林业,1997(6)

18　吴伟光,顾蕾,沈月琴.森林生态效益补偿若干问题的思考.浙江林学院学报,2002(9)

19　郭玉文,孙翠玲,单卫东.关于森林生态功能评价的探讨.环境与开发,1997,12(1)

20　聂华.试论森林生态功能的价值决定.林业经济,1994(4)

21　马长春,王林和.谈城市绿地的功能与设计.内蒙古林学院学报,1995(1)

22　赵绍文,刘武有.森林土壤肥力及其生态经济效益.生态经济,1994(3)

23　赵勇,李树人.生态足迹法在郑州市城市可持续发展中的应用.河南农业大学学报,2004,38(4):
　　394~399

24　赵勇,吴明作,钟崇林.公路建设项目对景观影响综合评价.安全与环境学报,2004,4(4):38~41

25　赵勇,陈志林.平顶山矿区绿地对大气 SO_2 净化效应研究.河南农业大学学报,2002,36(1):59~62,
　　69

26　赵勇,李树人.城市绿地的滞尘效应及评价方法.华中农业大学学报,2002,21(6):582~586

27　赵勇,孙中党.城市绿色植物综合评价及生态效益提高途径.河南科学,2002,20(4):404~408

28　孙中党,赵勇.郑州市单位附属绿地系统研究.河南科学,2002,20(3):324~327

29　赵勇,黄强.平顶山矿区大气污染与绿化状况相关分析.河南农业大学学报,2001,35(4):343~346

第五章　河南湿地的生态效益评价

第一节　湿地的概念、功能与研究现状

一、湿地的概念

湿地是地球上分布极为广泛、水文与生物群落类型十分复杂的生态系统,是水陆相互作用形成的特殊自然综合体。在世界自然资源保护联盟(IUCN)、联合国环境规划署(UNEP)和世界自然基金会(WWF)编制的世界自然资源保护大纲中,湿地与森林、农田一起并列为全球三大生态系统。湿地学是一门自身科学体系尚待完善的年轻学科。"湿地"一词源自英文"wetland",该词是由两个词组成的,即 wet 和 land。Wet 是潮湿的意思,land 是土地,所以"湿地"一词的中文译名是准确的。有一段时期,有人按照日文字译为"湿原",经多数学者推敲比较,一致认定"湿地"一词比较准确。但是湿地的定义是什么,各国和各学者有不同的解释。近一个世纪以来,国内外许多学者由于观察角度、研究目的、研究手段、应用对象以及国情的不同,人们的认识上存在差异,对于湿地至今尚没有一个公认的统一定义。目前,给湿地所下的定义多达 50 多种。根据这些定义的性质不同,可将其归纳为狭义的和广义的两种。

狭义的定义把湿地看做是陆地生态系统与水生生态系统的过渡地带(Ecotone)。20世纪 50 年代,美国鱼类和野生动物保护组织发起的第一次美国湿地详查,将湿地定义为:被浅水或间歇性积水覆盖的低地。指通常生长有挺水植物的湖与池塘,但河流、水库和深水湖泊等稳定水体不包括在内。1977 年美国军人工程师协会在净水行动计划增补本的404 议案要求下,把湿地定义为:指那些地表水和地面积水浸淹的频度和持续时间很充分,能够供养(在正常环境下确实供养)那些适应于潮湿土壤的植被的区域。通常湿地包括灌丛沼泽(swamps)、腐泥沼泽(marshes)、苔藓泥炭沼泽(bogs),以及其他类似的区域。1979 年美国鱼类和野生动物保护协会发表了《美国的湿地和深水生境分类》研究报告,将上述定义进一步修改为:湿地是指陆地生态系统与水域生态系统之间的转换区,其地下水位通常达到或接近地表或处于浅水淹覆状态。湿地至少具有以下一个或几个属性:①水生植物占优势;②基底以排水不良的水成土为主;③长期或季节性为水淹没。其中包括湖泊的低水位时水深 2m 以内地带,这意味着水深超过 2m 的湖泊不能纳入湿地范畴。

加拿大国家湿地工作组在对其北方泥炭地(peatlands)研究中,定义湿地为:指被水淹或地下水位接近地表或浸润时间足以促进湿成和水成过程,并以水成土壤、水生植被和适应潮湿环境的生物活动为标志的土地。这一定义强调了水分、土壤和生物条件。1987 年在加拿大埃德蒙顿(Edmonton)国际湿地与泥炭地研讨会上,加拿大学者认为:湿地是一种土地类型,其主要标志是土壤过湿、地表积水小于 2m、土壤为泥炭土或潜育化沼泽土,

并生长水生植物。水深超过 2m 的,因无挺水植物生长,则算作为湖泊水体。

英国学者 J.W.Loyd 等人认为:湿地是指受水浸润的地区,具有自由水面,常年积水或季节性积水。自然湿地的主要控制因子是气候、地质、地貌条件,人工湿地还有其他控制因子。

日本学者井一认为:湿地的主要特征,首先是潮湿,其次是地下水位高,其三是至少一年中的某段时间内土壤处于饱和状态。土壤浸水导致特征植被发育。

我国历史悠久,勤劳智慧的中国人民创造了光辉灿烂的文化。在湿地认识和利用上,同样做出了卓越的贡献。在古代,我国常常将湿地称为沼泽,并不叫湿地。湿地的概念是近年来为了与国际研究接轨而渐渐使用的。根据史料记载,一万多年前,我国古代人就对湿地有了充分的认识。关于这一点,已经得到历史学家公认,并且从发现的一些被保存于原始社会遗址中的炭化稻谷子中得到充分证明。我国古代认为湿地是由过湿土地或由地表有浅层积水水体所构成的自然体,该定义实质上确定了湿地概念中的水分范围,它是科学可取的。更难能可贵的是,远在春秋战国时期,我们的祖先就认识到了湿地的生态经济意义,认为它是一种“富国之本”的资源,并且将它作为“国之宝”。系统的湿地研究则始于新中国成立后的 50 年代。我国学者在继承传统的湿地知识基础上,适应历史发展趋势,迎合世界湿地热的潮流,结合自己的工作实践与爱好,对湿地进行了广泛深入的研究,并对湿地的内涵和外延进行了定义。部分湿地学者认为:湿地是地球表层的一种水域和陆地之间过渡的地理综合体,它具有三个互相关联、互相制约的基本特征:①有喜湿生物栖息活动;②地表常年积水或季节性积水;③土层严重潜育化。我国国内最完整的湿地定义是由中国科学院地理研究所佟凤勤、刘兴土及赵魁义等界定的。他们认为,湿地是“陆地上常年或季节性积水(水深 2m 以内,积水期达 4 个月以上)和过湿的土地,并与其生长、栖息的生物种群,构成的独特生态系统”。这样的定义学术味道较浓,如果作通俗的解释,可以认为该概念主要强调了构成湿地的三大要素,即有积水、过湿地及生物群落。1987年,我国制定出版了《中国自然保护纲要》,在此纲要中将湿地阐释为“现在国际上通常将沼泽和滩涂合称为湿地”。

综上所述,狭义的湿地定义强调湿地生物、土壤和水文的彼此作用,强调三大因子的同时存在,即湿生或水生植被、水成土壤以及季节性或常年淹水。那些枯水期水深超过2m,水下或水面已无植物生长的明水面和大型江河的主河道则不算作湿地。这种定义符合湿地处于水陆过渡带的特殊地位,反映了湿地生境多样性的典型特征。

但是,狭义的湿地定义在湿地的保护管理上有一些实践上的问题。一个水体可能只有一部分因有挺水植物生长才算作湿地,而开阔水体则因不具备以上特征而被隔离于湿地之外。如果彼此人为地隔离开来,就会在管理上出现许多难以解决的问题。比如说,只保护有水生植物生长的沿岸地带,而不保护临近的水体,那么水体污染或过量取水,也会直接干扰湿地的保护效果。

1981 年,苏联与英国、加拿大等 6 国在伊朗的拉姆萨尔(Ramsar)签署了《关于特别是水禽栖息地的国际重要湿地公约》(简称《湿地公约》)(Ramsar Convention),公约中给出了广义的湿地定义:湿地系指天然或人工、长期或暂时性之沼泽地、泥炭地,带有静止或流动的淡水、半咸水或咸水的水域地带,包括低潮时不超过 6m 的滨岸海域。

从管理上说,广义的湿地定义也有许多优点。它有利于湿地管理者划定管理边界,开展管理工作。由于土地规划的基本单元是集水区或整个河流盆地,上游的任何干扰都会对下游产生影响,流域都是由水流从上到下相互联系在一起的,因此它还有利于建立流域联系,以阻止或控制流域的不同地段人为地破坏湿地。

据此定义,地球陆地上所有水体和为水饱和浸渍的土地以及受沿海潮汐影响的地带都被划入湿地管理的范畴。按照景观生态学原理,陆地可以看做是湿地镶嵌的背景基质,沼泽、湖泊、稻田等等是这一背景中的一个个富水的斑块,溪流、江河、渠系等则是联系这些斑块之间水力联系的廊道。

《湿地公约》中关于湿地的定义,可以说是一个无所不包的,同时也为许多加入湿地国家所接受的定义,当然,凡签署加入国际《湿地公约》的所有缔约国也必须接受这一定义。保护湿地就是保护我们人类自己,是全人类的共同责任。为加强湿地保护,自《湿地公约》诞生,截至 2000 年 6 月已有 121 个国家加入了这个公约,有 1 027 处湿地被列入《国际重要湿地名录》,总面积 8 000 多万公顷。保护和合理利用湿地愈来愈引起世界各国的高度重视,成为国际社会普遍关注的热点。中国政府于 1992 年 3 月 31 日向联合国教科文组织(UNESCO)提请加入《湿地公约》,并于同年 7 月 31 日被接纳为该公约的第 67 个成员国,将黑龙江扎龙、吉林向海、湖南东洞庭湖、江西鄱阳湖、青海鸟岛、海南东寨岗和香港米埔自然保护区列入《国际重要湿地名录》,并将中国湿地保护与合理利用列入《中国 21 世纪议程》和《中国生物多样性保护行动计划》优先发展领域,在一定程度上推动了我国的湿地保护和管理工作。特别是 1998 年夏季,中国长江、松花江、嫩江等地发生的特大洪水,强化了政府和公众的湿地保护意识,为全面、科学和深入地开展湿地保护与合理利用事业打下了基础。因此,为保护和合理利用湿地,中国制定了一个既符合社会经济发展实际,又符合国际规范的《中国湿地保护行动计划》,这是中国政府认真履行《湿地公约》的重大举措。

目前,全世界约有湿地 5.14 亿 hm²,加拿大湿地面积居世界首位,约有 1.27 亿 hm²,占全世界湿地面积的 24%;美国 1.11 亿 hm²,之后为俄罗斯。中国湿地面积约 3 848 万 hm²(包括稻田和人工湿地),居世界第四位、亚洲第一位。中国已建湿地自然保护区 353 处,其中,国家级 46 处,湿地面积为 402 万 hm²;省级 121 处。1 600 万 hm² 的天然湿地和 33 种国家重点保护水禽在保护区内得到了较好保护。

二、湿地的功能

长期以来,湿地的功能与价值不为人们所知晓,无论中国还是外国往往把湿地当做无用之地。芬兰的湿地面积非常大,多年来开发出一整套技术和机械,将湿地转变为农耕地和林地。中国东北三江平原的大片湿地被称为"北大荒"。20 世纪 50 年代,政府动员大量人力、物力、财力开垦北大荒,组建许多农场,进口大量机械,将湿地的水排干,将"北大荒"变为"北大仓",获得了大量农产品,但其长期的后果是周边环境的恶化。1998 年嫩江和松花江的洪水与此不无直接关系,为此黑龙江省政府已经决定,停止北大荒内的所有开垦活动,并将某些农耕地恢复为湿地,建立了一些湿地保护区。现代科学有充分证据证明湿地有许多非常重要的功能,它涉及人类的生存环境。所以保护湿地就是保护人类的生存环境。湿地的功能和价值大体上可以归纳为以下几个方面。

(一)湿地是生命的摇篮

科学已经证明,生命来源于水,所以湿地与生命是紧密相连的。

(二)湿地是文明的摇篮

人类文明发源于大河,国外的尼罗河、底格里斯河、幼发拉底河、恒河、湄公河和我国的黄河都是人类文明的发祥地。

(三)直接利用价值

湿地出产了人类必不可少的直接利用产品,其主要表现有以下几类。

1. 提供水资源

湿地储存降水,农田灌溉用水、饮用水、工业用水大部来源于湿地。据估算,我国仅湖泊淡水贮量即达 225 亿 m^3 ,占淡水总贮量的 8% 。某些湿地通过渗透还可以补充地下蓄水层的水源,对维持周围地下水的水位,保证持续供水具有重要作用,地下水也与湿地息息相关。在长江、黄河和澜沧江源头建立的三江源湿地自然保护区,对西部地区的水源涵养和水土保持发挥着重大作用,被誉为"中华水塔"。

2. 提供丰富的动植物产品

湿地是具有很高生产力的生产系统,其产量接近甚至超过集约农业系统的生产力。主要有鱼、虾、贝、藻类、莲藕、菱、芡、茭白、泥炭、木材、芦苇、药材等。有人计算过,湿地的生产力高于非湿地。湿地动植物资源的利用还间接带动了加工业的发展;中国的农业、渔业、牧业和副业生产在相当程度上要依赖于湿地提供的自然资源。

3. 提供矿产资源

湿地中有各种矿砂和盐类资源。中国青藏、蒙新地区的碱水湖和盐湖中盐的种类齐全,储量极大。盐湖中还富集着硼、锂等多种稀有元素。中国一些重要油田,大都分布在湿地区域,对发展国民经济意义重大。

4. 提供能源

湿地中的泥炭是很好的燃料,此外水力发电是人类生活中的重要能源之一。我国水能蕴藏量占世界第一位,达 6.8 亿 kW,有着巨大的开发潜力。

5. 水运

水运是最古老也是最廉价的运输方式,某些地方水运是惟一的运输方式。中国约有10 万 km 内河航道,内陆水运承担了大约 30% 的货运量。

(四)间接利用价值

1. 调蓄洪水

湿地调节流量和控制洪水有两个过程。首先,湿地能储存雨季过量的洪水,洪水被储存在土壤内或以表面水的形式保存于湖泊和沼泽中,这就直接减少了下游的洪水量。一部分洪水可在数天、几周或几个月的时间内从储存库中排放出来,一部分则在流动的过程中通过蒸发和下渗成地下水而被储存起来。湿地是一个巨大的生物蓄水库。降雨时湿地可以吸纳大量的水,干旱时又能释放水,这对于人民生活和生产是十分重要的。我国1998 年洪灾的一个重要原因是沿江、河的湿地(湖泊)被开垦,从而大大地降低了调洪能力。其次,湿地有降低洪峰高度、均化河川径流的作用。长江、淮河下游的湖泊调节河川径流的能力也十分显著。如鄱阳湖南面承纳赣、修、饶、信、抚五河之水,北面经湖口入长江。五水经鄱阳湖调节后,一般可削减洪峰流量 15% ~ 30%,从而减轻了对长江的威胁。1954 年特大洪水,最大来水量为 4.85 万 m^3/s,最大出湖流量仅 2.24 万 m^3/s,削减率高达 53%。湿地植物可减缓洪水流速,因此避免了所有洪水在同一时间到达下游。这两个过程降低了下游洪峰的水位,并使河溪一年中的水流量比没有湿地时保持更长的时间。

2.防止海水入侵

在地势较低的沿海地区,下层基底是可渗透的。淡水楔一般位于较深咸水层的上面。淡水楔的减弱或消失,会导致深层咸水向地表上移,因而影响地表生物群落和当地居民的淡水供应。沿海地区入海的淡水减少时,海水会沿着江河向上扩展,严重时会影响人民的生活。20 世纪 70 年代,我国沿海一带海水倒灌仅限于几个地区。由于过多抽取地下水,河流入海流量减少,现在从辽宁省到广东省沿海大面积海水倒灌时有发生。天津市和上海市多次发生过海水倒灌,山东莱州湾海水入侵面积超过 $400km^2$,海水入侵以每年 $400m$ 的速度向内陆推进,造成土地盐渍化,居民吃水困难。从山东莱州至烟台一段,由于海水入侵,加大地下水含盐量,该区已有 6 264 眼机井报废,4.15 万 hm^2 耕地变成盐荒地,致使 30.8 万人吃水困难。

河流、渠道和沿岸的植被有助于防止潮水流入河流直而深的渠道,或者说皆伐沿岸的植被可能导致海水大量侵入河流,尤其在潮峰期更是如此。水系湖泊和河流外流量减少造成海水的入侵,而外流量的减少又是由于流域内大面积采伐森林所致。

3.与地下水的交流,即补充地下水或来自地下水

当水从湿地流入地下蓄水系统时,就可以补充地下蓄水层的水,将湿地地表水转化为浅层地下水一部分,保留在区域内,而这个蓄水层又为其他生态系统、工业、农业、居民提供水源。浅层地下水除可为周围地区供水、维持水位外,还可流入深层地下水系统,成为长期的水源。沿江河筑堤束水虽然可以控制江河泛滥,但也在汛期把大量淡水资源白白排入大海,没有充分发挥湿地对水资源的时空分配功能,使多余的洪水未能转化为地下水,作为旱季或旱年的水分资源。1998 年松嫩特大洪水冲毁镇赉堤坝后,大量洪水进入镇赉、大安等地低洼盐碱区,不仅让缺水少雨的松嫩平原西部当年获得好收成,而且使地下水位迅速上升,满足了后续几年水稻生产的用水需要。湿地是否具有补水功能,与湿地的边长和积水体积之比密切相关,即湿地积水越深,对地下水补给作用越大。山东济南的地下水能维持泉水的自喷,成为人们休闲娱乐的重要场所。这个功能十分重要,如果地下水得不到补充造成地下水位下降,就会使地面沉降,从而危及人们的生活和生命安全。

4.营养物质的沉积与水质控制

正常条件下,湿地具有去除湿地水流中有机营养物、无机营养物、有毒污染物和悬浮物的功能,因此湿地可以看做是有机营养物、无机营养物、有毒污染物和悬浮物的汇。湿地能够净化水质,是因为湿地具有许多特殊属性。如流水进入湿地后,其中的营养物质会因水流缓慢而沉积,成为湿地植物的养料,且湿地植物可以被人们利用。湿地沉积的有毒物质可被分解,所以人们把湿地称为“地球之肾”。印度加尔各答市利用湿地进行污水净化,我国黑龙江省七星河的污水流经 $325hm^2$ 的芦苇地后被净化。

5.调节气候

湿地是生态环境的优化器。大面积的湿地,通过蒸腾作用能够产生大量水蒸气,不仅可以提高周围地区的空气湿度,减少土壤水分丧失,而且还可诱发降雨,增加地表和地下水资源。据一些地方的调查,湿地周围的空气湿度比远离湿地地区的空气湿度要高5%至20%以上,降水量相对也多。因此,湿地有助于调节区域小气候,优化自然环境,对减少风沙干旱等自然灾害十分有利。在有森林的湿地中,大量的降雨通过树木蒸腾和散发,返回到大气中,然后又以雨的形式降到周围的地区。如果湿地被破坏,当地的雨量就会减少。这对该地区的人类活动如农业生产将产生不利的影响。沼泽产生的晨雾可减少附近的土壤水分损失。新疆博斯腾湖及周围沼泽总面积1 410hm²,湖沼系统通过水平方向的热量和水分交换,使其周围的地方气候具有比其他干旱区略温和湿润的特征。如6~8月靠近湖沼的焉耆与和硕,比距湖沼较远的库车平均气温低1.3~4.3℃;7~9月相对湿度增加5%~23%,沙暴日数减少25%。三江平原沼泽与开垦后农田小气候对比测定表明,沼泽地比开垦后农田的近地气层日平均相对湿度高5%~16%,正午前后绝对湿度高3~5hPa。小浪底库区周围的植被也明显比蓄水前生长的茂密、旺盛。据专家研究,碳是生物体中最重要的也是最基本的成分,有机体干重的45%以上都是由碳组成的。土壤向大气中释放二氧化碳是自然界碳素循环的一个重要环节,土壤中的有机质经过分解转化,最后以二氧化碳的形式逸出,返回大气。湿地土壤释放二氧化碳的速率同温度、水分等环境因子密切相关。湿地尤其是沼泽湿地是碳的汇,如遭破坏,就会失去碳积累能力,并加速有机质的分解,从而使湿地成为碳的源,意味着储存的碳以二氧化碳的形式释放到大气中,造成气候变暖,所以开采湿地中的泥炭必须谨慎。国外对破坏湿地的行为采取了严格的处罚措施。比如,2002年9月英国汉普郡亿万富翁理查德·麦罗特在非法将温尼帕苏科(Winnipesaukee)湖船库修改为其他建筑物时,破坏了湿地。根据该郡法律,这72平方英里的湖面是公众旅游点,大部分区域是受郡保护的。为此这位富翁为其破坏的湿地支付了20万美元罚金,而这是该郡内最大的一笔平民罚金。

6.保护生物多样性

湿地是重要的物种资源库,由于湿地分布于多种地域,跨越多种气候带,生境类型多样,生物资源十分丰富,蕴藏着丰富的遗传资源。我国的湿地植物有2 760种,其中湿地高等植物约156科、437属、1 380多种。从植物生活型方面划分,有挺水型、浮叶型、沉水型和漂浮型等;有一年生或多年生植物;有的是草本,有的是木本;有的是灌木,有的是乔木。我国在湿地栖息的动物有1 500种左右(不含昆虫、无脊椎动物、真菌和微生物)。其中水禽大约250种,包括亚洲57种濒危鸟中的31种,如丹顶鹤、黑颈鹤、遗鸥等,占54%。湿地是迁徙鸟类必需的停歇地。仅在亚太地区,就有243种候鸟,每年沿着固定的路线迁飞,途径57个国家和地区。以涉禽为例,每年春秋两季沿中亚－印度、东亚－澳大利亚、西太平洋三条线路在南北半球之间进行上万公里迁飞,途中必须在湿地停歇和补充食物。所以,湿地(无论在哪一个国家)是全球生态系统的组成部分,任何一个国家的湿地状况都会影响全球的生态环境。湿地中鱼类约1 040种,其中淡水鱼500种左右,占世界上淡水鱼类总数的80%以上。我国著名水稻专家、杂交水稻之父袁隆平教授发明的杂交水稻,其中一个遗传材料就是采自海南省湿地的野生稻。它的价值是多少,恐怕会陷入鸡生蛋蛋生鸡的无穷循环中。这些物种不仅具有重要的经济价值,而且具有重要的生态价值和科学研究价值。

7.文化遗产

世界上有些种族的文化和宗教与湿地不可分割,如菲律宾的棉兰老岛。黑龙江大小兴凯湖之间湖岗上的新开流遗址,保存着新石器时代的人类生产水平和生活方式。我国太湖地区石器时代早期以来的古文化遗址数量多、分布广,现已发现 200 余处。在马家浜文化遗址中发现典型新石器和泥质黑陶、红陶、水牛、亚洲象等 20 多种动物化石及稻谷等。该区良渚文化遗址有 130 处,发现有砂陶、稻谷、绢片、麻布和竹编。这对于研究该时期人类文化活动具有重要意义。

8.保护海岸,防止侵蚀

湿地植被的自然特性可防止或减轻对海岸线、河口湾和江河湖岸的侵蚀。这是因为植物根系及堆积的植物体对基地有稳固作用;湿地植被可以削弱海流和水流的冲力;植被可以拦蓄沉降沉积物。热带和亚热带的红树林防止海岸侵蚀的作用最为明显,盐沼和红树林防浪护岸是通过消浪、缓流和促淤来实现的。实验表明,50m 宽的红树林带可使 1m 高的波浪减至 0.3m 以下;红树林对潮水流动的阻碍,使林内水流速度仅为潮水沟流速的 1/10;红树林纵横交错的根系及地上根的发育,使粒径小于 0.01mm 的悬浮物沉积量增加,其淤积速度是附近裸地的 2～3 倍。红树林消失已成为中国华南沿海岸线侵蚀的主要威胁。1972 年该地区有红树林 6.7 万 hm²,到 1990 年下降为 1.5 万 hm²。政府部门正在有计划地恢复红树林的生长,广东湛江沿海农民不但保护红树林,而且人工种植红树林,以保护他们的农田和水产养殖地。湿地植被还有防风作用,可使建筑物、作物或天然植被免遭强风或盐风(salt - landwind)的破坏。

9.生态功能

湿地是一个独特的生态系统,它具有自己的物种、生境和自然过程。它的其他生态功能有待于深入研究。

10.美学与景观价值

湿地是景观美学的重要组成部分,具有巨大的景观价值。景观是从一个地方或整个地区观看到的内容的总和。湿地为视野产生了多样性,成为视野的焦点。风景区不能没有水,桂林山水甲天下,没有漓江就没有桂林的美景。九寨沟的美景全在水。滇池、太湖、洱海、杭州西湖等都是著名的风景区。广袤、静谧的湿地上点缀着放歌起舞、游弋信步的珍禽异兽,山水掩映,风清气爽,大自然无私馈赠的美色还需要人们用心去体会。现在提倡生态旅游、观鸟等,湿地是最佳场所。20 世纪 80 年代中期,游客每年在委内瑞拉摩罗科(Morrocoy)国家公园的消费达 700 万美元,特立尼达开罗尼沼泽每年的现金收入大约为 200 万美元。具有巨大湿地魅力的肯尼亚爱姆宝罗西里(Ambuodeli)国家公园,1979年收入估计为 130 万美元。加勒比海海水湿地,每年仅从佩戴水下呼吸器的潜水旅游中就收入近 10 亿美元。

11.教育与科研价值

湿地生态系统特别是动植物群落的多样性,在科研中都有重要地位,它们为教育和科学研究提供了对象、材料和试验基地。一些湿地中保留着过去和现在的生物、地理等方面演化进程的信息,在研究环境演化和古地理方面有极重要价值。

湿地是大自然的一部分,人类必须与自然和睦相处,成为同舟共济的伙伴。

三、国内外湿地研究状况

(一)国外湿地研究状况

湿地研究记载,欧洲最早见于对泥炭的研究和利用。公元 46 年,在德国威悉河下游的日尔曼人的记载中已将泥炭作为民用燃料(阪口丰,1983)。16 世纪中叶,泥炭的采掘在荷兰极为盛行。17 世纪中叶,俄国也开始利用泥炭作燃料,但利用泥炭作为有机肥比西欧早。俄国人关于泥炭沼泽研究进展较快,1895 年 И.К. лнге 开始在大学里讲授"沼泽学";1901 年,在爱沙尼亚建立第一个沼泽实验站;1915 年出版俄罗斯沼泽学奠基著作《沼泽和泥炭地及其发育和结构》《沼泽表生学分类尝试》(表生学—景观学)等。芬兰是世界上泥炭沼泽最丰富的国家之一,泥炭研究与利用开始于 17 世纪,主要用做燃料和营养土;20 年代开始森林沼泽排水试验;19 世纪末开始研究沼泽分类。在日本,1889 年大筑洋之助发表了《东京泥炭》。美国和加拿大关于湿地的研究开始于 20 世纪初。

苏联是沼泽湿地研究起步较早的国家,20 世纪中叶,不论在沼泽资源考察还是沼泽学理论方面都处于领先地位。40 年代,Н.Я. Kau 发表《苏联和西欧的沼泽类型及其地理分布》;70 年代初,在基辅召开全苏沼泽湿地分类会议,首次公布苏联欧洲部分沼泽湿地保护清单。

北欧四国以及荷兰、爱尔兰、英国、法国、德国等都有丰富的泥炭沼泽湿地,因而这些国家对泥炭、泥炭地研究及其利用都有较高的水平。

为了促进国际泥炭研究的合作,1968 年在莫斯科组成国际泥炭学会理事会,此后每四年召开一次国际泥炭学会,历届的泥炭学会主席均由芬兰人担任。

美国和加拿大在 20 世纪中叶以后,才逐渐重视湿地研究。美国在 50 年代首次开展湿地清查和编目工作。1972 年以来,开展了河口湿地和海滨湿地的系统研究,并且十分重视湿地管理,成立了湿地科研工作者协会(Society for wetland Scientists)和一批湿地研究中心,出版了《湿地管理》(Zinn 和 Copeland,1982)、《湿地》(Mitsch 和 Gosselink,1986)和《美国湿地与深水生境的分类》(Cowarlin,Cardin 和 LaRoe,1992)等书籍。由国际湿地学会主席 Mr William J Mitsch 撰写的《湿地》(Wetlands)一书是美国湿地研究最综合和最全面的论述。该著作共分五部分,导言部分论述了湿地与湿地学、湿地的定义和美国湿地类型及湿地资源,其余各部分分别论述了湿地环境、海滨湿地生态系统、内陆湿地生态系统和湿地管理等。

加拿大建立了国家湿地工作组(Wetlands Working Group),但湿地研究的学者并不多。该工作组集体编著的《加拿大湿地》(National Wetlands Working Group,1988),是对加拿大近年来湿地研究的全面总结。加拿大国土面积大,湿地分布广,在很短时间内完成全国湿地分布图,的确是一个创举。

1982 年在印度召开了第一届国际湿地会议,标志着全球湿地研究进入了一个新的发展阶段,会后出版了《湿地生态与管理》。

(二)国内湿地研究状况

我国对湿地的认识和记载已有几千年的历史。古代《礼记·王制篇》中把水草所聚之处称为沮泽或沮洳,这是赋予沼泽最早的概念。到 20 世纪 20 年代,在我国地学丛书中才出现沼泽这一名词。系统从事各类湿地研究始于 50 年代。1958 年长春地理研究所建所后,根据中国科学院地学分工,以沼泽作为研究方向,东北师范大学地理系也于 1960 年初成立了沼泽研究室,两个单位结合国家有关部委和中国科学院的任务,完成了全国大部分地区的沼泽、泥炭和芦苇资源考察,在沼泽的类型、成因、发育规律、特性、泥炭形成时期和古环境等方面发表了一系列论著,先后出版了《若尔盖高原沼泽》、《三江平原沼泽》、《泥炭地学》、《中国沼泽》等专著,并为《中国自然地理》、《中国植被》、《中国自然保护纲要》撰写了有关沼泽篇章,填补了我国沼泽研究的空白。在泥炭列为国家矿产资源之后,许多省(区)地质矿产部门进行了泥炭地面积和储量的勘查。70 年代以来,遥感技术在湿地调查中应用。80 年代以来,长春地理研究所承担国家科技攻关任务,在三江平原建立了沼泽地综合开发试验区,进行了稻—苇—鱼复合人工生态模式的试验示范,取得了显著的经济效益和生态效益,并在该区建立了我国第一个沼泽生态站。

在湖泊湿地研究方面,武汉水生生物研究所从 20 世纪 50 年代开始,以长江中下游浅水湖泊为主,进行水生生物的综合调查,阐明湖泊渔业增产的原理,提出有关渔业资源合理开发和珍稀鱼类保护的方案,对全国大水面开发起到了指导作用。南京地理和湖泊研究所从 60 年代以来,进行了全国有代表性湖泊的调查,出版了《中国湖泊概论》、《中国湖泊水资源》等专著。两个所还分别在武汉东湖和太湖建立了生态试验站,在水体富营养化机理研究和净化水体生态工程方面取得重要进展。武汉测量与地球物理研究所 80 年代以来对洪湖沼泽化和演化趋势进行研究,并建立了小港湿地生态站。许多省(区)的水利和环境保护部门在湖泊资源的开发利用以及污染治理方面也进行了卓有成效的工作。

在海岸和河口三角洲湿地的研究方面,国家海洋局在 1979 年至 1984 年组织了全国海岸带和海涂自然资源综合调查,在土壤、生物和海岸湿地合理开发利用研究方面取得了许多成果。在此基础上,河口海岸研究所、应用生物研究所、厦门大学和有关地理研究所对河口三角洲的资源合理利用、环境演变、生态建设、基塘系统和红树林等多方面进行了深入的研究。

人工湿地包括稻田、虾田、蟹田等受人为活动影响而形成的湿地类型。我国的人工湿地以稻田为主,面积达 3 200 万 hm^2 以上,南京土壤研究所在稻田生态系统营养物质循环、温室气体排放及低产水稻土改良与培肥研究方面,取得很多成果,著有《中国水稻土》等。我国还有一些半人工自然的湿地类型,即在人工管理下的苇田,主要分布在环渤海一带。

在湿地野生动物研究方面,原林业部和中国科学院多次组织包括湿地野生动物在内的综合考察。其中,动物研究所等对湿地鸟类,尤其是珍稀与濒危水禽进行了较深入的种群特征、栖息地生态环境评估与保护对策研究。近年来,我国对湿地的保护与合理利用研究十分重视。1992 年我国成为《湿地公约》缔约国,世界环境与发展大会之后,我国制定了《中国 21 世纪议程》,并将湿地的保护与合理利用列为议程的优先项目计划。原林业部召开了"'94 中国湿地研讨会",布置制定中国湿地保护行动计划和开展全国湿地调查事宜。国家环保局也向各省市环保局发出了"关于加强湿地生态保护工作的通知"。中国科学院将"湖沼系统调查与分类"列为院级基础研究特别支持项目,组织有关研究所开展了湖泊与沼泽的补充调查和综合分类研究。许多科研单位在湿地研究方面也取得了许多新成果,如长春地理研究所和国际泥炭学会第一专业委员会联合主持召开了"'94湿地环境与泥炭地利用"国际会议,交流了100多篇学术论文,并出版了论文集。华东师范大学陆健健在世界自然基金会(WWF)和亚洲湿地局(AWB)的资助下,编著出版了《中国湿地》,从生态学角度介绍了全国217块湿地的地理、水文、气候、植被和鸟类特征。另外在人类活动对湿地资源与环境的影响以及重要湿地的生态环境评估、珍稀与濒危水禽的种群生存力研究方面都取得了新的进展。

第二节　河南湿地概述

一、河南湿地资源

湿地的发生、发展和演变是在自然因素与人类活动的综合影响下进行的。河南地处中原,湿地资源丰富,类型较多,分布广泛。河南湿地总面积1 108 707hm²,占全省总面积的 6.6%,在不包括水稻田 443 510hm² 的湿地面积中,面积 8~99hm² 的湿地有1 180块,面积 41 950hm²,占湿地总块数的 71.2%,占湿地总面积的 6.2%;面积在100hm² 以上的湿地有 477 块,面积 623 247hm²,占湿地总块数的 28.8%,占湿地总面积的 93.8%。

(一)类型多

根据河南省的实际情况,并考虑到与全国的湿地分类系统相衔接,遵循"规范性、适用性、先进性和科学性"的原则,全省湿地共分 4 系、10 类、22 型、88 体。

1.人工湿地系

人工湿地是指通过人为措施而形成的各类湿地,如水库、池塘、鱼塘、干渠等。全省人工湿地总面积 175 669hm²,占湿地总面积的 26%。人工湿地中池塘、鱼塘、干渠面积较小,分别是 1 669hm²、1 102hm²、1 162hm²,仅占人工湿地面积的 2%;主要是水库湿地,面积 171 366hm²,占全省人工湿地总面积的 98%。我省的水库湿地除白墙水库、宿鸭湖水库外,大部分都分布在山区、半山区,依山而建,拦河为坝,水体相连,分布集中。全省重要的水库湿地有丹江水库、南湾水库、三门峡水库、石山口水库、五岳水库、泼陂河水库、鲇鱼山水库、宿鸭湖水库、板桥水库、宋家场水库、鸭河口水库、石漫滩水库、孤石滩水库、薄山水库、白龟山水库、昭平台水库、陆浑水库、故县水库、白沙水库、白墙水库、窄口水库、南海水库、彰武水库等。水库湿地与人民群众的生活息息相关,它具有蓄洪、灌溉、提供水源等功能,部分水库还开发了旅游业,如丹江水库、南湾水库、薄山水库等。

2.河流湿地系

河流湿地包括主河道及两侧漫滩,分为永久性河流与季节性河流两个湿地类。全省河流湿地总面积 456 692hm²,占全省湿地面积的 69%,其中永久性河流湿地433 826hm²,占河流湿地面积的 95%;季节性河流湿地 22 866hm²,占河流湿地面积的 5%。全省较大的河流湿地有黄河、洛河、伊河、伊洛河、沁河、蟒河、金堤河、卫河、淇河、安阳河、淮河、史灌河、洪河、北汝河、颍河、贾鲁河、汾泉河、涡河、沙河、惠济河、白河、老灌河、赵河、刁河等。河流湿地对人类文明起着重要作用。举世闻名的黄河是中国 5000 年文明的发祥地，被誉为中华民族的母亲河。在我国古文化中，著名的河图洛书等伊洛文化，是和伊河、洛河有密切联系的。从古到今乃至将来，河流已经也必将永远为人类社会、经济可持续发展提供巨大的能源，产生不可估量的经济、社会、生态效益。

3. 湖泊湿地系

湖泊是湖盆、湖水和水中所含物质——矿物质、溶解质、有机质、水生物等组成的统一体。全省湖泊湿地按积水时间长短分为永久性淡水湖与季节性淡水湖。湖泊湿地共 3 022hm²，占湿地面积的 0.5%，其中永久性淡水湖 2 977hm²，占湖泊湿地面积的 99%；季节性淡水湖 25hm²，占湖泊湿地面积的 1%。河南省较重要的湖泊有淮阳城湖、开封市潘杨湖、封丘陈桥湖、睢县城湖等。这些湖泊已成为城镇人们观光旅游、休闲娱乐、开展体育运动等的理想场所及种植、养殖业的生产基地。

4. 沼泽湿地系

沼泽是由浅水、动植物、微生物、土壤等组成的统一体。河南省有沼泽湿地面积 29 784hm²，占湿地面积的 4.5%。它是经历史上黄河多次改道，地下水、地表水共同作用于低洼地而逐渐形成的，主要分布在黄河故道区，其中分布有全省第一个国家级湿地自然保护区——豫北黄河故道沼泽区湿地自然保护区，保护区内的珍贵鸟类有天鹅、丹顶鹤、灰鹤、白鹭等。

(二)分布广

河南境内，从暖温带到北亚热带、从平原到山区都有湿地分布，而且还表现为一个地区内有多种湿地类型和一种湿地类型分布于多个地区的特点，构成了丰富多样的组合类型。

据 1997 年河南省湿地资源调查结果，南阳市湿地面积最大，达 124 988hm²，占全省湿地总面积的 18.8%；信阳市湿地面积 93 671hm²，占全省湿地总面积的 14.0%；驻马店市湿地面积 52 981hm²，占全省湿地总面积的 8.0%。这三个市位于河南省南部，雨量充沛，为湿地的形成提供了水分条件；其地域面积较大，为湿地提供了广阔的载体，湿地面积占全省湿地总面积的 40.8%，这与其地理位置、气候条件相一致。黄河两岸的七个市，即焦作(含济源)、洛阳、三门峡、郑州、新乡、濮阳、开封的湿地面积 291 086hm²，占全省湿地总面积的 43.8%，这也是河南省湿地资源的密集分布区。湿地分布较少的有周口、鹤壁、许昌、漯河、商丘、安阳、平顶山等七市。各省辖市湿地面积详见表 5-1。

湿地在全省山区和平原的分布也不均衡，具体情况详见表 5-2、表 5-3。

二、河南湿地的利用、保护和管理

(一)湿地的利用

河南省目前湿地利用集中表现在作为水源、调蓄、灌溉、捕捞、养殖、旅游疗养、体育运动、植树、放牧、排涝等方面。在全省 1 657 块湿地中，已利用 780 块，面积 583 428hm²，占全省湿地面积的 88%；未利用湿地 877 块，面积 81 369hm²，占全省湿地面积的 12%。

表 5-1 　　　　　　　　　　　河南省湿地政区分布统计表 　　　　　　　　（单位：hm²）

政区名称	总计	湿地系			
		人工湿地	河流湿地	湖泊湿地	沼泽湿地
合计	655 197	175 699	456 692	3 022	29 784
焦作市	75 886	1 020	74 866		
洛阳市	31 165	7 005	24 160		
周口市	21 728	37	20 994	697	
鹤壁市	3 269	99	3 170		
许昌市	2 436	777	1 659		
新乡市	56 116	967	29 919	600	24 630
三门峡市	49 036	19 015	30 021		
漯河市	14 180	9 995	4 185		
南阳市	124 988	61 943	61 775		1 270
郑州市	33 415	3 618	29 797		
濮阳市	25 674	666	25 008		
开封市	19 794	151	17 159	900	1 584
信阳市	93 671	22 661	70 904	106	
商丘市	10 900	9	7 961	630	2 300
驻马店市	52 981	33 162	19 730	89	
安阳市	21 539	706	20 833		
平顶山市	28 419	13 868	14 551		

注：调查时济源市属焦作市管辖，未单列。

表 5-2 　　　　　　　　　　河南省湿地在山区分布情况统计表 　　　　　　　（单位：hm²）

政区名称	总计	湿地系			
		人工湿地	河流湿地	湖泊湿地	沼泽湿地
合 计	375 044	128 314	243 507	193	3 030
焦作市	14 628	444	14 184		
洛阳市	28 803	6 993	21 810		
鹤壁市	3 269	99	3 170		
许昌市	982	279	703		
新乡市	12 386	389	8 967		3 030
三门峡市	49 036	19 015	30 021		
南阳市	108 353	53 847	54 506		
郑州市	20 596	2 483	18 113		
信阳市	83 688	21 198	62 406	84	
商丘市	2 218		2 198	20	
驻马店市	22 025	9 593	12 343	89	
安阳市	641	106	535		
平顶山市	28 419	13 868	14 551		

注：调查时济源市属焦作市管辖，未单列。

表 5-3　　　　　　　　　　河南省湿地在平原区分布情况统计表　　　　　　　　（单位:hm²）

政区名称	总计	湿地系			
		人工湿地	河流湿地	湖泊湿地	沼泽湿地
合　计	290 153	47 385	213 185	2 829	26 754
焦作市	61 258	576	60 682		
洛阳市	2 362	12	2 350		
周口市	21 728	37	20 994	697	
许昌市	1 454	498	956		
新乡市	43 730	578	20 952	600	21 600
漯河市	14 180	9 995	4 185		
南阳市	16 635	8 096	7 269		1 270
郑州市	12 819	1 135	11 684		
濮阳市	25 674	666	25 008		
开封市	19 794	151	17 159	900	1 584
信阳市	9 983	1 463	8 498	22	
商丘市	8 682	9	5 763	610	2 300
驻马店市	30 956	23 569	7 387		
安阳市	20 898	600	20 298		

注:调查时济源市属焦作市管辖,未单列。

　　河南省湿地利用方面很不均衡。利用最广泛的是灌溉,面积 496 826hm²,利用率达 75%;养殖次之,利用面积 453 239hm²,利用率达 68%;水源利用面积 425 671hm²,利用率达 64%;植树利用面积 367 054hm²,利用率达 55%;种植利用面积 332 173hm²,利用率达 50%;捕捞利用面积 286 054hm²,利用率达 43%;调蓄利用面积 269 321hm²,利用率达 40%;放牧利用面积 180 976hm²,利用率达 27%;旅游疗养利用面积 70 642hm²,利用率达 11%。利用面积最少的是体育运动和排涝,面积分别为 39 158hm² 和 35 090hm²,利用率分别为 6% 和 5%。

　　各市湿地利用程度差异较大。利用面积最大、利用率较高的是南阳市。其水源利用面积 88 793hm²,利用率达 71%;调蓄利用面积 82 671hm²,利用率达 66%;用做灌溉的面积 96 283hm²,利用率达 77%;用做捕捞的面积 87 333hm²,利用率达 70%;用做养殖的面积 85 718hm²,利用率达 69%;用做旅游的面积 36 158hm²,利用率达 25%;用做植树的面积 83 780hm²,利用率达 29%;用做体育运动的面积 31 170hm²,利用率达 25%;用做种植作物的面积 76 355hm²,利用率达 61%。利用湿地面积较小、利用率较低的是许昌市,其用做水源、调蓄、旅游疗养的湿地面积 550hm²,利用率占 23%;用做灌溉的面积 815hm²,利用率占 34%;用做养殖、植树的面积 730hm²,利用率占 30%;用做捕捞的面积 180hm²,利用率仅 7%。

　　各行业间湿地利用情况差别也较大。河南省在农业方面的利用率较高,为农业生产提供了可靠的保障;在旅游疗养和体育运动方面利用较少,利用率分别是 11% 和 6%。随着人民群众生活水平和生活质量的逐步提高,人们对旅游和体育运动等方面的需求正逐步升温。因此,对湿地旅游和水上体育运动的开发,为人民群众提供旅游和运动休闲场所,是湿地利用中的一个潜在方向。

(二)湿地的保护和管理

人为活动对湿地的发生、发展起着积极的促进作用,但对湿地的不良影响也很多,危害极大,已引起各级政府的高度重视。近年来,政府投入了大量资金,采取了许多有效措施,实施湿地保护行动。如实施长江中下游、淮河流域防护林体系建设工程,郑州市风沙源生态治理工程等;建立了一批湿地自然保护区,如豫北黄河故道鸟类自然保护区,三门峡、孟津、开封黄河湿地自然保护区等。这些措施的落实对湿地的保护起到了一定的积极作用,取得了显著的成效。但由于河南省湿地面积大、类型多、分布广,仅靠有限的保护是不能彻底解决全省湿地面临的严重问题的,必须从以下几个方面努力,才能使湿地发挥最大的功能效益。

1. 建立和实施可持续发展战略

可持续发展的思想是人类面对严峻环境挑战而做出的最明智的选择。以往在湿地问题上的一切失误都是基于急功近利、竭泽而渔、杀鸡取卵式的愚昧和无知。现在我们不仅要重新认识湿地保护的重要意义,而且还要认真反思现有的经济发展模式给环境、湿地带来的不良影响和严重后果,必须接受发达国家环境保护的经验教训,贯彻持续发展的战略思路,坚持发展与环境保护并重的方针,调整经济发展模式,以逐步减轻发展对环境的压力,增强环境对发展的支撑能力。

2. 将湿地保护纳入经济、社会发展规划

造成湿地丧失和功能退化的经济原因包括市场失灵和政府失灵两个基本方面。其中市场失灵的原因之一是湿地资源和环境的产权不存在或不安全。笼统地说自然资源国家所有并不能真正调动人们投入资金和劳动的积极性。在市场失灵的情况下,政府干预是一种可能的解决方法。政府干预的目的在于通过税收、法律法规、奖励、许可证管理等方式纠正市场失灵,但政府干预也不能彻底改正市场失灵。市场和政府干预是资源配置的两大手段。正常工作的市场通常是资源在不同用途之间和不同时间上配置的有效机制,市场和政府干预紧密结合,才能有效管理好各类湿地,促进环境、经济社会的可持续发展。湿地既是一种资源,也是人类生产生活的环境。湿地保护对经济社会持续发展具有重要意义,因此要把湿地保护纳入国民经济发展的整体规划中。

3. 强化湿地保护的法律监督

近年来,国家针对湿地保护颁布了一系列法规条文,河南省应积极组织有关部门制定具体的保护目标,健全法律机制,加大执法力度,将湿地保护纳入环境保护轨道,依法查处各类违法违纪案件。同时要进一步强化对湿地的环境监督管理。凡是以湿地为对象的各类开发活动、开发项目都必须进行环境影响评价工作,禁止在河流源头和上游区、沙漠区、水土流失严重区、干旱区、国家保护动植物的栖息分布区,以及对区域生态和气候具有重要影响的湿地进行破坏性的开发活动。

4. 加强湿地类型的自然保护区建设

目前全省仅有 7 个省级以上湿地保护区,面积 148 678hm²,与湿地保护先进地区有一定差距。因此,对河南省一些重点湿地应尽快组织力量进行资源调查、可行性论证,划定保护区,成立相应保护机构,加强湿地保护工作。对已建立的保护区应采取政府行为,落实人员、机构、资金等,协调土地权属等问题,使保护区尽快发挥其应有的作用。

5.积极开展湿地科学研究与监测

湿地保护是一个动态管理过程,河南省湿地面积大、类型多、分布广,有许多问题亟待通过科学研究和监测发现并及时解决。当前,湿地科技工作者应做好有关湿地类型、结构、功能的调查,湿地污染现状、原因与发展趋势的分析,湿地资源的保护性开发利用,湿地恢复重建等方面的科学研究和保护规划。选择对人民生活有重要影响的湿地和已遭到严重破坏的重要湿地开展恢复重建的可行性研究和恢复示范工作。

6.广泛宣传,建立全社会参与湿地保护机制

湿地保护工作涉及领域多、范围广、难度大,不是一两个部门的事,需要各有关部门和全民的共同参与,全社会的共同关注。因此,要充分利用报刊、广播、电视等舆论工具,利用展览馆、博物馆进行图片、标本、实物陈列展览,对公民进行宣传教育,使每一个公民都懂得保护湿地是造福人类、功在当代、利在千秋的事业,从而增强全民保护湿地的自觉性。只有全民动员,全社会关注,共同参与,密切配合,才能把湿地保护工作真正做好。

第三节　河南重要湿地简介

一、三门峡黄河库区省级湿地自然保护区

该区位于河南省西北部三门峡市境内,地理坐标北纬 34°34′～34°50′,东经 110°22′～111°21′。东西长 90km,南北宽 29km,面积为 19 544hm²,海拔 350～450m。

(一)湿地描述

三门峡水库按"蓄清排浑"的方式运作,在冬春蓄水季节,水位达 324m,库区滩面大部分被淹没;夏秋季排水后,仅主河道有水,大部分滩地裸露,滩面最宽 4km。区内河道长 107.5km,落差 22m,比降 1∶5 000。

(二)气候状况

该区年平均气温在 12.0～14.8℃之间,1 月份平均气温 −2.0～0℃,7 月份平均气温 26.0℃。年平均日照时数为 2 238.9h,日照率 51%。年均降水量 550mm,6～9 月降水量占全年降水量的 60%以上,降水量年际变幅为 400～600mm。初霜期 10 月 28 日,终霜期 3 月 22 日,无霜期 226d。年蒸发量 1 499～2 361.3mm。

(三)主要植被

木本植物主要有刺槐、杨、柳、泡桐、榆、苹果、梨、柿、枣、桃等。农作物主要有小麦、玉米、高粱、大豆、绿豆、花生、芝麻、棉花、红薯、瓜类等。草本植物 142 种。

(四)保护措施

1995 年经省政府批准,建立了省级湿地自然保护区。

(五)保护内容

大天鹅、灰鹤等珍稀水禽和湿地生态环境。

(六)主要研究

1995 年省林业调查规划院(原省林业勘察设计院)对该区进行了调查及总体设计,提出了研究与合理开发建议,并选定了 8 项科研项目。

二、开封柳园口省级湿地自然保护区

位于河南省东部,开封市北 10km 处。地理坐标北纬 34°52′～35°01′,东经 114°12′～114°52′。东西长 60km,南北宽 15.5km,面积为 16 148hm²。海拔 65～80m。

(一)湿地描述

黄河主河道游荡滚动及汛期漫滩,造成黄河滩涂此起彼伏,一些低洼滩地常年积水。1～6 月和 11～12 月为枯水期,月流量 400～1 500m³/s;7～10 月为汛期,月流量 1 200～4 500m³/s。黄河最高水位 93.25～94.00m,最低水位 92.00～92.40m。水体 pH 值 8.1～8.2,水质偏碱性,适宜于水生生物生长发育。另外,水体中富含钙、镁、铁、钾等。

(二)气候状况

该区年平均气温在 14℃,1 月份平均气温-1.0～0.5℃,7 月份平均气温 27.1℃。年日照时数为 2 267.6～2 529.7h,日照率 51%。年均降水量 634.2mm,6～9 月降水量占全年降水量的 68%,秋、冬、春季降水量分别占年降水量的 20.5%、17.5%、4.2%。初霜期 10 月下旬,终霜期 3 月下旬,无霜期 213d。

(三)主要植被

木本植物主要有榆、刺槐、杨、柳、泡桐、苹果、枣、桃、柿、葡萄、石榴等。农作物主要有小麦、玉米、水稻、花生、大豆、高粱、西瓜、莲藕等。野生灌木有蔷薇、酸枣、胡枝子、紫穗槐、柽柳等。

(四)保护措施

1994 年经省政府批准,建立了省级湿地自然保护区。

(五)保护内容

大天鹅、丹顶鹤、灰鹤、白鹳、大鸨等珍稀鸟类和湿地生态环境。

(六)主要研究

1995 年省林业调查规划院对该区进行了调查及总体设计,提出了研究与合理开发建议,并设立了科研项目。

三、孟津黄河省级湿地水禽自然保护区

位于河南省孟津县东北部,北纬 34°47′～34°53′,东经 112°29′～112°49′。东西长 28km,宽 0.5～5.0km,面积 6 206hm²。海拔 120～130m。

(一)湿地描述

保护区属黄河流域,分一、二阶地,阶地前沿局部有沼泽地分布,并与漫滩相连。黄河最大流量 17 800m³/s,最小流量 11.7m³/s,年均流量 846m³/s,流速 1～2m/s,年均径流量 443 亿 m³。

(二)气候状况

该区年均气温 13.7℃,最低-17.2℃,最高 43.7℃;年均降水量 650.2mm,多集中在 6～8 月(降水量占全年的 49%)。平均无霜期 235d。年均蒸发量为 1 796.6mm。全年日照时数 2 270.1h,日照率 51%。

（三）主要植被

树种有旱柳、杨、泡桐、榆、苹果、梨、刺槐等。农作物有小麦、玉米、高粱、水稻、大豆、花生、棉花、红薯等。野生草本植物主要是芦苇和稗等。

（四）保护措施

1995年经省政府批准，建立了省级湿地自然保护区。

（五）保护内容

白鹳、丹顶鹤、白鹤、灰鹤、大天鹅、白额雁等珍稀水禽及湿地生态环境。

（六）主要研究

省林业调查规划院1995年对此区作了总体设计，设立了科研项目。

四、豫北黄河故道湿地鸟类自然保护区

位于北纬34°54′～35°24′,东经114°07′～114°29′之间,面积24 780hm²,海拔63.5～80.5m。

（一）湿地描述

由于黄河频繁改道,所以湿地南侧大面积的沙地、沙丘、沙垄呈带状分布。该区的大沙河源于新乡县,于下游河道闸处汇入柳青河,汇流长度52.8km,汇水面积64 000hm²。区内河道两侧积水洼地众多,水面随季节影响变化较大,常年积水面积2 000hm²。

（二）气候状况

该区年均气温14.1℃,1月平均气温−1℃,7月平均气温27.8℃;年降水量604mm,年蒸发量陆地为550mm,水面为1 500mm。风主要是东北风,最大风速为25m/s;其次为西北风。年均无霜期235d,年日照时数为2 100h。年最大积雪厚度14cm,最大冻土深26cm。

（三）主要植被

树种有杨、榆、旱柳、苹果等。农作物有小麦、棉花、水稻、玉米、红薯等。草本植物主要有芦苇、水烛、苦草、浮萍等。

（四）保护措施

1988年经省政府批准,建立了省级湿地自然保护区(环保部门管理),1997年升为国家级湿地自然保护区。

（五）保护内容

该区共有鸟类129种,分别隶属于16目38科,其中重点保护鸟种有凤头䴙䴘、大白鹭、苍鹭、鸿雁、红脚鹬、黑枕黄鹂、灰雁、大天鹅、丹顶鹤、白鹳、白额雁、鸳鸯等珍稀鸟类及湿地生态环境。

（六）主要研究

新乡市环保局1995年对此区作了鸟类调查。

五、淇河自然生态保护区

位于鹤壁市东郊区,北纬35°46′40″～35°48′45″,东经114°09′15″～114°13′00″,面积2 000hm²,海拔118～191m。

(一)湿地描述

淇河随山势由西向东弯曲而流,形成"S"状,水位较深,水流平缓。它流经保护区约 8 km。淇河年平均流量 10.87m³/s,最大瞬时流量 2 710m³/s,最小瞬时流量 1.07m³/s。由于区内有岩溶泉以 1.00m³/s 左右的流量汇入河内,温度保持在 20℃左右,所以该河段水温较上、下游稳定。

(二)气候状况

该区年平均气温 14℃,最高 42.2℃,最低 - 15.5℃。年均降水量 691mm,最小 666.6mm,最大 1 394mm,年均蒸发量为 2 176.8mm。

(三)主要植被

该区有成片的经济林、用材林,主要树种有杨、柳、泡桐、苹果、核桃、李子、桃、杏等。农作物有小麦、棉花、水稻、玉米等。该区还盛产冬凌草、竹子、芦苇等。

(四)保护措施

建立了保护机构,发布了保护条例。

(五)保护内容

淇河鲫鱼、苍鹭、豆雁、针尾鸭、凤头鹏鹛、苍鹰等以及自然生态环境。

(六)主要研究

1990 年鹤壁市环保局对该区作了考察,并写出了总体规划报告。

六、卢氏、西峡大鲵自然保护区

卢氏县境内,北纬 34°00′,东经 110°00′,西峡县境内北纬 33°20′,东经 111°30′,面积 6 500hm²,海拔 700～750m。

(一)湿地描述

该保护区涉及卢氏、西峡两县。卢氏大鲵自然保护区主要分布于洛河流域;西峡大鲵自然保护区主要分布于丹江的主要支流老灌河流域。

(二)主要植被

树种有松、刺槐、侧柏、栎类、杨、核桃、橘子、桃等。农作物有小麦、玉米、红薯、大豆、棉花等。

(三)保护措施

1982 年经省政府批准,分别建立了卢氏大鲵自然保护区和西峡大鲵自然保护区。

(四)保护内容

大鲵、大鸨、鸢、红隼、水獭及生态环境。

(五)主要研究

1981 年省林业调查规划院在此区作过有关大鲵的调查。

七、丹江水库地区

位于淅川县南部,北纬 32°48′,东经 111°32′,面积 43 000hm²,海拔 300m。

(一)湿地描述

丹江水库源于秦岭南坡的丹江,自荆紫关经大石桥入丹江水库。另外,洪河、老灌河也是该水库的重要水源,出水汇入长江的支流汉水。在水库及其他支流附近,有大片的沼泽地。

(二)主要植被

水库周围山区的植物,木本有马尾松、杉木、乌桕、油桐、麻栎、栓皮栎等;灌木有荆条、酸枣、马桑、山楂等;草本有白羊草、蒿等;人工林树种以杨、榆、槐、柳为主。水库东面农田种植小麦、玉米、棉花、谷子等。

(三)干扰和威胁

网箱养鱼、农作及航运等人类活动直接影响水禽栖息地。

(四)保护内容

白鹳、大天鹅、大鸨、小天鹅、黄嘴白鹭、鸳鸯、灰鹤等珍稀动物及湿地生态环境。

(五)主要研究

郑州市动物园徐新杰等在此作过鸟类调查。

八、宿鸭湖地区

位于河南省驻马店市东 20km 的汝南县境内,北纬 33°04′,东经 114°15′,面积 18 000 hm²,海拔 50m。

(一)湿地描述

由大堤围住的一座蓄水库,四周毗邻地区为沼泽地。水源来自西面小山的 8 条溪流,出水向东南经汝河汇入淮河。

(二)主要植被

水库周围人工林树种有柳、毛白杨、桑、榆、槐、臭椿等。常见的草本植物有狗尾巴草、马唐、莎草、马齿苋等;农作物有小麦、水稻、玉米、红薯、花生、棉花、豆类等。

(三)干扰和威胁

人类频繁的经济活动对水、涉禽栖息有较大的影响。

(四)保护措施

建立了保护机构,发布了保护条例。

(五)保护内容

白鹳、大天鹅、丹顶鹤、灰鹤、大鸨等鸟类及湿地生态环境。

(六)主要研究

郑州市动物园徐新杰等调查过该地区的鸟类资源。

九、南湾水库地区

位于河南省信阳市西南 7km 处,北纬 32°05′,东经 113°56′,面积 15 000hm²,海拔 281m。

(一)湿地描述

一座淡水蓄水库及其毗邻的沼泽地。水源来自西面的数条小溪,出水向东南经浉河汇入淮河。

(二)主要植被

杉、松、枫杨、红心柳、麻栎、刺楸、杜鹃、山楂、胡枝子、荆条、白茅、芒草等为优势种。农作物有小麦、水稻、棉花、豆类、玉米、瓜类等。

(三)干扰和威胁

人类频繁的经济活动对水、涉禽栖息有较大的影响。

(四)保护措施

建立了南湾鸟类旅游保护区;禁猎。

(五)保护内容

白鹭、池鹭、黄嘴白鹭、大天鹅、鸳鸯、灰鹤、喜鹊、四不象、猴、蛇等动物和生态环境。

(六)主要研究

郑州市动物园徐新杰等对该地区的水、涉禽作过调查。

十、石山口水库地区

位于罗山县东部,北纬 32°00′,东经 114°20′,面积 1 944hm²,海拔 60～100m。

(一)湿地描述

周围溪流的汇水区,出水流入淮河,四周有大片的沼泽地。

(二)主要植被

树种有栎、松、杉、杨、柳等。农作物有小麦、水稻、棉花、豆、玉米、花生、瓜类等。

(三)保护内容

白冠长尾雉、大天鹅、环颈雉、鸢、灰背隼、长耳鸮、雀鹰等鸟类及湿地生态环境。

十一、五岳水库地区

位于光山县西南部,北纬 31°51′,东经 114°40′,面积 754.1hm²,海拔 85～110m。

(一)湿地描述

库水源于水库周围的溪流,是各溪流的汇水区,出水经泥河流入淮河。库区周围有大片的沼泽地。库水主要用来灌溉、发电等。

(二)主要植被

树种有栎、马尾松、黄山松、湿地松、杉木、杨、柳等。农作物有小麦、水稻、棉花、玉米、红薯、豆类等。

(三)保护内容

白冠长尾雉、大天鹅、环颈雉、鸢、灰背隼等鸟类及其湿地生态环境。

十二、泼陂河水库地区

位于光山县东南部,北纬 31°45′,东经 114°55′,面积 1 905.6hm²,海拔 70～95m。

(一)湿地描述

源于水库周围的溪流,是各溪流的汇水区,出水经横河流入淮河。库区周围有大片的沼泽地。

(二)主要植被

树种有栎、马尾松、黄山松、湿地松、杉木等。农作物有小麦、水稻、棉花、玉米、红薯、豆类、花生等。

(三)保护内容

苍鹭、大白鹭、鸳鸯、鸿雁、白尾鹞、苍鹰、红隼、燕隼等鸟类及其湿地生态环境。

十三、鲇鱼山水库地区

位于商城县西南部,北纬 31°40′,东经 115°20′,面积 3 300hm²,海拔 80～130m。

(一)湿地描述

源于水库区四周的溪流,是各溪流的汇水区,出水经史灌河流入淮河。库区周围有大片的沼泽地。

(二)主要植被

树种有栎、马尾松、黄山松、湿地松、杉木、杨、柳等。农作物有小麦、水稻、棉花、玉米、豆类、瓜类、花生等。

(三)保护内容

大鲵、虎纹蛙、商城肥鲵、黄缘闭壳龟、黑鹳、大天鹅、鸳鸯、黄嘴白鹭、灰鹤、东方白鹳、灰雁、灰背隼、红嘴鸥、小鸦姬、啄木鸟、黑枕黄鹂等以及湿地生态环境。

十四、薄山水库地区

位于确山县南部,北纬 32°40′,东经 113°50′,面积 1 333hm²,海拔 120～210m。

(一)湿地描述

源于水库区四周的溪流,是各溪流的汇水区,出水通过臻头河对周围灌区进行灌溉。

(二)主要植被

树种有栎、油松、华山松、桦木、杨、柳、槐等。农作物有小麦、棉花、玉米、谷类、花生、豆类等。

(三)保护内容

灰鹤、黄嘴白鹭、苍鹭、草鹭、鸳鸯、鸿雁、灰雁、红嘴蓝鹊、红脚隼等鸟类以及湿地生态环境。

十五、板桥水库地区

位于驻马店市西部,北纬 32°58′,东经 113°35′,面积 2 510hm²,海拔 90～120m。

(一)湿地描述

库水源于象河、贾楼河等河流汇入汝河。库区四周有大片的沼泽地。

(二)主要植被

树种有栎、油松、华山松、桦木等。农作物有小麦、水稻、棉花、玉米、豆类、瓜类、红薯、谷子等。

(三)保护内容

黄嘴白鹭、苍鹭、草鹭、鸳鸯、鸿雁、灰背隼、长耳鸮、黑枕黄鹂、水獭等动物和自然生态环境。

十六、孤石滩水库

位于叶县西部,北纬 33°28′,东经 113°05′,面积 1 400hm²,海拔 140～180m。

(一)湿地描述

库水源于库区四周的各支溪流,是溪流的汇水区。出水过澧河流入颍河。

(二)主要植被

树种有栎类、油松、华山松、桦木等。农作物有小麦、水稻、棉花、玉米、瓜类等。

(三)保护内容

黄嘴白鹭、苍鹭、鸳鸯、凤头䴙䴘、灰鹤、长耳鸮等鸟类和湿地生态环境。

十七、昭平台水库地区

位于鲁山县西部,北纬 33°40′,东经 112°45′,面积 4 000hm²,海拔 150～200m。

(一)湿地描述

该库水源于荡泽河,是库区周围的主要水资源,和下游白龟山水库联用,可控制沙河干流洪水。

(二)主要植被

树种有栎、松、桦木、杨、柳、槐等。农作物有小麦、水稻、棉花、玉米、红薯、豆类、花生等。

(三)保护内容

斑嘴鹈鹕、大白鹭、灰雁、鸿雁、燕隼、短耳鸮等鸟类和湿地生态环境。

十八、白龟山水库地区

位于平顶山市西部,北纬 33°43′,东经 113°10′,面积 6 700hm²,海拔 100～160m。

(一)湿地描述

库水源于七里河及周围的溪流,并和澎河水库联用,出水流入沙河,周围有大片的沼泽湿地。

(二)主要植被

树种有松、栎、刺槐、桦木、侧柏、杨、柳等。农作物有小麦、水稻、玉米、豆类、红薯、谷子等。

(三)保护内容

苍鹭、草鹭、鸳鸯、凤头䴙䴘、长耳鸮、金雕、秃鹫等鸟类和湿地生态环境。

十九、白沙水库地区

位于禹州市北部,北纬 34°20′,东经 113°15′,面积 933hm²,海拔 220～245m。

(一)湿地描述

该水库水源主要来自颍河,并通过白沙灌渠对周围农地进行灌溉。

(二)主要植被

树种有侧柏、刺槐、杨、马尾松、油桐、苹果、枣等。农作物有小麦、水稻、红薯、谷子、豆类等。

(三)保护内容

白鹤、凤头䴙䴘、大白鹭、鸿雁、鸳鸯、苍鹰、雀鹰等鸟类和湿地生态环境。

二十、宋家场水库地区

位于河南省泌阳县东南部,北纬 32°45′,东经 113°30′,面积 1 100 hm²,海拔 176～202m。

(一)湿地描述

库水源于水库周围的多条溪流,是各溪流的汇水区,出水通过泌阳河流入唐河。

(二)主要植被

树种有松、栎、桦木、杉、杨、柳、苹果等。农作物有小麦、水稻、玉米、豆类、谷子、棉花等。

(三)保护内容

苍鹭、草鹭、鸳鸯、灰背隼、长耳鸮、黑枕黄鹂、水獭、青鼬等动物和湿地生态环境。

二十一、鸭河口水库地区

位于南召县的南部,北纬 33°20′,东经 112°30′,面积 8 390hm²,海拔 160～180m。

(一)湿地描述

库水源于鸭河、空山河、留山河、狮子河、黄鸭河、白河、松河等,然后汇入白河。

(二)主要植被

树种有松类、栎类、杨、柳等。农作物有小麦、水稻、玉米、谷类、豆类、花生、红薯等。

(三)保护内容

灰鹤、白鹳、鸿雁、白肩雕、灰雁、鸳鸯、大白鹭、鸢、苍鹰、大䲢、白尾鹞、红隼等鸟类和湿地生态环境。

二十二、陆浑水库地区

位于嵩县东部,北纬 33°12′,东经 112°10′,面积 3 340hm²,海拔 290～340m。

(一)湿地描述

库水主要源于伊河、德亭河、大章河、高都川等,是周围农田的主要灌溉水源。库区周围有大片的沼泽湿地。

(二)主要植被

树种有侧柏、刺槐、杨、马尾松、油松、栎类等。农作物有小麦、水稻、玉米、红薯、芝麻、谷子、豆类、瓜类等。

(三)保护内容

斑嘴鹈鹕、苍鹭、鸿雁、金雕、雕鸮、小隼、水獭等和湿地生态环境。

二十三、窄口水库地区

位于灵宝市南部,北纬 34°20′,东经 110°48′,面积 333.3hm²,海拔 600～700m。

（一）湿地描述

库水主要源于董家堎河、下河、麻家河，通过西涧河汇入黄河。

（二）主要植被

树种有柳、刺槐、杨类、松、栎、苹果、核桃等。农作物有小麦、玉米、红薯、谷子、豆类、棉花、花生等。

（三）保护内容

苍鹭、鸿雁、秃鹫、鸳鸯、大天鹅、灰鹤、灰雁等鸟类和湿地生态环境。

第四节　河南主要湿地旅游资源简介

一、河流旅游资源

河流旅游资源是以河流、溪流、渠、瀑布为基础，结合当地人文景观开发形成的旅游景区。河南省已开发的河流旅游资源主要有以下几个游览区。

（一）三门峡黄河游览区

三门峡黄河游览区包括天险三门峡和三门峡水利枢纽工程两部分，天然与人工相得益彰。天险三门峡在三门峡市和山西平陆县之间，为黄河中游著名峡谷之一。相传大禹治水时，劈龙门，开砥柱，将此凿开成三道峡谷，有"鬼门、神门、人门"三门和"鬼门岛、神门岛、人门岛、中流砥柱、张公岛、梳妆台"六峰，故曰"三门峡"。由于修建水库，鬼门岛、神门岛、人门岛和梳妆台被夷平，现筑起高 106m、长 857m 的拦河大坝。三门峡库区碧波涟漪、山水辉映，大坝雄伟壮观，立于其上给人以人定胜天之感。大坝下游中流砥柱、张公岛屹立于激流之中，急浪飞越，怒涛翻卷，气势壮阔。其中中流砥柱上镌刻有唐太宗李世民的手书"仰临砥柱，北望龙门，茫茫岛迹，浩浩长春"十六个大字。人游其中，抚今追昔者，会产生无尽的联想。

（二）郑州黄河游览区

该游览区位于郑州市区西北约 25km 黄河南岸的岳山和广武一带，面积约 17km²。现已建成岳山寺、五龙峰、骆驼岭、汉霸二王城四个景区。五龙峰是其中心景区，其山势犹如五龙盘绕，故得名。其主峰周围依山就势建造有开襟亭、依山亭、畅怀亭、浮天阁，还有清河轩、牡丹轩、引鹭轩等建筑。登五龙峰顶远眺黄河，滔滔东流，烟波浩渺，"一支黄浊贯中州"、"奔腾到海不复回"的恢宏气势一览无余。骆驼岭位于五龙峰西 1.5km 处，岭顶矗立有 10m 高的大禹像，其东侧建有黄河碑林。从桃花峪上行 1km，即是历史上楚汉相争的广武古战场，遗存有汉霸二王城。在霸王城北侧点军台上，修建有生铁铸成的"战马嘶鸣"大型雕塑，一幅当年两军对垒鏖战、战马引颈悲鸣的悲壮场景。

（三）太白顶淮源风景区

该风景区位于桐柏县西南 15km 处。山清水秀，林木葱郁，以淮河发源地著称，清康熙年间曾修建"淮源"纪念碑 1 座。淮河源水，水流清澈，由山洞流出。站在源头，凝眸溪流，不由令人感慨造化之奇。沿淮水谷地，阳春三月，山桃盛开，把满谷点缀得火红似霞，风景绝美。主峰太白顶 1 140m，山势雄伟，山水融为一体，形成一道绝美的风景。

(四)老潭沟瀑布风景区

该风景区位于修武县境云台山中,以老潭沟、小寨沟为主。老潭沟瀑布是目前我国第一高瀑,落差达 310m,犹如一条玉柱直插蓝天云端;飞瀑直泻跌落到深潭之中,喷珠吐玉,白雾缭绕,让人亲身领略"飞流直下三千尺,疑是银河落九天"之美妙,让人体会到"沾衣不湿杏花雨,吹面不寒杨柳风"的感觉。

(五)青天河风景区

该风景区位于博爱县北 40km 的山中,河水清澈,风光秀丽。有玉女峰、石老人、大姑洞、三姑泉、群驼峰、梳妆台等胜迹,素有"小桂林"之称。河中可行船,长达十余里,相传为《水经注》中的载天井之处,途中可观亚洲第一大跨度石拱铁路桥,其跨度长 80m,十分壮观。

(六)红旗渠风景区

该风景区位于太行山东麓林州市境内。1960 年,为引漳河水入林州,林县儿女在太行山绝壁上开凿修渠,从山西省平顺县候壁断崖下开始,沿漳河南岸绕悬崖,越峡谷,逢山开路,遇沟架桥,共劈开山头 1 250 个,凿通隧道 180 个,架设渡槽 155 条,挖砌土石方 1 640 万 m³,用工 4 000 多万个,建成了总长 200km 有"人工天河"之称的红旗渠,曾被国际友人誉为"世界第八大奇迹"。

二、水库旅游资源

全省有大型水库 10 余座,中型水库 100 多座,其中大部分开辟了旅游项目,成为游览休闲的风景区。较出名的有以下几个风景区。

(一)丹江水库风景区

该风景区位于淅川县南部,面积 7.7 万 hm²,储水量 160 亿 m³,水面最宽处可达 32km,深达 100m 之多。山清水秀,自然景色十分迷人。雁口一带水道狭窄,两岸群山高耸,悬崖峭壁,野藤倒挂,有"小三峡"之美誉;云岭峡两岸青山叠翠,断崖壁立,时隐时现;太白峡河面突然变窄,两岸峭壁夹峙,"壁峭石悬太白峡,猿啼三声心胆寒",惊险壮观;雁口峡水面转为开阔,水势轻柔舒缓。三峡内有凤凰单展翅、鲤鱼卧沙滩、九头狮子山等自然景观。狮子山壁上有一天然石佛,高达 15m,平视前方,神态安详。丹江水库碧波万顷,水域开阔,泛舟湖上,宛若置身于烟波浩渺的大海之中,是一处理想的休闲之地。

(二)南湾水库风景区

该风景区位于信阳市西 7km 处,面积 2 800hm²,有水上、贤山、休养度假、旅游接待四大景区,30 多个景点,是豫南的一颗璀璨明珠。其以幽、野、静、奇、秀著称,融自然景观与人文景观为一体,具有旅游、休养、度假、科研、教学等多种功能。境内植被丰富,森林茂密。南湾湖内拥有大小岛屿 61 个,它们形态各异、错落有致地散落在清碧的湖中,犹如翠珠洒盘,美不胜收。目前已开发建设的岛屿有鸟岛、大圣岛、消夏岛、蛇岛、杜鹃岛、桂花岛、百果岛等,各具特色;已建成的景点有观鸟台、浮桥探险、亭桥邀月、映日荷花、藕香溢榭、茶楼品茗、万壑松风、曲径通幽、猴岛拾趣、银蛇飞舞、夏日浴场、木屋休闲、南湖荡舟、冷湾垂钓等 30 余处。物种丰富达千余种,杜鹃、兰草、金鸡菊芳香奇异;毛尖茶、猕猴桃、板栗、银杏等为地方特产;大鲵、灵猫、白冠长尾雉等珍禽异兽出没林中;扬子鳄、麋鹿等安居乐土;龙潭瀑、望乳峰、莲花峰为自然之造化;隐贤寺、梁王垒为历史遗迹;四望山、白马山是红色根据地。泛舟湖上,波光粼粼,霞光掩映,湖水清澈,游鱼穿梭,使游人领略一派南国情调的湖光山色景致。

(三)宿鸭湖水库风景区

该风景区位于汝南县西北部,面积 2.39 万 hm^2,堤坝长 35km,是我国面积最大、堤坝最长的平原水库,被誉为"人造洞庭"。其东岸是雄伟的大坝,西岸有万亩芦苇,环湖有数万亩绿杨翠柳,自然风光优美,盛产鱼、虾、蟹、蚌等水产。每到冬季,成群的大雁、仙鹤来这里栖息,是一处极为理想的垂钓、泛舟、观察野生鸟类和度假休闲胜地。

(四)白龟山水库风景区

该风景区位于平顶山市西南约 6km 处,湖面宽展,面积达 90km^2。俯瞰湖面,烟波浩荡,水天一色,沿岸绿草如茵,繁花似锦,看山色风光,听松涛鸟鸣,乘轻舟悠游于碧波之上,结游伴欢跳于野花丛中,实为游览佳处。最富诗情画意的还是远处散落在碧波之中的十几座沙洲,若隐若现,时沉时浮,晨雨风寂时刻,湖面轻笼薄纱,沙洲云烟迷蒙,堪称一绝。

(五)昭平台水库风景区

该风景区位于鲁山县西南 13km 处,水库面积达 60km^2 之多,湖光山色,风景宜人。区内古迹名胜颇多,有荆山岛,其北不远处水面微露一痕,名曰邱公城;还有尧山,据传最早居住在此山上的人是尧的孙子刘累,他因感念祖德,立尧祠于其上,尧山由此得名。另有一峭拔的石峰,峻石相峙,四面绝壁,远望状若两个相倚而立的古代妇女,名曰姑嫂石。相传很久以前,沙河暴发洪水,有一家人被冲散,姑嫂二人漂流到这块岩石上,日夜翘首眺望亲人,最后化为石头。游人泛舟于水面之上,穿行于群山之中,观赏这青山隐隐,碧水悠悠,会产生流连忘返的感觉。

三、湿地保护区旅游资源

(一)豫北黄河故道湿地鸟类自然保护区

该保护区位于河南省新乡市东部,卫辉市和延津县接壤的黄河故道洼地及封丘县境内的黄河背洼地、滩涂地带。区内水源充足、水草丰美,芦苇和香蒲等高等挺水水生植物茂盛,是天鹅、灰鹤、大雁、野鸭等众多鸟类觅食、栖息、繁衍、活动的天然乐园。轻风吹过,一望无际的芦苇荡如碧海波涛,此起彼伏,沙沙有声。天鹅、灰鹤翩翩起舞,群鸟起飞,铺天盖地,犹如一幅有声有色的巨画。湿地区西南黄河故道有上万亩人工林,树干高大通直,枝叶茂盛,夏秋时节遮天蔽日,翠绿欲滴。人文景观有比干庙、香泉寺、宋太祖黄袍加身处。游人至此,或登高观景、赏鸟,或荡舟水路纵横环绕的芦苇荡内,或凭船垂钓,或下水游泳,进行沙浴、日光浴,或拍照留影,可尽情享受大自然的恩赐。

(二)孟津黄河省级湿地水禽自然保护区

该保护区位于孟津县东北部,黄河中游。区内水草丰富,为珍禽异鸟创造了良好的栖息环境。天鹅、灰鹤、鸭、雁、苍鹭、白鹭等时而成群结伴漫步两岸,时而翱翔天空;白鹭像羊群一样地集体觅食;苍鹭伸长脖子,一动不动地等待着上钩的鱼虾;绿头鸭、斑嘴鸭悠然地在河里游动。岛上林中,柳莺唱着欢快的歌,喜鹊姿态优美地在林中穿飞,白尾鹞在天空中盘旋,燕鸥成群地飞来飞去,这里是鸟的天堂。其中既有历史遗迹,也有现代景观。主要历史遗迹有汉光武帝原陵(俗称汉陵)、龙马负图寺、神笔王铎故居、饮酒台、白云观等。刘秀坟占地 4.6 万 m^2,陵园山门巍峨,琉璃吻兽,红垣碧瓦,气势壮观。墓冢为夯土圆丘,周长 500m,甬道直达山门,两侧碑林参差,记录了历代封建帝王遣使御祭的祝文。陵园左侧建光武祠一座,占地 2 万 m^2;甬道两旁挺立的 28 棵隋唐巨柏,排列整齐,传说是辅佐刘秀的"二十八宿"。汉陵于 1963 年被河南省人民委员会公布为重点文物。保护区现代景观是中央电视台为拍摄 40 集电视连续剧《刘秀》而建设的大型汉代文化景区——黄河影视基地,内有九龙壁、凤鸣楼、皇宫金殿、宫邸民宅,建筑巍峨壮观,古朴归真。特别是"光武殿"是我国规模最大、品位最高的帝祠殿,其内陈列有 300 多个人物蜡像,形态各异,栩栩如生。还设有刘秀出山、骑牛起串、王莽撵刘秀、昆阳大战、称帝定都、光武中兴等30 多个场景,寓教于乐,引人入胜。该保护区是中州大地不可多得的旅游胜地之一。

(三)开封柳园口省级湿地自然保护区

该保护区紧靠开封市区,其独特的自然风光与开封古城丰富的历史人文景观相结合,是旅游观光的好地方。区内黄河以"悬河"著称,黄河南大堤是黄淮流域的人工分水岭。汛期登堤,可看到滔滔黄水,滚滚东流;冬季则千鸟云集,飞翔追逐。黑池和柳池水清草绿,垂柳拂岸,燕鸥翩翩,鱼翔浅底,鹰击长空。人文景观更是数不胜数。开封市为我国七大古都之一,著名旅游点有龙亭、相国寺、铁塔、镇河铁犀等。

(四)卢氏西峡大鲵自然保护区

该保护区位于卢氏南部、西峡北部伏牛山北坡。区内山青林密,溪流纵横,是大鲵生长栖息的良好场所。据有关专家调查,卢氏县的大鲵总数仅 5 861 条,总重 3 098kg,个别地方密度很低,繁殖困难,已濒临灭绝边缘。游客至此,只可远观,不可近玩。

(五)淇河自然生态保护区

该保护区位于鹤壁市东郊,以淇河三珍出名。淇河三珍为淇河鲫鱼、缠丝鸭蛋、冬凌草。淇河鲫鱼为省级重点保护动物,其特点之一是背厚,为一般鲫鱼的 10 倍,俗称双背鲫鱼,生长速度是一般鲫鱼的 2.5 倍;其另一个特点是"十鱼九母"。缠丝鸭蛋外形与普通鸭蛋相似,但蛋核却很独特,煮熟后有不同的色环,一层发红,一层泛黄,每层厚度 2mm 左右,层与层之间有油性物质相隔,一直缠到核心,故名。将其切开放入盘中,犹如初绽的莲花在翡翠玉石中托出,晶莹透亮,异常美观。冬凌草学名碎米亚,以冬季草茎近地面处结冰而得名,药用价值很高。该区名胜古迹较多,著名的有青岩绝石窟、玉皇庙等。

四、泉水旅游资源

河南地质构造复杂,各地质时期的构造断裂较多,这为出露众多的泉源提供了良好的条件。其中最负盛名的泉有辉县百泉、安阳珍珠泉、西平龙泉和修武马坊泉,号称中州四大名泉。

(一)百泉

百泉位于辉县市西北 2.5km 的苏门山下,这里山清水秀,风光绮丽,湖光山色相映成趣,景色十分优美,自有"西湖缩影"之称。泉从山脚下涌出,因泉眼密布无数,故名百泉。湖面 3.4 万 m^2,水温常年保持在 20℃ 左右。湖水四季碧透,清澈纯净,湖面上亭阁棋布,曲桥相连,有喷玉、涌金、灵源、故鱼、下马等亭榭矗立湖中。湖岸古柏参天,绿树婆娑,有清辉阁、怡心亭、卫源庙、邵夫子祠和历代碑刻。苏门山腰处有一座孔庙,"竹林七贤"曾在此隐居。

(二)珍珠泉

珍珠泉位于安阳县城西 20km 的水冶镇西,水面达 1.3 万 m² 之多,平均水深 2m。有三个主泉,泉水涌如珍珠,故名。主泉之一为宝剑泉,相传北宋名将韩琦领兵西征路过此地,兵马干渴无水,韩琦气急,拔剑入地,泉水随剑涌出,因而得名宝剑泉。主泉之二为马蹄泉,相传为韩琦战马一蹄踏陷,清泉涌出而得名。另一主泉形如卧龙,故称卧龙泉。三泉周围有九条土岭,宛如九龙相依,故有"九龙三泉"之称。湖中有亭,亭旁有古柏,其中两株相距近 2m,在 1m 多高处合为一株,如门洞,又称骑门柏。湖旁有石栏,可凭栏观鱼。珍珠泉周围还有狮、象、猴等石雕,栩栩如生,和周围景观融为一体,相映生辉。

(三)龙泉

龙泉位于西平县城西南 45km 处,亦称龙渊。相传楚王邀越欧冶子来楚铸剑,用龙泉水淬火,剑特锋利,能斩断牛马,水击鹄雁,当敌即斩,故唐诗有"宁知草间人,腰中有龙泉"之句。历史遗迹有酒店冶铁遗址、冶炉城遗址。龙泉水汇成溪,宛如银蛇曲行 7.5km,绕冶炉城半周后向北流入洪河。龙泉池泉水清澈,风景宜人,为访古寻幽之佳处。

(四)马坊泉

马坊泉位于修武县城东北 10km 的马坊村,南北长 390m,东西宽 130 多米。据《修武县志》载,马坊泉在海蟾宫,虽旱不涸。除此泉外,附近尚有圣井泉、海子泉、龙母泉和吴公泉,与马坊泉合称五泉。

第五节 河南湿地的生态效益评估

湿地因具有巨大的水文和元素循环功能,被誉为"地球之肾";因具有巨大的食物网、支持多样性的生物而被看做"生物超市",是自然界最具生产力的生态系统和人类最重要的生存环境之一。湿地因其巨大的蓄水功能被称为陆地上的天然蓄水库,在蓄洪防旱(涝)、调节气候、控制土壤侵蚀、促淤造陆、降解环境污染等方面起着极其重要的作用。湿地也是重要的矿产地,3 亿年前石炭纪古湿地中生成和保存的煤与石油,是我们今天须臾不可缺少的能源和化工原料;湿地中储存的泥炭是具有广泛用途的矿产资源。湿地拥有丰富的动植物资源,是众多野生动植物、特别是珍稀水禽的越冬地。由于湿地科学是一个新兴的边缘学科,湿地的理论和方法尚处于不断发展过程中,关于评价湿地的效益特别是湿地的资源价值方面的研究,目前还是一个新的领域,资料比较零散,所用方法也不尽一致。为比较准确估算河南湿地的资源价值,这里我们在国内外有关湿地方面研究文献的基础上,借用其他学科的原理与方法,对河南省湿地在涵养水源(减轻水旱灾)、改善水质、保护水土、改善小气候、吸收二氧化碳、净化大气、游憩资源、生物保护等方面的生态效益做出价值评估。

一、资源价值计量的基本思路

(一)资源价值量的客观确认

资源价值量的客观确认主要包括两个方面,一方面要确定计算的区域范围,另一方面要确定计量指标,最后计算该资源价值物理量指标。

(二)计量方法的选择和确定

根据所评价的具体生态效益特点,结合各种方法的使用要求,确定所需要的方法。首先,必须特别准确把握每种生态效能的作用范围,据此寻找最恰当,最能表现该效能量的方法。其次,要注意方法的区别、差异,明确各方法的适用性与不适用性及其基本要求。再次,不同生态效能及同一种生态效能的不同方面均可采用不同的方法进行计量。

总之,特别要注意方法的可选择性,这一方面来源于方法本身的要求,另一方面来源于生态效能本身作用特点的要求。

(三)参数的选择

经济计量参数主要是指由生态效益物理量结果转换为经济计量结果的参数,参数选择首先要在限定方法内进行,即方法确定是参数选择的前提,如应用替代市场技术中的影子价格法,其关键在于影子价格的确定,影子价格决定时,要考虑把最能间接体现(替代)该生态效益作用成果的商品的价格作为该效益的影子价格。不同效益价格是不同的。因此,参数选择要特别注意具体性和实效性。

(四)经济计量

运用所选定的计量方法和转换参数进行经济计量,获得某一时点上该生态效益的经济计量值。

二、指标体系设置的原则和确定

(一)原则

(1)指标应具有物质量(如径流量、泥沙量),价付物质平(如内部收益率等)的可测性,这样才能反映湿地的综合效益。

(2)指标应具有代表性,即具有一定的普遍性,具体地讲能真实、直接地反映对湿地生态工程主要效益的作用和功能。

(3)指标应具有相对独立性,同一层次的各项指标能说明被评价客体的某一方面,尽量不互相重叠或成为相互包含的因果关系。

(4)指标应具有可行性,所谓可行性一方面要求反映客观实际,另一方面要求其可供实际评价计算,因而应是一个较为确定的量。

(5)指标应具有可比性,便于和其他生态环境建设工程措施相比较,能够为湿地生态工程的规划设计提供必须的依据。

(6)指标体系应具有整体性,能综合地、全面地反映湿地生态效益特征的方方面面。

(二)指标的确定

通过对河南省湿地效益和存在的价值等方面的综合考虑,结合评估指标设置的原则,确定从湿地的土地价值、改善水质、调节径流、减轻灾害、净化水、生物生产力、气候调节、野生生物保护和游憩资源等 11 个指标进行河南省湿地的资源价值研究。

三、湿地土地价值

(一)河南湿地的类型和面积

河南湿地面积 655 197hm^2,涉及人工、河流、湖泊、沼泽四个湿地类型。其基本情况见表 5-4。

表 5-4　　　　　　　　　　　　　河南省湿地基本情况　　　　　　　　　（单位：hm²）

总计	人工湿地	河流湿地	湖泊湿地	沼泽湿地
655 197	175 699	456 692	3 022	29 784

注：该表中不包括 443 510hm² 的水稻田。

（二）价值估算方法

湿地价格的确定采用市场价法，即按照市场行情确定价格，选择有代表性的典型地区，收集近几年当地土地市场交易价格，经过折算来确定各地各类型湿地价格。详见表 5-5。

表 5-5　　　　　　　　　　　　河南省各类型湿地价格　　　　　　　　（单位：元 /hm²）

人工湿地	河流湿地	湖泊湿地	沼泽湿地	平均价格
2 131.5	1 867.6	2 233	1 015	1 811.8

上述湿地的价格是租赁价格，不是完全价格。之所以这样计算，一方面是因为我国宪法规定土地所有权属于国家，不能买卖，只能转让或租赁其一定年限内的使用权；另一方面，我国及河南省土地市场还不成熟和完善，基本上还没有得到发展。因此，根据实际情况，以不完全价格为基础进行湿地资源价格核算，切合实际。

按各类型湿地的价格计算出各类湿地土地的价值，进而得出河南省湿地的土地价值为 126 439.93 万元。详见表 5-6。

表 5-6　　　　　　　　　　　　　各类湿地价格汇总　　　　　　　　　　（单位：万元）

人工湿地	河流湿地	湖泊湿地	沼泽湿地	合计
37 450.24	85 291.80	674.81	3 023.08	126 439.93

四、湿地水资源价值估算

（一）湿地蓄水量的估算

湿地的最大特点就是水资源丰富，而要计算湿地的水资源价值必须借助影子工程价值求算法。它把湿地涵养水源的功能等效于一个蓄水工程，而该工程的价值是可以计算的。该水利工程的造价就可以替代为湿地水资源的价值。用替代工程法计算的关键问题是正确计算湿地的蓄水量，以及选择适当的便于计算的水利工程。同时还要考虑到物价上涨等因素，这里以资料《河南水利年鉴》为根据，查得涉及水库工程投资为 4 723 095.00 万元，新增库容 14.49 亿 m³，求出 1m³ 库容的建造成本为 32.6 元。详见表 5-7。

表 5-7　　　　　　　　　　　水库工程建造的单位库容量成本

涉及水库工程投资（万元）	新增库容（亿 m³）	库容量成本 1（元 / m³）	库容量成本 2（元/t）
4 723 095.00	14.49	32.60	32.60

注：1m³ 水按 1t 重计算。

　　湿地常被称为"海绵体"和绿色水库,有巨大的渗透能力和蓄水能力。在降水时,湿地能吸收和渗透降水,减少了流入大海的无效水,增加了地表有效水的蓄积,以供工农业利用和生活利用。因此,湿地在涵养水源、增加有效水量效益方面有明显的经济价值。由于湿地类型、地上植被、土质、所处位置不同,其地表水蓄量有很大的差异,目前对河南省湿地这方面的研究还没有开展,很难找到有关的资料,所以我们采用森林的涵养水分指标来计算湿地的蓄水。一个森林生态系的贮水量,是森林植物保水量、枯枝落叶层持水量和森林土壤贮水量的总和。参考 1980 年中国林学会组织科技人员对山西、河北、山东、河南四省部分石质山进行的考察报告中所提出的数据,$1hm^2$ 森林能涵养水分 $703m^3$,以此为指标可计算出河南省湿地涵养水源的蓄水量为 467 633 491m^3。详见表 5-8。按照有关资料,相对于无林地,森林的蓄水量要高出 2.0%～5.3%,但实际情况中,湿地的蓄水量应远远大于森林的蓄水量。所以我们取最高值 5.3% 来计算,可得出河南省湿地的涵养水源年增加有效蓄水量为 17 068 622.42m^3。

表 5-8　　　　　　　　　河南省湿地年水源涵养效益物理计量

面　　积	蓄水量(m^3/hm^2)	物理量合计(m^3)
655 197	703	467 633 491.00

(二)湿地水源涵养价值的计算

1.水源涵养价值计算的定价标准

　　目前,国内外关于湿地涵养水源价值计算的定价标准存在争议。其中有代表性的方法有 5 种:

　　(1)根据水库工程的蓄水成本来确定。因为湿地涵养水源与水库蓄水的本质类似,其蓄水价值应根据蓄积 1t 水的建水库费用为标准。

　　(2)根据工业净化水成本来计算。因为工业净化也达到改善水质的目的,在本质上与湿地的效果一样。

　　(3)根据供用水的价格来确定。供水价格是水的商品价格,湿地涵养水源的价值当然应该根据水的商品价格来确定。

　　(4)根据电能生产成本来确定。湿地涵养水源的结果是减少了雨季的洪水能源浪费,增加了流域的电能生产成本。

　　(5)根据级差地租来确定。水的使用价值和价格与流域的地理位置、社会经济条件和开发利用程度密切相关,因此,湿地涵养水源量的价值与级差地租有关。

2.河南省湿地水源涵养的经济价值计算

　　考虑到湿地涵养水源的功能具有多重性,我们对水源涵养价值的计算主要从三个方面来进行计量,一是通过多蓄水,相当于增加了水库库容,减免旱灾和洪涝产生的效益;二是湿地对水质的净化作用,提高了水质所产生的效益;三是通过多蓄水,增加了降水的有效水量所产生的调节径流效益。这里针对三种效益的各自特性,我们分别采用以上方法中的第一种、第二种、第三种来核算湿地涵养水源的第一种、第二种、第三种效益。

　　(1)减免旱灾和洪涝效益经济价值计算。

　　河南省湿地的年增加有效蓄水量为 17 068 622.42m^3。2001 年河南省的库容量成本为库容的建造成本为 32.6 元/m³（见表 5-7）。2002 年河南省居民消费价格指数为 100.7，再乘以 1.02 的价格调整系数，可得定价标准为 32.6×100.7%×1.02＝33.48（元/m³）。从而计算出河南省年减免旱灾和洪涝效益为 57 145.67 万元。详见表 5-9。

表 5-9　　　　　　　　　　河南省湿地年增加地表有效水效益价值量

年增加蓄量估算 （万 t）	定价标准 （元/t）	经济计量值 （万元）
1 706.86	33.48	57 145.67

（2）改善水质效益经济价值计算。

采用工业净化成本，计算河南省湿地改善水质效益经济价值。根据郑州市自来水公司财务处提供的资料，净化每吨水成本为 1.2 元。根据《河南年鉴》（2003 年）公布的 2002 年河南省居民消费价格指数，可调整为各湿地地区所适用的净化水成本。根据郑州市净化 1t 水成本为 1.20 元，可推算河南省湿地净化水成本为 1.20×100.7%×1.02＝1.23 元/t。

河南省的年降水量在 600～1 200mm 之间，淮南最多，达 1 000～1 200mm，黄淮之间为 700～900mm，豫北和豫西丘陵为 600～700mm。为了简化计算，全省统一按降水量 800mm 计算，河南省总面积为 16.7 万 km²，可得河南省降水量物理量为 13 360 000 万 m³。参照 1hm² 森林能涵养水分 703m³ 来计算湿地的蓄水量，可得出河南省湿地的蓄水量为 467 633 491.00m³。湿地的蓄水量远远小于降水量，所以我们以湿地蓄水饱和状态的蓄水量来作为湿地改善水质的物理计量值，可得湿地改善水质经济价值为 46 763.35×1.23＝57 518.92 万元。详见表 5-10。

表 5-10　　　　　　　　　　河南省湿地年改善水质经济计量

2002 年河南省居民消费价格指数	价格调整系数	定价标准 （元/t）	净化水量 （万 t）	经济计量值 （万元）
100.7	1.02	1.23	46 763.35	57 518.92

（3）调节径流效益经济价值计算。

由于湿地涵养水源，延长了丰水期，缩短了枯水期，从而提高了农田灌溉及工业、生活供水的能力，产生的效益即为湿地调节径流效益，计算公式如下：

$$V = V_1 + V_2 + V_3 = M \cdot P_1 \cdot \eta_1 + M \cdot P_2 \cdot \eta_2 + M \cdot P_3 \cdot \eta_3$$

式中：V 为湿地调节径流价值，元；V_1、V_2、V_3 分别为增加农田灌溉、工业供水和生活用水能力的经济价值，元；M 为湿地涵养水源总量，t；P_1、P_2、P_3 分别为农田灌溉和工业供水、生活供水价格，元/t；η_1、η_2、η_3 分别为农田灌溉和工业供水、生活供水的利用系数，%。

由于我国供水尚未全部实行统一价格，各市也未全部公布价格标准，因此在资料、数据不太充足的情况下，参考郑州市，并以《中国统计摘要》（1999 年）公布的价格指数调整为各工程水价标准。

　　根据郑州市水利局、水资源管理办公室及市排水事业管理处提供的资料,农田灌溉用水约占80%,工业供水约占12%,生活供水约占8%。定价标准取平均值0.49元/t、1.5元/t、1.3元/t。据此可得出各工程区物价指数,见表5-11。

表5-11　　　　　　　　　　　　河南省湿地物价指数

商品零售价格 指数	价格调整系数	农田灌溉水价 (元/t)	工业用水价格 (元/t)	生活用水价格 (元/t)
100.7	1.02	0.50	1.54	1.34

　　按以上公式及物价指标,可以计算出河南省湿地年调节径流效益为158 026.95万元,详见表5-12。

表5-12　　　　　　　　　　　河南省湿地年调节径流经济计量

年涵养水源量 (t)	增加农田灌溉经 济价值(万元)	增加工业供水经 济价值(万元)	增加生活用水价格 (万元)	合计 (万元)
467 633 491	23 535.93	72 048.76	62 442.26	158 026.95

　　(4)河南省湿地水源涵养价值估算结果。

　　由以上计算可以得出河南湿地水源涵养效益经济价值为每年272 691.54万元。详见表5-13。

表5-13　　　　　　　　　　河南省湿地年水源涵养效益经济计量

增加地表有效水量效益 (万元)	改善水质效益 (万元)	调节径流效益 (万元)	总计 (万元)
57 145.67	57 518.92	158 026.95	272 691.54

五、湿地固土保肥效益的计量

　　水流进入湿地后,速度明显降低,从而导致水中营养物和悬浮物沉降在湿地中。当河流泛滥时,由于湿地的植被密集,水深变化大,有助于减缓水流的速度,沉降和排出洪水中的沉积物,防止具有防洪和运输作用的河道淤积。同时湿地的洪泛作用还可以恢复土壤养分,使湿地内的农业受益。

　　湿地营养物来源广泛,如由径流带来的农用肥、人类废弃物和工业排放物等。营养物随沉积物沉降后,通过湿地植物吸收,经化学和生物学过程转换而被储存起来。当然并不能保证湿地植物吸收的营养物从水中完全排除,因为营养物可随植物的腐烂而再次释放到水中。从湿地收获生物量,如收割禾本科草类与莎草类用于盖房子和养鱼,这意味着营养物质以有用的形式从该系统中排除出去。

　　固土保肥效益的计算,首先是确定保土量。

　　根据北京林业大学王礼先、解明曙《山地防护林水土保持水文生态效益及其信息系统》(1997年版)提供的几个典型经验参数:

黑龙江省的保土效能为 36.85t/(hm²·a);

青海省的保土效能为 27.21t/(hm²·a);

江苏省的保土效能为 34.12t/(hm²·a);

湖北省的保土效能为 29.30t/(hm²·a)。

本研究取其平均值:(36.85 + 27.21 + 34.12 + 29.30)÷4 = 31.87(t/(hm²·a))

折合的水土流失量为:31.87×655 197 = 2 088.11(万 t),折合成立方米为 2 088.11 万 t×0.7m³/t = 1 461.68 万 m³。

有了保土量,根据国家"九五"攻关课题周晓峰等人的研究成果:

$$V_g = K \times S \times G \times D$$

式中:V_g 为固土效能经济评价值,元;K 为挖取 1t 泥沙所需费用,元(1.5);S 为湿地总面积,655 197hm²;G 为进入河道或水库中的泥沙占总泥沙流出量的比值(%)(1/2);D 为湿地比其他地类相对减少的侵蚀量(这里取 31.87t/(hm²·a))。

上面已经计算出了水土流失量为 2 088.11 万 t,所以直接代入计算:

$$V_g = 1.5 \times 2 088.11 = 3 132.17(万元)$$

保肥效益的计算为氮、磷、钾三种主要养分的损失量,将土壤中氮、磷、钾分别换算成碳酸氢铵、过磷酸钙和硫酸钾,由公式:

$$V_f = D \cdot S \cdot \sum_{i=1}^{n} P_1 i \cdot P_2 i \cdot P_3 i \quad (i = 1)$$

式中:V_f 为湿地保肥效益经济评价值,元;D、S 同上式;$P_1 i$ 为湿地土壤中氮、磷、钾含量(%);$P_2 i$ 为纯氮、磷、钾折算成化肥的比例,分别为 79/14、506/62、174/78;$P_3 i$ 为各类化肥在当地的销售价 3 元/t,分别为 400、350、350。

可计算河南省湿地的保肥效益为:

$$V_f = 31.87 \times 655 197 \times (0.37\% \times 79/14 \times 400 + 0.108\% \times 506/62 \times 350 + 2.239\% \times 174/78 \times 350)/10 000 = 60 383.67(万元)$$

由 V_g 和 V_f,我们可以得出河南省湿地的固土保肥年效益为 63 563.64 万元。

六、湿地净化水中污染物的价值估算

湿地对污水中的许多污染物具有明显的净化效应,研究证明,湿地通过植被吸收、沉积作用、物理吸附或交换作用,以及细菌降解等作用,具有很强的处理污水的潜力。由于资料不足,本次计算参照已有的试验数据进行估算。

国外的湿地工程试验证明:一个 80hm² 的浅沼泽湿地,估计能够具有日处理 3.8t 污水的能力。折算为处理能力 173.4t/(hm²·a)。

江苏的湿地生态工程试验证明:一个 80hm² 的湿地生态系统,其收获的干物质有 945t(7～9 月),折合吸收水中氮 25t,磷 4t,硫 3t。折算成年处理能力:氮 0.937 5 t/(hm²·a),磷 0.15t/(hm²·a),硫 0.112 5t/(hm²·a)。由河南省湿地面积和单位面积吸收能力,进而计算出河南省湿地年净化主要污染物的能力,详见表 5-14。

根据郑州市污水处理厂 2000 年运行费用计算,投资 7.2 亿元,使用期 20 年,日处理污水 20t。运行成本为:去除 1kg 氮 1.2 元,磷 2.5 元,硫 3.3 元,按照郑州市污染物处理成本,结合各地物价指数计算出各地污染物单位净化价格。详见表 5-14。

根据湿地净化主要污染物的年吸收量和各污染物单位净化价格,计算出河南省湿地年净化主要污染物价值为 125 931.20 万元,详见表 5-14。

表 5-14　　　　　　　　　　　河南省湿地年净化主要污染物价值计算

净化污染物的种类	氮	磷	硫
污水厂去污价格(元/kg)	1.20	2.50	3.30
价格调整系数	1.027 1	1.027 1	1.027 1
调整价格	1.232 6	2.567 9	3.389 6
湿地面积(hm²)	655 197		
每年每公顷折合吸收量(t/(hm²·a))	0.937 5	0.150 0	0.112 5
每年吸收量(t)	614 247.19	98 279.55	73 709.66
净化污染物的价值(万元)	75 710.14	25 236.71	24 984.35
合计(万元)	125 931.20		

七、湿地天然产品价值计算

(一)湿地的土地利用情况

根据《河南湿地》中的统计资料,河南省湿地的利用情况详见表 5-15。

表 5-15　　　　　　　　　　　河南省湿地的利用情况　　　　　　　　(单位:hm²)

湿地面积	利用项目										
	水源	调蓄	灌溉	捕捞	养殖	旅游疗养	体育运动	植树	种植作物	放牧	排涝
655 197	425 671	269 321	496 826	286 054	453 239	70 642	39 158	367 054	332 173	180 976	35 090

(二)湿地产品的价值计算

对河南省的湿地来说,其主要产品产值的计算可以归纳为捕捞、养殖、植树、种植作物和放牧五类产业的产值。

捕捞和养殖的产值是直接查《河南年鉴(2003)》的统计数据,分别为年产值 8 000 万元和 193 400 万元。

植树产业的价值计算,因为没有湿地植树各树种的面积资料,考虑到湿地植树主要以杨树为主,而一般的情况下,杨树每年每株可有 10 元钱的效益,这里按每公顷 833 株计算,再扣除 10% 的折损率,可得河南省湿地年植树效益为 275 180.38 万元。

种植作物产品价值的计算,按单产 1.5 万 kg/hm²,价格 0.8 元/kg,可得河南省湿地种植作物产品年效益为 398 607.60 万元。

根据有关资料,河南省载畜能力为每公顷 0.45 羊单位,按每只羊年效益为 100 元计算,可得河南省湿地放牧年效益为 814.39 万元。

综上所述,河南省湿地各类主要产品年价值为 876 002.37 万元,详见表 5-16。

表 5-16　　　　　　　　　　　　　河南省湿地产品价值　　　　　　　　　　(单位:万元)

捕捞	养殖	植树	作物	放牧	合计
8 000	193 400	275 180.38	398 607.60	814.39	876 002.37

八、气候调节价值估算

(一)湿地环境干扰现状

湿地人为活动对湿地产生的不良影响主要是围垦、城市化、水土流失、水源短缺、有机污染、过度狩猎、沙化等方面。

(二)湿地气候调节价值估算

湿地对大气具有一定的净化作用,主要体现在二氧化碳的吸收效益上。由于资料的不足和研究方面的缺陷,这里只从湿地净化大气二氧化碳的角度入手来计算其价值。湿地吸收二氧化碳对整个生物圈都是有利的。二氧化碳是大气中的主要温室气体,它的上升正日益引起国际社会的焦虑,二氧化碳的上升不仅可引起全球气温升高,而且加大了气候分异,增加了自然灾害。因此,国际社会愈来愈注重固定二氧化碳的效能,并在经济学上也研究和探讨其生态经济价值。

1.湿地吸收二氧化碳物理量计算

泥碳在沼泽中积累,是大气中二氧化碳的重要汇聚地。据估算全球湿地泥碳每年积累 1mm,一年中将有 3.2×10^{14} g 碳被积累。湿地的固碳功能,主要是通过光合作用实现的,多数试验证明,每得到 1kg 干物质,需要 1.62kg 的二氧化碳,同时释放 1.2kg 的氧气。因此,只要得到湿地的植物生产力就可以算出湿地对二氧化碳的吸收量。这里我们采用《河南湿地》一书中的河南省湿地生产力和植物生物量测算数据,经计算河南湿地年可吸收二氧化碳量为 28 762 210.14t,详见表 5-17。

2.吸收二氧化碳效益的成本计算方法

(1)根据人工固定二氧化碳的成本来计算。固定二氧化碳的经济价值可以用工艺固定等量二氧化碳的成本来计算,其缺点是成本高昂。

(2)根据碳税标准来计算。欧洲共同体、挪威、丹麦和瑞典等都曾向联合国提议对石化燃料征收碳税,以减缓温室效应,如瑞典政府提议的碳税为每千克 0.15 美元。因此,有部分学者建议以碳税额作为湿地固定二氧化碳效益计算中的成本价。

(3)根据变化的碳税标准来计算。测量并计算出石化燃料(征收碳税)转化为无碳燃料(不征收碳税)的资金花费,并以此金额作为税金。根据这种方法,1990 年英国的 Anderson 测量并计算出每立方米木材固定二氧化碳的经济价值为每立方米 43 英磅。

3.经济价值计量

我们将采用第一种方法计算出河南省湿地年吸收二氧化碳的经济价值。

根据郑州工业气体公司提供的资料:二氧化碳价格为 1 300 元/t,由于资料收集有限,这里根据《中国统计年鉴》(1999 年)公布的 1998 年全国商品零售价格指数 106.1% 及 1999 年湿地地区综合物价调整系数,得出二氧化碳适用的价格为 1 335.28 元/t。由于不能保证湿地植物吸收的二氧化碳完全被固定利用,有相当的一部分会再次释放到水中或大气中去。所以,我们取 50% 的二氧化碳被完全固定来计算湿地年吸收二氧化碳的经济价值。经计算河南湿地年可吸收二氧化碳的年经济价值为 19 202.83 亿元。详见表 5-17。

表 5-17　　　　　　　　　　河南省湿地年可吸收二氧化碳效益测算

项目	合计	河流	湖泊	沼泽	人工湿地
面积	664 762.00	456 692.00	2 587.00	29 784.00	175 699.00
净初级生产力 $(g/(m^2 \cdot a))$	5 000.00	500.00	500.00	2 500.00	1 500.00
净初级生产总量 $(\times 10^3 t/(m^2 \cdot a))$	567.65	228.35	1.29	74.46	263.55
单位面积平均植物生物量 (kg/m^2)	22.55	0.02	0.02	15.00	7.51
河南湿地植物生产总量 (t/a)	17 754 450.70	91 338.40	517.40	4 467 600.00	13 194 994.90
河南湿地吸收二氧化碳量 (t/a)	28 762 210.14	147 968.21	838.19	7 237 512.00	21 375 891.74
河南湿地吸收固定有效二氧化碳量 (t/a)	14 381 105.06	73 984.10	419.09	3 618 756.00	10 687 945.87
河南湿地吸收二氧化碳效益值(亿元)	19 202.83	98.79	0.56	4 832.06	14 271.42

注:二氧化碳价格 1 335.28 元/t。

九、生物多样性价值

湿地是物种最丰富的生态环境,从这个意义上说,保存了湿地就保存了物种,湿地的破坏必然导致物种大量灭绝。

湿地是各种植物及动物(水生动物)组成的系统,对栖息、繁衍其中的其他物种有深刻的影响,因为湿地能为它们提供发育、生存和进化的基础(环境条件和有机物)。全球生物物种中有 1/4 以上是以湿地作为"母亲"的。

湿地的破坏导致物种的锐减。由于过度干扰湿地,不但导致有机物合成的减少和食物链及食物网的破坏,而且破坏了湿地生态环境,致使大量野生动植物失去"庇护所"。一般说来,一种植物的绝种,常常导致 10~30 种生物的生存危机。据世界生物保护监测中心估计,到 21 世纪末,全世界约有 6 万种以上的植物受到不同程度的威胁,中国至少有 4 000~5 000 种植物受到威胁。

(一)湿地野生生物保护效益估计

由于不好明确湿地野生生物保护效益为一种物理量,所以我们直接将单位湿地面积上的湿地野生生物保护年效益定为它的因变量。

1.湿地野生生物保护效益的经济计量方法

它的经济计量方法有两种:

(1)湿地野生生物的物质资源采用市场法;

(2)湿地野生生物的环境资源采用"支付意愿法"。

2.湿地野生生物保护效益的因变量

湿地野生生物保护的因变量的调查方法只能采用典型调查法。可使用的平均湿地野生生物保护效益的因变量有两个:

(1)海南省野生生物保护的因变量为 112.2 元/(hm^2·a);

(2)黑龙江省野生生物保护的因变量为 108.60 元/(hm^2·a)。

(二)经济计量

目前,根据环境经济学和资源经济学的研究成果,野生生物保护效益的经济价值核算主要有 4 种方法,即费用支出法、市场价值法、条件价值法和游行费用法。

费用支出法以人们对保护野生生物的支出费用来表示该效益的经济价值。

市场价值法适合于没有市场交换但能找到市场交换的野生动植物物种的经济价值,如自然生长的野生动物。这些野生生物虽没有在市场交换,但可以用市场交换价格来表达其经济价值。市场价值法可用公式表达如下:

$$V = \sum P_i \Delta R_i$$

式中:V 为野生生物的经济价值;P_i 为第 i 种野生生物的市场价格;ΔR_i 为第 i 种野生生物的数量。

这两种方法主要应用于湿地内的野生生物保护效益计量。

1.野生动物保护经济计量

依据 1997 年完成的河南省湿地资源普查、河南省陆生野生动物资源调查资料,以及《河南黄河湿地自然保护区科学考察报告》中的有关资料,应用典型调查法,以样本推断总体,计量出河南湿地年野生动物保护效益。

两次普查包括鸟类和兽类,较为准确地查清了分布于河南湿地内的鸟、兽种类。其中鸟类为 11 目 21 科 175 种;兽类 3 目 4 科 22 种。由于资料所限,昆虫类价值较小而忽略不计。平均每公顷野生动物保护效益为 2 100 元。

本次按照该价计算湿地野生动物保护价值,可得河南省湿地野生动物保护效益经济计量为 141 325.60 万元。详见表 5-18。

表 5-18　　　　　　　　　　**河南省湿地年野生动物保护效益经济计量**

野生动物保护效益价格 (元/(hm^2·a))	物价指数 (%)	调整系数	折算后价格 (元/(hm^2·a))	面　积 (hm^2)	经济计量值 (万元)
2 100	100.7	1.02	2 156.994	655 197	141 325.60

2.野生植物保护经济计量

野生植物也同样具有保护生物多样性及物种基因库的功能,但市场收购价中显然是不包含这些的。由于野生植物没有像野生动物那样有湿地部分公布的价格标准指数,本研究参照野生动物价值标准,取国家一级保护动物价格标准倍数 12.5 和二级保护动物价格标准倍数 16.7 的平均值 16 为调整系数,则折合为 2 187.9 元/hm^2(参考《河南黄河湿地自然保护区科学考察报告》),从而计算出河南省野生植物保护效益的经济计量为

147 241.11万元。详见表 5-19。

表 5-19　　　　　　　　　河南省湿地年野生植物保护效益经济计量

野生植物保护效益价格 （元/（hm²·a））	物价指数 （%）	调整系数	调整后价格 （元/（hm²·a））	面　积 （hm²）	经济计量值 （万元）
2 187.9	100.7	1.02	2 247.28	655 197	147 241.11

注：野生植物价格本应随物价而呈不断上涨趋势，但考虑到生物多样性、基因库以及种群数量呈下降趋势，本研究认
　　定这两种因素相互抵消，因此暂不调整。

综合上述结果，可得河南省湿地年野生生物保护效益为 288 566.71 万元，详见表 5-20。

表 5-20　　　　　　　　　河南省湿地年野生生物保护效益经济计量

面积 （hm²）	野生动物保护效益 （万元）	野生植物保护效益 （万元）	经济计量值总计 （万元）
655 197	141 325.60	147 241.11	288 566.71

十、游憩资源效益经济计量

当前，以湿地旅游资源为依托而发展起来的湿地旅游业，已在全国形成热潮。据统计，1998 年全国参与湿地旅游的人数达 250 万人次，直接经济收入 2 亿元。湿地旅游业已经成为湿地行业的一个重要产业。

（一）经济计量的两类价值

根据国内外的研究成果，从实际利用的角度来看，湿地游憩的经济价值可分为两类。

1. 湿地游憩的利用价值（Use Values）

湿地游憩的利用价值是湿地资源可以为当代人提供的游憩利用价值，即人们为了获得湿地游憩服务愿意付出的费用，它有类似市场交换的"替代市场"（Surrogate market）和"影子价格"（Proxy Price）。由于湿地以及其中的河流可以狩猎、野营、散步、观赏、游泳、划船和钓鱼等，因此消费者愿意付出一定的费用如门票费、拍照费、税收和旅行费等，以获得这种服务。

2. 湿地游憩的非利用价值（Non－Use Values）

简单地说，湿地游憩的非利用价值是湿地资源中不能被人们当前利用的游憩价值，而是供自己未来或后代利用的游憩价值，如未开发的景点。非利用价值又可以分为三类。

（1）选择价值（Option Value）。人们不仅自愿支付（WPT）一定的费用以现场获得游憩服务这种服务，而且愿意为自己未来支付一定的费用，以便把湿地游憩服务的选择留给自己，这种为自己未来 WPT 的费用即为湿地游憩的选择价值。

（2）遗产价值（Bequest Value）。遗产价值是指当代人为了把湿地游憩遗产保留给子孙后代自愿支付的费用，因为人们不希望湿地游憩价值在后代人能利用之前就完全损失掉。

（3）存在价值（Existence Value）。湿地游憩的存在价值是人们为后代人保护湿地野生生物及其生境愿意支付的费用，如人们自愿支付一定的资金为后代人保护生物多样性。这种伦理上的存在价值反映了人们对湿地野生生物的怜悯、关注和责任感，其经济价值不能用成本——效益分析（CBA），但这些价值的大小可以从社会对湿地野生生物保护所捐献的资金来衡量。

（二）经济计量

湿地游憩的热潮已在我国兴起，虽然关于湿地游憩价值的定量研究有些探索性的零星研究，但还没有从事深入系统地研究，因此湿地游憩价值评估研究在我国基本处于空白状态。

本研究将分别核算湿地游憩资源效益的两类价值：利用价值和非利用价值。其中，①根据公布的旅游业总产值，用费用支出法计量游憩利用价值；②根据泰国曼谷市隆重皮尼公园和英国的经验数据，采用条件价值法估计游憩非利用价值（包括选择价值、遗产价值和存在价值）。

1.游憩资源利用价值核算

根据 1998 年全国湿地旅游业总产值和湿地面积，计算出我国湿地单位面积旅游资源利用价值，并以此计算出河南省湿地年游憩资源利用价值为 544.04 万元。详见表 5-21。

表 5-21　　　　　　河南省湿地年游憩资源利用价值（2004 年不变价）

1998 年全国湿地旅游业总产值（万元）	中国湿地面积（不包括水稻田）（万 hm²）	平均收益（元/hm²）	河南湿地面积（hm²）	物价指数	调整系数	经济计量值（万元）
22 524.00	2 794.00	8.06	655 197.00	1.01	1.02	544.04

2.游憩资源非利用价值估计

条件价值法是国外流行的一种湿地游憩价值核算方法之一，它不仅可以核算湿地游憩的利用价值，而且也可核算其非利用价值（包括选择价值、遗产价值和存在价值）。

由于条件价值法所涉及的抽象因素太多，且在我国根本没有应用先例，应用起来难度很大，因此我们可采用泰国曼谷市隆皮尼公园和英国分别对其湿地游憩价值的游憩利用和非利用价值核算结果，将其作为经验调整系数，估计湿地游憩资源效益的非利用价值。本研究采用泰国（8.69）和英国（1.04）实例中的非利用价值与利用价值的平均倍数为调整系数，来估计湿地的非利用价值。

$$调整系数 = (8.69 + 1.04) \div 2 = 4.87$$

由此可得，河南省湿地年游憩资源非利用价值经济计量值为：544.04×4.87＝2 649.47 万元。

因此，河南省湿地年游憩资源效益经济计量总值为 3 193.51 万元。

十一、河南省湿地资源年生态效益总价值

综上所述，河南省湿地的年生态效益总价值应为 19 378.47 亿元。详见表 5-22。

表 5-22　　　　　　　　　　　　河南省湿地年生态效益经济计量

项　　目	效　　益
土地价值(万元)	126 439.93
增加地表有效水效益(万元)	57 145.67
改善水质效益(万元)	57 518.92
调节径流(万元)	158 026.95
固土保肥效益(万元)	63 563.64
污染物净化价值(万元)	125 931.20
产品价值(万元)	876 002.37
气候调节价值(万元)	192 028 300.00
野生生物保护价值(万元)	288 566.71
游憩资源价值(万元)	3 193.51
合计(亿元)	19 378.47

参考文献

1　陆健健.中国湿地.上海:华东师范大学出版社,1990

2　林业部野生动物与森林植物保护司.湿地保护与合理利用——中国湿地保护研讨会文集.北京:中国林业出版社,1996

3　陈宜瑜.中国湿地研究.长春:吉林科学技术出版社,1995

4　国家林业局野生动植物保护司.湿地管理与研究方法.北京:中国林业出版社,2001

5　林晓安,等.河南湿地.郑州:黄河水利出版社,1997

6　河南省人民政府办公厅,河南省地方志办公室.河南年鉴(2003).郑州:河南年鉴社,2003

7　国家林业局《湿地公约》履约办公室.湿地公约履约指南.北京:中国林业出版社,2000

8　河南省林业厅野生动植物保护处.河南黄河湿地自然保护区科学考察集.北京:中国环境科学出版社,2001

9　河南省统计局.河南统计年鉴(2003).北京:中国统计出版社,2003

第六章 河南林业资源经济价值评估

第一节 概 述

一、评估的目的和意义

林业资源是人类社会极为重要的财富,是林业企业赖以生存和发展的物质基础,生产资料的重要来源。长期以来,在产品经济的模式下,理论上不承认林业资源是一种资产,否认林业资源的商品属性;实践中对林业资源实行无偿取用的政策,导致了林业资源的掠夺性开发利用,使林业资源和生态环境受到严重破坏。近年来,在各级政府的大力支持下,林业部门狠抓资源管理和荒山绿化,取得了很大成绩,使资源消耗低于资源增长。林业资源的资产化管理日益提到议程上来。同时,随着市场经济的发展,林业也逐渐地走向市场,由以前的政府搞林业,逐步向私有化、全民化过渡。林业资源的资产化管理是林业资源管理的一个飞跃,其根本目的还是保护资源,发展资源,合理利用资源。它是从计划管理到经济管理、从资源产品经济向资源商品经济的必由之路。林业资产评估是进行林业资源资产化管理的一项重要工作。随着市场经济的发展,人们对林业资源商品属性的认识将不断深化,在许多经济行为中,诸如资产抵押、拍卖、转让、企业兼收、出售、联营、清算、租赁等等,都须对林业资源经济价值进行评估。通过对林业资产进行评估,如实反映林业资源经济价值,保证林业资产的损耗得到足够的补偿,既能促进林业资产的合理流动,提高使用效能,又能正确体现林业资产的价值,保障林业资产的保值和增值,维护林业资产所有者和经营者的合法权益。林业资产评估是一种有助于提高林业资产使用效益的重要管理手段,对于深化林业改革,发展社会主义的林业经济建设,实现林业的可持续发展,具有极其重要的意义。

二、评估的涵义及特点

(一)评估的涵义

资产评估是根据特定的目的,遵循社会客观规律和公允的原则,按照国家法规法定的标准和程序,运用科学的可行方法,以统一的货币单位,对资产实体以至预期收益进行评价。评估的实质是一种对资产的价值判断。它是评估者根据所掌握的市场资料和资产资料并在对现在与未来市场进行多因素分析的基础上,对资产所具有的市场价值进行估算。

林业资源资产评估是资产评估的一项重要组成部分。它是以林业资源中具备资产条件的部分资源(资产)作出其市场价值量的估算。由于林业资产评估主要是以森林资产为主来展开的,所以在许多时候又称为森林资产评估。

森林资产评估是一门技术性很强的学科。它不但包括了一般资产评估的理论和技术问题,而且包括了森林资源性资产本身特殊的发展规律及经营技术、调查技术等。既涉及到林学的知识,又涉及到经济学和法学的知识,是一门综合性很强的学科。森林资产评估是一门技术性很强的系统工程。在大的森林资产评估项目中,涉及到的地域极为广阔,内含的森林资产多种多样,千姿百态。这些资产不是单独存在的,它们之间相互联系,相互影响,构成一个森林资产系统。评估的原则、评估的标准、评估的方法和评估的实施程序等技术性要素的有机结合就构成了一个完整的评估系统。

森林资产评估根据不同的对象可分为不同的类别。根据森林资产的物质结构可分为林地资产评估、林木资产评估、林区野生动植物资产评估、森林环境资产评估等;根据资产在国民经济中所起的作用分为用材林资产评估、经济林资产评估、薪炭林资产评估、防护林资产评估、特用林资产评估、竹林资产评估;根据评估的范围可分为单项资产评估和综合资产评估;根据评估的详细程度可分为详细评估(单株木评估、小片成熟林评估)、一般评估(较大面积的森林资产评估)和粗略评估(预评估)。

森林资产评估与一般资产评估一样,是一种动态的、市场化的社会经济活动。森林资产作为一种能带来收益的商品,其本身的价值量是由特定时期创造该资产的社会必要劳动时间所决定的。它的货币表现形式——价格,必然要受市场供求关系等客观因素的影响。因此,特定时间、特定地点对某一森林资产进行评估的结果与其价值量不可能完全相符。森林资产的评估是为特定的目的服务的,同样的森林资产因评估目的不同,所采用的评估标准和评估方法可能不同,所得的结果也就不同。在某种意义上,森林资产评估的结论只能是一种判断性意见,通常是建立在外部环境按技术上的可能性、经济上的合理性而进行充分分析的基础之上的,它会随各种因素的变化而变化,这些就构成了森林资产评估的特殊性质。

(二)评估的特性

森林资产评估和其他资产评估一样具有三大特性:模拟性、权威性、时效性。

1.模拟性

森林资产评估是对那些尚未进入市场而准备进入市场的资产进行市场价值的确定。需要评估者在分析已有市场状况和资产状况的基础上,人为地构造一个市场框架,即模拟市场,把资产置于这种模拟市场状态下确定其市场价值量。此外,在森林资产的评估中经常要模拟预测森林的生长收获,使森林资产评估更具有模拟性。

2.权威性

森林资产评估是在模拟状态下得出的结论。这些结论要得到资产的所有者及经营者等方面的认可,就必须具有权威性。这种评估结果的可靠性依赖于评估人员的专业技术水平、所有资料的可靠性、所用方法的科学性、因素分析的全面性、评估人员的职业道德以及评估的组织和管理的规范性。这种权威性的判断意见是由合法的专门的评估机构、具有专门知识和丰富经验的评估人员,采用国家规定的标准、程序、方法以及通过核实的资料,进行科学分析得出的。

3.时效性

森林资产评估是可再生性资源,其生长很大程度上取决于自然力。其实物量随时都在变化着,森林资源数据有着一年清(第一年调查后清楚)、二年变(第二年变化了)、三年乱(到第三年时已变化很大了,多少资源又搞不清楚了)的说法。森林资产评估只能是对森林资产在某一具体时点提出的判断,因此这种判断具有很强的时效性。在一定条件下得出的结论只能适应于特定的时点。如果时间发生变化了,就会因为森林资产本身实物量的变化,市场环境以及其他因素的变化使所评估资产的市场价格发生很大变化。

(三)评估的特点

森林资产评估和其他资产评估一样具有如下特点。

1. 独立性

独立性是指资产评估是由有关评估机构和评估人员在资产评估中独立行使职责,评估工作不受外界的干扰和左右,这就要求评估应由在社会上有独立法人的机构和人员进行,且这种评估的独立性是有前提的,要求评估人员和评估机构在评估过程中必须严格执行有关评估的法律、政策和法规,运用科学的方法,对被评估资产的价值及其预期收益进行客观的评定和估价。资产评估的这一特点是保证被评估资产价值合理和公正的重要前提。

2. 合法性

合法性是指对资产的评估符合有关的法律、政策和法规,做到依法办事。资产评估的合法性主要表现为:一是选择评估机构和评估人员符合规定要求;二是对资产评估的整个评估工作符合法律、政策和各项法规的要求。

3. 系统性

系统性主要体现为评估工作实际过程的系统性、评估对象的系统性和评估方法的系统性。评估过程的系统性是指从立项到评估结果的验证确认等一系列工作按规定程序有计划分步骤地进行。评估对象的系统性是指森林资产本身形成的系统。评估方法的系统性是指从众多的评估标准、测算方法中选择最恰当的一组标准和方法。

4. 可靠性

森林资产的评估结果虽然是一种判断性意见,但它是有依据、有原则、有基础数字资料、运用科学方法做出的结论,体现了技术上的可行性和经济上的合理性,具有充分的分析资料,经得起检验和推敲的。评估的可靠性与所收集和选用的资料、采用的计算方法与标准关系极大,在评估过程中要特别注意搜集有关资料和正确应用有关的标准及计算方法。

5. 专业性

森林资产评估是一项专业性很强的工作,必须由森林资产的专业评估机构来承担森林资产评估工作。评估人员的知识构成不仅要有会计师、经济师,而且要求有森林调查和森林资源管理方面的专业人员参加。

6. 责任性

责任性是指森林资产评估人员要对评估的结论负法律责任,对评估的结果拥有辩护权,并对所接触的客户的信息严格保密,未经客户同意,不得外泄。

三、评估的内容

(一)评估的主体

森林资产评估的主体是森林资产评估的机构和森林资产评估的人员。森林资产评估工作政策性强、业务量大、技术复杂，其结果是否真实、准确，直接影响到森林资产所有者和经营者的合法权益，并负有法律责任，因此森林资产评估必须由配备有各类评估人员，有实际工作能力，并能对评估结果负经济和法律责任的社会中介机构来承担。

我国资产评估机构主要有三类：一种是综合性资产评估机构，可承担各类资产的评估；第二种是专业性资产评估机构，专门从事某行业的资产评估；第三种是兼业性资产评估机构。所谓兼业性就是有关技术经济业务机构在从事本行业的技术经济业务的同时，承办有关资产评估业务，如会计师事务所、审计师事务所等。

从目前评估的效果看，由于森林资产本身的特殊性，再加上资产评估的特殊性，森林资产的评估最好由森林资产的专业评估事务所进行评估。

1.森林资产评估机构的基本条件

凡是从事森林资产评估业务的机构，一般应具备下列条件：

（1）经国家工商行政管理部门登记注册，持有营业执照，具有独立的法人资格；

（2）经政府主管部门同意从事专营或兼营森林资产评估业务活动；

（3）配备一定数量能够胜任森林资产评估工作的专业技术人员（主要是森林经营管理和森林调查人员）、经济管理人员和财务会计人员，为保证评估结果的权威性，评估小组成员中中、高级专业技术人员应该占多数；

（4）具备与所承担资产评估业务相适应的办公设施，并能够承担评估结果的经济和法律责任。

2.森林资产评估机构的资格申请

具备上述条件只能说明具备了申请从事森林资产评估的业务资格，要取得森林资产评估资格，还必须向省（市、区）林业主管部门提出申请。申请时应提交的文件有：

（1）承办森林资产评估业务理由的申请报告书，并附森林资产评估机构资格申请表；

（2）森林资产评估机构章程；

（3）森林资产评估工作操作规程资料；

（4）经工商行政管理部门核准的营业执照复印件；

（5）案例（实例或模拟）。

省级林业主管部门收到报告后，应对其报告的内容进行审查，做出是否授予森林资产评估资格的决定，具备条件的颁发"森林资产评估资格证书"。凡取得这一证书的均视为合法的森林资产评估机构，可在批准范围内承担非国有森林资产评估业务，独立开展资产评估工作。要从事国有森林资产评估业务的单位，还应向国有资产管理部门申请资产评估资格，在取得国家国有资产管理局颁发的"资产评估资格证书"后，方可从事国有森林资产的评估。

3.森林资产评估机构的职责范围

森林资产评估是一项十分严肃的工作，它直接涉及产权归属及各方面的经济利益。故应明确规定森林资产评估机构的职责范围：

（1）严格遵守国家的有关方针、政策和法令法规；

（2）严格执行资产评估的原则、纪律，在评估中实事求是，做到公正合理，并对评估结果的真实性承担经济、法律责任；

(3)在评估过程中接受国有资产管理部门和林业主管部门的监督检查。

(二)评估的对象

评估的对象即评估的客体是森林资产。森林资产是一抽象的概念,在会计上把产权明确、可以有效地用货币计量的各类森林资源称为森林资产。而作为资产评估对象的森林资产则内涵更为广义,它不仅包括了上述含义的资产,而且还包括林地获利能力以及未来的收益等;森林资产主要包括林木、林地、竹子、野生动植物、森林环境、林副产品等。近年又把花卉和湿地资源划归林业资源的范畴。

(三)评估的依据

森林资产评估的依据主要是指法律依据和资料依据。为了防止国有资产流失,使资产评估工作规范化、科学化、制度化,国务院颁布了《国有资产评估管理办法》、《国有资产评估管理办法实施细则》,原林业部、国家国有资产管理局颁布了《森林资产评估管理办法》,原林业部颁布了《森林转让管理办法》等,都对森林资产评估的管理机构、评估对象、范围、原则、程序、计算方法作了明确的规定,这是当前开展森林资产评估工作的主要法规依据。森林资产评估的资料依据主要有森林资产的产权证书、资产清册、会计资料、森林资源档案、森林资源调查统计资料、技术资料、价格目录、有关的测树经营数表,等等。

(四)评估的特定目的

森林资产评估的一般目的是正确如实反映森林资产的价值及其变动,保障林木资产的损耗得到足额补偿,维护森林资产所有者和经营者的合法权益,推动森林资产的合理流动,实现森林资产的优化管理。所谓的特定目的是指森林资产评估在各种不同经济行为中,应当以适应不同的特定需要为目的。

根据《国有资产评估管理办法》,特定的需要主要是指:

(1)资产拍卖、转让;

(2)企业兼并、出售、联营、股份联营;

(3)与外国公司、企业和其他经济组织或个人开办中外合资经营企业或中外合作经营企业;

(4)企业清算;

(5)依照国家有关规定进行资产评估的其他情形;

(6)资产抵押及其他担保;

(7)企业租赁;

(8)需要资产评估的其他情形。

森林资产评估的特定需要决定了森林资产评估的目的、方法及计量标准。如果评估的目的是进行企业清算,应采用清算价格法,所采用的计价标准就相对较低。如果评估的目的是与外商合办中外合资企业,则所采用的方法为现值法、市场价法、重置成本法,其计价标准相对较高一些。

(五)评估的原则

森林资产评估是一项政策性、技术性、业务性很强的工作,必须坚持公平性、真实性、科学性、专业性、可行性等基本原则,做到公正合理。

1.公平性

在森林资产评估过程中评估人员应遵守职业道德,站在公正的立场上,不偏袒任何一方,所有结果都必须以有关政策、法律、法规为依据,科学地计算和预测,在做出评估结论前要同有关方面进行协商,反复听取意见,兼顾各方利益,使各方公认是公正合理的。

2.真实性

首先要求被评估的森林资产实物资料是真实的,其次要求评估出的资产价值是真实的。这就要求对被评估的资产进行认真的核实,不能满足于账目的资料,要进行全面或局部的清查,要求做到账、图、现地三符合。在评估过程中要充分掌握技术情况、经营情况及市场行情等资料,借助科学的方法进行分析,去伪存真,使评估的结果经得起推敲和检验。

3.科学性

在大型的评估中要求先制订一套科学的评估方案,根据方案收集大量的可靠的评估资料,利用现代科学技术手段分析森林资产的状况,并选用合理的评估标准与方法,科学地进行测算,最后对被评估资产的价值做出科学的结论。

4.专业性

对于森林资产评估来说,其评估要求由取得森林资产评估资格的机构及具有资格的专业技术人员来承担。其评估结果由评估机构和评估人员负法律责任。其他单位和个人不能承担资产评估工作。

5.可行性

在保证评估质量的前提下,森林资产评估方法应力求简便易行具有可操作性,以便提高评估的效率,尤其是在森林资产核查方法的选用上,更应尽可能选用高效率的方法。评估的结论要与现阶段的科学技术水平及经营环境条件相适应,具有较高的适用性。

(六)森林资产评估的程序

森林资产评估的程序是指资产评估工作根据客观要求的工作步骤,按其逻辑顺序进行系统排列。依照循序渐进的原则,它包括申请立项、资产清查、评定估算、验证确认等四个步骤。

1.申请立项

要求进行国有森林资产评估的单位经其主管部门同意后,应向同级国有资产管理行政主管部门提交森林资产评估立项申请书,并附森林资产的目录和有关森林资产的会计报表,由国有资产管理行政主管部门审核后,做出是否准予森林资产评估立项的决定,同时通知申报单位及其他主管部门。

非国有的森林资产评估,其立项申请可由占用单位的行政主管部门或林业主管部门审批。

2.森林资产清查

接受评估委托的森林资产评估机构应对委托单位的森林资产进行全面的清查或部分抽查,核实资产与实际是否相符、经营成果是否真实,并据以做出鉴定。

3.评定估算

接受委托的资产评估机构,应根据有关的法律、法规及有关资料,对被评估的森林资产的价值进行评定和估算,并向委托单位提出森林资产评估结果报告书。

4.验证确认

委托单位收到森林资产评估机构的森林资产评估结果报告后,应当报其主管部门审查。主管部门审查同意后,报同级国有资产管理行政主管确认森林资产的评估结果,或由得到国有资产管理行政主管部门授权或委托的林业主管部门确认其评估结果。

上述森林资产评估的六大因素是互相联系、互相制约、缺一不可的有机整体。如果没有专门的机构与人员,是不可能很好完成森林资产评估工作的;有了机构和人员,没有法律法规依据和资料依据也是不可能准确地进行森林资产评估的;即使上述条件具备,但没有特定的目的、原则、对象和程序仍然无法进行评估。因此,森林资产评估工作必须由专门的机构和人员,依据法律法规和有关资料,根据特定的目的,遵照森林资产评估的原则、范围、程序,采用适当的评估标准,运用科学的方法,统一货币单位,才能进行。这是森林资产评估工作规范化、科学化的客观要求,是森林资产评估工作的要领。

四、评估的基本原理

为了对林业资源进行正确的价值评估,我们必须掌握经济评价的一些基础理论和基本原理。从本质上说,评价就是应用一些经济学原理解决一些商业财经问题,而且这种评价已深深地渗透进这些领域,对此,我们应该要有明确的认识。林业的某些方面,或多或少具有自身的独特性,但大部分应视为只是更一般的商业情况的变形。工程经济学的许多问题同林业上的非常相似。

(一)价值

在考虑评价问题时,首先碰到的一个实质性问题是它的含义。评价问题的关键就是"价值"。价值一词有多种含义,使用非常广泛,因此有必要加以辨别。词典上给出的定义是了解和掌握价值一词多种用法的良好出发点。下面是韦氏新大学词典的价值定义:

交换某种物品的合理报酬或商品、服务、货币的等价物;某种物品的货币价值、市场价格;

相对的价值、效用或重要性;优良程度;分配或计算的数量;某种事物固有的价值或理想状态。

值价是一个同价值相关的词。两者都表示有用、重要或优秀的特性。值价一词应用于具有内在优秀或永久优秀的事物,以及值得称赞的或理想的事物;价值则能够为某一物品对个人或在特定环境下的值价做出直接的估计(韦氏新大学词典)。

价值的上述定义可归纳为两个方面的意义。第一方面的意义表示某一物品的效用,及其直接或间接满足人类需要或愿望的能力。这一点通常被称为"使用价值"。例如,空气具有巨大的使用价值,但在一般情况下空气没有市场价值,因为它在总的意义上不缺少,尽管我们花费成百万元的资金调节或控制空气。一个人对某件物品可能将其作为珍藏品而给予很高的估价,尽管对这件物品来说并不存在市场。使用价值既不取决于缺少,也不取决于销售价值。第二个意义,也是一般经济学上常用的意义,就是交换价值。交换价值是指一种商品能够在开放市场上交换得到一定数量的其他产品,通常用货币来代表,亦即是指用市场价格来衡量的价值。对于具有交换价值的另一物品,它必定具有一定程度的效用和缺少这两方面的属性。

　　林业上也存在着许许多多的使用价值,有的完全能够以市场货币单位来衡量,而有的则不能。例如,人们已经公认,森林的美学、感情、旅游价值和水源价值是巨大的,它们在确定森林利用方面常常起到决定性的作用,但是这些价值不能够完全用货币单位来衡量。这一事实并未降低它们的重要性,但给它们的评价确实带来了困难。有的价值,例如标准等级和规格的森林产品(如制材)的价值,却能够非常方便地用给定地点和时点的货币交换单位来表示,即使这种价值对用户来说并不必衡量一般意义甚至经济意义上实际值多少。

　　我们能够在一定时点上以货币单位表述森林价值,其表述程度是一个类似于谱系的东西;在这个谱系内包含了所有的中间等级,但是这些中间等级之间并没有明确的分界线。鉴于这个原因,从分类角度把价值说成有形的和无形的,直接的和间接的,市场确定的和非市场确定的,都是不确切的。完全有形的价值或完全无形的价值几乎都不存在,这是一个程度问题。但是,这些术语却可用于表示价值谱系中的极端谱段或一般谱段,不过我们应该把它们看成是相对的指标,而不是确定的类别。

　　货币价值的测算必须同市场观念和市场形成机理密切联系。因此,搞清市场价值的意义非常重要。人们在交易中讨价还价,最后买卖双方同意而达成价格,于是商品和货币彼此易主,这实际上是关于市场和市场价格形成的经典概念;它的侧重点是可以销售的物品或服务的基本组成成分,以及买主了解的制造这些物品或服务的某些方法或手段;而在确定价格的过程中,谈判或讨价还价的最根本的依据是供求因素。然而,在现代技术社会中,市场和价格的形成过程常常极为复杂,但市场价值的概念依然存在,而且是评价的重要基础,它被视为货币价值确定过程中的基本点。

　　正如大家可能预料的那样,给市场价值下定义并不容易。最直接最基本的定义是一件商品或一项资产在一般市场条件下能够获得的最大货币数量,更直截了当地说,市场价值就是某种物品卖出所能得到的钱数。这一定义是把重点放在销售这个客观现实上而不是销售的条件上。销售可以在不采用“公正”或“合理”市场价值标准来衡量的条件下产生和完成。在不利的时间或地点,销售可能存在欺骗、买方或卖方缺乏足够的信息、强迫或高压现象。在这样的条件下完成的销售无庸置疑也构成了市场价格,而且常常影响市场价格,但是它不能代表合理的或稳定的市场价值。

　　在美国《联邦所得税法》中,默庭斯提出了一个可以接受的市场价值定义。这个定义表述了能够形成“公平”市场价值的条件;其定义是“市场价值是这样一种价格,一项财产以一个价格在自愿的购采者和出售者之间易手,在交易过程中买卖双方都不存在强迫性,并且相互通告有关的一切事实。”一般来说,估价者关心的主要是公平市场价值基础上的估算。这一点在为法律目的所作的估价中特别明显,例如产权的确认等等,因为它的核心目的是要建立一个对各方都公平的合理价值。买方和卖方自然地希望能够根据自己预期的目标尽可能地获得最优惠的价格。与此同时,双方又不得不承认,实际的售价可能是在接近“公平”市场价格水平的基础上,因此就倾向于根据这个水平来估计价值。

　　在不动产情况下,森林土地就是不动产的一种形式,亨德森提出的定义具有特别重要的意义:“一项财产的市场价值是通过竞争方式建立的代表了所有者未来利益的现值,并考虑其最大和最佳利用的价格。”一项财产的价值实质上是对未来的一种预测,著名法官

O·W·霍姆靳的如下论述强调了这一客观现实：

"一项财产在给定时间上的价值取决于社会在当时对它期望的相对强度，这个强度由该项财产在市场上的价值来反映。同一切价值一样，正如法律上所使用的，市场价值在很大程度上取决于对未来的预言：如果后来证明这一预言是假的，那么这一价值在当时是不真实的。"

在评价工作中，市场价值的意义在于它把货币、买卖双方的交易以及影响价值的所有因素都综合在一起。在现实世界中，并不是所有的价值都能够整个以货币单位的形式来表示。对这一点必须要有清楚的认识。但对于可以用货币单位来表示的价值来说，一个发育良好的市场价值是一切评价工作中的比较标准或基础。如前所述，有效或"公平"市场价的实质是没有欺骗和强迫、买卖双方都具备充足的信息以及存在着某种市场机制。对于某种商品或财产，如果交易极少并且没有规律，那么就不能说这种商品或财产存在着市场价值，因为它没有形成市场。

（二）经济评价的性质和目的

评价从字面上讲是指估算某种物品价值的活动或程序。估价的含义与此相同，因此两词常常通用，但估价一般用于对特定事物的评价，例如，在一般意义上说立木评价比较适当，在特定意义上则说一片森林的评价。同样，流域的价值一般可以评价，但一个特定水库立地的土地价值可用于流域保护的一切土地的价值则可以通过估价来估计。更广义地说，评价适合于可以用货币单位测算和不能用货币单位测算的一切价值。但是，特定评价的目的是尽可能一致、完整和精确地以货币单位估计其价值。

评价研究的是价值，在应用和技术方面，评价必须是广泛和灵活的。评价不是一门精确的科学，从事实际评价工作的人不应被看起来精确的数学计算或权威估价的表面结论所欺骗。任何估价都存在着判断这一要素。在测定时需要适当精度限，尽可能地缩小不确定因素的影响。在评价工作中存在着范围广阔的判断，但应以能够获得最好的事实作为判断的依据，而不能用事实来代替判断。

价值依赖于使用。如果一个人对一项财产或一件商品没有任何使用，也就是说既不重新出卖也不自己使用，那么这项财产或商品对这个人来说就没有价值，不管它对别人来说可能有多少价值。随着使用的变化，我们可以预期价值也会发生变化。对同一件财产或商品进行不同目的的估价得出截然不同的结果，这是完全可能的，也是符合逻辑的。一块特定的土地，对于木材生产来说可能几乎没有价值，但由于它所处的位置，用作停车场却具有非常高的价值。在蒙大拿州的西北部，人们已经发现，某些生长着花旗松林分、立地质量中下的土地用于圣诞树生产，其价值比该地区用于锯材生产的最优质林地价值更高。价值上的巨大变化可能会引发当时或今后使用的变化，凡是处理过不动产价值的人都不能不对这种价值巨变留下深刻的印象。在 20 世纪 30 年代，美国主伐林地的价值为什么那样低廉，一个重要原因，就是当时很少有人对其森林生长潜力做出正确估计，也没有对其森林生长利用作过任何计划。

除了价值变化导致使用变化之外，当涉及购买和出售时，价值的确定常常存在着谈判这个要素。特别是涉及到不动产的时候，更是如此。出售一方在确定售价时考虑的是同他本身密切相关的价值，而且或多或少地受过去的成本和盈利的影响。他有一个自己希望得到的价格；而且还有一个最低价，一旦低于这个最低价，他就不出售，除非是强迫。购买一方同样考虑适合于他自己的价值。他也考虑过去的成本和盈利，但他仅仅把它看做是预测未来盈利的一个基础，因为他关心的是在自己设计的费用计划下所能得到的未来盈利和其他报酬；而他的使用计划可能和售方执行或设想的使用计划完全不同。一方面，他希望买价尽可能低廉，另一方面，他有一个最高价，超过这个最高价就不购买。如果买卖双方的价格范围存在一个公共区，那么这笔交易有可能进行谈判。谈判达成的终价是买卖双方利益的一种妥协。应该强调的是，一个特定事例的价格没有必要与任何一个人估计的价值、"公平"等等去作比较。

因观点的差异而影响价值的现象，在考虑私人和公众利益的时候表现得最为明显。在私人企业中，考虑的主要是能够直接用货币来度量的价值，尽管诸如所谓无形价值之类的非货币问题常常影响经营决策。个人或非商业性私人团体对所有种类的价值都感兴趣。他们常常十分关注那些无形价值或间接价值，就像关注那些可以用货币单位表示的价值一样。感情、美学或其他相当无形的价值常常是考虑的重点。纪念林的形成就是一个很好的说明。可考虑的价值的总范围非常广，但涉及特定事例的价值通常却相当有限。

公共部门关心实际存在的一切价值，在具体应用到一件特定的事物时（例如一片森林土地），公共部门考虑的价值范围最为宽广。公共部门常常从事商业投机并且始终关心货币价值，同时对价值具有更大更广的兴趣，常常是对具有间接性质的对社会福利有贡献的价值更为关心。在民主社会中，政府的主要功能是保护公共利益，以及提供私人企业不能保障和提供的那些服务与设施，促进社会福利。在诸如林业这样深刻和广泛影响多方利益的领域，公共和私人价值观念与利益之间的差异相当悬殊。因此，考虑和测定这些差异是理所当然的，也是必要的。

大多数估价都具有三个密切相关的基本问题。首先，必须明确关于特定事例的观点、目的及其各种价值。这个问题通常并不容易解决。评价必定要有目的，如前所述，目的有多种多样，根据不同目的做出的评价结果差异可能很大。评价工作需要解决的一个关键问题是：谁将得到价值。这个问题可能使要考虑的价值和采用的方法产生很大的不同。价值的估价必定与某一事物相关联，价值不可能是一个独立的抽象的东西。其次，必须确定适当的估价方法或程序，亦即估价应该如何进行。其三，所包含的各种价值必须加以测定。测定问题常常是最不容易解决的。我们也许能够知道关于一个特定估价问题的各种价值，也可能掌握了解决这一问题的适当的一般方法，但却无法测定其价值而使估价失败。

一般来说，估价有如下五个目的：①在转让所有权时，如购买、出售、交换和财产授与，确定价格或作为定价的指导。②确定或描述作为抵押品抵押的财产。③确定赔偿和补偿金，例如损害赔偿、国家补偿征用处理补偿、保险赔偿等。④为税收建立基础。⑤为了各种经营目的。国有和私有资产所有者都采用评价，他们都把评价作为评估各种投资方案和确定作业方法的手段；一般来说，通过评价是可以实现正确商业决策的。

评价是林业许多方面不可缺少的一个工具。上面列出的前四个用途涉及到外部关系，即涉及到企业以外的关系。在这些用途中，指导和确定价格的作用可以说是最明显的。第五个用途是作为一种经营工具；森林经营者对估价的这个用途不能忽视，因为它是应用评价技术最能出成果的机会之一。对可能的不同方案进行周密的富有探索性的经济评价,有助于许多决策的制定。尽管精确的答案常常不可能得到,但一般能够在一个足以指导正确决策的精度范围内确定比较价值。这种估价一般要考虑各种各样的问题,对一个很长的时期进行估计常常是不可缺少的。然而,只要细心周密、掌握了技能并具有一定的想像力就能够在有效精度范围内估计比较经济收益。

(三)经济评价的基础

林业资源经济价值评估基于三个评价基础:①成本价值(以历史上的真实成本、代替物或修复成本为基础);②收入价值(预计的一切成本和报酬的估计净现值);③市场价值。应用评价方法大多数的目标是为了估计或确定现值。在正常情况下,销售、交换、损坏赔偿等都是以现值为基础进行谈判或协商的,但林业经营者在对可供选择的经济方案进行评估时,成本和收益一般对现值具有同等重要的意义。

五、评估的计价标准

林业资源价值评估的计价标准即林业资源价值评估的价值尺度,是指对林业资产的作价标准,也就是对林业资源价值评估计价所适应的价值准则。

林业资源价值评估主要是为了确定在各种经济行为和市场条件下林业资产的交易价格,即林业资产作为商品的价格。众所周知,商品的价格决定于自身的价值,并受市场供求关系的影响。在同一经济行为中,由于市场条件的差异,商品的价格不可能处在同一基准,必然会有不同的数量表现。即使同一商品,在不同的市场条件下也会有不同的价格表现,这是价值规律作用的结果。因而,林业资产的交易价格是与特定的经济行为和市场条件相对应的。特定的经济行为和市场条件,决定了特定的林业资产交易价格。这种特定的交易价格只能用与之相匹配的计价标准来估算。也就是说林业资产评估的特定目的,决定了林业资产评估的计价标准。

林业资产评估中一般采用:①重置成本标准;②现行市价标准;③收益现值标准;④清算价格标准。

(一)重置成本标准

重置成本是指用与被评估资产相同的材料、相同的等级或制造标准、相同的设计和技术条件,以现时的价格建筑或制造的全新资产所需的成本。更新成本是指利用新式材料,最新建筑或制造与被评估资产同样或同等功能资产的成本。对于林业资源来说,重置成本是指采用原有的技术标准和苗木,用现在的价格营造并培育成为与被评估资源相同的林业资源所需要的成本。更新成本是指采用新的造林方法和优良种苗,营造培育出与现有被评估林业资源相同的林业资源所需要的成本。

重置成本标准在林业资源价值评估中由于无法培育出与被评估林业资源一模一样的林业资源,被评估资源的生长也许优于正常生长的同类资源,也许低于正常生长的同类资源。因此,其重置成本标准是重置成本或更新成本乘上被评估资源与正常生长的资源(如林分生长过程表中的标准)的质量比值(蓄积、株数、树高、直径等)来确定林业资源总价值的一种计算指标。

重置成本不等于更新成本,更不等于评估价值。重置成本可能高于更新成本,也可能低于更新成本,这两种成本都是确定评估价值的基础。林业资产的重置成本与更新成本乘上折算系数(现实蓄积或株数或树高或地位级等与资产的蓄积或株数或树高之比值)即为林业资产的重置成本价值。

重置成本标准在林业资产评估中一般适用于单个小班,尤其是幼林小班的评估,在中龄林以上的小班森林资产评估中一般还应以其他标准进行验证。在大面积的森林资产评估中也可应用该方法,这时是将各小班重置成本汇总,得出总的资产价值,但也应用其他标准进行验证和调整。

(二)现行市价标准

所谓市价是指资产交易时市场通行的价格。现行市价标准,则是以资产在市场上变化的价格为标准。采用现行市价标准需要一个充分的市场。但林业资产评估中,因为我国林业资产市场发育不充分,而且林业资产的形态变化又很大,很难找到同样的资产交易为参照物。因此,在评估中经常采用的是木材或林地等的市场价倒算被评估资产的价值。例如,对于林分小班,可用林分蓄积乘出材率乘市价减采运费用、销售费用、税金费支出后作为林分资产的评估价值。

(三)收益现值标准

收益现值是指用企业在继续经营的情况下所产生的预期收益按设定的折现率(即社会标准率)计算出来的现值作为企业资产价值的计价标准。在具体运用中有两种情况,一种是针对资产在某一特定时间内的收益将其折现后,确定评估资产的评估价值;另一种是假设企业永久地经营下去,将企业的预期收益折现,再确定资本化的过程来评估资产的价值。

收益现值是以评估对象的获利能力来确定其现行价值的一种计价标准,主要应用于以企业整体为评估对象的资产评估,单项资产的评估一般不宜采用这一标准。但是森林资产评估中由于森林经营的特殊性,单个小班的收益一般是以一个轮伐期或择伐期计算的,而且可以长期地经营下去。因此,在森林资产评估中,收益现值可以用于单个小班的评估,也可用于整个林业企业大面积森林资产评估。由于经营期限的不同,其收益现值可以是特定时间内,比如一个轮伐期,两个轮伐期,也可以是永久地无限多个轮伐期。

(四)清算价格标准

清算价格是指停业后,企业解散清算之日,拍卖资产时立即可得到的变现价格。清算价格标准则是以清算价格为依据来计算价格的一种计价标准。这种标准较低,一般比市价低一定的百分点,适用于企业破产清算中的资产评估。

六、林业资源经济价值评估的基本方法

林业资产的评估可以选用许多不同的方法,但林业资产的评估标准对林业资产评估方法有一定的约束性,资产评估方法受制于资产评估标准;虽然评估方法具有多样性,但不能取代评估标准的惟一性,上述几种评估标准在林业资产评估中就对应有多种不同的评估方法。根据重置成本标准可以选用重置核算法、功能价值法、物价指数法;根据市场价格标准可选用市场倒算法、市场价格类比法、市场价折合法;根据收益现值标准可选用预期收益法、收益能力法、动态收益现值法;根据清算价格标准有清算价格法;另外根据实

际情况还有历史成本法,因素综合计算法,对等权益法等。

(一)重置成本法

重置成本法就是首先估算出林业资产的重置成本,再扣除由于各种因素如未及时抚育、被盗伐等造成的资产价值的损失,而得出资产的价值。重置成本有两大类:一是复原重置成本,即使用相同的材料,按照原来相同的规格、技术标准、苗木等,在当前价格下培育出被评估资产相同质量的林业资产所需要的成本;二是更新重置成本,即使用现在的技术条件,按现在造林的苗木规格要求,去营造与被评估资产相同质量的林业资产所需要的成本。

林业资产通常不存在折旧问题,但存在各种因素造成林业资产价值损失,所以重置成本应将这些损失扣除,通常是用修正系数来扣除的。该修正系数 k 在有蓄积的小班进行评估中:

$$k = M_w/M_n$$

式中: M_w 为现实被评估小班的单位面积蓄积; M_n 为标准林分单位面积蓄积。

另外在森林资产的评估中,由于重造一片森林需要较长的时间,少则几年,多则几十年,因此在森林资产的评估中,重置成本法必须计算货币成本的时间价值即计算利息。

重置成本的估算方法主要有重置核算法和指数调整法。

1.重置核算法(也称直接法)

这种方法是利用现行价格直接估算造林、营林的带息的直接成本和间接成本,然后累加算出总的重置成本,再扣除由于各种因素造成的资产损失。

2.指数调整法

这种方法是根据资产有关原始成本记录和国家公布的物价变动指数或评估人员调查掌握的数据,确定在现行价格水平下营造与被评估小班资产类似资产的重置成本,然后再根据现有资产的状况计算其重估价值。

由于林业(特别是森林)资产的特殊性,其成本是由多年的资产投入形成的,各年度的投资与物价指数都不相同。成本涉及的经济参数多,具体应用操作难度大,往往不能充分考虑利率、物价指数等因素的影响,随着林分年龄的增大,评估难度加大,该误差也随之增加。因此,一般在森林资产的评估中,仅在幼龄林中采用该方法。

(二)现行市价法

现行市价法也称销售比较法。它是通过比较评估对象与最近出售的资产的异同,并对后者的市场价格加以调整来确定评估对象的资产价格的方法。在林业资产的评估中,由于林业经营的周期长,生产资料与产品无明确界线等特点,经常用的方法主要有如下几种。

1.市价调整法

它是以市场上相同资产的交易价格为基础来确定评估资产的价值。这种方法要求以资产的市场发育较为充分作为条件。

2.市价类比法

它是以市场上类似资产的交易价格为参照物,来确定待评估资产的价值。这种方法强调供求关系对资产价格的影响。使用该方法的关键是选择参照物及确定参照物资产的调整系数。参照物有时可以选择多个,综合确定其参照的价格及调整系数。

类比法较灵活,适用范围广,操作过程简单,但考虑因素可能不全面,受市场发育程度的影响大。

3. 原木价格倒算法

该方法主要适用于林分资产,根据森林资产转化为容易计价的林产品原木后,再扣除原木出售、采运段费用、税金费后,得到林分立木的价值。

原木价格倒算法是以现实林分采伐后的收益值为依据,与实际的价值较为接近,是森林资产评估中最常采用的方法。但该方法一般仅能用在可以立即采伐的成过熟林,对于中、幼林则不宜采用。

(三)收益现值法

收益现值法又称本金法,它是根据企业或资产的平均收益和资产收益率确定资产价值的方法。在具体的林业资产评估中可用如下几种方法进行操作。

1. 预期收益法

这种方法是按林业企业森林资产每年预期实现的利润和行业的平均利润率,导算出资产的价值。它也称为年金法、资本化法。

2. 收益能力法

这种方法是用森林资产的收益能力来计算价值,即把森林资产的预期收益视同资产的利率,再用正常的利率将其还原成资产的价值。

3. 动态收益现值法

以上两种方法都是以静态计算企业的资产价值。考虑各年间由于物价指数不同,货币实际价值的不同,可采用动态的计算方法。动态收益现值法是将企业近年的利润处理成同一水平的货币后,再求出其平均利润额,最后再进行资本化处理。

以上三种方法均是以企事业或大量森林资产作为一个整体,按其产生的利润额通过资本化后求得其总估价值。在森林资产的评估中,这些方法可能因林分的年龄结构不均匀,而产生很大的误差,它们仅能用于龄级结构相近的法正状态的森林资产评估。在森林资产本金化中,还有其他的收益现值法。

4. 土地期望价法

该法是从无林地造林开始,实行永续皆伐作业为前提,假设某块土地按目前经营的状态永续地经营下去,土地的地力不受影响,每个轮伐期收入保持不变,而将从现在直到将来无穷个轮伐期的纯收入现值,作为土地的总估价值。

5. 收获预测法

在林业资产的评估中,经常涉及到未成熟的森林。森林未达成熟林,即意味着这里的森林不能立即进行采伐,如果立即采伐会产生较大的经济损失。因此,评估这类森林资产必须预测若干年后森林采伐的纯收入,再拆成现值,作为森林资产的评估值。

(四)清算价格法

当企业由于破产或其他原因,要求在一定期限内将企业部分或全部森林资产变现,在预期企业的清算之日出卖资产可收回的快速变现的价格作为清算价格。以资产的清算价格为标准来评估资产的价值称为清算价格法。

清算价格法通常适用于企业破产、抵押、停业清理时的资产评估,它要求以具有法律效力的破产处理文件或抵押合同及其他的文件为依据。按清算价格法评估的资产必须是在市场上可以用整体或快速折价变现的资产,并且这些资产所卖的收入必须足以补偿因出售该资产而产生的附加费用的总额。

1.决定因素

清算价格法是参照适用清算条件的现行市价扣除清理费用支出而构成,它主要由下面五种因素所决定。

(1)破产的形式。破产形式有两种情况:一是丧失资产的处理权,出售资产的一方无讨价还价的可能,以买方出价决定售价;二是未丧失资产的处理权,出售资产的一方留有讨价还价的余地,以双方议决定售价。

(2)债权人处理资产的方式。按抵押时的合同契约规定执行。如公开拍卖或收归己有。

(3)清理费用。在评估破产等的资产价格时,对清理费用及其他费用以充分的考虑。要从适用清算条件的市场价格中将其扣除。

(4)拍卖时限。一般情况时限长,售价高;时限短,售价低。

(5)参照物价格。在市场上出售相同的类似资产的交易价格。

2.评估方法

(1)整体评估法。对林业资产首先应评估其是否能继续经营使用。当能经营使用时,可用现行市价法、收益现值法、重置成本法进行评估;当不能经营使用时,只能估算其残值。如在经济林的评估中,对一些老、残林的评估,当其年龄已达衰果期,林产品的产量低,无法补偿年度的投资时,林木资产仅能计算其残值,即采伐后,木材可能出售的价值。而对于那些成果期或果前期的经济林,其林木资产则应采用市场价格法、收益现值法或重置成本法来评估。

(2)现行市价折扣法。清理林业资产时,首先在市场上寻找相适用的参照物,即与评估资产性质相适用的买卖价格。再根据参照物与被评估资产的差异,包括市场条件差异、时间差异、实物质量差异、地区差异等,按快速变现的原则规定一个折扣率,用参照物的现行市价乘以折扣率来确定待评估资产的价值。

清算价格受供需关系的影响很大,尤其是在拍卖时限很短时,要充分估计其影响的程度。被清算的林业资产的处理往往没有完全的市场竞争,因而清算价格法一般应低于现行的市场交易价格。在供大于求,且拍卖时限很短时,其价格就低得更多了。

这里,我们将根据不同的评估对象,选用不同的评估方法,来对全省的林业资产进行评估。

七、价值评估的基础材料

对河南省林业资源的价值评估主要基于以下基础材料。

(一)河南省林业资源状况

据2003年森林资源清查成果,河南省林业用地面积为456.41万 hm²,其中有林地面积为270.30万 hm²,灌木林地面积为59.83万 hm²,疏林地面积为9.03万 hm²,未成林造林地面积为35.64万 hm²,苗圃地面积3.07万 hm²,无林地面积为78.54万 hm²。详见表 6-1。

表 6-1　　　　　　　　　　　　　河南省林业用地面积统计　　　　　　　　　（单位：万 hm²）

林业用地总计	有林地							经济林	竹林
	合计	林分							
		小计	用材林	防护林	薪炭林	特用林			
456.41	270.30	197.72	87.73	94.67	5.97	9.35		70.80	1.78

灌木林地	疏林地	未成林造林地	苗圃地	无林地			其他
				小计	宜林荒山荒地	宜林沙荒地	
59.83	9.03	35.64	3.07	78.54	72.25	2.42	3.87

在有林地中，林分面积为 197.72hm²，其中幼龄林面积 115.15 万 hm²，蓄积 3 004.53 万 m³；中龄林面积 57.26 万 hm²，蓄积 3 472.22 万 m³；近成过熟林面积 25.31 万 hm²，蓄积 1 926.57 万 m³。详见表 6-2。

表 6-2　　　　　　　　　　　　河南省林分各龄组面积蓄积统计

优势树种	合计		幼龄林		中龄林		近成过熟林	
	面积（万 hm²）	蓄积（万 m³）	面积（万 hm²）	蓄积（万 m³）	面积（万 hm²）	蓄积（万 m³）	面积（万 hm²）	蓄积（万 m³）
总计	197.72	8 403.32	115.15	3 004.53	57.26	3 472.22	25.31	1 926.57
柏木	4.52	105.07	3.07	39.67	1.29	56.93	0.16	8.47
落叶松	0.48	14.04	0.48	14.04	0	0	0	0
油松	8.37	326	4.18	79.61	2.58	144.25	1.61	102.14
马尾松	19.68	521.99	13.22	325.66	5.48	196.33	0.98	91.27
杉木	2.11	82.63	0.82	15.65	1.29	66.98	0	
栎类	82.08	3 009.29	61.78	1 508.06	16.26	1 038.92	4.04	462.31
硬阔混	15	628.76	1.44	26.32	5.66	199.85	7.9	402.59
杨类	29.68	1 939.64	9.84	326.56	14.36	1 077.69	5.48	535.39
泡桐	5.48	269.68	1.61	49.18	1.78	75.13	2.09	145.37
阔叶混	30.32	1 414.95	18.71	619.78	8.56	616.14	3.05	179.03

在经济林中，油料林面积 4.19 万 hm²，果树林面积 41.78 万 hm²，特种经济林（包括饮料林、调香料林、药材林、工业原料林）面积 16.77 万 hm²，其他经济林（包括蚕桑、蚕柞、白蜡林等）面积 8.06 万 hm²。详见表 6-3。

在竹林中，毛竹 3 300 万株，杂竹 64 752 万株。详见表 6-3。

表 6-3　　　　　　　　　　　　河南省经济林、竹林统计

经济林(万 hm²)					竹林(万株)		
合计	油料林	果树林	特种经济林	其他经济林	合计	毛竹	杂竹
70.80	4.19	41.78	16.77	8.06	68 052	3 300	64 752

注:特种经济林包括饮料林、调香料林、药材林、工业原料林。

据 2001 年统计资料,河南省花卉面积为 3.43 万 hm²,其中观赏花卉面积 1.37 万 hm²,食用花卉面积 0.28 万 hm²,药用花卉面积 1.77 万 hm²,工业花卉面积 0.01 万 hm²。全省育苗面积为 2.57 万 hm²。详见表 6-4。

表 6-4　　　　　　　河南省花卉与苗圃面积统计　　　　　　　(单位:万 hm²)

花卉					苗圃
合计	观赏花卉	食用花卉	药用花卉	工业用花卉	
3.43	1.37	0.28	1.77	0.01	2.57

(二)幼龄林单位面积成本

单位面积成本用现价成本。根据《世界银行贷款河南省林业持续发展项目可行性研究报告》的营林生产成本构成,营林生产成本分为三大部分:材料设备费、劳务费和间接费用。材料设备费包括:种苗、化肥、农药、设备、护林房。劳务费包括:林地清理、整地、挖穴、工程措施、栽植、抚育、施肥、灌水、管护、林道修建。间接费用包括:调查设计、科研推广、信息管理、培训、考察、咨询、环境监测、管理、检查验收。按照世界银行项目中各树种的财务分析现金流量表,结合目前的市场行情,确定出各树种(或树种组)幼龄林分年度单位面积投资成本。详见表 6-5。

表 6-5　　　　　　　　　各树种幼龄林单位面积成本　　　　　　　(单位:元)

年度	1	2	3	4	5	6	7	8	9	10	11 年以上
柏木	3 947.9	394.2	351.0	81.0	81.0	81.0	81.0	81.0	81.0	81.0	81.0
落叶松	2 718.9	474.0	469.0	61.7	61.7	61.7	61.7	61.7	61.7	61.7	
油松	3 947.9	394.2	351.0	81.0	81.0	81.0	81.0	81.0	81.0	81.0	
马尾松	2 993.0	540.0	562.0	82.0	82.0	82.0	82.0	82.0	82.0		
杉木	3 386.0	735.0	326.0	82.0	82.0						
栎类	2 620.0	651.0	82.0	82.0	82.0	82.0	82.0	82.0	82.0		
硬阔混	2 620.0	651.0	82.0	82.0	82.0	82.0	82.0	82.0	82.0		
杨类	2 608.3	524.4	521.1	61.7	93.2						
泡桐	4 130.0	220.0	140.0	140.0	140.0						
阔叶混	2 806.5	595.5	322.0	82.0	82.0	82.0	82.0	82.0	82.0		

(三)木材销价

市场上木材价格很不稳定,而木材价格直接影响到资产的价值,很难找到一种理论价格,根据目前市场上的销价和《世界银行贷款河南省林业可持续发展项目可行性研究报告》提供的价格,综合考虑确定。

(四)物价指数

林业资产的经济价值受到市场价格的直接影响,同样的林业资产,在不同的年份,受当年物价的影响,其体现出的经济价值是不同的,有时甚至会有较大的出入。为了更加准确地评估出河南省林业资源的价值,使其具有更加广泛的现实指导意义,一方面在评估时要充分考虑现价的影响作用;另一方面要充分考虑物价指数的影响作用,一是生产资料价格的影响,二是产品收购价格的影响。

第二节　林　木

一、林分

(一)幼龄林

从造林到中龄林,对林地已有了投资,林木已有了潜在价值,所以幼龄林的价值评估既应考虑到投资收益,同时又要考虑到由于各种因素如未及时抚育、被盗伐等造成的资产价值的流失。这里选用重置成本法对幼龄林的价值进行评估。公式如下:

年末林木价值＝年初林木价值×(1＋资产增长率)＋年度成本

资产增长率根据社会贴现率和《世界银行贷款河南省森林资源发展和保护项目》的投资收益综合考虑,将资产增长率定为15%。幼龄林的年限根据2003年《河南省森林资源连续清查第四次复查操作技术细则》中人工林龄组划分的规定确定。为了简化计算,同一龄组的天然林虽年龄不同于人工林,在对其价值评估时仍按本龄组内人工林的年限来计算。各树种(或树种组)的重置成本详见表6-5。

经计算,全省幼龄林经济价值为220 174.78万元,各树种(或树种组)的经济价值详见表6-6。

(二)中龄林、近成过熟林

中龄林、近成过熟林已有了一定的蓄积,选用市场价格法中的出材率估计法对其价值进行评估。河南省的平均出材率为55.6%,其中集体个体为55%,国有林场为57.6%。中龄林其出材率相对较低,计算时按55%的出材率计算;近成过熟林按57.6%的出材率计算。木材价格按目前省内市场价的均值,中龄林按中小径材的价格,近成、过熟林按大中径材的均值。经计算,全省中龄林的经济价值为818 504.57万元,近成、过熟林的经济价值为875 927.38万元。详见表6-7。

(三)林分价值总计

由于以上可知,全省林分价值为1 914 606.73万元,详见表6-8。

表 6-6

幼龄林价值评估一览

树种	计算年限(年)	年度价值(万元)										
		第 1 年	第 2 年	第 3 年	第 4 年	第 5 年	第 6 年	第 7 年	第 8 年	第 9 年	第 10 年	第 11～19 年略	第 20 年
柏木	20	3 083.04	3 586.94	4 166.42	4 832.83	5 599.20	6 480.53	7 494.05	8 659.60	…	35 874.42	2 020.03	2 524.73
落叶松	10	806.57	959.14	1 134.61	1 336.39	1 568.44	1 835.29	2 142.18	2 495.09			217.52	492.69
油松	10	4 048.95	4 697.74	5 443.84	6 301.87	7 288.59	8 423.32	9 728.27	11 228.95			2 750.40	3 364.66
马尾松	10	9 326.63	10 767.58	12 424.67	14 330.33	16 521.84	19 042.07	21 940.34	25 273.35			6 594.58	7 860.06
杉木	5	1 211.28	1 434.93	1 692.13								462.75	908.24
栎类	10	36 102.45	41 559.78	47 835.70	55 053.01	63 352.92	72 897.81	83 874.44	96 497.56			26 977.27	31 356.95
硬阔混	10	1 256.60	1 487.05	1 752.07	2 056.83	2 407.31	2 810.37	3 273.88	3 806.92			628.80	1 056.22
杨类	5	6 232.44	7 198.89	8 326.43								4 277.68	5 187.67
泡桐	5	1 666.70	1 988.34	2 358.22								1 108.22	1 387.02
阔叶混	10	12 089.15	13 944.48	16 078.11	18 531.79	21 353.51	24 598.49	28 330.22	32 621.71			8 751.60	10 369.04

幼龄林的价值总计计为:220 174.78 万元。

表 6-7　　　　　　　　　　　　分树种(或树种组)中幼龄林价值评估一览

优势树种	中龄林		近成过熟林	
	价值(万元)	价格(元/m³)	价值(万元)	价格(元/m³)
合计	818 504.57		875 927.38	
柏木	31 311.50	1 000.00	7 330.79	1 500.00
落叶松		650.00		900.00
油松	27 768.13	350.00	41 254.35	700.00
马尾松	37 793.53	350.00	36 863.95	700.00
杉木	23 945.35	650.00		920.00
栎类	188 563.98	330.00	213 402.30	800.00
硬阔混	35 173.60	320.00	174 220.82	750.00
杨类	326 001.23	550.00	278 028.03	900.00
泡桐	12 396.45	300.00	58 714.94	700.00
阔叶混	135 550.80	400.00	66 112.20	640.00

表 6-8　　　　　　　　　　　　　河南省林分价值评估　　　　　　　　　　　　(单位:万元)

合计	幼龄林	中龄林	近成、过熟林
1 914 606.73	220 174.78	818 504.57	875 927.38

二、经济林

(一)评估公式的确定

经济林的价值评估方法在总体上仍是市场价格法、重置成本法、收益现值法和清算价格法,始产期和盛产前期经济林的价值评估多采用重置成本法,盛果期经济林的价值评估多采用收益现值法,衰果期经济林的价值评估多采用剩余价值法。但由于在森林资源调查中,经济林资源的调查处在从属地位,不受重视,调查的方法不完善,项目不齐全,给经济林的价值评估带来了困难。为此,选用市场价格法对经济林的价值进行评估。评估公式如下:

$$T = T' \times P \times f$$

式中:T 为待估经济林市场价;T' 为原交易的市场价;P 为物价修正系数;f 为综合修正系数。

(二)修正系数的确定

T' 采用《沿黄经济林可行性研究报告》提供的价格,油料林每公顷 4 500 元,果树林每公顷 9 000 元,特种经济林每公顷 5 000 元,其他经济林每公顷 6 000 元;P 主要受生产资料物价和农产品收购物价的影响,P 值的确定采用公式如下:

$$P = ((a + c)/200) \times n + 100$$

式中:a 为 1994～1999 年农产品收购物价指数平均值;c 为 1994～1999 年农业生产资料

物价指数平均值;n 为价格变动年限。

1994 年至 2004 年,其间为 10 年,故 n 值取 10。由此可计算出 P 值为 110.87,详见表 6-9。

表 6-9　　　　　　　　　　物价修正系数 P 值计算　　　　　　　　　（%）

年　度	1994	1995	1996	1997	1998	1999	均值	P
农业生产资料价格指数	124.4	125.8	107.9	99.3	94.2	95.7	107.9	110.87
农产品收购价格指数	150.2	127.1	105.1	95	92.2	88	109.6	

综合修正系数 f 主要受经济林品种、单位面积产量、病虫害三个因素的影响。病虫害的影响为负面影响,由于其在价值估算前后都客观存在,故在价值估算时不予考虑。品种的影响总体上为正面影响,随着品种的更新,果品价格上涨,经济林木的价格见涨,但就全省来说,品种对经济林价值的影响有多大,却没有详细的统计资料,这里以每年增长 1% 来计算,1994 年至 2004 年,品种对经济林价值影响的修正值 f_1 为 10%。单位面积产量对经济林价值的影响最大,这里用 1992～1999 年单位面积产量的变化指数来计算出其修正值 f_2,公式如下:

$$f_2 = \sum_{i=1}^{n} t / \times n \times N + 1$$

式中:n 为计算年限;N 为修正年限;t 为 m/s 比上年的增长指数(m 为各年度河南省经济林产量;s 为各年度河南省经济林面积)。

m、s 采用的是 1992～1999 年的数据,所以 n 为 8;修正的是 1994～2004 年的数据,故 N 为 10。经计算,f_2 为 3.20,详见表 6-10。

表 6-10　　　　　　　　　单位面积产量修正值 f_2 的计算

年度	1992	1993	1994	1995	1996	1997	1998	1999	合计	平均值	f_2
果园面积 s（万 hm²）	22.84	27.9	37.16	44.00	44.75	39.31	25.72	24.89	266.57	33.32	
果园产量 m（万 t）	87.80	125.10	170.50	211.70	247.20	269.20	312.60	349.42	1 773.52	221.69	3.20
m/s	0.26	0.30	0.31	0.32	0.37	0.46	0.81	0.94	3.77	0.47	
m/s 比上年增长指数		0.15	0.03	0.03	0.16	0.24	0.76	0.16	1.53	0.22	

(三)经济林价值的评估

由以上公式和修正系数,可计算出各类经济林的市场价 T 值,进而求得河南省经济林的评估价值为 1 552 027.06 万元。详见表 6-11。

表 6-11　　　　　　　　　河南省经济林价值评估　　　　　　　　（单位:万元）

项目	合计	油料林	果树林	特用林	其他
T' 值		4 500	9 000	5 000	6 000
P 值		1.108 7	1.108 7	1.108 7	1.108 7
f 值		3.30	3.30	3.30	3.30
T 值		16 464	32 928	18 294	21 952
面积	51.45	4.19	41.78	3.55	1.93
价值	1 552 027.06	68 984.16	1 375 731.84	64 943.70	42 367.36

三、竹林

据 2003 年森林资源清查成果,河南省竹林面积为 1.78 万 hm^2,总株数为 52 232 万株,其中,毛竹 3 300 万株,杂竹 64 752 万株。按市场价每株 3 元计,总价值 204 156 万元。

四、未成林

未成林地上的林木计算,因为没有蓄积,我们按苗木价值来推算其林木价值,同时,加以 30% 的整地、栽植等造林费用。由于没有现成的未成林造林地分树种的资料,我们只能以林分中各树种所占的比例来推算各树种的未成林造林地面积。经计算,河南省未成林地林木价值为 201 173.94 万元。详见表 6-12。

表 6-12　　　　　　　　　未成林造林地林木价值评估

树种	面积 (万 hm^2)	面积所 占比例	未成林 地面积 (万 hm^2)	各树种常用 造林株行距 (m)	各树种常用 造林密度 (株/hm^2)	各树种常用 苗木(种子) 价格(元/株)	未成林地 苗木价值 (万元)
总计	197.720 0	1.000 0	35.640 0				201 173.94
柏木	4.52	0.022 9	0.816 2	1×1.5	6 667	1.0	7 781.50
落叶松	0.48	0.002 4	0.085 5	1.5×2	3 333	1.5	611.26
油松	8.37	0.042 3	1.507 6	1×2	5 000	0.8	8 623.47
马尾松	19.68	0.099 5	3.546 2	1×2	5 000	0.5	12 677.67
杉木	2.11	0.010 7	0.381 3	1.5×1.5	4 444	2.0	4 846.26
栎类	82.08	0.415 1	14.794 2	1×1.5	6 667	0.3	42 313.53
硬阔混	15.00	0.075 9	2.705 1	1×2	5 000	0.5	9 670.73
杨类	29.68	0.150 1	5.349 6	3×4	833	1.2	7 646.87
泡桐	5.48	0.027 7	0.987 2	3×5	667	3.0	2 824.80
阔叶混	30.32	0.153 3	5.463 6	1×1.5	6 667	2.0	104 177.85

注:苗木价值计算中加 10% 的苗木损耗费。

五、其他

其他林木包括疏林、散生木、"四旁"树。据 2004 年森林资源清查成果,全省活立木总蓄积 13 370.51 万 m³,其中疏林蓄积 80.91 万 m³,占 0.61%;散生木蓄积 502.6 万 m³,占 3.76%;"四旁"树蓄积 6 204.78 万 m³,占 46.41%。

对其他林木价值的计算直接采用现行市价法,疏林的出材率按 55%,散生木、"四旁"树出材率按 57.6%。经计算,河南省其他林木价值为 2 484 794 万元。详见表 6-13。

表 6-13　　　　　　　　　　河南省其他林木价值评估

项目	合计	疏林	散生木	四旁树				
				小计	小径组	中径组	大径组	特大径组
蓄积(万 m³)	6 788.29	80.91	502.60	6 204.78	559.00	2 390.99	2 107.74	1 147.05
材积(万 m³)	3 894.88	44.50	276.43	3 573.95	321.98	1 377.21	1 214.06	660.70
价格(元)		500.00	550.00	2 550.00	200.00	350.00	800.00	1 200.00
价值(万元)	2 484 794.0	22 250.0	152 036.5	2 310 507.5	64 396.0	482 023.5	971 248.0	792 840.0

六、林木价值总计

由以上各项计算,可得河南省林木价值为 635.68 亿元。详见表 6-14。

表 6-14　　　　　　　　　　河南省林木价值评估　　　　　　　　　　(单位:亿元)

林木价值	林分			经济林	竹林	未成林造林地	其他			
	小计	幼龄林	中龄林、近成过熟林				小计	疏林	散生木	"四旁"树
635.68	191.46	22.02	169.44	155.20	20.42	20.12	248.48	2.23	15.20	231.05

第三节　林　地

一、林地评估方法的确定

林地资产的价值地价的构成主要包括"资本"化的林地地租、土地投资补偿费和因林地减少劳动者失去劳动场所与资金失去投资场所而蒙受的一般经济利益损失的补偿费三个部分。确定林地资产价格的关键是计算林地地租、林地投资补偿费和因林地减少而使林地的部分劳力与资金缺乏投资场所而受到的损失。

对于全省范围内的林地,由于缺少林地立地资源质量评定的详细资料,因而难以用评估具体林地的各类方法对其价值进行统一评估。同时,由于立地质量等级、地理位置、运输距离的差异,给林地资源的估价带来一定难度。从理论上讲,林地价包括绝对地租和相对地租两部分。在实际中一般以林价款的 10%~30% 或以林地拍卖中的平均价款,根据立地资源的等级增加或减少一个等级差作为林地价。

在对各类林地进行价值评估时,主要考虑以下几个因素:

(1)林地恢复(或造林)成有林地时的难易程度。如林分、竹林采伐后自然更新能力很强,只要对其封育即可成林,所以在同等的立地条件下其林地价值相对较高。又如宜林沙荒地,相对于宜林荒山荒地其造林就比较容易,其林地价值也相对较高。

(2)立地质量。在同类林地中,立地质量好的其价值就高。不同林地之间,一般来说经济林地的立地质量要优于其他地类。在大面积范围评估中,要充分考虑不同地类林地间立地质量的差异,以便对评估目标做出更加准确的评估。

(3)林地上林产品的市场价格。林地的价值与林产品的市场价格息息相关,通常情况下,它是常以林地上林产品的产值扣除了成本、税费后的纯收益为基础进行测算的。林产品的市场价格提高,对应的林地价格也高。

(4)森林经营的方式及强度。林地的价值主要靠生长在其上面的林木生产的木材和其他副产品来实现。一块特定的林地,不采用任何经营利用措施,其价值最低。若以各种有效的技术措施对其经营,使它的生产量达到或接近土地生产能力的最大值,从而提高了林地的经济效益,并提高了林地的价值。从经营的方式看,经营不同的林种如经营用材林或经济林,其经营的目的不同,经营的经济效益也有很大的差别。

(5)林地的市场交易价。林地价值最终体现在市场交易上,所以林地的市场交易价直接影响着林地价值。同样的一块林地,在不同的地区会有不同的价格。一方面,它受当地生活水平的影响;另一方面,它受当地林业发展水平的影响。

(6)农地的市场价格。林地的价格受农地市场价格的影响,特别是在目前所进行的退耕还林工程中,退耕地的林地价值在初期直接反映为农地的市场价。同样的,经济林林地的市场价也可选用立地条件相同的农地(果园)的土地价格为参照价格。

(7)林业政策、规定、制度。国家或各地制定的有关林业政策、规定、制度对林地的地价也有很大影响。

在确定林地的价值计算的修正系数时,上面的同一因素对不同类别的林地其影响程度不同。例如,农地的市场价格,直接影响着经济林地、苗圃地的地价,而对林分、灌木林等其他地类的地价影响却不大。

综合以上各类因素,为了更加准确地计算出河南省林地资源的价值,我们针对不同地类的林地采用不同的评估方法。

(1)林分:土地期望价法。

(2)经济林、竹林、疏林:按林价的20%作为林地价值。

(3)其他:市场价法。

二、林地价值评估

(一)林分

1.计算公式的确定

河南省的林分全部为同龄林,同龄林评估地价最简单的方法是从裸露地出发,然后设想在裸露地上营造森林,这正是林业生产中无林地所碰到的实际情形。概略地说,一块林地,造上林,形成林分;林分不断地生长直至成熟,然后采伐,采伐后营造新的林分。这是一个连续的森林生长过程,任何一块特定林地,只要是经营同龄林,不论是采用一次性皆伐作业,还是采用多次的渐伐作业,实际上都是经过这样一个过程。这种林分从造林、抚育、生长到可以进行采伐利用所需的时间称为轮伐期。它是伐区式作业法的一种生产周期,包括了培育、采伐、更新的全部过程。这种过程可以周而复始,循环往复以至无穷。对于今后一系列以至无穷的定期净收入的资本现值,可由下式得出。

$$V_0 = R / [(1 + P)^n - 1]$$

式中:V_0 为林地的期望价,它表示今后从林地上获得一系列收益的资本现值;R 为轮伐期末的纯收入;n 为轮伐期的年数;P 为利率。

如果没有生产成本,所有的收入都在轮伐期末时一次获得,那么上述公式所描述的资本化过程就能确定地价。然而,各种收入不是在同一时间全部获得的,而且它们不是净收入;它们必须扣除采伐的成本,除了采伐成本外,还有造林成本、抚育成本、管护成本等,这些成本支出是在轮伐期的不同时期分多次支出的。所以,在采用该公式时,必须将各种收入和支出全部归结到一个时点即轮伐期末,这样才能确定净收益,并将其资本化。要将收入和支出归结到同一个时点上,就必须采用利率来作为衡量时间重要程度的尺度,在每一笔收入和支出都要引入利率,将按复利计算直至轮伐期末。因此,计算林地地价的一般式为:

$$V_0 = \frac{Y_n + D_a(1 + P)^{n-a} + D_b(1 + P)^{n-b} + \cdots - C(1 + P)^n(1 + f)}{(1 + P)^n - 1} - \frac{E}{P}$$

式中:V_0 为林地价;Y_n 为主伐时纯收入(已扣除了采伐运输费用,税金费及采运段利润等);D_a、D_b 分别为第 a 年、第 b 年间伐的纯收入;C 为造林投资;f 为营林利润率;E 为年度的管护费用(含利润);P 为利率;n 为轮伐期的年数。

该式是土地期望公式的改写,与一般的土地期望价相比,仅在造林投资一项中增加了一项造林投资的利润,即造林投资除了支付投资的利息外,还应有一定的投资收益。这个收益归造林的经营者所有,而不归土地所有者所有。因此,在计算地价中须将造林投资的利润扣除,否则无人愿意投资造林。营林的利润率一般较低,25～35 年的轮伐期,其营林的利润率参考《福建省森林转让暂行办法》的建议值按 16%,按复利计算每年的利率仅增加 4‰～6‰。造林的投资一般在头四年,最大的投资在第一年,尔后逐年下降,第五年后只有投入管护费用。因此,要准确计算造林的投资,可将公式改为:

$$V_0 = \frac{Y_n + D_a(1 + P)^{n-a} + D_b(1 + P)^{n-b} + \cdots - [C_1(1 + P)^n + C_2(1 + P)^{n-1} + C_3(1 + P)^{n-2} + C_4(1 + P)^{n-3}](1 + f)}{(1 + P)^n - 1}$$
$$- \frac{E}{P}$$

式中:V_0 为林地价;Y_n 为主伐时纯收入(已扣除了采伐运输费用,税、金费及采运段利润等);D_a、D_b 分别为第 a 年、第 b 年间伐的纯收入;f 为营林利润率;E 为年度的管护费用(含利润);P 为利率;n 为轮伐期的年数;C_1、C_2、C_3、C_4 分别为第一、二、三、四年的造林及幼林抚育投资(不含管护费)。

我们就用这个公式来估算河南省林分的林地价值。

2.基础资料的收集

由以上公式可知,要估算河南省林分的价值,首先,需要确定出林分各树种(或树种组)前四年的造林及幼林抚育单位面积投资;其次,要有林分各树种(或树种组)的间伐、主伐产量及各类木材价格;再次,要确定出各类税费、利率。

资料的收集主要来源于《世界银行贷款河南省贫困地区发展项目可行性研究报告》和《世界银行贷款河南省林业可持续发展可行性研究报告》。主要收集确定以下资料:

(1)林分各树种(或树种组)前四年的造林及幼林抚育单位投资。该资料的收集主要来源于世界银行各期项目。对一些项目中没有的树种(或树种组)资料根据相近树种或河南的实际情况进行编制。详见表6-5。表中所列投资包含了管护费用,对这一部分扣除后,得出所需的单位面积各树种(或树种组)的造林及幼林抚育投资。

(2)各树种(或树种组)的间伐、主伐产量。各树种(或树种组)的间伐、主伐产量参考《世界银行贷款河南省贫困地区发展项目可行性研究报告》和《世界银行贷款河南省林业可持续发展可行性研究报告》中的相同或同类树种的产品产量,其中硬阔混按刺槐,柏木、油松、阔叶混按表6-2中各树种(或树种组)在不同龄级组的单位面积蓄积编制出其预测产量。考虑到河南省林业经营水平的低下,对林地的产量和营造林的投入进行了下调,以符合实际情况。详见表6-15。

(3)各树种(或树种组)的产品价格。各树种(或树种组)的产品价格主要根据当地和周边地区的现价确定。采伐运输费用按 $60\sim70$ 元/m³ 计算。详见表6-7。

(4)各类税费、利率。按照河南省的现行政策,对于木材产品只收15%的育林基金,对于松脂等林副产品按收取8%的农林特产税。营林利率除了柏木营林期较长按14%计算外,其余的统一按16%计算。

3.林分林地价值的估算

按照以上搜集的各类资料和各类税费标准,代入公式进行计算,得出河南省林分林地的价值为281 579.80万元,详见表6-16。

(二)经济林地、竹林地价值估算

经济林地、竹林地的地价受产品市场价的影响比较大,所以按其林价的20%作为林地价值。由表6-11可得经济林地、竹林地的林地价值为351 245.41万元,详见表6-17。

(三)其他林地的价值估算

其他林地选用市场价格法对林地的价值进行评估。评估公式如下:
$$T = T' \times P \times f$$
式中: T' 为原交易的市场价; P 为物价修正系数; f 为综合修正系数。

T' 采用河南省荒山拍卖的平均价150元/hm²;由于 T' 为现价, P 值为1, f 则以荒山地为1,分别疏林地、灌木林、未成林、苗圃地、采伐迹地、宜林沙荒地等各类林地相对于荒山在林木被采伐(或破坏)后恢复的难易程度及市场现价选择不同的值。

1. f 值的确定

在确定 f 值时,主要从三个方面来考虑,一是林地恢复植被的难易程度;二是林地的市场价和产品效益;三是立地条件等其他因素。对疏林地、灌木林地、未成林造林地、采伐迹地、火烧迹地、宜林沙荒地主要从第一方面考虑;对苗圃地主要从第二方面考虑;同时,

表6-15　各树种(树种组)的间伐、主伐产量

（单位：m³/hm²、t/hm²、kg/hm²）

树种	参照树种或培育材种	第一次间伐						第二次间伐						产脂		主伐							
		年龄	蓄积	产材			薪材	年龄	蓄积	产材			薪材	年龄	数量	年龄	蓄积	产材					薪材
				8~12cm	<8cm	小计				8~12cm	<8cm	小计						≥22cm	14~20cm	8~12cm	<8cm	小计	
柏木		15	12.92	1.49	4.47	5.95	2.84									20	96.00	6.72	26.88	26.88	6.72	67.20	9.60
落叶松	矿柱材	15	18.70	5.60	5.60	11.20	3.60									20	181.50	—	64.00	66.00	9.00	139.00	18.15
油松		10	13.50	1.56	4.67	6.22	1.90									18	163.00	11.41	45.64	45.64	11.41	114.10	16.30
马尾松	纤维材	10	9.90	2.00	3.00	5.00	1.90							16	1 090	18	164.70		48.80	61.60	14.80	125.20	16.47
杉木	建筑材	10	13.50	3.20	4.90	8.10	2.20	14	16.90	4.20	7.60	11.80	3.00			20	207.70	5.30	60.00	75.00	1.70	142.00	20.77
栎类	矿柱材	10	8.60		4.30	4.30	3.00									20	163.00	11.41	45.64	45.64	11.41	114.10	16.30
硬阔混		7	8.00	1.60	2.40	4.00	1.70									15	112.50		49.30	21.90	7.30	78.50	11.25
杨类	毛白杨-胶															15	225.00	20.00	113.00	5.00	—	138.00	22.50
泡桐	胶合板材															10	110.00	66.00	16.50	—	—	82.50	11.00
阔叶混		10	13.50	1.56	4.67	6.22	2.97									18	180.00	12.60	50.40	50.40	12.60	126.00	18.00

表 6-16

分树种林地价值估算

项目	柏木	落叶松	油松	马尾松	杉木	栎类	硬阔混	杨类	泡桐	阔叶混
主伐年限(年)	20	20	18	18	20	20	15	15	10	18
主伐纯收入	30 452.16	62 267.38	30 723.87	34 569.38	49 877.13	27 620.35	25 598.88	47 352.50	38 995.00	36 687.60
第一次间伐年限	15	15	10	10	10	10	7			10
第一次间伐收入	1 562.72	4 241.00	1 048.17	1 013.25	1 331.30	192.00	813.15			891.26
第二次间伐年限					14					
第二次间伐收入					1 801.20					
其他收入					2 343.50					
第一年造林投入	1 288.97	885.73	1 288.97	970.33	1 101.33	846.00	1 295.40	885.73	1 295.40	1 295.40
第二年造林投入	104.40	137.43	104.40	152.67	217.67	217.67	137.43	137.43	137.43	137.43
第三年造林投入	90.00	135.77	90.00	160.00	81.33		135.77	135.77	135.77	135.77
第四年造林投入										
$1+P$	1.14	1.16	1.16	1.16	1.16	1.16	1.16	1.16	1.16	1.16
$(1+P)^{n-a}$	1.93	2.10	3.28	3.28	4.41	4.41	3.28	9.27	4.41	3.28
$(1+P)^{n-b}$					2.44					
$(1+P)^{n}$	13.74	19.46	14.46	14.46	19.46	19.46	9.27	9.27	4.41	14.46
$(1+P)^{n-1}$	12.06	16.78	12.47	12.47	16.78	16.78	7.99	7.99	3.80	12.47
$(1+P)^{n-2}$	10.58	14.46	10.75	10.75	14.46	14.46	6.89	6.89	3.28	10.75
$(1+P)^{n-3}$	9.28	12.47	9.27	9.27	12.47	12.47	5.94	5.94	2.83	9.27
每公顷地价估算(元/hm²)	750.61	2 441.67	673.66	1 231.21	1 545.36	215.56	1 385.80	4 226.40	9 100.52	992.58
全省地价估算(万元)	3 392.76	1 172.00	5 638.53	24 230.21	3 260.71	17 693.16	20 787.00	125 439.55	49 870.85	30 084.41
合计(万元)					281 579.80					

各地类都要考虑第三方面的因素,灌木林地立地条件往往较差,苗圃地立地条件往往较好等等。综合考虑各方面的因素,确定各地类价值评估的 f 值如表6-18。

表6-17　　　　　　　　　　河南省经济林、竹林林地价值评估　　　　　　　　　（单位:万元）

项目	合计	经济林					竹林
		小计	油料林	果树林	特用林	其他	
林木价值	1 756 227.06	1 552 027.06	68 984.16	1 375 731.84	64 943.70	42 367.36	204 200.00
林地价值	351 245.41	310 405.41	13 796.83	275 146.37	12 988.74	8 473.47	40 840.00

表6-18　　　　　　　　　　　　　　　各地类的 f 值

地类	疏林地	灌木林	未成林	苗圃地	采伐迹地	宜林荒山荒地	宜林沙荒地
f	1.3	1.3	1.3	2.0	1.5	1.0	1.2

2.其他各类林地价值评估

按照表6-18中的 f 值,计算出其他各地类林地的单位面积价值,从而计算出其他林地的价值为 33 442.35 万元,详见表6-19。

表6-19　　　　　　　　　　　　　　其他林地价值评估

地类	地价(万元)	面积(hm²)	价格(万元)	f 值
合计	33 442.35	186.11		
疏林地	1 760.85	9.03	195.00	1.30
灌木林	11 666.85	59.83	195.00	1.30
未成林	6 949.80	35.64	195.00	1.30
苗圃地	921.00	3.07	300.00	2.00
采伐迹地	870.75	3.87	225.00	1.50
宜林荒山荒地	10 837.50	72.25	150.00	1.00
宜林沙荒地	435.60	2.42	180.00	1.20

(四)林地价值总估算

由表6-16、表6-17、表6-19可得河南省林业用地总估算价值为 666 267.56 万元。

第四节　林业花卉和苗圃

一、林业花卉价值评估

据2003年河南年鉴,2002年河南林业花卉面积为3.04万 hm²,年产鲜切花、切叶81.45万枝,盆栽植物2 145.73万盆,观赏苗木23 688.34万株,食用与药用花卉

2 216.66kg,工业及其他用途花卉 210.45kg,草坪(卷)81.11 万 m²,种子用花卉 432.44kg,种苗用花卉 694.79 万株,种球用花卉 99.24 万粒,产值 60 亿元。选用市场价格法对林业花卉的价值进行评估。评估公式如下:

$$T = T' \times P \times f$$

式中:T 为林业花卉现价;T' 为 2002 年林业花卉产值;P 为物价修正系数;f 为综合修正系数。

　　T' 为 2002 年林业花卉产值,这里为 60 亿元。

　　2003 年河南省物价上涨指数为 3.6%,2004 年国家预测上涨指数为 3% 左右。可计算出物价修正系数:

$$P = 1.036 \times (1.036 \times 0.03 + 1) = 1.068\ 2$$

　　影响综合修正系数 f 的主要因素为产品质量、产品产量、自然灾害、病虫害等因素。病虫害的影响为负面影响,由于其在价值估算前后都客观存在,故在价值估算时不予考虑。花卉的质量主要表现在品种上,品种对价格的影响总体上为正面影响,随着品种的更新,花卉价格上涨。但就全省来说,品种对林业花卉价值的影响有多大,却没有详细的统计资料。这里以每年增长 1% 来计算,2002 年至 2004 年,品种对经济林价值影响的修正值 f_1 为 102%。产品产量对林业花卉价值的影响最大,2000～2002 年,林业花卉面积由 2.30 万 hm² 增加到了 3.04 万 hm²,增加了 30.17%,年均 10.72%。这里用 1994～2002 年面积指数增长率的平均值 u 来计算出其修正值 f_2,公式如下:

$$f_2 = 1 + u \times n$$

式中:u 为 1994～2002 年面积指数增长率均值;n 为 2002～2004 年的间隔期,这里为 2;所以,$f_2 = 1 + 10.72\% \times 2 = 1.21$;

　　由以上可得,河南省花卉资源价值为:

$T = 60 \times 1.068\ 2 \times 1.02 \times 1.21 = 79.10$(亿元)。

二、苗圃

　　据2002 年河南省林业统计资料,2002 年育苗面积 3.296 8 万 hm²,产苗量为 207 476.64万株。按 5 元/株计算,产值为 1 037.39 亿元。参照以上花卉业资源价值的计算,河南省育苗苗木资源价值为:

$T = 1\ 037.39 \times 1.068\ 2 \times 1.02 \times 1.21 = 1\ 367.67$(亿元)

苗圃地的林地价值计算,详见表 6-19。

第五节　林副产品

　　林副产品主要有各类果品及松脂、生漆、油桐籽、油茶籽、乌桕籽、竹笋干、核桃、板栗等,受自然条件和市场供求关系的影响,其产量及产值的波动较大,但总体上讲,呈上升的趋势。这里采用市场类比法来计算,选用 2002 年的林副产品价值作为参照物,再乘以 1.03 的调整系数作为河南省的林副产品资源的价值。经计算,河南省林副产品评估价值为 603 579.92 万元。详见表 6-20。

表 6-20　　　　　　　　　　　　　河南省林副产品价值评估

产　品	产　量(万 kg)	价　格(元)	产　值(万元)	评估价值(万元)
茶桑果			521 204.00	536 840.12
生漆	83.30	16.00	1 332.80	1 372.78
油桐籽	4 332.70	1.00	4 332.70	4 462.68
油茶籽	630.00	8.00	5 040.00	5 191.20
乌桕籽	186.70	10.00	1 867.00	1 923.01
五倍子	144.80	15.00	2 172.00	2 237.16
松脂	32.10	2.15	69.02	71.09
竹笋干	2.30	2.00	4.60	4.74
核桃	1 527.10	5.00	7 635.50	7 864.57
板栗	7 698.60	5.00	42 342.30	43 612.57
合计	14 637.60		585 999.92	603 579.92

第六节　湿　地

一、湿地效益和价值概述

　　湿地效益是湿地所提供的功能、用途和属性的总称,湿地价值是人类对湿地功能、用途和属性的经济衡量。所谓湿地功能是指湿地所具有的保护人类生产生活的作用或为社会、经济、环境所提供的服务,一般不会产生直接经济效益。因此,经济学家称之为间接经济效益,如湿地的缓冲洪水功能可以减少洪灾造成的经济损失,实际上是增加了社区居民的经济效益。湿地的用途是指具有商品交换价值的湿地产品或资源,通过出售、转让或出租产生的直接经济效益,如湿地中的木材、药材、鱼产等等。湿地的属性是指既不产生直接经济效益,也不产生间接经济效益,但作为社会组成的一部分所表现出的特定的价值,如湿地的美学价值、湿地的宗教社会价值等。湿地的效益来源于湿地内部生物、物理、化学组分之间的相互作用,其价值的大小取决于湿地规模的大小、作用、性质和该湿地所处的人类社会经济环境。当各组分之间相互作用的物理、化学和生物学过程所产生的产品与服务进入特定的社会经济环境时,湿地的功能、用途和属性的经济价值最终将以当地市场表达出来。湿地拥有这些特殊效益,是国际社会和政府积极保护湿地、提倡合理利用的重要原因,湿地所拥有的效益大小也是人们衡量保护和开发利用价值的依据。

　　根据湿地效益和价值对物种、生态系统以及环境的作用,可以将湿地效益和价值分为三个层次:即湿地的种群效益、湿地的生态系统效益以及湿地的全球效益。对此,我们不作深入的阐述,我们这里所讲的价值主要是指湿地所体现出的市场价值部分,包括两部分,一是湿地的地价,这里主要是租赁价格;二是由于湿地的种群效益而直接获取于湿地内的动物、植物和矿产物的价值,如泥炭、木材、水果、肉类(如鱼和鸟)、建房和编席用的苇、树脂和药材等。

二、湿地地价评估

(一)河南湿地的类型和面积

河南省湿地面积为 655 197hm²,涉及人工、河流、湖泊、沼泽四个湿地类型。其基本情况见表 6-21。

表 6-21　　　　　　　　　　　　河南省湿地基本情况　　　　　　　　　　(单位: hm²)

总计	人工湿地	河流湿地	湖泊湿地	沼泽湿地
655 197	175 699	456 692	3 022	29 784

(二)价值估算方法

湿地价格的确定采用市场价法,即按照市场行情确定价格,选择有代表性的典型地区,收集近几年当地土地市场交易价格,经过折算来确定各地各类型湿地价格。详见表 6-22。

表 6-22　　　　　　　　　　　　河南省各类型湿地价格表　　　　　　　　(单位:元 /hm²)

人工湿地	河流湿地	湖泊湿地	沼泽湿地	平均价格
2 131.5	1 867.6	2 233	1 015	1 811.8

上述湿地的价格是租赁价格,不是完全价格,之所以这样计算,一方面是因为我国宪法规定土地所有权属于国家,不能买卖,只能转让或租赁其一定年限内的使用权;另一方面,我国、我省土地市场还不成熟和完善,基本上还没有得到发展。因此,根据实际情况,以不完全价格为基础进行湿地土地资源价值计算,切合实际。

经计算,河南省湿地土地资源价值为 126 439.93 万元。详见表 6-23。

表 6-23　　　　　　　　　　　各类湿地土地资源价值计算汇总　　　　　　(单位:万元)

人工湿地	河流湿地	湖泊湿地	沼泽湿地	合计
37 450.24	85 291.80	674.81	3 023.08	126 439.93

三、湿地产品价值

(一)湿地的利用情况

根据《河南湿地》中的统计资料,河南省湿地的利用情况详见表 6-24。

表 6-24　　　　　　　　　　　　河南省湿地的利用情况　　　　　　　　　(单位:hm²)

湿地面积	利用项目										
	水源	调蓄	灌溉	捕捞	养殖	旅游疗养	体育运动	植树	种植作物	放牧	排涝
665 197	425 671	269 321	496 826	286 054	453 239	70 642	39 158	367 054	332 173	180 976	35 090

(二)湿地产品的价值计算

对河南省的湿地来说,其主要产品产值的计算可以归纳为捕捞、养殖、植树、种植作物和放牧五类产业的产值。

捕捞和养殖的产值是直接查《河南年鉴(2003)》的统计数据,分别为年产值 8 000 万元和 193 400 万元。

植树产业的价值计算,因为没有湿地植树中各树种的面积资料,考虑到湿地植树主要以杨树为主,而一般的情况下,杨树每年每株可有 10 元钱的效益,因此这里按833 株/hm^{2}计算,再扣除 10% 的折损率,可得河南省湿地年植树效益为 275 180.38 万元。

种植作物产品价值的计算,按单产 1.5 万 kg/hm^2,价格 0.8 元/kg,可得河南省湿地种植作物产品年效益为 398 607.60 万元。

根据有关资料,河南省载畜能力为 0.45 羊单位/hm^2。按每只羊年效益为 100 元计算,可得河南省湿地放牧年效益为 814.39 万元。

综上所述,河南省湿地各类主要产品年价值为 876 002.38 万元,详见表 6-25。

表 6-25 河南省湿地产品价值 (单位:万元)

捕捞	养殖	植树	作物	放牧	合计
8 000	193 400	275 180.38	398 607.60	814.39	876 002.37

四、湿地资源价值总计

由以上各项可得河南省湿地资源价值为 1 002 442.30 万元。

参考文献

1 张敬增,等 . 河南林业生态 . 郑州:黄河水利出版社,2004

2 甘雨,等 . 河南省野生动植物资源调查与保护 . 郑州:黄河水利出版社,2004

3 李树人 . 森林与环境保护 . 北京:中国林业出版社,1985

4 陈平留 . 森林资产评估 . 成都:电子科技大学出版社,1996

5 赵体顺,等 . 河南省森林资源资产估价初探 . 林业财务与会计,1997,115(1):24~25

6 林晓安,等 . 河南湿地 . 郑州:黄河水利出版社,1997

7 河南省人民政府办公厅,河南省地方志办公室 . 河南年鉴(2003). 郑州:河南年鉴社,2003

8 国家林业局野生动植物保护司 . 湿地管理与研究方法 . 北京:中国林业出版社,2001

9 国家林业局《湿地公约》履约办公室 . 湿地公约履约指南 . 北京:中国林业出版社,2000

10 河南省林业厅野生动植物保护处 . 河南黄河湿地自然保护区科学考察集 . 北京:中国环境科学出版社,2001

11 河南省统计局 . 河南统计年鉴(2003). 北京:中国统计出版社,2003

12 徐帮学,等 . 林业项目可行性研究与经济评价手册 . 长春:吉林摄影出版社,2002

第七章　河南林业生态与生态安全

在人类发展史上,一般认为战争、瘟疫影响国家安全。但随着环境恶化,水灾、旱灾和风沙等自然灾害频繁发生,人们在实践中已经看到没有森林的保育和林业的发展,国土安全就没有保障。生态安全就是建立以森林植被为主体的国土生态安全体系。

第一节　传统林业认识与传统林业经济统计体系的局限性

长期以来,我国对林业的认识基本上停留在传统林业阶段。传统的林业,在产业和公益事业两者的平衡点上,由于经济利益的驱使,而向产业一端倾斜。这个以木材为主体的产业,在向纵深发展的过程中,产业经济效益是以大量消耗木材为代价的。其结果是林业的公益价值即森林的生态和社会效益则全然被忽视了。林业在经济发展中扮演了一个"资本原始积累"的角色,采用的是以破坏森林资源为代价支持经济发展的做法,把木材作为重要的经济资源,把林业的首要任务看成是生产木材。在"木材利用"原则指导下的林业必然以森林的直接经济效益为主,而忽视其生态和社会效益。林业经济统计也围绕"木材利用为中心"进行,没有把非木材资源、生态效益和社会效益纳入林业经济统计体系。因此,传统林业经济统计体系的缺陷是明显的:第一,森林资源的价值没有计入木材成本,被摒弃于经济循环之外,却用循环外的育林基金进行森林资源再生产的补偿。第二,传统林业经济统计体系的收益部分只计量在市场上可以进行交换的货币收益,而林业生产经营活动所引起的生态、社会效益部分,无论是在"投入"还是在"产出"方面均未得到反映,导致林业生产经营的个别收益与社会收益不一致。第三,传统林业经济统计体系的成本部分中只包含经济成本,不包含林业经济活动中环境资源、环境质量的消耗,造成某些林业生产者的个别成本与社会成本不一致。由于森林生态资源使用价值的公共属性,那些个别收益小于社会收益、个别成本大于社会成本的林业生产者,其为社会贡献的成果被他人无偿享用却得不到回报;而那些个别收益大于社会收益、个别成本小于社会成本的林业生产者单位,其对社会的损害后果,也由他人不合理分担。

这种林业经济统计体系,导致了林业生产经营实践中的严重后果。一是消耗的森林资源价值不计入木材成本。表现在一方面由于资源无价,使得木材和其他林产品成本虚低,利润虚增,国家财政收入虚假增长;另一方面,用于弥补森林资源消耗的客观性成本补偿却由国家财政扶助解决。这实质上是混淆了作为补偿的物质消耗与新创造价值之间的关系,它导致了林业部门收益分配领域的紊乱,也导致了国家在宏观价格、财政、税收政策上的不合理。二是不把森林生态、社会效益作为林业生产经营的收益,环境资源、环境质量的消耗不计入成本。表现在一方面林业生产者在经济利益的驱动下,只着眼于木材利用为中心的物质财富的生产,而忽视作为人类生存和发展所依赖的生态环境与环境自然力的更广泛生产,从而导致生态破坏和环境恶化日益严重;另一方面,林业生产者必然对经济效益低而生态社会效益高的营林生产活动以及对林业生产经营活动所带来的社会负效益问题无意顾及,随着森林资源的日益枯竭,一系列环境灾害的出现,导致社会—环境系统的不协调运转,并最终导致林业经济效益下降,危及林业行业自身的生存和发展。

森林的价值,不仅在经济价值,还包括生态价值和社会价值,这对传统经济学及其为基础的国民经济核算方式提出了挑战。长期以来,经济学的理论假设前提是,自然资源无限、无价格、环境污染无需治理。经济学上的"资源稀缺"是指人的时间稀缺,所谓提高效益,有效分配资源,是指有效分配人的时间,而从来没有假定自然资源是稀缺的,把自然资源称为"无限无价"。这种经济学理论及其相应的核算方式,在经济发展上的表现,就是对国民生产总值和高速增长的过分追求,其严重后果是环境急剧恶化,资源日趋短缺,人民的实际福利水平下降,发展最终难以持续而陷入困境。因为经济和生态是一个不可分割的整体,在生态遭到破坏的世界里,经济的发展不可能是健康的。

第二节　林业产业是国民经济的基础产业

林业是实现人与自然协调、保证国土安全的基础,林业的充分发展是抵御水旱风沙等自然灾害、实现风调雨顺和江河安澜的最根本最持久的措施。林业与整个社会生产发展、生活富裕、生态良好的文明发展紧密相关。林业产业是涵盖范围广、产业链条长、产品种类多的复杂的产业群,涉及国民经济第一产业、第二产业和第三产业的多个门类。进行资源培育的第一产业是整个林业产业的基础,以提高林地生产力为核心,潜力巨大;第二产业以林产品加工业为主,在目前林业产业中经济总量最大;以森林旅游业为重点的第三产业是林业产业新的增长点。林产业包括产前、产中、产后的完整产业体系,从规划设计、种苗培育、森林经营等一直到生产包括木材在内的多种林产品加工利用、营销贸易、生态旅游及其他与森林有关的服务产业。全球林业每年的总产值估计超过 4 000 亿美元。

林业可提供多种可再生的经济资源,带动木材和竹材加工、干鲜果品、森林食品、药品加工、畜牧业、林产化工等行业、手工业以及森林旅游业的发展。长期以来,林业一直为人们的生产和生活不断提供着各种本质的和非本质的林产品。林产品丰富多样,森林可提供木材,木材产品有原木、板方材、三板材(纤维板、胶合板、刨花板)和削片,用于建筑、车辆、船舶、枕木、矿柱、造纸和家具制造等。森林可提供能源,每立方米木材可产生热量约 1 670kJ。世界每年用于薪炭燃烧而耗费木材约有 12 亿 m³,占世界木材总产量的 46.9%。在发展中国家,薪炭能源占总能源的比重达 84.7%。现在有的国家正试验从森林植物中提炼石油,以解决能源危机。森林可提供食物,林木种子可用作油料资源的有核桃、花椒、油茶、油橄榄、油棕等,可作为食品的有板栗、枣、柿、榧子、松籽等。植物枝、干、叶还可加工转化为食用淀粉、维生素、糖等。林副产品中蘑菇、猴头、木耳、银耳等,都是佳肴珍品。森林可提供化工原料,如松脂、单宁、紫胶、芳香油、橡胶、生漆、染料、香精油等。森林可提供医药资源,药用植物如刺五加、毛冬青、人参、灵芝、猪苓、平贝母、冬虫夏草,以及来源于森林动物的鹿茸、麝香等都是名贵中药。20 世纪 70 年代已从喜树、红豆杉等提炼出抗癌药物。森林可提供物种基因资源,生存于森林中的生物种类甚多,其中有不少属于珍稀或濒危种类。

森林资源的可再生性使林业具有很大的发展潜力,林业是一项劳动密集型可循环发展的产业群,可以吸纳大量的劳动力,提供大量的就业机会。在人类历史上,不论是发达国家或发展中国家,林业从来没有像今天这样受到重视。这一方面是因为林业产业不仅每年为世界提供约 30 亿 m³ 的木材,而且提供大量的非木质产品,从森林果品、蔬菜、饮料到工业原料、生物能源和药材,都是满足人们生产、生活多种需求的必需产品;另一方面是因为木材是重要的可再生能源,具有自然性、可再生性、低能耗性和环境友好性的优势;同时还是难以取代的原材料,与钢材、水泥、塑料并称为世界四大原材料。据联合国粮农组织截至 2001 年 5 月的统计资料,目前世界对木材的需求量比 1961 年增加了 65%。另外,林产品还促进了世界贸易的增加。根据英联邦林产品统计资料(2002 年 1 月),按现行货币值,世界林产品贸易 1962 年为 60 亿美元,1997 年为 1 550 亿美元,折合成 1990 年固定价计算,35 年里,世界林产品贸易值增加了 5 倍。林业产业的发展是社会经济,尤其是乡村经济发展的一个重要因素。森林狩猎旅游及饲养某些种类的森林动物,可以成为某些地区乃至国家的重要财源。随着社会经济的发展和人民生活水平的提高,对木材和非木质林产品的需求量越来越大。面对人类对材料、燃料、动物、食品、饲料、游憩场所日益增长的需要,林业生产在提供可更新的物质财富及各种服务方面具有重要作用,在为人们提供基本的生产资料和生活资料的同时,还能创造就业机会。

我国林业产业发展迅猛,已形成涵盖范围广、产业链条长、产品种类多的比较完整的产业体系。其中包括林木种植业、经济林培育业、花卉培育业、木材采运业、木竹加工业、人造板制造业、林化加工业、木浆造纸业、林副产品采集加工业、森林旅游业等第一、二、三产业。不仅木材加工、经济林、林产化工、林机制造等传统产业蓬勃发展,森林旅游、森林食品、森林药材、竹产业、花卉种苗、森林动物驯养、森林狩猎等新兴产业异军突起。新中国成立几十年来,累计为国家提供木材 10 多亿立方米,并为社会提供了多种多样的林副产品,森林资源开发利用和培育为社会每年提供了大约 100 万个就业机会。新中国成立后的头 30 年,木材是重要的经济资源,林业的首要任务是生产木材,林业是国民经济名副其实的基础产业。2003 年,全国林业产业总产值达到 5 860 亿元,比 2002 年增长26.5%,增幅相当于前 5 年的 2 倍。全国竹材产量 9.7 亿根,比 2002 年增长 45%;人造板产量 4 553 万 m³,比 2002 年增长 55.4%;家具产量 13 亿件左右,比 2002 年增长 28.2%;木地板产量 8 642.5 万 m²,比 2002 年增长 73.7%;松香产量 44.33 万 t,比 2002 年增长12.14%;经济林产品年产量已达 7 000 多万吨,经济林带给产区农民的增收效益约占林业第一产业的 50%;花卉总产值达 1 814 亿元;竹产业年产值 400 多亿元;野生动植物资源人工培育产业年产值 560 多亿元。林业除提供各种产品和就业外,还能通过开展森林旅游增加收入,2003 年我国森林旅游业直接经济收入 96 亿元,年实现社会综合效益 845亿元,今后还会以 10%～15% 的增长率快速发展,并且还会带动就业和旅游产品的销售。据国家计委和国家旅游局初步确定,在未来 10 年中,我国旅游业将新增岗位 4 000 万个,其中的大量就业机会将由森林旅游业提供。

由于山野菜生长在自然状态下的林间、山野、溪边,纯天然、无污染,具有鲜嫩、清醇、芳香等特点,营养成分大多高于人工栽培的蔬菜,维生素和无机盐含量突出,胡萝卜素以及人体所需要的蛋白质、微量元素的含量更为丰富,且许多种类与药同源,具有很高的营养保健功能和防病治病功能。不少野菜含有多种氨基酸,有些野菜还含有一般植物中所没有的维生素 D、维生素 E、维生素 B_6 及维生素 K 等,令人们爱之有加,推崇备至,在日本、西欧和东南亚的一些国家被称为"天然野味"、"健康食品"。我国山野菜资源丰富,种类多,分布广,据调查统计,全国有真菌、地衣、草本、藤本、木本等山野菜 700 多种,以其为原料加工的山野菜罐头,适应现代城市居民的消费心理和国际市场的需求,国内市场的销量近年以 10% 的速度递增,国际市场上仅出口日本年均就在 20 万 t 以上,创汇 1 亿多美元。

河南省的林业产业也创造了巨大的经济价值。2000 年,省大、中型木材加工企业达 200 多家,年人造板加工能力近 60 万 m^3,人造板年产量 48 万 m^3。全省经济林面积发展到 83.8 万 hm^2,各类经济林果品年产量达到 35 亿 kg。经济林发展带动和促进了林副产品加工业的兴起,各类果品加工厂、包装厂蓬勃发展,不仅解决了就业问题,而且成为地方财政新的经济增长点。花卉面积发展到 1 万 hm^2,年产鲜切花 1 800 万枝(头)、盆花近 800 万盆、园林绿化苗木 1.7 亿株。林业提供了大量的工业原料和木本药材,促进了相关产业的发展,各地利用现有的乔灌木资源开展多种经营,兴办各种刨花板、胶合板、造纸厂和家具厂,推动了当地产业结构的调整。全省 37 处森林公园开展的森林旅游带来了很大收益。仅 2002 年国庆旅游黄金周期间就接待海内外旅游者 861.38 万人,旅游直接收入 30.2 亿元,分别比 2001 年增长了 14% 和 6%,实现社会综合经济效益 145 亿元。生态旅游是全省旅游的亮点,在接待人数由多到少的前 10 个景区中,以山水风光为主的生态旅游景区就有 6 个,并且排名前 3 位的都是生态旅游景区。在门票收入由多到少的前 10 个景区中,生态旅游景区也有 6 个,排名前 2 位的都是生态旅游景区。焦作山水游已经作为河南省旅游的知名品牌叫响全国,在全省各景区接待人数和门票收入上都居于前列,其中的云台山景区已连续两年在"五一"、"十一"旅游黄金周中接待游客和门票收入都位居全省第一位,位居全国前列,仅 2002 年国庆旅游黄金周期间,旅游接待人数和门票收入分别为 20.95 万人次和 710.17 万元,是 2002 年国庆旅游黄金周的最大亮点。在 2004 年"五一"旅游黄金周期间,7 天接待游客上升到 26.37 万人次,门票收入增加到 1 509.83 万元,接待游客人次和门票收入分别居于全国 99 个监测点的第 5 位和第 8 位。与云台山景区的情况相似,焦作市修武县的青龙峡、沁阳市的神农山、博爱县的青天河等山水风光景区景点也都快速成长起来。进行生态旅游的人数呈大幅上升的趋势,"五一"旅游黄金周期间,安阳林州大峡谷自然景观的游客由 2002 年的 3 万人次迅速增长到 2004 年的 17.6 万人次。信阳市的山水景观旅游接待人数和门票收入分别比 2002 年增长 77.5% 和 316%。洛阳生态旅游格外受宠,日接待量超过 1 万人次的几乎都是生态旅游景区,白云山、天池山、木札岭、西泰山、花果山、重渡沟等景区的日接待量比 2002 年同期增长 3 倍以上。新乡的南太行山水生态游吸引了百万游客。在 2004 年"五一"黄金周河南省十大旅游热点景区中,除列第 2 位的龙门石窟和列第 3 位的少林寺外,其他八大旅游热点景区均为生态旅游景区。由此可见,生态旅游在河南省旅游业中占有明显的优势地位。有些地方的林业产业已成为当地新的经济增长点。例如,周口市大力发展平原林业,精心营造"绿色长廊",倾力打造林业经济。建立精品林业基地 80 多个,总面积 2.33 万 hm^2,年产干鲜果品 40 万 t,产值 10 亿多元;建立木材加工企业 1 320 个,年加工木材 66 万 m^3,年创产值 13 亿元;建立果品加工企业 33 个,年加工产值达 2 200 万元;建立的各种苗木市场和果品市场年交易额达 3.3 亿元。

2003 年,河南省林业总产值达 209 亿元。

林业产业是可永续发展的产业,其基础是利用太阳光能转化为生物物质和生物能源的绿色产业。林业产业有许多区别于其他产业的特殊性:从产业顺序上看,它是一个主要提供上游产品的基础产业;从竞争力上看,是一个比较效益较低的弱质产业;从发展特性上看,是一个兼有生态社会效益的资源限制性产业;从发展现状看,是一个严重滞后的薄弱产业;从发展趋势看,是一个越来越被人们重视的前景广阔的产业。

第三节 全球生态环境危机与对林业的再认识

一、滥伐森林导致全球生态危机

森林资源是人类的宝贵财富。森林能净化空气,调节气候,保持水土,美化环境,提供人们所需要的木材和其他资源。同时,它又是一个完整的自然生态系统。森林环境对人类如此重要,与经济发展息息相关,但人类对森林的掠夺和破坏从来也没有停止过。从古至今,人类总以为“树砍掉可以再长”,“林伐光可以再生”,其实,不科学的乱砍滥伐和过分垦殖,已经造成了严重的后果。恩格斯在《自然辩证法》一书中就严肃地指出:“美索不达米亚、希腊、小亚细亚以及其他各地的居民,为了想得到耕地,把森林都砍光了,但是他们梦想不到,这些地方今天因此成为荒芜不毛之地,因为他们使这些地方失去了森林,也失去了积聚和贮存水的中心。阿尔卑斯山脉的意大利人,砍光了在北坡被十分细心地保护的松林,他们没有预料到,这样一来,把他们区域里的高山畜牧业的基础给摧毁了;他们竟没有预料到,他们这样做,竟使山泉在一年中的大部分时间内枯竭了,而在雨季又使更加凶猛的洪水倾泻到平原上。”

如果说古代科学尚未发达,大地的子民们对生态的认识还有一定的局限,做出了只顾当时不顾长远的蠢事;那么,现代人如何呢? 可以说,在某些方面比古人有过之而无不及。自 20 世纪 50 年代以来,破坏森林现象已成为世界性的公害,且出现令人堪忧的局面。联合国粮农组织发表的世界森林报告指出,全球林地面积正以每年 0.4% 的速度锐减,而热带雨林的减少速度比这一数字高出一倍。报告认为,在世界贸易全球化进程中,为扩大农业种植面积而砍伐林木、非法木材交易和盗伐林木的现象在增加。近一个世纪以来,由于乱砍滥伐,世界林地面积锐减。全世界森林面积从 1990 年的 39.6 亿 hm² 已经下降到 2000 年的 38.7 亿 hm²。在 1992 年至 2002 年的 10 年间,全世界森林自然增长及植树面积每年仅为 520 万 hm²,而森林砍伐面积却高达 1 460 万 hm²,10 年全球共有 1.4 亿 hm² 的森林丧失,出现严重的“入不敷出”。据有关资料介绍,自 1950 年到 1980 年的 30 年间,全世界有一半以上的森林被毁。非洲的森林每年要减少约 130 万 hm²,许多非洲国家的森林面积从 20 世纪初以来减少了一半,其中一些国家的森林已经面临着消失的危险。中部非洲森林面积由 1990 年的 3.3 亿 hm² 减少到 2000 年的 3.11 亿 hm²,10 年间年均减少面积 190 万 hm²。非洲森林大量减少的原因除了沙漠侵蚀、干旱和森林火灾以外,就是大量的树木被当做薪柴烧掉了。在非洲无论是农村还是城镇,居民们的主要生活燃料就是木柴,随着人口越来越多,木柴的消耗量也越来越大。非洲的森林覆盖率从20世纪初的60%减少到目前的10%。加纳的雨林锐减,只剩下8%;尼日利亚森林已减少了90%以上;埃塞俄比亚曾被3/4的森林所覆盖,现在森林的覆盖率仅剩下3.1%。拉丁美洲2/3的原始森林不复存在。南美洲的热带雨林2/3已经消失,世界著名的亚马孙河流域的大片森林,每年至少要被砍伐掉400km²,目前一半以上的亚马孙河流域原有的世界上最大的原始森林已被砍伐掉,巴西大西洋沿岸的热带雨林仅存2%。世界上最秀丽的东南亚热带雨林也正在消失,面积由1990年的2.35亿hm²减少到2000年的2.12亿hm²,10年间年均减少面积233万hm²。泰国已从木材出口国变成进口国,从1969年森林占国土面积的54%降到了21%,每年有18万hm²的热带雨林被毁。印度尼西亚曾拥有占世界10%以上的热带雨林,是世界第三大热带雨林国,仅次于巴西和民主刚果,但由于砍伐森林,弥足珍贵的热带雨林正以前所未有的速度消失,成为全球热带森林丧失最快的地区之一。1950年至2000年间,印尼的森林面积减少了40%,从1.62亿hm²下降到0.98亿hm²,而且森林的消失呈加速趋势。目前该国每年丧失的森林达200万hm²,是20世纪80年代的两倍。越南在过去40年里森林被砍伐将近一半。印度也在30年里使森林面积减少了30%。

联合国粮农组织调查发现,残存在东南亚、南美洲、非洲的热带森林,现在最多有9亿hm²。在过去50多年中失去的森林面积,中南美为37%,亚洲为42%,非洲为52%。温带和寒带的森林也被大量采伐,几乎每秒钟就有0.4hm²的森林消失。这不仅直接威胁地球上90%的野生物种,而且生活在森林地区的2亿人口大部分将背井离乡。如果全球不采取有效措施,80年之后,世界上热带森林资源可能全部消失,温带和寒带的森林也将消失大部分。

森林是地球上最宝贵的自然遗产,20世纪人类对森林的乱砍滥伐使这一宝贵的资源受到"伤筋动骨"的损害。森林破坏对环境的影响是巨大的,失去森林保护的土壤流失速度极快,在热带地区,表层土被冲刷掉后,红壤在太阳灼射下,发生板结,此后植物再也无法生长。同时,森林破坏使水源得不到涵养,空气中水蒸气的含量锐减,进而造成降雨量减少,加速了气候干燥化进程。世界上的沙漠大部分都在热带、亚热带地区,这并非偶然,可以说,在这些地域,破坏森林就等于制造沙漠。森林破坏带来的水土流失、土地沙漠化、生物多样性减少等生态灾难已成为全球性问题。

严重过量采伐森林造成了土壤流失。森林被破坏后,土壤在风力和水力作用下大量流失。美国农业部推测,世界上表土流失的比例为每年0.7%,总流失量达230亿t。土壤流失正在世界范围扩展,如北非的表土通过风力越过大西洋到达美洲。而在夏威夷的毛纳罗亚,每年3~5月可以观测到从中国飘来的沙尘。土壤流失最直接的后果便是农作物减产,甚至形成饥荒。1983~1984年埃塞俄比亚大旱,造成100万人因饥饿死亡,1991~1992年非洲大陆12个国家持续干旱,约3 500万人濒临死亡。专家们认为,灾难的主要原因与其说是雨量小,倒不如说是因植被破坏造成了土壤流失。土壤流失不只是使发展中国家苦不堪言,发达国家也面临同样的土壤危机。美国44%的农田存在土壤流失,每年从1.68亿hm²的农田中流失的土壤量达64亿t。土壤流失动摇了美国的农业根基。土壤侵蚀引起土地退化,据第九届国际水土保持组织会议提供的材料,全球83%

的土地退化是由土壤侵蚀引起的。全球各地区土壤侵蚀现状及发展趋势是：非洲，水蚀面积 2.27 亿 hm^2，水土流失呈加重的趋势，风蚀面积 1.86 亿 hm^2，土壤风蚀呈加重的趋势；亚洲，水蚀面积 4.41 亿 hm^2，水土流失呈加重的趋势，风蚀面积 2.22 亿 hm^2，土壤风蚀呈加重的趋势；南美洲，水蚀面积 1.23 亿 hm^2，水土流失呈加重的趋势，风蚀面积 0.42 亿 hm^2，土壤风蚀呈减少的趋势；中美洲，水蚀面积 0.46 亿 hm^2，水土流失呈加重的趋势，风蚀面积 0.05 亿 hm^2，土壤风蚀呈减少的趋势；北美洲，水蚀面积 0.6 亿 hm^2，水土流失保持稳定，风蚀面积 0.35 亿 hm^2，土壤风蚀呈减少的趋势；欧洲，水蚀面积 1.14 亿 hm^2，水土流失保持稳定，风蚀面积 0.42 亿 hm^2，土壤风蚀保持稳定；大洋洲，水蚀面积 0.83 亿 hm^2，水土流失呈加重的趋势，风蚀面积 0.16 亿 hm^2，土壤风蚀呈加重的趋势。全球水蚀面积 10.94 亿 hm^2，水土流失呈加重的趋势，风蚀面积 5.48 亿 hm^2，土壤风蚀呈加重的趋势。

严重过量采伐森林造成了土地荒漠化。目前全球的荒漠化面积有 3 592 万 km^2，并且每年仍以 5 万～7 万 km^2 的速度增加。撒哈拉沙漠据说在 5 000 年前还是一片绿色，但如今已成滚滚黄沙。据联合国环境规划署的调查，目前撒哈拉沙漠每年向南扩展 150 万 hm^2，平均每小时有 $170hm^2$ 沙漠形成。在苏丹境内，1958～1975 年撒哈拉沙漠向南扩展 90～100hm^2，平均每年 16m。联合国环境规划署推测，自 1990 年以来，全世界每年有 600 万 hm^2 土地沙漠化，其中 320 万 hm^2 是牧场，250 万 hm^2 是依靠降雨的耕地，12.5 万 hm^2 是灌溉耕地，导致全球收入每年减少 42 亿美元。此外，还有 35 万 hm^2 土地受沙漠化影响。据统计，全世界有 110 多个国家、40% 以上陆地表面、10 亿以上人口受到荒漠化的影响，约占世界人口 1/6 的人正受沙漠化危害。世界荒漠化还呈加重的趋势，据联合国抗荒漠化机构 2002 年公布的调查报告，拉丁美洲和加勒比地区的荒漠化现象日趋严重，这一地区的耕地土质退化，贫困人口增加，经济损失严重。报告说，拉丁美洲和加勒比地区目前已有 3 亿多公顷的土地荒漠化，近 2 亿 hm^2 的农田土质退化。整个全地区 3/4 的干旱土地已经中等程度或严重地荒漠化。每年荒漠化给拉美地区造成的直接经济损失达 20 亿美元。由于荒漠化现象和耕地退化得不到有效控制，大量农民被迫背井离乡，涌入城镇，致使贫困人口不断增加。这无疑使长期受贫困问题困扰的拉美国家面临更加严峻的形势。据估计，全世界有 1.35 亿人由于荒漠化而面临迁移的问题，到 2020 年，大约有 6 000 万人最终将从撒哈拉沙漠以南的荒漠化地区迁移到北美洲和欧洲。

严重过量采伐森林导致了生物多样性的减少。森林的毁灭对生物多样性也是一个致命的打击。目前，物种消失的速度已达到每小时一种，这比物种自然消失的速度快了将近 1 000 倍。据《科学》杂志上发表的有关濒危植物的最新数据，在全球 31 万到 42.2 万种植物中，有 22%～47% 的物种濒临灭绝。世界自然基金会的调查显示，由于人类对草药的需求量激增，造成约 1/5 的药用植物正在灭绝。同时，世界保护联盟濒危植物红名单的分析表明，在 5 万种经常使用的野生草药中，约有 2/3 遭到大规模采集，因而越来越少或濒临绝迹。该组织 2002 年宣布，世界濒危野生物种已达 11 167 种，自从 2000 年进行统计以来，7 种野生物种已被宣布灭绝。英国里兹大学的研究人员估计，到 2050 年，全球陆地动植物将有 1/4 会灭绝，最坏的情况是将有 1/3 到 1/2 面临灭绝。即使是对植物种类不完整的统计，仍有多达 5 714 种植物已经灭绝，还有 1 046 种正处于危急状态。在全球热带森林中,物种消失的速度更令人震惊,美国斯坦福大学生物学家詹妮弗·休斯估计,每年要消失1 600万个局部的动植物种群,也就是每小时消失1 800个种群。今天,动物灭绝的速度比历史上任何时期都要快,据专家测算,动物灭绝的速度比2000年前要快上1 000倍之多。南美洲厄瓜多尔海岸地带的热带森林中,过去曾栖息着20多万种动物,其中近半数是固有种类,1960年以后,随着香蕉园的建设、城市的扩大、油田的开发,热带雨林差不多全部被毁灭,由此导致约5万种以上的动物灭绝。据世界大自然联盟中美洲部公布的最新调查报告称,近一个世纪以来,中美洲至今已有23种动物完全消失,另有6种只能在动物园中见到。在20世纪90年代中期,13%的鱼类、11%的哺乳动物、10%的两栖动物、8%的爬行动物和4%的鸟类处于极度濒危状态。

严重过量采伐森林导致气候变暖。由于严重过量采伐森林,不但减弱了森林的固碳作用,而且增加了地面的辐射吸收,使地面和土壤的温度升高,促进土壤中碳的分解释放,进而加剧"温室效应",引起全球气候变暖。过多的温室气体使地球表面温度不断上升,从1860年到2000年的140年间,全球地面平均温度上升了大约0.6℃。全球气候还将持续变暖,联合国政府间气候变化专门委员会已经作出结论,全球气候增暖的速率将比过去100年还要快,未来100年全球平均气温可能上升1.4~5.8℃,人类将完全进入一个变暖的世界。这将对全球产生重大影响,有些影响甚至是不可逆转的、破坏性的,特别是那些对气候变化敏感和脆弱的地区。近百年来,地球气候正经历一次以全球变暖为主的显著变化。全球气温上升的速度在加快。2001年是有记录以来的第二个气温最高的年份,仅次于1998年的记录,也是连续第23个高温年。2003年是近150年来的第三个最炎热的年份,世界气象组织发现,自1861年开始,有准确的气象记录被保存以来最炎热的三个年份,都发生在过去6年当中。1998年是最酷热的一年,年平均气温高出正常年份0.99华氏度。由于全球大气中的二氧化碳浓度升高而引起的"温室效应",正在恶化人类的生存环境。据统计,100多年来,大气中二氧化碳的含量增加了30%,甲烷增加了145%,一氧化碳含量增加了15%。全球气温的升高严重地扰乱了世界气候的自然平衡状况,给世界各地区的自然生态系统诸如冰川、珊瑚礁岛、红树林、热带林、草原湿地、天然草地和海岸等生态系统带来巨大的负面影响,甚至造成了难以恢复的破坏。据美国斯坦福大学2003年上半年得出的研究结论,大气层中二氧化碳的高含量以目前预测的速度上升,在百年之后,地球上将有20%的野花死亡,而整体植物种类也会减少8%。全球变暖会促使冰川融化,导致海平面升高,使许多沿海地区和岛屿有可能被淹没;气候变暖还将使冻土融化,导致封存在土壤中的温室气体释放出来,增加大气中的温室气体含量;气候变暖加快了可燃物的失水和燃烧性,导致森林火灾增加,森林火灾次数和损失都呈上升的趋势。根据专家预测,随着地球变暖,今后50年内全球发生的森林火灾将会增加,火灾将蔓延更快,灾害会更严重。特别是干旱缺雨天气形成的"干雨"放电现象的增多,将使热带森林发生更多的火灾。温室效应还会加剧洪涝、干旱等自然灾害,造成瘟疫流行。全球气候变暖将使人类的整个生存环境面临严峻的考验。地球变暖将使海平面不断上升,20世纪海平面已上升了25cm,据联合国政府间气候变化问题研究小组预测,到2010年海平面还将上升60cm。海平面升高60cm,意味着美国将有2.5万km^{2}的土地被水淹没。海平面上升几十厘米对许多生活在大陆上的居民而言影响还不算很大,但对于大洋中由珊瑚礁组成的岛屿国家来说,则意味着"国将不存"。日本学者主编的《地球环境手册》指出,全球气候变暖会对人体健康产生直接影响,如对体弱的老人和婴儿抗暑热能力产生影响,并且气候变暖可能会扩大疟疾等热带传染病的病原生物和传播媒介昆虫等的栖息域。还有,随着气候变暖而加重的大气污染,可能会加重因一般环境恶化引起的疾病。联合国政府间气候变化问题研究小组认为,如果气温再上升2摄氏度至5摄氏度,那么全球将有60%的人口生活在痢疾感染区域。此外,全球气候变暖对关系人类生存的农业、水源等方面都会产生影响。联合国环境计划署的一份报告估计,2003年因气候变化所导致的各种自然灾害使全世界至少损失600亿美元,比2002年的550亿美元增加了10%。

严重过量采伐森林导致全球的自然灾害加剧,人类生存环境面临严峻挑战。世界气象组织的报告说,仅2002年的前3个季度,世界80多个国家超过800万km²的土地遭受洪灾,造成3 000多人死亡,1 700多万人的生活陷入困境,财产损失高达300亿美元,其中中欧和中国的洪灾最为严重。同期,持续干旱使非洲中部和南部许多国家的饥荒形势更加严峻;在北美,干旱已经袭击了美国37%的国土;在澳大利亚,发生了百年一遇的大旱灾,由于旱情严重,2002、2003年两年农作物的减产超过50%,牧草大量枯死,牲畜存栏数明显下降,农牧业产值将下降63%;印度等一些国家还遭受洪灾和干旱的双重威胁。2002~2003年冬季是北美洲第十个降雪量最少的季节,2003年1月份,俄罗斯东北地区的气温下降到了-49℃,蒙古也连续三年遭遇了及其罕见的严冬,导致大批牲畜死亡。南半球秘鲁的冬季气温下降到了华氏零下4度,200人被冻死。2003年,在大西洋上生成了16次暴风,远远超过了1948~1996年间平均每年9.8次的记录。袭击美国北卡罗来纳州的飓风"伊莎贝尔"是有记录以来最猛烈的暴风之一,飓风"法比安"对百慕大群岛造成的破坏是75年来最严重的一次。2003年,全球有2万人因为自然灾害而被夺去生命,天灾造成的损失总计650亿美元。

二、过量采伐森林给我国带来了严重的自然灾害

(一)近代以来我国森林覆被率大幅度下降

中国历史上森林资源极为丰富。据史料推测,西周时期全国森林覆盖率达49%,至清初降至26%。曾是中华民族发祥地的黄河中上游流域的黄土高原,西周时期森林覆盖率高达53%,到南北朝时期,降至40%,至今仅剩下6.1%。新中国成立后,由于长期以木材生产为中心,重采轻育、重取轻予,以及毁林开垦、陡坡种植、围湖造田等人为活动,森林资源遭到了严重的破坏。黑龙江省森林覆被率由1949年的53.4%下降到1993年的35.55%;有林地中可采的成过熟林面积由1948年的50%下降到1993年的13.3%,成过熟林蓄积量所占比例由1948年的76.6%下降到1993年的20.6%;林分质量也明显下降,每公顷平均蓄积量由开发初期的199m³下降到现在的100m³;贵的红松林蓄积量减少了85.4%,阔叶林蓄积量减少了87.8%。我国西南川西滇北的森林分布于高山峡谷地区,不仅以丰富的物种组成、多样的生态系统类型和巨大的生产力享誉中外,而且具有重要的水源涵养和环境保护作用。然而,自20世纪50年代起,这里的森林也经历了浩劫。特别是60年代中期开始的三线建设,进一步扩大和加剧了天然林区的破坏,这既涉及到西南林区(所谓金沙江林区开发会战),也涉及到大兴安岭林区(所谓大兴安岭林区开发会

战),当时从全国各地调集大量人力物力,集中开发大江大河上中游地区的水源涵养林,在今天看来,简直是疯狂的行为,而在当时,却是作为国家建设的重大决策来进行的,森林的面积和蓄积与50年代相比减少50%以上。地处长江上游的四川省已有50多个县的森林覆盖率只剩3%～5%,例如,阿坝自治州年木材消耗量超过年生长量的4倍以上。海南岛的热带雨林在过去40年中由86.67万 hm^2 减至24.47万 hm^2,森林覆盖率也由26%降至7.2%。由于大量垦荒、种植橡胶等,热带雨林被砍伐面积达33.33万 hm^2,其中利用20万 hm^2,13.3万 hm^2 被沦为不毛之地;我国除大兴安岭和云贵高原局部地区因山高路陡攀援不便还剩下点"原始纪念林"外,几乎再找不到一块"处女林"了。西双版纳的森林已从新中国成立初的110.5万 hm^2 减少到今天的不足60万 hm^2。在内蒙古大兴安岭林区到处可见被大面积开垦的林间空地,由于过度垦荒种地,导致大兴安岭南部森林边缘不断向北退缩,现在大兴安岭南部森林边缘已向北退缩200km。森林的萎缩,使大兴安岭生态功能严重下降,林区出现水土流失、河流干涸等现象。我国宝贵的原始森林长期受到乱砍滥伐、毁林开荒、森林火灾与病虫害的破坏,原始林每年减少5 000km²;占国土面积50%的西部干旱、半干旱地区森林覆盖率不足1%,许多地区无林可言。目前,我国森林覆盖率虽已上升为18.21%,但仍低于世界27%的平均水平,居世界第121位;我国人均森林面积约0.11hm²,相当于世界人均森林面积的1/9。由于森林植被严重破坏,水土流失加剧,每年流入黄河的泥沙由50年代的12亿 t 增加到70年代的16亿 t。

(二)对森林的破坏造成生态环境严重恶化

1.水土流失严重

我国是世界上水土流失最为严重的国家之一,全国约有1/3的耕地受到水土流失的危害,每年流失的土壤约50亿 t,相当于在全国的耕地上刮去1cm厚地表土,所流失的养分相当于全国一年生产的化肥氮磷钾含量。根据目前统计的结果,全国水土流失面积355.55万 km^2(不包括冻融侵蚀面积),占国土面积的37.42%。其中水蚀面积164.88万 km^2,风蚀面积190.67万 km^2。此外,冻融侵蚀面积126.98万 km^2(李运学等)。土壤侵蚀强度由东到西逐渐加强。水土流失分布广泛,不仅存在于山地和丘陵区,而且随着社会、经济的不断发展,基础设施和城镇建设规模的不断扩大,城市和平原区的水土流失也日趋严重。水土流失总量大,由于水土流失每年损失的土壤总量仅少于印度,居世界第二。土壤侵蚀强度剧烈,属于强度侵蚀以上的侵蚀面积112.7万 km^2。黄土高原是我国水土流失最严重的地区,每年输入黄河的泥沙年平均占整个黄河输沙量的90%,其中从内蒙古的河口镇至河南洛阳的龙门区间的黄河中游,土壤侵蚀模数达每年5 000～10 000 t/km²,最高达每年20 000～40 000t/km²,水土流失极为严重,水土流失区面积占流域面积的78%,相当于每年剥蚀地表土层1～2cm。黄土高原在不到100年的时间内,塬面面积减少30%,许多侵蚀沟的沟头每年前进3～5m。尤其值得警惕的是,长江流域水土流失面积从20世纪50年代的36万 km^2 扩展到现在的56万 km^2,年土壤流失量22.4亿 t。长江流域占全国18.8%的国土,养活1/3的人口,提供1/3的森林资源和占40%的工业生产总值,它以相当于亚马孙河、尼罗河、密西西比河1/7的面积,承载着超过三大流域总和的人口需求。长江上游大多是山高坡陡土层薄、雨多水丰径流急的山地和丘陵,远不如黄河上游那么土厚地广。由于生态破坏、水土流失造成的岩石裸露面积,正以每年5%～

7%的速度在扩展,土壤侵蚀速度超过了新形成表土量速度的百倍以上,沙质地区土壤已经由再生资源变成非再生资源。由于长江中上游的地理形势均具有山坡陡、土层薄、雨量集中的特点,表土层一旦被冲刷则极难恢复。有人警告,照此流失 300 年后,长江中上游流域将变成不可恢复的荒漠裸岩。珠江流域的水土流失也比较严重,尤其是该流域支流的红水河,泥沙含量达每立方米 0.6kg。水土流失的主要危害:一是造成土壤严重退化,破坏土地资源,使土地肥力下降,也降低了土地的生产能力。土壤再生的历程很漫长,据科学研究推算,在自然状态下,形成 1cm 厚的土壤需要 120～400 年,而在水土流失严重的地区,每年要流失表土 1cm 以上,土壤流失的速度比土壤形成的速度快 120～400 倍。土壤是人类赖以生存的物质基础,是生存环境的基本要素,是农业生产的最基本资源。年复一年的水土流失,使有限的土地资源遭受严重的破坏,使土层变薄,地形破碎,地表“沙化”、“石化”。特别是土石山区,由于土壤流失殆尽,基岩裸露,有的地方人们已无法生存。新中国成立以来,由于水土流失而毁掉的耕地达 266.67 万 hm^2 以上,平均每年 6.67 万 hm^2 以上,粮食减产 2 万 t 以上。随着地表沃土的流失,每年带走了大量的土壤养分。全国耕地有机质含量平均已降到 1%,明显低于欧美国家 2.5%～4% 的水平。全国每年因水土流失而损失的氮、磷、钾总量达 4 000 万 t,相当于全国的化肥施用量,不仅降低了土壤肥力,而且养分随水土流入江、河、湖、库,还会引起水体盐碱化,特别是湖泊的富营养化,严重影响着水体的有效利用和渔业的发展,大大降低了现有水面的利用。黄河流域因土壤流失导致当地环境恶化、土地干旱贫瘠,农业生产广种薄收,粮食产量一般为 375～750kg/hm^2,灾害年份只有 150～225kg/hm^2,甚至颗粒无收。流域内燃料、饲料、肥料俱缺,人畜饮水困难,人民生活贫困。二是水土流失下泄的泥沙造成江河、湖泊和水库的淤积,降低了水库发电、灌溉和防洪效益,降低了江河通航能力,增加了江河洪水威胁等。水土流失使河床升高。黄土高原每年约有 5 亿 t 粗砂淤积于下游河道,严重威胁着下游地区的工农业生产和人民生命财产安全。黄河河床每年平均升高 4～12cm,有的地段河床比堤外的地面高出多达 12m,成为有名的“地上悬河”。长江河床 20 年来平均升高0.45m,荆江河段洪水水面比堤外地面高出 8～10m。每年 50 亿 t 的泥沙流入江河湖泊,使库容萎缩。新中国成立以来,全国在 5 万多条大小河流上兴建的 8.6 万座水库,总库容为 4 000 多亿立方米,每年因淤积损失库容达 10 亿 m^3,相当于每年报废一座 40 亿元巨资兴建的大型水库,已淤积损失库容 1/10,淤废重点水库 22 座。黄河中游 130 多座大中型水库以及 3 万多座淤地坝中,水库已淤积库容的 1/3 以上,很多淤地坝已经淤满。长江流域由于水土流失已淤积损失库容 12 亿 m^3,相当于 12 座大型水库的库容。土壤流入沿江湖泊,导致湖泊淤浅,面积缩小。全国湖泊数量、面积和容积大量缩减,我国著名的 5 大湖鄱阳湖、洞庭湖、太湖、洪泽湖、巢湖的蓄水量都在减少,湖面缩小了 1/4 甚至一半。仅洞庭湖、鄱阳湖和江汉湖群自 20 世纪 50 年代以来就丧失容量 350 亿 m^3。洞庭湖每年沉积泥沙 1.45 亿 t,湖底平均升高 3cm 多,40 年来湖面缩小了 33.2%,湖泊容积缩小 43.7%,损失洪水调蓄能力 100 亿 m^3。鄱阳湖每年淤积量也达 12.1 亿 kg,湖床平均每年增高3cm。近年长江流域屡受洪涝威胁,与沿江湖泊萎缩有很大关系。水土流失还会引发滑坡、泥石流灾害的发生,长江上游地区和三峡库区滑坡、泥石流灾害不断发生,造成的危害十分严重。据有关调查统计,1990 年长江上游威胁程度较高的滑坡 1 500 处,泥石流沟

3 000多条,年侵蚀量约1.2亿t。此外,因河道淤塞而导致通航能力下降,全国内河航道通航里程由60年代的17.2万km降至目前的10.8万km,淤积是重要原因之一,河道淤积造成潜在的洪水威胁,可能是更为重大的问题。

2.土地荒漠化严重,风沙危害加剧

土地荒漠化是我国当前最为严重的环境问题之一,荒漠化土地面积较大,危害严重。首要原因是人口剧增、贫瘠土壤过度利用、乱采矿、过牧、滥伐以及不适当的灌溉等,造成了农田的盐碱化。我国荒漠化分为风蚀、水蚀、冻融、盐渍化四大类,共跨越了干旱、半干旱和半湿润干旱区三个气候带。据国家林业局公布的数据资料,中国共有荒漠化土地267.4万km^2,占国土总面积的27.9%,涉及全国18个省、市、自治区的471个县(旗、市)。其中风蚀荒漠化(沙漠化或沙化)土地174.31万km^2,占国土总面积的18.2%;水蚀荒漠化(水土流失)土地20.46万km^2;冻融荒漠化36.33万km^2,土地盐渍化23.32万km^2,另外还有其他因素引起的荒漠化土地21.38万km^2。由于土地荒漠化的扩大,风沙危害也随之加剧。近50年来沙尘暴频发与土地荒漠化扩展的步伐是一致的,50～60年代,沙化土地每年扩展1 560km^2,沙尘暴发生5～8次;70～80年代,沙化土地每年扩展2 100km^2,沙尘暴发生13～14次;进入到90年代,沙化土地每年扩展2 460km^2,发生沙尘暴达23次之多。沙尘天气波及的范围扩大,湖北和安徽的一些地方都出现了浮尘天气。目前,全国荒漠化土地以每年10 400km^{2}的速度扩大,沙化土地以每年3 436km^{2}的速度扩大。沙化的扩展吞噬了大片耕地、草原,加剧了河流、湖泊的消失和生态灾害。沙尘暴所过之处,可造成房屋倒塌、交通供电中断、火灾突发、人畜伤亡等重大灾害,并污染生态环境,破坏作物生长,给国民经济和人民生命财产造成严重的损失和极大的危害。全国有24 000多个村庄和城镇经常受到荒漠化的危害,内蒙古自治区鄂托克旗近30年间被流沙压埋的房屋有2 200多间,棚圈3 300多间,有700多户村民被迫迁移他乡。长江和黄河发源地周围以及其上游和中游的大量土地已经沙漠化。沙漠地区也是中国最不发达地区,大量人口生活在贫困中。沙漠化不仅限制了区域经济的发展,而且严重影响着长江和黄河中下游经济的发展。从沙漠的覆盖率和扩大速度上看,我国北部的沙漠化最为严重。这一地区气候干旱,自然资源匮乏,交通条件差,经济发展始终落后于我国其他地区。据估计,沙漠化每年造成的直接经济损失为540亿元,相当于1996年中国西北5省(自治区)财政收入的3倍。全国受沙漠化危害地区,每年减少粮食产量30亿kg以上,相当于750万人一年的口粮。新中国成立以来,全国共有6 670km^{2}耕地沦为沙地,平均每年丧失耕地150km^2;有23 530km^{2}草地变成沙地,平均每年减少草地520km^2。荒漠化不仅造成可利用土地数量的减少,而且使土地质量下降,据中国科学院测算,荒漠化地区每年因风蚀损失土壤有机质及氮、磷、钾等达5 590万t,折合2.7亿t标准化肥,其价值约为2 800亿元。20世纪末,沙尘暴在华北地区越来越频繁,沙漠化加剧了这个地区的贫困。全国农村贫困人口的1/4生活在荒漠化地区,1995年荒漠化地区人均农村产值1 014元,仅为全国平均水平的34.2%。荒漠化还制约了地区经济建设的发展,1979年4月10日的一场沙暴,导致南疆铁路行车中断20天,直接经济损失2 000多万元。龙羊峡水库每年因荒漠化进入的泥沙量达3 130万m^3,造成的经济损失达4 700多万元。在我国,直接受荒漠化危害影响的人口约5 000多万人。西北、华北北部、东北西部地区每年约有

1 333万 hm^2 农田遭受风沙灾害,粮食产量低而不稳;有 10 000 万 hm^2 草场由于荒漠化造成严重退化;有数以千计的水利工程设施因受风沙侵袭排灌效能减弱。我国亚热带、热带湿润地区由于人为活动对地表植被的破坏,产生了石漠化,土壤侵蚀严重,基岩裸露,砾石堆积,地表呈现石质化,导致我国广西土地严重退化,长江、珠江等大江大河泥沙淤积,致使当地生态系统日趋脆弱,人们生存条件逐渐丧失,严重制约了经济社会的可持续发展。风沙对我国珍贵的世界文化遗产也造成了损坏,如珍贵的世界文化遗产敦煌莫高窟由于风沙的危害,岩体坍塌,壁画退色,壁画、塑像磨蚀严重,壁画龟裂,颜料层大面积脱落,这不仅影响艺术效果,而且长期下去,会使这一珍贵的世界文化遗产失去其价值。

　　3.气候恶化

　　近百年我国气候持续变暖,气温上升了 0.5℃,以冬季和西北、华北、东北最为明显,华北地区自 20 世纪 50 年代以后出现了明显的暖干化趋势。20 世纪 80 年代的年均气温值比前 30 年的平均气温值高 0 .21℃。冬季天气异常偏暖,自 1986 年以来,我国已经连续经历了 18 个暖冬。由于气温上升,导致我国约 50% 的冰川变薄和缩小,雪线上升,冰川后退的平均速度为每年 10～20m,后退最快的昆仑山冰川每年达 100m。2003 年我国南方发生了罕见高温热浪、东北连续 5 年春旱等十大主要天气气候事件;另据监测显示,我国乌鲁木齐河源 1 号冰川一直处于后退状态,1962 年至 1992 年退缩了 140m。与此同时,我国西北各山系冰川面积自"小冰期"以来减少了 24.7%,达 7 000km^2 左右。预计到 2050 年,我国西部冰川面积将减少 27.2%。气温增高可增大地表水的蒸发量,导致湖泊水位下降和面积萎缩,我国西北各大湖泊,除天山西段赛里木湖外,水量平衡均处于入不敷出的负平衡状态,有的甚至干涸消亡,从而加重我国华北和西北的干旱、土地沙化、碱化以及草原退化的危害。我国东南沿海地区由于受高温季风气候的影响,可能导致台风侵袭沿海的频率和强度增加,从而加重沿海地区的风灾和洪涝灾害。气候变暖可能对我国西北、华北、东北、西南、华中的夏季气候造成影响,使农业病虫害频繁发生。气候变暖导致海平面上升,我国海平面近 50 年呈明显上升趋势,上升的平均速率为每年 2.6mm,专家估计,到 2030 年我国沿海海平面上升幅度为 1～16cm,到 2050 年上升幅度为 6～26,预计 21 世纪末将达到 30～70cm。这将使我国许多海岸区遭受洪水泛滥的机会增大,遭受风暴影响的程度和严重性加大,其后果将加剧多种海岸带灾害,如将淹没大量滩涂资源,导致滨海低地及河口区盐水入侵,扩大海岸与海滩侵蚀等,特别是将增大风暴潮的危害,这会使珠江三角洲、长江三角洲和渤海湾等地区遭受风暴影响的程度和严重性加大,而这些地区都是中国经济密集、比较发达的地区,必将对中国的社会、经济发展产生巨大影响。气候变化将导致水循环的加剧,暴雨频率增加,直接导致水土流失和土壤侵蚀加剧,从而增加滑坡、泥石流等地质灾害的发生频率和强度。气候变暖给农业、人体健康等都带来不同程度的影响,过去 40 年,由于气候变暖,北半球尤其是高纬度地区植物生长季每 10 年延长 1 天到 4 天,植物开花、候鸟回归、生育季节和昆虫出现时间均提前,植物、昆虫、鸟类和鱼类向高纬度、高海拔转移,许多传染性疾病,如疟疾、登革热等影响人口的数量可能增加,受热死亡人数也将增加。气候变暖造成的夏季高温导致降温所需能源增加,会使电力供应紧张。

4. 旱涝灾害频繁

由于森林植被被破坏,土层变薄,涵养水源的能力降低,植被拦蓄和水利工程蓄泄洪能力受损,加剧了旱涝灾害的发生。暴雨一来,瞬间汇集成流,洪水泛滥;雨水一过,旱象呈现,田地干裂。我国自然灾害发生率上升,重大气象灾害平均每年达 25 次之多,尤以洪涝、干旱为甚,且分布区域很广。我国有 45% 的国土属于干旱或半干旱地区,深受旱灾之苦。黄河中游以南和华北平原干旱增加,北方地区旱灾仍继续波动和扩大,干旱发生频率和强度增加。洪涝灾害的肆虐,给人民的生命财产及国家经济建设带来严重危害。历史上我国洪涝灾害十分频繁,从公元前 206 年至 1949 年的 2 155 年间,史料有记载的水灾共有 1 902 次,平均每 10 年就有一次较大的洪水灾害。进入 20 世纪以来,我国主要江河流域洪涝灾害频率增高,灾情加重。特别是从 80 年代以来,洪涝灾害更有扩大之趋势,我国长江、黄河、珠江、淮河等七大江河的水灾面积和成灾率都比 60 年代及 70 年代有所增加。1998 年夏季我国发生的特大洪涝灾害,波及 29 个省市,造成受灾人口 2.23 亿人,死亡 3 004 人,农作物受灾面积 0.21 亿 hm^2,直接经济损失达 1 666 亿元。除干旱、洪涝之外,因气象条件改变而引起的风暴灾害也相当严重。台风登陆的次数在全球居首位。我国东南沿海每年都有 6~7 次台风登陆成灾,且造成重大损失。由台风在海上和沿海地区所造成的直接经济损失,一般年份为 2 亿~6 亿元,大灾之年要超过 10 亿元。受灾害影响的人口超过 2 亿元。农作物年受灾面积 2 000 万~4 000 万 hm^2,减产粮食 100 多亿公斤。气象资料显示,我国夏季南涝北旱的趋势不断加剧,我国东南沿海、西南、西北、内蒙古和东北部分地区洪涝灾害增加,长江在近 6 年中就发生 4 次洪水或特大洪水,有的地区甚至一年之间连遭 2~3 次洪水袭击。我国每年因旱涝等各类自然灾害造成的直接经济损失达 2 000 亿元,超过两个三峡水库的静态投资。

5. 水资源严重短缺

虽然我国水资源总量占世界水资源总量的 7%,居世界第六位,但人均占有量仅有 2 400m^3,为世界人均水量的 25%,是全球 13 个贫水国之一。而且我国水资源的时空分布与人口、耕地分布状况不协调。在时间上,全年降水的 70%~90% 集中在 6~9 月,冬季很少。在空间上,水资源分布是东南多西北少。长江流域以南地区耕地仅占全国耕地的 38%,水资源却占全国的 80% 以上;而占全国耕地 62% 的淮河流域及以北地区,水资源量不足全国的 20%。森林植被的破坏,更加剧了水资源的时空分布严重不均和年际变化,使本已紧缺的水资源利用受到很大的限制,造成水旱灾害加重。20 世纪 90 年代以来,年受旱灾面积达 2 700 万 hm^2,成灾面积 3 倍于 50 年代。缺水还造成生态环境的退化,特别是河流流域植被的退化。水资源短缺导致黄河下游河道断流的形势越来越严重,一是来水量大幅度减少,50~60 年代,利津水文站年径流量为 490 亿 m^3,70 年代为 311 亿 m^3,90 年代为 188 亿 m^3,目前来水量已不足五六十年代的 40%;二是断流时间逐年提前,90 年代以前,断流主要出现在五六月份,以后逐年提前,1991 年为 5 月 6 日断流,1992 年 4 月 30 日断流,1993 年 2 月 13 日断流,1995 年 3 月 4 日断流,1996 年 2 月 14 日断流,1997 年 2 月 7 日断流,1998 年 1 月 1 日断流;三是历时时间延长:1992~1997 年断流历时分别为 82 天、60 天、75 天、118 天、125 天、226 天,1998 年断流历时为 148 天。直接影响着有限水资源的开发和利用。由于断流,造成近年来黄河河道排洪能力急剧下降,河道淤积严重。统计资料显示,自 1986 年以来,由于枯水历时较长,黄河下游每年平均淤积 2.18 亿 t,从总量看少于 50 年代,但主淤积量大于 50 年代。特别是艾山以下窄河道淤积尤为严重,年均淤积量为 0.35 亿 t,占整个下游淤积量的 18%。1996 年 8 月较 1986 年 10 月 3 000m³/s 流量相应的水位抬升 1.65m,年平均抬升 15cm,为多年平均的 2 倍以上。1999~2000 年间长江下游水域同样出现了水资源紧缺现象。由于缺水,全国七八个省(直辖市)地面下陷严重,其中天津市地面下陷面积占全市总面积的 66%。在干旱季节,坝区植被的破坏加剧了江河的干涸。特别是随着社会经济的快速发展,水资源供需矛盾还将进一步加剧。水资源短缺已成为我国西北地区一个主要的生态问题,近几十年来,新疆地区的湖泊萎缩十分严重,全区湖泊面积比 20 世纪中叶缩小了 4 952km²;在内陆湖区,由于进水量的减少,许多湖泊已经转化为沼泽。新疆最大的淡水湖博斯腾湖,水位下降 3.54m,平均每年下降 0.12m,水域面积缩小 120km²,蓄水量减少约 30 亿 m³,湖水开始咸化。

6. 空气和噪声污染严重

我国目前的空气污染相当于发达国家五六十年代污染最严重时的水平。大气污染以煤烟型污染为主,主要污染物为烟尘和二氧化硫,其中工业二氧化硫排放量约占 70%;全国 600 多个城市中,大气环境质量符合国家一级标准的城市不到 1%。我国噪声污染较严重,2/3 的城市人口暴露在较高的噪声环境中;90% 的城市道路交通噪声超过了国家规定的 70dB。噪音会对人体产生多方面的危害。噪音会损伤人耳的听力,人在 85dB 的噪音环境中停留 10 个小时,就会产生不适感;如果停留 20 年,就会导致耳聋;而在 95dB 的环境中,5 年就可致人耳聋。噪音会损害人体的心血管系统,使人心烦,血压升高。噪音影响人的消化系统,使人产生腹胀的感觉。噪音对人体的内分泌系统也产生不利影响,可导致人体内分泌紊乱。全国每年因道路交通噪声污染导致的经济损失约合人民币 216 亿元。

7. 草原严重退化

我国草地面积占国土面积的 40%,然而,由于植被破坏、超载放牧、风蚀沙化、不合理开垦以及对草原养护的低投入、轻管理等,致使草原严重退化。草原退化面积达 9 000 多万公顷,占可利用草场面积的 1/3 以上,平均产草量下降了 30%~50%。草原植物种类结构趋向简单,豆科、禾本科等优良牧草数量锐减,适口性差,营养成分低,甚至有害有毒的草类大量滋生,劣质杂草替代了优质牧草,草场质量下降。我国百亩(6.67hm²)草地产肉量只有 25.5kg,产奶量 26.8kg,产毛量 3kg,仅为相同气候带下美国的 1/27,新西兰的 1/82。

8. 生物多样性大量损失

由于森林植被的破坏,大量动植物的生境逐渐缩小或消失,野生动物的栖息地大量损失、片段化或被隔离,一些生物群落结构被破坏,繁殖率和存活率降低,野生动植物物种丰富区的面积不断缩小,珍稀野生动植物栖息地环境恶化,野生动植物种类减少,种群数量减少甚至物种消失,珍贵药用野生植物数量锐减,生物资源总量下降,生物多样性受到严重威胁。我国的野生生物栖息地丧失率已达 61%。据估计,我国野生动物中大约有 398 种脊椎动物处于濒危状态,占脊椎动物总数的 7.7%。处于濒危状态的高等植物有 1 019

种,占高等植物总种数的 3.4%。现有的动植物物种的 15%～20% 濒临灭绝,高于世界 10%～15% 的水平。在《濒危野生动植物种国际贸易公约》所列的 640 个种中,中国就占 156 个种;近 50 年来,中国约有 200 种植物已经灭绝,高等植物中濒危和受到威胁的高达 4 000～5 000 种,占总种数的 15%～20%,高出全球 5～10 个百分点。世界自然保护联盟 《1997 年世界保护联盟受威胁植物红色名录》中 19 个受威胁的单型科有 5 个分布在我 国。目前,我国的兰花、苏铁、红豆杉、石斛、肉苁蓉、梭梭、甘草、紫草、雪莲、发菜、川贝母、 红景天、冬虫夏草、野人参、野天麻等珍贵野生植物都濒临灭绝。《中国珍稀濒危保护植物 名录》确定的珍稀濒危植物有 354 种,其中,一级 8 种,二级 143 种,三级 203 种。近百年 来,我国约有 10 余种动物绝迹,如高鼻羚羊、麋鹿、野马、犀牛、新疆虎等。目前,大熊猫、 金丝猴、东北虎、雪豹、白鳍豚等 20 余种珍稀动物又面临灭绝的危险,华南虎濒临灭绝程 度更甚于大熊猫。据 1990 年专项调查,野生华南虎的数量已经不到 30 只,加上目前全国 各地动物园人工饲养的 64 只,华南虎总数已经不足 100 只。根据自然规律,一个物种的 消亡将引起更多物种的灭绝,处在生物链顶端的华南虎如果灭绝,将给人类和全球环境带 来不可估量的损失。因此,国际野生动物保护组织将华南虎列为全球第一号濒危动物。 国际自然与自然资源保护联盟将华南虎列为世界最为濒危物种和第一需要保护虎种。 《国家重点保护野生动物名录》确定国家重点保护动物 257 种,其中一级 96 种,二级 161 种。丹顶鹤、台湾猴、扭角羚、白唇鹿、华南虎、褐马鸡、黑颈鹤、绿尾红雉、扬子鳄、中华鲟 等属于我国 100 多种珍稀动物之列。

三、森林在全球生态环境保护中具有不可替代的重要作用

(一)世界对林业的认识提高到前所未有的高度

林业的核心内涵是森林资源的合理经营与科学管理。森林具有提供生产资料和发挥 公益效能的双重作用。在对森林经营的漫长历史过程中,由于社会经济发展和人类生活 对木材的直接需求,加之对森林功效认识的不足,致使原始森林资源消耗殆尽。森林无度 采伐的后果,不仅导致了可采资源濒临枯竭,更重要的是加剧了人类生存环境的恶化,严 重地影响了社会经济发展和人类自身生存的潜力。过量采伐森林导致的全球生态环境危 机,使国际社会对林业在可持续发展中不可替代的作用形成共识。1992 年,178 个国家的 政府领导人在里约热内卢签署了著名的《21 世纪议程》,这一文件基于地球自然资源的承 受能力确定了社会、经济和环境协调发展的宏伟蓝图。自那时以来,国际组织、各国政府 和人民纷纷采取行动,以《21 世纪议程》为指针,为消除贫困、保护自然资源、遏制环境恶 化和促进社会协调发展作出了不懈的努力,并取得了相当的成效。世界环境与发展大会 后,国际社会先后达成了 3 大环境公约,即《气候变化框架公约》《生物多样性保护公约》 和《防治荒漠化公约》,并在《气候变化框架公约》《生物多样性保护公约》中,"赋予林业以 首要地位",指出:"在世界最高级别会议要解决的问题中,没有任何问题比林业更重要 了",很多国家也制定了实施《21 世纪议程》的国家行动计划。

近代科学研究表明,森林是控制全球变暖的缓冲器,是全球生物地球化学循环的杠 杆,是自然界功能最完善的资源库、生物库、蓄水库、贮碳库、能源库,具有调节气候、涵养 水源、保持水土、防风固沙、净化大气、改良土壤、美化环境、保护生物多样性、保障农牧业

稳定发展等多种功能,对维持生态平衡、保护人类生存与发展的基本环境起着决定性作用。人们已经认识到森林的保护与发展关系到人类的生存、发展和地球的前途。离开森林的庇护,人类的生存与发展就会失去依托。同时,森林和美学、文学、音乐、宗教、医药、旅游等多方面具有紧密联系。木材可以找到比较理想的替代品,而在满足人类对"环境舒适性"需求方面,除了森林之外则几乎别无选择。科学合理地保护和利用森林,保护和建设生态环境,实现社会经济的可持续发展,便成了当今世界人类社会发展的主旋律。森林是人类社会持续发展的基本要素,在作为可持续发展物质基础的自然资源中,森林资源作为内容丰富的可自然更新资源具有独特的作用。惟有森林才能提供可更新的物质财富和效益来满足人类未来的需要,惟有森林才能为居民提供清爽和宁静的空间,森林在环境保护方面占有独一无二的位置,是维护地球生态平衡的保障。森林是自然界中物质最丰富、层次结构最复杂、生产力最大的陆地主体生态系统,对自然环境中的大气圈、水圈、岩土圈和生物圈具有极其重要的作用。森林资源是人类赖以生存和发展必不可少的重要资源,在促进经济和社会可持续发展方面具有不可替代的作用。

鉴于森林在防止气候变暖、空气污染、水土流失、土地荒漠化、生物多样性丧失等生态问题上的重要作用,森林问题已成为国际社会关注的热点和焦点问题。国际社会已就制定具有法律约束力的国际森林公约采取了行动,国际上的林业政策对话明显活跃,森林可持续经营作为林业可持续发展的基础,已成为全球广泛认同的发展方向,并被国际社会和各国政府作为制定林业政策的重要原则。追求环境与发展的协调统一,实现可持续发展已经成为时代最强音,重视和加强生态环境建设已成为世界林业发展的潮流。

(二)我国对林业发展做出了战略调整

我国生态环境恶化的现实,正在缩小中华民族的生存空间,构成了对我国社会经济发展的严峻挑战,已经成为国家经济和社会发展所面临的最紧迫、最重要的问题之一。随着我国社会生产力的不断发展、经济的快速增长和居民生活水平的提高,我们对森林的保护与利用的认识,已经逐步地深化。我国在总结林业工作正反两方面的经验后,全社会也已认识到,林业在解决生态环境问题中所起的作用是任何行业都无法替代的。

我国现阶段社会经济的发展对林业的要求发生了巨大变化,生态问题的日渐突出使国民经济和社会发展对森林需求发生了重大变化。基于森林在维护生态平衡、保护自然环境、改善生态条件方面的巨大作用,发挥森林在这些方面的作用已取代木材生产而成为国民经济和社会发展对林业的第一位要求。从环境的角度来看,林业担负着维护生态平衡,保护物种资源,减轻自然灾害,解决人类面临的一系列生态环境问题的重大使命;从经济角度来看,发展林业和林产品加工业是优化农业产业结构,保证区域经济协调发展,促进农民增产增收的一个重要的途径;从林业的功能来看,森林生态环境是人类生存和发展的基本条件,是社会经济发展的基础;从发展战略来看,加强林业生态环境建设,是实施可持续发展战略的一项基本方针。

从中央到地方的各级领导都关注森林、关注林业、关注生态工程,把林业生态建设作为一项重要的工作来抓,并把它列为农业结构调整的一项重要内容。从1978年起,中国先后确立了以保护和改善自然生态环境、实现资源永续利用为主要目标的十大林业生态工程。这十大林业生态工程是:"三北"(东北西部、华北北部、西北地区)防护林体系工程、长江中上游防护林体系工程、沿海防护林体系工程、平原农田防护林体系工程、太行山绿化工程、防治沙漠化工程、淮河太湖流域综合治理防护林体系工程、珠江流域综合治理防护林体系工程、辽河流域综合治理防护林体系工程、黄河中游防护林体系工程,规划造林总面积 1.2 亿 hm²。"三北"防护林体系工程的建设范围东起黑龙江的宾县,西至新疆乌孜别里山口,东西长 4 480km,包括新疆、甘肃、青海、宁夏、陕西、内蒙古、山西、河北、北京、天津、辽宁、吉林、黑龙江等 13 个省(自治区、直辖市)的 551 个县(旗、市、区),土地总面积 406.9 万 km²,占全国陆地总面积的 42.4%。到 2000 年底,共完成造林保存面积 2 203.72 万 hm²,使 20% 的沙化土地得到初步治理,2 130 万 hm² 农田得到有效保护,3 003万 hm² 草场得到保护和恢复,黄土高原 40% 的水土流失面积得到了初步控制。长江中上游防护林体系工程 7 年累计营造林 546 万 hm²;沿海防护林体系工程自 1991 年全面启动以来,累计营造林 160 万 hm²,1.8 万 km 的海岸基干林带基本合拢;平原农田防护林体系工程累计有 769 个县(市)实现了平原绿化,占全国 918 个平原县的 84%;太行山绿化工程自 1994 年启动以来累计完成营造林 102 万 hm²。这些大规模的林业生态工程建设,使中国相当部分地区的生态环境逐步得到改善。

　　进入 21 世纪,国务院对根据不同情况和需要、按照不同程序启动的林业工程,整合归并为六大重点林业工程。一是天然林资源保护工程,全面停止长江上游、黄河上中游地区天然林采伐;大幅度调减东北、内蒙古等重点国有林区的木材产量;同时保护好其他地区的天然林资源。突出保护对生态环境有重大意义的宝贵天然林资源,为生态建设确立坚实的基础。二是退耕还林还草工程,主要解决重点地区的水土流失问题。突出改变不合理的土地利用模式,扩大生态建设的地域环境。三是"三北"和长江中下游地区等重点防护林体系建设工程,具体包括"三北"防护林四期工程、长江下游及淮河太湖流域防护林二期工程、沿海防护林二期工程、珠江防护林二期工程、太行山绿化二期工程和平原绿化二期工程。突出生态脆弱地区和生态地位重要地区的森林资源建设,形成生态保护体系的基本框架。四是环北京地区防沙治沙工程,主要解决首都周围地区的风沙危害问题。突出改善首都的生态环境,充分发挥生态建设的社会效益。五是野生动植物保护及自然保护区建设工程,主要解决基因保存、生物多样性保护、自然保护、湿地保护等问题。突出生物多样性保护,建设生态保护体系。大力推进由以利用野生动植物野外资源为主向以利用人工培育资源为主的战略转变,全面促进野生动植物可持续发展。大力促进野生动植物资源的人工培育,以人工培育资源缓解野外资源保护压力,并逐步代替野外资源,开创野生动物驯养繁殖、野生植物培植和合理利用产业的新局面,促进我国野生动植物保护事业进入可持续发展轨道。六是重点地区以速生丰产用材林为主的林业产业基地建设工程,主要解决我国木材和林产品的供应问题。努力扩大人工林面积,缓解天然林保护压力,推进由以采伐天然林为主向以采伐人工林为主的转变。集中力量突出重点,以提高林业建设工程的质量和效益,积极保护、发展和合理利用森林资源。据有关统计资料,截至 2002 年 8 月,全国退耕还林工程共完成退耕地还林 293.5 万 hm²,宜林荒山荒地造林 268.9 万 hm²,京津风沙源治理工程完成治理面积 152.3 万 hm²。截至 2003 年年底,全国林业系统已建立自然保护区 1 538 处,面积达 1.18 亿 hm²,占全国国土面积的 12.3%,有效地保护了我国 85% 的陆地生态系统类型、85% 的野生动物种群类型和 65% 的高等植物群落类型。

国家对林业发展做出了战略调整,使林业建设指导思想发生了历史性转变。"确立以生态建设为主的林业可持续发展道路,建立以森林植被为主体的国土生态安全体系,建设山川秀美的生态文明社会"为战略目标。这一林业战略思想的核心就是"三生态",即生态建设、生态安全、生态文明。按照"保护现有森林植被和新建治理相结合、全面发展和巩固现有成果相结合、建设治理和发展利用相结合"的林业发展思路,提出在未来一个相当长时期内,把大搞生态建设作为林业工作的首要任务,林业"由国民经济重要组成部分转变成为生态建设的主体",把生态建设作为21世纪林业发展的第一要务。《中共中央国务院关于加快林业发展的决定》(中发[2003]9号)指出:"加强生态建设,维护生态安全,是21世纪人类面临的共同主题,也是我国经济社会可持续发展的重要基础。森林是陆地生态系统的主体,林业是一项重要的公益事业和基础产业,承担着生态建设和林产品供给的重要任务。""加强林业建设是经济社会可持续发展的迫切要求。""在贯彻可持续发展战略中,要赋予林业以重要地位;在生态建设中,要赋予林业以首要地位。"全国已经把林业建设的战略重点,从"以木材生产为主"转变到"以生态建设为主"。把生态建设放在林业工作最重要、最核心的位置,把加强生态环境保护,维护生态平衡,建立完整、稳定、高效的森林生态系统作为林业建设的主要任务。就是要把治理、保护和改善生态环境作为林业建设的主要任务,在制定林业发展战略时,把加强生态建设改善生态环境作为首要目标;在确定林业建设重点区域时,以生态脆弱地区生态治理为主;在培育森林资源时以建设生态公益林为主;在管护森林资源时,采取最严格的措施,重点管护好生态公益林;在利用森林资源时,以不破坏、不牺牲生态为前提;在制定林业优惠政策时,向生态公益林建设倾斜;在安排林业投资时,首先保证生态公益林建设的需要;在转变政府职能时,各级林业主管部门把工作重点放在指导生态建设上。林业经营目标由过去以单纯满足社会对林产品需求为主的传统经营模式转向以发挥多种效益为目标的可持续经营。

第四节　河南林业生态建设与生态安全

一、河南省的生态灾害严重

河南省地处中纬度,冷暖气团交替频繁,大陆性季风气候特别明显,易造成旱、涝、干热风、大风、沙暴等多种生态灾害的发生,伴随暴雨还会发生滑坡和泥石流。不仅生态灾害的种类多,而且发生的程度也比较严重。

(一)干旱

干旱是河南省危害最大的一种生态灾害。据史料记载,河南在大旱年份"赤地千里,川竭井枯,百谷无成,野无寸草"。这种悲惨景象在历史文献中屡见不鲜。新中国成立前,在本省流传的"水、旱、蝗、汤"四害,说明了旱灾由来已久。根据肖廷奎等对河南历史资料的分析,从1263年至1916年的654年中,干旱年份有395个,占总年数的60.4%。其中,特大旱年38个,大旱年52个,旱年305个。在所有干旱年份中,特大旱年出现的频率为9.6%,大旱年为13.2%,旱年为77.2%。干旱季节类型,以夏旱为最多,春旱多于秋旱,冬旱为最少。干旱发生的地区,以豫北地区最频繁和最严重,豫东和豫中次之,豫西的沿河地区以及豫东南又次之,豫西山区和豫西南出现次数最少,程度也最轻微。

到了现代,旱灾仍然频繁发生,并且呈干旱程度加重、干旱范围扩大的趋势。根据有关资料统计,1961 年,全省的受旱面积为 315.1 万 hm²,其中成灾面积在 218.7 万 hm² 以上;1978 年受旱面积也达到 266.7 万 hm²。1997 年,全省春、夏、秋均发生了不同程度的干旱,夏、秋作物累计受害面积 466.7 万 hm²,全省大中型水库蓄水量比常年同期减少近 30%,小型水库及塘坝干涸 3 000 多座,大多数河水断流,地下水位普遍下降 3~5m,绝大多数机井枯竭,无法使用,黄河引水困难,在夏季干旱最严重的时候,有 227 万人、67 万头大牲畜饮水困难,秋作物旱死绝收面积 52 万 hm²。2000 年,全省又遭受严重的旱灾,从 1 月 25 日至 5 月 7 日的 100 多天里,全省大部分地区出现了有气象记录以来同期从未有过的持续少雨、高温、多风天气,平均降水量仅有 20.3mm,为多年同期均值 142.2mm 的 14.3%,特别是信阳、驻马店、南阳、周口、平顶山、郑州等市共有 79 个县(市)降水量偏少 90% 以上。春播作物受旱面积 357.1 万 hm²,秋作物受旱面积 377.5 万 hm²,因旱减收粮食 277.6 万 t,经济作物损失 11.03 亿元,导致 214.85 万人、73.11 万头大牲畜饮水困难。并且,受旱的地区也比过去有所扩展,1997 年,历史上旱情较轻的豫西洛阳和三门峡旱灾最为严重,2000 年、2001 年,历史上旱情较轻的豫南也连续两年发生了严重干旱。

水资源短缺已成为河南省经济和社会发展的主要制约因素之一。全省水资源人均、亩均占有量都是全国平均水平的 1/6,大大低于国际公认维系一个地区社会、经济、环境发展所必须的人均 1 000m³ 的临界值。由于干旱缺水,许多河道断流、干涸或变成季节性河流,许多引水工程处于半闲置状态,一些企业由于缺水被迫停产或半停产。由于干旱缺水,导致过量开采地下水,使地下水资源日趋枯竭,有的城市出现地面沉降、建筑物产生裂缝等环境地质问题。根据全省国民经济和社会发展规划总体目标,到 2010 年河南省年缺水量达 70 亿~100 亿 m³,水的供需矛盾突出。

(二)雨涝

雨涝也是河南省主要的生态灾害之一。根据河南省气象局的资料,本省在1300~1911 年的 600 余年间,曾出现大涝 69 次,平均 8~9 年一遇。在大涝年份可以"平地行舟,禾谷尽没"。重涝年份平均约 33.3 万 hm² 农田受灾,如 1963 年有 246.7 万 hm² 农田受灾。雨涝主要在夏季,发生在淮河以北、京广铁路以东的广大平原和南阳盆地东南部的低洼地区。河南省雨涝发生的范围虽不像干旱那样普遍,发生的次数也较干旱少,但其危害不亚于干旱。如 1963 年和 1964 年两年,全省大范围的春涝,造成小麦大幅度减产。1964 年的秋涝,造成秋作物减产。1956 年的初夏涝,使小麦生芽霉变,丰产不丰收。河南省夏季降水强度大,不仅可能出现涝灾,而且可能出现洪水泛滥,1975 年 8 月淮河流域洪水泛滥,造成了新中国成立以来最大的洪涝灾害,本省中南部和安徽省西北部灾情惨重,大洪水冲毁 56 座水库的堤坝,其中大、中型水库各二座,其余为小型水库,导致许昌、驻马店、信阳三个地区和皖西北阜阳地区 40 多县被水淹没,淹死 40 000 灾民。2000 年,全省 14 个市的 106 个县(市、区)遭受了不同程度的洪涝灾害,受灾人口 2 265.3 万人,倒塌房屋 25.81 万间,因灾造成 47 人、6.9 万头牲畜死亡,直接经济损失总额约 121.4 亿元。

（三）干热风

河南省每年都有不同程度的干热风发生，一般是东部多于西部，北部多于南部。干热风发生以豫东和豫北平原最重，平均 10 年 6～8 遇，最多 10 年 8～9 遇，少则 10 年 2～5 遇。淮河以南和豫西山区较少，平均 10 年 1～2 遇。

（四）大风

春季，全省普遍多大风，出现天数也较多，8 级以上的大风最多每月可达 12 天，短时风力一般 8～9 级，最高达到 10 级。

受冷空气影响，来自西伯利亚的冷空气分三路南下进入省内，东、中两路从华北平原入侵，西路沿黄河南岸、新安县、孟津县南下或沿黄河直下豫东。以西北风为多，最大风速（＞25m/s）出现在豫北淇县和豫东兰考县一带。由于蒙古高压的势力强大，中心气压可达 1 050mbar 左右，冷空气经常从北、东北方向侵入，致使气压普遍升高，风速增强，年均出现大风（17m/s）的日数为 5～15 天，多者达 40 天左右，特别是春季大风多。鹤壁市至平顶山市与三门峡市至开封市的十字交叉区 20 多个县为大风区，年均大风日数在 20 天以上。根据 1958 年至 1981 年 23 年的气象资料，中牟至开封超过 17m/s 的 8 级大风共出现 409 次，年均 17.8 次，其中 3、4、5 月份平均出现 7.6 次，12、1、2 月平均出现 6 次，冬春共 13.6 次，占全年平均值的 76％。大风会危害农作物、毁坏通讯和电力设施以及吹毁房屋。1962 年春，兰考县的一场大风，麦苗被连根拔起，全县受灾耕地 1.6 万 hm²，其中 0.8 万 hm² 小麦颗粒无收。

（五）沙暴

河南省也有沙暴灾害的发生。由于历史上黄河水挟带的大量泥沙，在本省境内多次决口泛滥改道沉积，经风力搬运，形成了大面积的岗洼相间、连绵起伏的沙丘、沙地、沙垄。据记载，从公元前 206 年至公元 1938 年，黄河决口泛滥 413 次，每次泛滥都留下大片的沙化土地。最近一次是 1938 年 6 月，国民党在郑州花园口扒开黄河大堤，黄河水自花园口沿贾鲁河向东南方向流去，流经本省的中牟县、尉氏县、扶沟县、太康县、西华县、淮阳县等 12 个县，淹没良田 66.7 万 hm²，留下了大面积的沙丘和沙地。沙化土地主要分布在本省的东部和北部，北起台前县，西到孟州市，南达周口市，东至夏邑县。地跨安阳、鹤壁、濮阳、焦作、新乡、郑州、开封、商丘、许昌和周口等 10 个市的 44 个县（市、区）。截止到 2000 年，沙化土地总面积 650 499.8hm²，占区域面积的 15.7％。在河南省黄河故道沙区，由于气候干燥很少降水，在 2～5 月份伴随大风产生沙暴灾害，常发生能见度小于 1 000m 的沙尘即"沙暴"，使空气质量下降，能见度降低，导致农田被掩埋、地表肥土被刮走，造成大气中尘埃含量增加和空气污染，给交通、野外作业和人民生活带来不便，也给农林业生产造成严重损失。据史料记载，中牟县官渡镇长庄村因风沙埋没曾被迫 3 次搬迁，县境内的陇海铁路也因风沙所迫而北移改道。1969 年春季，中牟县连续 8 天大风，风沙毁坏小麦 100 万 hm²，其中，绝收 0.71 万 hm²。1994 年，开封县杏花营的流沙将新开的公路沟填平 3 次，花生播种 4 次才出幼苗，种子损失 1 840kg。沙暴还造成铁路路基风蚀和线路积沙，造成铁路路基塌方或堵塞线路，危及行车安全，陇海线河南豫东段及新菏线（新乡至山东菏泽）段铁路线沙害比较严重。

(六)滑坡和泥石流

河南省作为全国第一人口大省,人口密度为每平方公里 576 人,山区人口众多,生态环境十分脆弱,滑坡和泥石流灾害严重,据有关统计资料,全省已发生崩塌区和潜在崩塌区有 91 处,已发生滑坡区和潜在滑坡区有 1 563 处,已发生泥石流沟和潜在泥石流沟 464 条,每年由山体崩塌、泥石流等灾害造成的直接损失都在数千万元。

(七)水土流失

河南省水土流失形势严峻,全省现有水土流失面积 239.6 万 hm²,山区、丘陵区每年流失土壤总量 1.2 亿 t。特别是黄河流域,水土流失面积已超过 60%,三门峡库区每年因水土流失输入库区的泥沙达 800 万 t,汛期洪水含沙量 299kg/m³,最高达 622kg/m³。新中国成立以来,全省因水库淤积损失库容量近 40%。伊河、洛河、沁河等河流的河床比 1956 年普遍淤高 1.8m,1956 年在三门峡水库上游修建的 16 座水库已全部淤平报废。长江、淮河等流域的支流也不同程度地存在着水土流失和泥沙淤积的问题。淮河流域的黄土丘陵区,地形支离破碎,顶部平缓,坡面陡峭,切割明显,植被覆盖差,顶部多开垦为农地,土体厚而疏松,水土流失严重,水土流失面积占 63.3%,年土壤侵蚀模数为 3 224t/km²。河南省黄河中游由于水土流失,河流泥沙含量每立方米达 37.4kg,不仅造成河床升高,河道淤积,而且是黄河下游泥沙淤积、河床平均每年升高 10cm 的部分泥沙来源。水土流失还造成水库淤积。近几年,仅郑州市的巩义市、荥阳市、惠济区,水库被淤积的就有 5 座,设计库容 1 800 万 m³ 的坞罗水库,现仅能蓄水 300 万 m³。郑州市的尖岗水库和常庄水库是郑州市最重要的备用水源,多年平均每年向城市供水量为 3 000 万 m³ 以上,能极大地缓解郑州市供水紧张局面,但是由于两库位于黄土丘陵地区,水土流失造成水库淤积。据调查,尖岗水库 1970 年建库以来至 1993 年,23 年间淤积量已达 376 万 m³,平均每年淤积 16.9 万 m³,有效库容量不断缩小,标高 130.5m 处的水位库容量 1973 年为 56 万 m³,1993 年仅为 4.183 万 m³;标高 140.5m 处的库容量 1970 年为 903 万 m³,1993 年下降为 594 万 m³。小浪底水库周围,水土流失面积比例在 70% 以上,年土壤侵蚀模数 1 020～2 850t/km²,直接流入小浪底水库的 15 条支流,每年要将 135.9 万～188.5 万 t 的泥沙注入小浪底库区,严重影响着小浪底水库的使用寿命。水土流失加剧了本省的水资源紧缺状况,全省总水资源拥有量 440 亿 m³,人均 414m³,只相当于全国平均水平的 1/6,其原因之一是森林资源少,森林蓄水量低雨水顺山跑,白白流失了。

二、河南林业生态建设工程及生态意义

林业生态工程是根据生态学、林学及生态控制论原理,设计、建造与调控以木本植物为主体的人工复合生态系统的工程技术。我国的林业生态工程建设根据地域性的不同又分为山丘区林业生态工程建设、平原区林业生态工程建设、沙丘区林业生态工程建设和沿海地区林业生态工程建设。

河南省地处我国中部,地域辽阔,太阳光照充足,降水比较丰沛,水热同期,气候优越,动植物资源丰富,地跨淮河、黄河、长江、海河四大流域,林业生态建设在全国的生态安全中起着影响南北、涉及东西的重要作用。

河南省是一个拥有 9 000 多万人口的农业大省,人口数量在全国居首位,庞大的人口

基数及其持续的增长趋势将使全省长期面临人口、资源、环境与经济发展的巨大压力和尖锐矛盾,环境的恶化造成的水土流失严重和水、旱、风、沙自然灾害频繁发生等突出的生态问题,已严重制约着经济的发展。从 20 世纪 80 年代末,河南省委省政府逐步将林业建设的重点转移到环境建设上,制定了以绿化荒山为主要内容的《河南省十年造林绿化规划》,至 1999 年底,在"完善平原、主攻荒山"的方针指导下,全省圆满完成了规划中的造林任务。为遏制并扭转全省生态环境日益恶化的趋势,充分发挥森林在生态环境保护中的主体作用,先后制定了《河南省生态建设规划》《河南省林业生态工程建设规划》,全省已经并正在组织实施一批重点林业生态建设工程,以重点林业生态建设工程为骨架,建立覆盖全省的林业生态体系。

(一)黄河中游林业生态治理工程

在河南省境内三门峡、洛阳、郑州、焦作、济源 5 个市的 22 个县(市、区)黄河支流上游营造水源涵养林,在黄河干流和支流两岸营造护岸固坡林和水土保持林。省内黄河中游地区山高坡陡,沟壑纵横,地形破碎,植被稀少,水土流失面积比例达 63%。其中的黄土丘陵地区,除 40% 的梯田外,其余均为水土流失严重区,年土壤侵蚀模数一般为 4 000～6 000t/km²,陡坡地土壤侵蚀模数达万吨以上;区内有侵蚀沟 2 万多条,深达 30～70m。随着沟谷的扩展,耕地面积日趋减少。30 年来,因水土流失,该区平均减少耕地面积 10%,局部严重地区减少 18%～20%。在三门峡库区 822km² 的范围内,每年因水土流失进入水库的泥沙高达 800 万 t,库区塌岸现象十分严重,28 年来塌岸总量达 18.7 亿 m³。位于该区的小浪底水库库区多为岩石裸露的石质山地和沟壑纵横的黄土丘陵台地,均属强度或极强度侵蚀地区,近年来,仅济源市就出现了 8 万多处山体滑坡;新安县近年来出现的滑坡有 8 000 多处,其中,最大的一次是西沃乡的大滑坡,滑体长 200m,宽 300m,厚 15m,有的直接进入库区,有的通过溪流和支流将大量的泥沙带入水库,严重影响着小浪底水库的使用寿命,按现在的泥沙量计算,小浪底水利枢纽的使用寿命仅有 20 年左右。水土流失造成水库淤积,河床升高。

通过开展黄河中游林业生态治理工程,恢复和扩大森林植被,提高该区域的森林植被覆盖率,可以利用森林植被涵养水源、保持水土的生态作用,有效地控制水土流失,减少水土流失和崩塌滑坡,调节河道径流和减免旱灾,提高土壤肥力,为农业生产创造良好的气候条件,为延长国家建设的重点工程小浪底水利枢纽的寿命,保障黄河中下游地区的长治久安,保障小浪底水利枢纽正常运营和长期发挥效能的战略任务,提升三门峡、小浪底生态旅游资源的价值具有十分重要的战略意义。

(二)淮河防护林工程

淮河防护林工程建设区域包括信阳、周口、商丘、开封、许昌、漯河、平顶山、郑州、驻马店、洛阳、南阳等 11 个市的 66 个县(市、区),按照"因地制宜,因害设防"的原则,分为大别山山地水源涵养林和水土保持林区、桐柏山浅山丘陵区水源涵养林和水土保持林区、伏牛山东部丘陵区水土保持林区等 3 个大的区域实施。

我国六大江河之一的淮河发源于河南省桐柏山,集水流域包括省内的伏牛山、大别山的一部分,在省内的流域面积占淮河流域总面积的 46.2%,占全省土地总面积的 52.8%,是河南省最大的水系。南侧的支流浉河、竹竿河、潢河、史灌河、白露河均发源于本省南部的大别山地,北侧的支流大部分发源于豫西山地,小部分发源于本省黄河堤岸以南的平坡地。由于淮河上游流短、坡陡、比降大、流急,一遇大雨洪峰急速形成而发洪水,形成"小雨小灾,大雨大灾"的水灾多发状况。淮河流域历史上洪水危害十分严重,1954 年 6 月、1975 年 8 月、1991 年 7 月的特大洪水均造成流域内人民生命财产的严重损失,特别是1975 年 8 月的洪水,由于上游本省的森林植被破坏,水土流失严重,洪水急速形成,导致本省板桥、石漫滩两座大型水库崩溃,形成了历史上罕见的巨大洪灾。此外,由于淮河流域的气候属于我国北亚热带向暖温带过渡的季风气候,降水的时空分布不均衡,旱涝灾害频繁发生。遇暴雨发生洪涝灾害,长时间不下雨又发生旱灾。"治水必治源,治源必治山,治山必治林"。要治理好淮河流域的水旱灾害,必须加强本省淮河流域的林业生态建设,提高上中游地区的森林覆被率,增强森林生态功能。淮河是流经河南、安徽、江苏三省,长达 1 000km 的大河,所以,河南省境内的淮河中上游林业生态建设不仅是解决本省水旱灾害问题的需要,也直接关系到淮河中下游地区安徽和江苏两省的生态安全,而且还直接关系到京广、陇海铁路的安全。

通过该项工程的实施,扩大境内淮河上游山区的水源涵养林、中游丘陵区的水土保持林和淮北平原农田堤岸防护林的面积,利用森林植被涵养水源、保持水土的生态作用,蓄存雨水,调节径流,削峰减灾,可以改变河南省淮河两岸岗地畈田内涝区"大水大灾、小水小灾"的水灾多发,以及旱涝灾害交替发生的状况,对维护中下游地区的安徽、江苏的生态安全也有重要作用。

(三)长江中上游防护林工程

河南省长江中上游防护林工程建设区域包括南阳市的 12 个县(市、区),主要开展丹江口水库、鸭河口水库库区和唐河、白河、湍河流域的水源涵养林、水土保持林和护岸护滩林的造林与封山育林。

该项工程建设具有重要的生态意义。一是工程区包括国家南水北调中线工程的水源区——丹江口水库库区,丹江口水库是目前亚洲最大的人工湖泊,国家南水北调中线工程的水源,南水北调中线工程从丹江口水库引水的渠首位于其中。而目前库区周围荒山面积多达 3 万 hm²,并且荒山多为石灰岩,岩石裸露,土层瘠薄,水土流失严重,年土壤侵蚀模数 4 042.5t/km²,交通不便,造林种草难度大,生态治理任务艰巨。建设好该项工程,利用森林植被涵养水源、净化水质的生态作用,对于保证国家南水北调的水源和水质,为北京、天津、河北等省市人民的生产生活提供高质量的充足水源有直接的关系。二是关系到工程区丹江口水库和鸭河口水库两大水库的使用寿命和生态安全。由于库区周围的土壤侵蚀,丹江口水库平均年淤积泥沙 4 486 万 m³,已经大大缩短了丹江口水库的使用寿命。工程区内的鸭河口水库灌区是河南省设计灌溉面积最大的自流灌区,现有有效灌溉面积 39.9 万 hm²。开展该项工程,利用森林植被保持水土的生态作用,可以减少两大水库的泥沙淤积,延长水库的使用寿命,充分发挥丹江口水库为南水北调提供水源和鸭河口水库的灌溉作用。三是减轻长江的防洪压力。该工程区的丹江、唐河和白河是汉水的重要支流,丹江是汉水最长的支流,汉水是长江最长的支流,丹江、唐河和白河对长江防洪蓄水的地位十分重要,在该区域开展林业生态工程,利用森林植被涵养水源、保持水土的生态作用,蓄存降水,减少水库泥沙淤积,保证水库有足够的蓄水库容,不仅可以减轻长江的防洪压力,而且对整个江汉平原的防洪安全都十分重要。

(四)太行山绿化工程

河南省的太行山绿化工程区包括安阳、鹤壁、新乡、焦作、济源 5 个市的 10 个县(市、区),采取人工造林、飞播造林和封山育林,重点建设境内的水土保持林体系。

境内太行山分属于黄河和海河两大水系。卫河和漳河是海河水系的两大支流,沁河、丹河和蟒河是黄河的支流。该区已建成中小型水库 85 座,总库容 4 亿多立方米,有效灌溉面积 3.3 万 hm²,旱涝保收面积 1.18 万 hm²。太行山为华北大平原的西侧屏障,是海河及黄河支流的发源地。区域自然条件差,降水集中,且年降水差异很大,水旱灾害较多,土壤瘠薄,植被稀少,暴雨常引起山洪暴发,造成山坡塌方,水土流失严重,全区每年流失土壤总量 1 257.6 万 t,其中 900 多万吨泥沙沉积在河道和水库。

开展太行山绿化工程,利用森林植被调节气候、涵养水源、保持水土的生态作用,对根治海河、黄河,减少华北平原和京津地区的水旱灾害,保证供水和人民生命财产的安全,改善农业生产条件和居民生活环境,具有重要的战略意义。

(五)天然林保护工程

河南省的天然林保护工程按照国家天然林保护工程的总体规划,主要在省内黄河流域重点地区实施天然林保护工程。工程区包括黄河一级支流洛河、伊河的源头两侧,大中型水库如小浪底水库、三门峡水库的集水区,主要山脉顶部和山脊及其他破坏难恢复的生态地段。具体是境内黄河流域三门峡市的 6 个县(市、区)、洛阳市的 8 个县(市、区)和济源市,共计 25 个县(市、区),以及上述范围内的 26 个国营林场。工程区林业用地面积 131.94 万 hm²,其中天然林面积 29.23 万 hm²。在工程区内停止采伐,采取造林和封山育林绿化荒山荒地,有计划、有步骤地开展退耕还林。

天然林是地球上功能最完善、结构最复杂、初始生产力最高的资源库、基因库、蓄水库、贮碳库和能源库,在调节气候、涵养水源、保护生物多样性、维护生态平衡等方面,具有人工林所无法比拟的重要作用。天然林是维护陆地生态平衡、促进生态良性循环的重要调节器,对改善生态环境,维持生态平衡起着决定性的作用。天然林生态系统中的物种多样性最丰富,天然林消退会使生物多样性面临最大威胁。保护天然林资源,不仅是直接地保护天然林中的物种多样性,更重要的是保护物种的生存生境。天然林生态系统多样性提供了物种多样化的生境,不仅具有丰富的遗传多样性,而且为物种进化和产生新种提供基础。天然林所保持的众多的物种基因,对培育抗性强的物种,对生物工程的基因转移有着深远的意义。天然林的破坏导致生态环境恶化,会引起温室效应、水土流失、土地荒漠化、气候失调等问题,从而严重影响农田、草原、湿地等生态系统的生物多样性。因此,生物多样性保护需要依靠天然林保护来体现和维护。

河南省天然林保护工程项目的实施,除能最大限度地改善当地的生态环境外,还可以有效地扩大本省森林资源的数量,使野生动植物生存环境得到改善,使本区域的濒危和珍稀动植物物种和生态系统的多样性得到保护,在保护本省的生物多样性方面意义重大。

(六)农田林网化建设工程

按照"巩固、完善、提高"的原则,在未形成林网、没有实行农林间作的农田上营建农田综合防护林体系,并对已建的农田防护林体系进行完善提高,构筑平原农区防御自然灾害的林业生态屏障。

平原区农田林网能降低风速,提高近地层空气湿度,减小近地层空气温度和土壤温度的变化幅度,减少地面蒸发,增加水平降水,提高平原区水资源的利用效率。在林带作用的范围内,由于风速减弱,使得林网内作物蒸腾和土壤蒸发的水分在近地层大气中逗留的时间相应延长,提高林网近地面的绝对湿度。林网内部的蒸发要比旷野小,可以减少林网内农田土壤的蒸发量和作物蒸腾量,改善农田的水分状况。

通过该工程的建设,可以利用农田防护林调节小气候、防风固沙的生态作用,调节和改善本省平原农区的小气候,防止风沙和干热风的危害,提高土壤肥力和改良土壤,维持本省农田生态系统的生态平衡,保持粮食生产的稳产高产。河南省修武县在1960~1974年的14年间,共出现干热风130天,其中1970年以前全县未实现农田林网化,共出现干热风96天,平均每年出现9.6天;而1971~1974年,全县基本实现农田林网化,共出现干热风24天,平均每年出现6天。

(七)防治沙漠化工程

工程区包括安阳、鹤壁、濮阳、焦作、新乡、郑州、开封、商丘、许昌和周口等10个市的43个县(市、区)。主要目标是对流动、半流动沙丘进行固沙造林,对已毁林耕种的防风固沙林地实行退耕还林。

实施该工程可以有效地控制河南省沙区的风沙危害,改善沙区的生态环境,还可以减少大中城市空气的悬浮颗粒物污染。据尉氏县气象部门统计,沙区造林成林后,绝对最高气温降低2℃,大于35℃的高温天气平均每年减少7.6天,年蒸发量平均减少306.1mm,风速平均降低27%,8级以上的大风天数由平均13.5天减少到5.5天,无霜期平均延长6天。据内黄县气象部门记载,该县黄河故道区造林后的1997年与造林前的1983年相比,每年8级以上的大风平均由7天减至5天,平均风速降低3%,干热风季节气温降低1~3℃,相对湿度提高2%,土壤含水量增加3%,年平均蒸发量减少2%,无霜期由240天延长到245天。据尉氏县水利部门测定,主要河道的泥沙淤积量由造林前1957年至1969年的年平均3.68万 m^3,减至造林后1970年至1982年的年平均0.74万 m^3。由于河道泥沙淤积减少使河道畅通,加之树木的生物排水作用,沙区地下水位不断下降,全县过去碱化了的0.87万 hm^2 土地逐渐退碱,重新变为良田。据环保部门提供的资料,1998年3月13日至19日,郑州市空气污染指数超过200,污染物主要是悬浮颗粒物,其主要来源是近郊中牟县的风沙。所以,在河南省实施防治沙漠化工程,还有助于维护郑州等本省大中城市生态安全。

(八)城郊林业生态工程

以改善城市生态环境,提高城市居民生活质量为主要目标,以环城防护林带、道路绿化和成片风景林建设为主要内容,建设高标准、高效能环城生态防护林网络,实现生态防护、绿化、美化协调统一。

城郊林业生态工程建设有利于改善城市生态环境。一方面可以对周围有沙区的城市起到固定沙丘的作用,同时对外来风沙起到阻挡作用;另一方面可以改善城市气候条件,还能够为野生动物提供栖息地。城市由于土地资源紧缺,难以提供大面积土地营造森林园区供野生动物栖息,在城市郊区发展林业,有利于野生动物在城市周围繁衍生息。城郊林业生态工程建设还能够带动城郊旅游开发,现在,城市居民对节假日外出生态旅游的需求增加,在城市郊区建设森林生态园区,市民在节假日可以就近旅游,避免在短的节假日市民无处可去,既满足了市民的新需求,又能够促进城郊旅游开发。城郊林业生态工程建设还具有维护城市生态安全的重要作用,城郊森林保持水土、涵养水源、防风固沙的作用能够对城市周围的水源起到防护和调蓄作用,对生态灾害起到缓冲作用。

河南省省会郑州市计划从 2003 年起,用 5 年时间,在三环以外、环城高等级公路以内、北到黄河滩区,规划总面积 12.7 万 hm^2 的区域内,总投资规模 5.5 亿元,建设郑州市风沙源生态治理工程,形成环郑州市的森林带。用森林植被覆盖沙地、封锁沙源、阻挡风沙、涵养水源,并将环城森林带建成生态带、观光旅游带和经济带,增加城区公共绿地,改善城市生态环境。环郑州市的森林带对空气的净化作用有利于减轻郑州市严重的空气污染,在 2002 年全国 96 个重点城市空气质量日报排名中,郑州市倒数第 11 名,截至当年 11 月 30 日,郑州市市区大气质量优于二级的天数为 203 天。空气污染严重,增加了郑州市城郊林业生态工程建设是必要的。

(九)自然保护区建设工程

到 2000 年底,河南省已建立各级自然保护区 20 个,其中,国家级 6 个,省级 14 个,总面积达到 35.6 万 hm^2,占全省国土面积的 2.1%;建立风景名胜区 28 个,其中,国家级 4 个,省级 24 个;森林公园 39 处,其中,国家级 13 个,省级 26 个。

由于河南省地处南北过渡带的独特地理位置,具有南北过渡带的自然生态特色,自然条件比较优越,生态环境质量良好,适合多种动植物的繁衍、生长和发育;地质古老,地形复杂,不仅珍稀动植物种类多,而且有一些稀有群落和众多的新物种;森林茂密,森林生态系统既具有典型性和完整性,结构又具有复杂性,因而保藏、庇护、孕育、繁衍着大量动植物和微生物,蕴藏着大量未知的生物种类。全省地跨北亚热带和暖温带两个气候带,既是南北植物交汇的地域,也是古北界和东洋界两大动物区系的交汇区,是动植物的天然基因库。南北动植物区系在此交错分布,是多种动植物区系成分的交汇带,所以动植物资源比较丰富,自然景观优美多样。全省已经发现的维管束植物有 199 科、1 107 属、3 830 种。其中,草本植物约占 2/3,木本植物占 1/3。被子植物有 160 科,占全国同类总科数的 63.7%、总属数的 35.9%、总种数的 14.1%。药用植物多达 1 200 余种,其中辛夷、山茱萸产量均居全国第一位,四大怀药闻名海内外。竹类有 6 属、21 种、1 个变种、2 个变型。本区植物既具有南北不同地带明显的过渡特征,又具有自高山到平原不同环境的复杂性;既有占多数的暖温带植物,又有亚热带和热带植物。此外,由于本省植物区系起源古老,尚保留一些古老的残遗植物,所含世界性单种、少种以及我国特有属众多。本省还保存有丰富的珍稀濒危植物,有国家二级重点保护植物种 12 种,国家三级重点保护植物 40 种,还有省级重点保护植物 46 种。在河南省内的太行山区,还分布有本省独有的植物——太行花。2002 年 10 月份,在嵩山太室山南麓又发现了稀有树种古橿树群,是嵩山现存活的植物化石之一,是研究嵩山地区古代的生物种类、地质地貌和生态气候的实物例证。在本省的国家重点保护植物中,有很多属于重要的经济植物、药用植物、用材树种和园林绿化观赏树种。除此之外,本省的野大豆、紫斑牡丹是大豆和牡丹育种的珍贵野生种质资源。生存已受到威胁的有秦岭冷杉、麦吊云杉、八角莲、延龄草、紫斑牡丹、铁皮石斛等濒临绝迹。在国家公布的 132 种珍贵树种名录中,本省有 18 种,其中国家一级珍贵树种 3 种,二级 15 种。

野生动物是自然环境的重要组成部分,保护、发展和合理利用河南省的野生动物资源,对于维护生态平衡,改善自然环境,促进河南省社会经济持续稳定发展意义重大。河南省境内野生动物种类较多,各类陆栖脊椎动物共有 400 余种,占全国陆栖脊椎动物总种数的 1/5 左右。其中哺乳类 60 种,占全国的 14.5%;鸟类 300 种,占全国的 25.5%;爬行类 35 种,占全国的 11.1%;两栖类 23 种,占全国的 14.5%。河南省还是昆虫资源大省,有昆虫 7 387 种,种类居全国前列。陆栖脊椎动物分属于世界动物地理区划中的古北界和东洋界。古北界和东洋界在河南的分界线是沿伏牛山脉向东南倾斜至淮河,此线以南属于东洋界中印亚界,是我国动物地理区划中的华中区;此线以北属于古北界东北亚界,是我国动物地理区划中的华北区。珍稀动物较多,全省有国家重点保护的鸟类 36 种,其中,国家一类保护的鸟类 5 种,国家二类保护的鸟类 31 种;省级重点保护的鸟类 23 种;国家重点保护的兽类 12 种,其中,国家一类保护的兽类 2 种,国家二类保护的兽类 10 种;省级重点保护的兽类 9 种。2002 年 10 月份,在焦作市修武县云台山国家风景名胜区内的马鞍石水库,又发现了地球上最原始、最低等的无脊椎动物之一桃花水母,是迄今为止我国发现桃花水母纬度最高的地方。这一珍稀动物于 2002 年 3 月刚刚被列入国家濒危野生动物红色名录,与大熊猫、野马列为同一类濒危野生动物。

由于人为的破坏,天然林面积较 20 世纪 50 年代减少了近一半,许多重要的用材树,如太白冷杉、华山松、铁杉等,分布范围和密度已大大减小;许多珍贵的动物,如大鲵、长尾雉、红腹锦鸡、青羊、水獭、石鸡等,已处于灭绝的边缘。

野生动植物资源不同于矿藏、土地、能源和水等资源,兼有四大基本功能和一大特点,即生态功能、物质资源功能、遗传基因功能、文化功能和可再生性。这四大基本功能和一大特点,使野生动植物资源在我国全面建设小康社会的过程中具有不可替代的重要地位。

野生动植物承担着物质循环、能量流动和平衡生态的重任,是维持陆地生态系统整体稳定的基本因素,在维护自然生态平衡中发挥着基础作用。保护得当,就能促进其充分发挥生态效益,为人类营造良好的自然生态环境;保护不当,就可能导致某些物种种群的丧失,破坏自然生态系统的结构,危及生态平衡。特别是自然生态系统中的一些关键物种,一旦消亡,将可能导致连锁反应,直至打破自然生态系统的稳定性,导致灾难性影响。

野生动植物资源在实现社会经济可持续发展中具有不可替代的重要地位。自人类诞生以来,野生动植物就一直是人类社会发展的重要物质资源,不仅为早期人类提供了基本的食物、衣服,并且培植、驯化了我们至今赖以生存的粮食和畜禽。即使在科学技术高度发达的今天,在矿藏、土地和木材等资源逐步减少的大背景下,野生动植物作为一种可再生、可发展的资源,其在经济、文化发展中的物质基础地位更为突出。目前,我国野生动植物资源利用涉及到传统医药、特种皮革、民族乐器、工艺品制造等众多产业,年总产值达 569 亿元,就业人口近 40 万人,为国民经济发展作出了巨大贡献。许多野生动植物资源还具有不可替代性,如麝香、鹿茸、紫杉醇的药用功效和某些海藻生产燃料油的潜力等。随着人类生态旅游、绿色食品、花卉培育等新型产业的兴起,培育和合理利用野生动植物资源的前景日益广阔,正在和已经成为城镇人口就业和农民增收的重要渠道。

　　野生动植物物种多样性种质在基因科研开发中具有巨大的潜力。野生动植物资源不仅具有直接的经济价值,其丰富多样的基因资源用于科研开发的潜力更是难以估量,已成为国际上特别是发达国家激烈争夺的焦点。利用野生动植物基因材料改良家禽家畜、农作物品种,已成为世界农业、畜牧业发展的一大方向,其效益极为显著。对野生动植物基因资源的研究开发,可以为人类生产出大量新型材料、新药品,对高新生物产业的发展和保障人类健康,具有不可估量的意义。因此,野生动植物基因知识产权的竞争,关系到未来一个国家、一个民族的存亡兴衰。

　　同时,野生动植物还是社会发展的一大文化源泉。在早期人类发展阶段,野生动植物就深刻影响着人类的文化、美学、娱乐观念的启蒙和发展,鸟语花香、虎啸龙吟、莺歌燕舞、鸳鸯戏水等就是人类向往与自然和谐相处的具体表现。许许多多的文学家、艺术家也正是从千姿百态的野生动植物及其组成的自然美景中获得创作的源泉,才诞生了许多灿烂的文化杰作。现在方兴未艾的公园文化、生态旅游文化,也都是以野生动植物和森林为基本载体的。可以预料,在人类追求人与自然和谐发展的过程中,人类文化还将从野生动植物中得到更多的启迪,创造出更丰富的文化内涵。因此,保护野生动植物,倡导人与自然和谐相处的时代精神,还是维系、发展人类文化的必然要求。

　　开展自然保护区建设工程对保护河南省现有的天然林生态环境和自然景观,保护珍稀和丰富的物种基因,发挥河南省风景资源优美多样的优势,促进生态旅游发展,维护淮河、黄河、长江、海河等大江大河的生态安全,保障这些河流下游灌溉和工业用水发挥巨大作用,对科学研究和教学实验也有重要价值。

参考文献

1 河南省林业勘察设计院.河南省森林资源清查结果分析报告.2001 年 1 月

2 河南省气候中心.河南省气候资料累年值(1961~1990 年).1993 年 5 月

3 时子明.河南省自然条件与自然资源.郑州:河南科学技术出版社,1983

4 河南省综合农业区划编写组.河南省综合农业区划.1980 年 7 月

5 宋朝枢.伏牛山自然保护区科学考察集.北京:中国林业出版社,1994

6 河南年鉴编辑部.河南年鉴(2001).河南年鉴,2001

7 张敬增.河南平原绿化理论与技术.郑州:黄河水利出版社,2002(10)

8 中国农业百科全书林业卷编辑委员会.中国农业百科全书林业卷(上、下).北京:农业出版社,1989

9 王遂义.河南树木志.郑州:河南科学技术出版社,1994

10 河南森林编辑委员会.河南森林.北京:中国林业出版社,2001

11 刘启慎.太行山林业研究.郑州:河南科学技术出版社,1991

12 国家林业局.2000 中国林业发展报告.北京:中国林业出版社,2001

13 周泓洋,张连友.新世纪我国林业发展战略调整述评.人民日报,2001-02-23

14 华大礼.生态公益林补偿问题的探讨.浙江林业科技,2000(2)

15 王永安.森林公益价值知多少.森林与人类,1994(3)

16 河南省林业厅.河南省林业生态工程建设规划.河南林业,2000(1)

17 John MacKinnon,解焱.利用天然植被改善中国退化环境.北京:中国林业出版社,2001